BEITRÄGE ZUR
GESCHICHTE DER BIBLISCHEN EXEGESE

Herausgegeben von
OSCAR CULLMANN, BASEL/PARIS · NILS A. DAHL, NEW HAVEN
ERNST KÄSEMANN, TÜBINGEN · HANS-JOACHIM KRAUS, GÖTTINGEN
HEIKO A. OBERMAN, TÜBINGEN · HARALD RIESENFELD, UPPSALA
KARL HERMANN SCHELKLE, TÜBINGEN

18

Du corps psychique au corps spirituel

Interprétation de 1 Cor. 15, 35-49
par les auteurs chrétiens des quatre premiers siècles

par

FRANÇOIS ALTERMATH

1977

J. C. B. MOHR (PAUL SIEBECK) TÜBINGEN

CIP-Kurztitelaufnahme der Deutschen Bibliothek

Altermath, François
Du corps psychique au corps spirituel: interprétation de 1 Cor. 15, 35—49 par les auteurs chrétiens des quatre premiers siècles. — 1. Aufl. — Tübingen: Mohr, 1977.
(Beiträge zur Geschichte der biblischen Exegese; 18)
ISBN 3-16-138692-2

227.2
Al 79

204073

François Altermath
J.C.B. Mohr (Paul Siebeck) Tübingen 1977
Alle Rechte vorbehalten
Ohne ausdrückliche Genehmigung des Verlags ist es auch nicht gestattet, das Buch oder Teile daraus auf photomechanischem Wege (Photokopie, Mikrokopie) zu vervielfältigen.

Printed in Germany
Satz und Druck: Gulde-Druck, Tübingen
Einband: Heinrich Koch, Großbuchbinderei, Tübingen

ISSN 0408-8298

INTRODUCTION

Le présent travail se propose de retracer *l'histoire* de l'exégèse de 1 Cor. 15, 35—49, des premiers textes des Pères jusqu'au Concile de Chalcédoine. L'évocation d'une telle histoire nous semble revêtir un double intérêt. D'une part, elle met en évidence la méthode exégétique propre aux Pères de l'Eglise, et fait apparaître la distance qui sépare leur méthode de notre exégèse historico-critique. D'autre part, elle nous permet de découvrir combien la lecture des Pères est fonction de leur situation historique, ecclésiastique et philosophique[1]. En d'autres mots: notre travail est porté par une volonté de savoir historique et une curiosité herméneutique.

Nous avons choisi d'évoquer l'histoire de *l'exégèse de 1 Cor. 15, 35—49* en raison de la difficulté d'interprétation de l'antithèse paulinienne entre corps psychique et corps spirituel. Les avis des exégètes modernes sont partagés. Ceux des Scotistes et des Thomistes au Moyen-Age l'étaient aussi. L'exégèse patristique atteste-t-elle déjà le même embarras?

L'opposition des deux corps sous-tend plusieurs textes de l'apôtre (cf II Cor. 5, 1 ss; Phil. 3, 21), mais elle n'est clairement explicitée qu'en 1 Cor. 15, 44. Pour comprendre ce verset, il faut nécessairement le lire dans son *contexte scripturaire immédiat*, et donc tenir compte des versets qui traitent de la résurrection (vv. 35—38), de la nature du corps de résurrection (vv. 39—41), de la manière aussi dont l'apôtre éclaire l'opposition entre le corps psychique et le corps spirituel (vv. 42—45), en se référant au premier et au second Adam (vv. 46—49). Au vrai: toutes ces représentations se tiennent et s'entre-déterminent. On ne s'étonnera donc point de nous voir rappeler la compréhension que les Pères ont eue de chacune d'elles, pour mieux entendre la manière dont ils interprètent l'opposition paulinienne

[1] On peut noter que l'histoire de l'exégèse présente aussi un intérêt oecuménique, comme le souligne M. F. Wiles *The Divine Apostle*, Cambridge, 1967, p. 13: »To this day differences in the interpretation of Paul's teaching are an important factor in the continuing division between Catholic and Protestant understanding of faith. Thus the study of the earliest exegesis of Paul's writings cannot but have important bearings both upon history of doctrine and upon the ecumenical problems of our own day.«

entre corps psychique et corps spirituel, ce »hapax« de la terminologie de l'apôtre.

Notre étude comporte *deux parties:* une partie exégétique et une partie de description historique. *L'exégèse* fait appel à la méthode historico-critique. Elle entend replacer le texte paulinien dans son contexte historique, pour en faire une lecture non dogmatique. Cette approche exégétique est nécessaire à notre travail: elle doit permettre de situer les difficultés d'interprétation du texte scripturaire pour guider ensuite notre intérêt dans la lecture des commentaires patristiques. La seconde partie de notre travail se veut une *description historique*, phénoménologique en somme. Elle évoquera les interprétations de 1 Cor. 15, 35–49 que nous avons trouvées chez les Pères. Elle dira la manière dont ils ont approché le texte de l'apôtre et le rôle que ce texte a joué dans leur théologie. Nous avons consacré un chapitre à chaque auteur étudié. Forger une sorte de chaîne de citations (à la manière de P. Trummer, par exemple)[2] ne correspondait pas à notre intention.

Notre travail ne s'arrête qu'aux passages des Pères qui offrent une véritable exégèse ou une explication originale du texte paulinien. On ne trouvera donc ici aucune des citations pour »preuve scripturaire« ni les simples allusions à notre texte qui se lisent chez les Pères (bien que nous les ayons aussi patiemment collationnées). Par contre nous renverrons – comme il se doit – aux textes des Pères qui traitent de l'opposition entre corps psychique et corps spirituel, alors même qu'ils ne font pas mention explicite de la péricope dans laquelle saint Paul en parle. Le fait est courant chez les Pères apostoliques et chez les Apologistes.

Notre *conclusion* tentera de classer les différentes interprétations recueillies, en mettant en évidence leurs liens de parenté. Nous laisserons à d'autres le soin d'en tirer les leçons qui s'imposent au plan de la réflexion systématique et herméneutique.

Il nous reste à dire notre reconnaissance aux professeurs de la Faculté de théologie de l'Université de Neuchâtel; tout particulièrement à M. Ph.-H. Menoud, notre regretté maître de thèse qui n'a épargné ni son temps ni sa peine pour lire nos ébauches, puis le

---

[2] P. Trummer *Anastasis*. Beitrag zur Auslegung und Auslegungsgeschichte von 1 Kor. 15 in der griechischen Kirche bis Theodoret (Diss. der Universität Graz 1), Wien, 1970. Cf aussi W. D. Hauschild »Der Ertrag der neueren auslegungsgeschichtlichen Forschung für die Patristik«, *VF* 16 (1971), 5–25. L'auteur examine de façon critique les principaux travaux consacrés ces vingt dernières années à l'histoire de l'exégèse. Pour lui, l'histoire de l'exégèse ne peut pas se contenter d'être une simple nomenclature des différentes interprétations données pour un texte de l'Ecriture.

manuscrit d'une grande partie de ce travail; à M. W. Rordorf, professeur de patristique, qui a suivi notre recherche en nous prodiguant conseils et encouragements et qui a accepté la tâche délicate de succéder à M. Ph-H. Menoud dans la direction de cette thèse; à M. P. Barthel, Doyen de la Faculté, pour la lecture critique qu'il a faite de notre étude et les remarques pertinentes qu'il nous a communiquées; à M. A. Benoit, qui a mis gracieusement à notre disposition les microfilms du »Centre d'analyse et de documentation patristiques« de Strasbourg. Enfin, ce travail n'aurait pas vu le jour sans l'appui du »Deutscher Akademischer Austauschdienst« qui nous a permis de passer une année à Göttingen auprès des professeurs J. Jeremias, H. Conzelmann et E. Lohse, et sans l'aide du »Fonds national de la recherche scientifique« grâce auquel nous avons pu travailler à Cambridge auprès du professeur C. F. D. Moule.

Juillet 1974 François Altermath

TABLE DES MATIERES

I. EXÉGÈSE DE I COR. 15, 35–49

II. HISTOIRE DE L'EXÉGÈSE

ABRÉVIATIONS

AnBibl.	Analecta Biblica
ATA	Alttestamentliche Abhandlungen
AThANT	Abhandlungen zur Theologie des Alten und Neuen Testaments
AVThRw	Aufsätze und Vorträge zur Theologie und Religionswissenschaft
BAPh	Bibliothèque des Archives de Philosophie
BBB	Bonner biblische Beiträge
BHTh	Beiträge zur historischen Theologie
BKV	Bibliothek der Kirchenväter
BThH	Bibliothèque de Théologie historique
BZNW	Beihefte zur ZNW
CB. NT Series	Coniectanea Biblica. New Testament Series
CCL	Corpus Christianorum. Series latina
CGTC	The Cambridge Greek Testament Commentary
ChH	Church History
CNT	Commentaires du Nouveau Testament
CSEL	Corpus Scriptorum ecclesiasticorum Latinorum
DB	Dictionnaire de la Bible
DLZ	Deutsche Literaturzeitung
EPhM	Etudes de Philosophie médiévale
EScR	Etudes de Sciences religieuses
Et. bibl.	Etudes bibliques
EHPhR	Etudes d'Histoire et de Philosophie religieuses
EPROER	Etudes préliminaires aux religions orientales dans l'Empire romain
FKDG	Forschungen zur Kirchen- und Dogmengeschichte
FKGG	Forschungen zur Kirchen- und Geistesgeschichte
FRLANT	Forschungen zur Religion und Literatur des Alten und Neuen Testaments
FThSt	Freiburger Theologische Studien
GCS	Die griechischen christlichen Schriftsteller der ersten Jahrhunderte
Hdb. z. NT	Handbuch zum Neuen Testament
HThR	The Harvard Theological Review
ICC	The International Critical Commentary
JBL	Journal of Biblical Literature and Exegesis
JThS	The Journal of Theological Studies
KQSt	Kirchliche Quellen und Studien

KuD	Kerygma und Dogma
MBT	Münster Beiträge zur Theologie
NovTest	Novum Testamentum
NRTh	Nouvelle Revue théologique
NTA	Neutestamentliche Abhandlungen
NTD	Das Neue Testament Deutsch
NTSt	New Testament Studies
OrChrP	Orientalia Christiana Periodica
PG	Migne. Patrologia. Series graeca
PL	Migne. Patrologia. Series latina
PO	Patrologia Orientalis
PTA	Papyrologische Texte und Abhandlungen
PTS	Patristische Texte und Studien
RB	Revue Biblique
RBén	Revue Bénédictine
RechSR	Recherches de Sciences religieuses
RevSR	Revue des Sciences religieuses
RHE	Revue d'Histoire ecclésiastique
RHLR	Revue d'Histoire et de littérature religieuse
RITh	Revue Internationale de Théologie
ROC	Revue de l'Orient chrétien
RPh	Revue de philologie, de littérature et d'histoire anciennes
RSPhTh	Revue des Sciences philosophiques et théologiques
SC	Sources chrétiennes
Sc. eccl.	Sciences ecclésiastiques
Schol.	Scholastik
SQS	Sammlung ausgewählter kirchen- und dogmengeschichtlicher Quellenschriften
StD	Studies and Documents
StH	Studia hellenistica
StNT	Studien zum Neuen Testament
Str.-B.	Strack-Billerbeck Kommentar zum NT aus Talmud und Midrasch
StT	Studi e Testi
StTh	Studia Theologica
TETh	Textes et Etudes théologiques
TH	Théologie historique
ThGl	Theologie und Glaube
ThLZ	Theologische Literaturzeitung
ThQ	Theologische Quartalschrift
ThRv	Theologische Revue
ThViat	Theologia Viatorum
ThWbNT	Theologisches Wörterbuch zum Neuen Testament
TSt	Texts and Studies
TU	Texte und Untersuchungen
UB	Urban-Bücher
UUA	Uppsala Universitets Arsskrift

VF	Verkündigung und Forschung
VigChr	Vigiliae Christianae
WMANT	Wissenschaftliche Monographien zum Alten und Neuen Testament
YPR	Yale Publications in Religion
ZKG	Zeitschrift für Kirchengeschichte
ZNW	Zeitschrift für die neutestamentliche Wissenschaft und die Kunde der älteren Kirche

I. EXÉGÈSE DE I COR. 15, 35–49

1. Remarques préliminaires

a) Le contexte

Le 15e chapitre de la Première Epître de Paul aux Corinthiens ne commence pas par περὶ δέ, comme d'autres passages de la lettre, dans lesquels l'apôtre répond à une question posée par les Corinthiens[1]. Néanmoins, ici aussi, Paul a en vue la situation de la communauté de Corinthe. Il n'est pas utile de chercher à déterminer si la question de la résurrection a été vraiment posée par les Corinthiens — dans une lettre perdue aujourd'hui — ou si Paul, connaissant leurs opinions, prend lui-même l'initiative de s'y opposer[2].

---

[1] Cf 1 Cor. 7, 1; 7, 25; 8, 1; 12, 1; 16, 1; 16, 12.

[2] H. Lietzmann pense que le chapitre est motivé par une question écrite des Corinthiens au sujet de la résurrection corporelle, question rapportée par une lettre des Corinthiens à Paul, aujourd'hui perdue: »Wir können auch hier nur vermuten, daß der verlorene Brief der Korinther die Veranlassung zur Erörterung des Problems der leiblichen Auferstehung gegeben habe« (*An die Korinther I/II* [Hdb. z. NT 9], 4. Aufl., Tübingen, 1949 p. 76).Plusieurs commentateurs se demandent si les questions du v. 35 ont réellement été posées par les Corinthiens. Le P. Allo pense que »le sujet est ici d'une portée si élevée et si universelle, si dégagée d'applications contingentes ou de réprimandes (à la différence du sublime chapitre XIII), qu'il a pu être exposé dans les mêmes termes à bien d'autres auditoires qu'à celui de Corinthe« (*Saint Paul. Première Epître aux Corinthiens* [Et. bibl.], Paris, 1934 p. 419). Le même auteur poursuit ainsi: »Saint Paul, après avoir composé cette page en une heure d'enthousiasme, l'a peut-être écrite et gardée à part lui, peut-être utilisée quelques fois dans sa prédication orale, sans cesser d'en clarifier et d'en concentrer l'expression« (*ibid.* p. 419). C'est imaginer beaucoup. W. Schmithals, quant à lui, pense aussi que les questions du v. 35 n'ont pas été posées par les Corinthiens et que »V. 35 f. sagen also nichts über die Zustände in Korinth aus, sondern reflektieren lediglich die Anschauungen des Paulus darüber« (*Die Gnosis in Korinth.* Eine Untersuchung zu den Korintherbriefen (FRLANT N. F. 48), 2. Aufl., Göttingen, 1965 p. 147). Mais E. Brandenburger dévoile avec vigueur et justesse les présupposés de l'interprétation de Schmithals (*Adam und Christus.* Exegetisch-religionsgeschichtliche Untersuchung zu Röm. 5, 12–21 (1. Kor. 15)), WMANT 7), Neukirchen, 1962 p. 73 n. 2). Pour lui, comme d'ailleurs pour H. D. Wendland (*Die Briefe an die Korinther* [NTD 7], 10. Aufl. Göttingen, 1964 p. 132), les deux

L'important est de savoir quelle était la thèse défendue par les Corinthiens et quels sont les arguments avancés par l'apôtre pour la réfuter.

La structure du chapitre 15 est claire; ce qui est parfois sujet à contestation chez les exégètes, c'est la valeur théologique des différentes parties du chapitre. Un premier bloc est constitué par les vv. 1—11 dans lesquels Paul rapporte et développe la tradition relative à la résurrection du Christ. Nous n'entrons pas dans la difficile question de l'interprétation d'ensemble de ces versets[3], ni dans l'exégèse de détail[4]. Ce qui est essentiel, c'est de rappeler que Paul cite ici une ancienne confession de foi (vv. 3—5). C'est à partir de cette confession que se structure tout le chapitre, car l'apôtre traite à partir de là deux thèmes: a) la résurrection des morts (vv. 12—34); b) la manière dont ils ressuscitent (vv. 35 ss.).

Comment les deux questions sont-elles liées? Pourquoi Paul passe-t-il de la question du OTI de la résurrection à la question du

---

questions du v. 35 sont un reflet de la moquerie dont a été l'objet la thèse d'une résurrection corporelle et eschatologique de la part des Corinthiens. Paul, lui, ne peut pas imaginer une résurrection qui ne serait pas corporelle et eschatologique. C'est ce que les Corinthiens ne pouvaient pas admettre, comme l'a vu justement H. Lietzmann (*op. cit.* p. 83). Mais alors que ce dernier pense, comme J. Héring (*La première Epître de saint Paul aux Corinthiens* [CNT VII], 2e éd., Neuchâtel-Paris, 1959 p. 145) que les Corinthiens sont victimes du préjugé qu'il n'y a qu'une espèce de corps, E. Brandenburger y voit une autre raison: pour les Corinthiens, la résurrection s'est déjà réalisée lors du don de l'Esprit et c'est pourquoi ils s'engagent dans la voie d'un enthousiasme qui méprise les choses de ce monde — et donc aussi le corps.

[3] On sait que R. Bultmann interprète les vv. 1—11 comme »den Versuch, die Auferstehung Christi als ein objektives historisches Faktum glaubhaft zu machen« (*Glauben und Verstehen.* Gesammelte Aufsätze I, 5. Aufl., Tübingen, 1964 p. 54). Ce faisant, Paul, selon R. Bultmann, entre en contradiction avec luimême, »denn von einem objektiven historischen Faktum kann allerdings das nicht ausgesagt werden, was Paulus v. 20—22 von Tod und Auferstehung Jesu sagt« (*ibid.* p. 55). Ailleurs, R. Bultmann dit encore: »Die Tatsache der Auferstehung kann — trotz 1. Kor. 15, 3—8 — nicht als ein objektiv feststellbares Faktum, auf das hin man glauben kann, erwiesen oder einleuchtend gemacht werden. Aber sie kann — und sie kann nur so — geglaubt werden, sofern sie bzw. der Auferstandene im verkündigten Worte gegenwärtig ist« (*Theologie des Neuen Testaments,* 4. Aufl., Tübingen, 1961 p. 305). W. G. Kümmel interprète les vv. 1—11, en particulier 5 ss. autrement: Paul ne veut pas »prouver« la foi au ressuscité, mais le fait historique que des gens, les apôtres, ont vu et ont cru: »... daß diese Glaubenswahrheit eine von allen Aposteln bestätigte historische Wahrheit ist, auf der aller christliche Glaube ruht« (in: H. Lietzmann *op. cit.* p. 192).

[4] Notamment l'interprétation des vv. 3—5a, de la formule »selon les Ecritures«, de l'origine scripturaire du »troisième jour«, de l'identification des apparitions etc.

ΠΩΣ?[5] Dans les vv. 1—34, Paul, après avoir affirmé que le témoignage sur la résurrection du Christ est attesté historiquement (vv. 1—11) souligne le lien entre la foi et l'espérance (vv. 12—19): si la résurrection des chrétiens est niée, alors celle du Christ l'est aussi. La foi est vaine, il n'y a plus rien à espérer. Car Paul n'est pas un défenseur de l'immortalité de l'âme. La vie au-delà de la mort ne peut être qu'un miracle que les croyants espèrent dans la foi, et le terme σῶμα désigne aussi bien le présent de l'existence de l'homme que l'avenir qui verra se réaliser les promesses de vie faites dès ici-bas aux croyants. L'homme hors de la foi est dès lors caractérisé par les deux termes σῶμα et θάνατος, alors que le chrétien est décrit par σῶμα et ζωή[6]. C'est pourquoi il importait à Paul de faire comprendre à ses lecteurs le sens du terme σῶμα. C'est ce qu'il fait dans les vv. 35—44a où il utilise l'analogie du grain de semence, et dans les vv. 44b—49, où il introduit une autre analogie, celle des deux Adam, visant ainsi à serrer de plus près le sens de l'opposition des deux corps, le corps spirituel et le corps psychique. Nous verrons que cette analogie illustre toute la théologie paulinienne de la rédemption.

b) La thèse des Corinthiens

Que pensaient les Corinthiens au sujet de la résurrection? Cette question a été et est encore vivement débattue. Les différentes interprétations que l'on rencontre dans l'exégèse contemporaine peuvent se réduire à trois types: a) selon certains exégètes (R. Bultmann, E. Fuchs)[7] Paul présuppose que les Corinthiens nient la résurrection du croyant; mais l'apôtre s'est trompé; b) selon d'autres les Corin-

[5] La structure du chapitre 15 est bien mise en évidence par J. Jeremias »Chiasmus in den Paulusbriefen«, *ZNW* 49 (1958) 153 (= *Abba*, Studien zur neutestamentlichen Theologie und Zeitgeschichte, Göttingen, 1966 p. 287), mais l'auteur ne montre pas le lien qu'il y a entre les deux questions.

[6] R. Bultmann *G. u. V.* I p. 58.

[7] R. Bultmann *Theol.* p. 172: »Paulus mißversteht die Gegner freilich darin, daß er bei ihnen die Anschauung voraussetzt, mit dem Tode sei alles aus (15, 19.32)«. Paul aurait corrigé ses vues dans II Cor. 5, 1—5 cf. J. C. Hurd jr. *The Origin of Corinthiens*, London, 1965, pp. 196 ss. E. Fuchs qui, après avoir dit que la »nécessité« qui caractérise le chapitre 15 ne doit pas être interprétée comme un trait essentiel de la vision apocalyptique de l'histoire, refuse pourtant une autre interprétation du chapitre: »Ebensowenig dürfen wir uns durch den Umstand verführen lassen, daß Paulus offensichtlich auf einen Einwand aus der Gemeinde antwortet, den Paulus in V. 12 so formuliert: es gibt keine Auferstehung der Toten. Paulus mißversteht diese Christen vermutlich« (»Die Auferstehungsgewißheit nach 1. Kor. 15«, in: *Zum hermeneutischen Problem in der Theologie.* Gesammelte Aufsätze I, 2. Aufl., Tübingen, 1965 p. 200—201).

thiens s'achoppent à l'idée juive de résurrection (H. Lietzmann)[8]; c) enfin d'après une troisième interprétation (H. von Soden, W. Kümmel, J. Schniewind)[9], les Corinthiens se sont crus déjà dans l'état de résurrection. Ils confondent don de l'Esprit et résurrection.

Faute de posséder un écrit de la communauté de Corinthe, on doit essayer de retrouver la pensée des Corinthiens à partir de l'argumentation de Paul et de ce que l'on sait ou croit savoir du milieu dans lequel est née l'Eglise de Corinthe.

Au v. 12, Paul pose cette question: »Comment certains parmi vous peuvent-ils dire qu'il n'y a pas de résurrection des morts?« Cela signifie-t-il que les Corinthiens niaient la résurrection et que pour eux, tout se terminait avec la mort? R. Bultmann[10] et E. Fuchs[11] ont prêté à Paul cette interprétation de la thèse corinthienne et ont affirmé que l'apôtre avait mal compris les Corinthiens. Mais cette hypothèse se heurte au fait que dans sa réponse, Paul ne vise pas seulement à établir qu'il y a une résurrection pour les croyants: il précise encore quelle est cette résurrection et, à ce titre, les vv. 35–49 pourraient bien avoir une nuance polémique. Ils établissent en effet: a) que la résurrection sera une résurrection corporelle; b) que la résurrection est eschatologique.

Faut-il en conclure que les Corinthiens défendaient l'idée d'une résurrection spirituelle et déjà réalisée? Nombre d'indices, dans toute l'Epître, permettent de le penser. En effet, les Corinthiens apparaissent comme des gens qui prônent une sagesse à laquelle l'apôtre oppose la folie de la Croix (1, 17). Ils semblent s'en glorifier, au point que Paul leur demande s'ils sont déjà rassasiés, s'ils se sont

---

[8] H. Lietzmann *op. cit.* p. 79: »Vermutlich werden jene Gegner an der ›jüdischen‹ Auferstehungslehre Anstoß genommen (vgl. Act. 17, 32) und ihr gegenüber die griechische Lehre von der Unsterblichkeit nur der Seele betont haben.«

[9] W. G. Kümmel réfute la thèse de H. Lietzmann (in: H. Lietzmann *op. cit.* p. 192): »... die Auferstehung brauche nicht erst in der Zukunft zu geschehen, sondern sei bei den Christen schon jetzt geschehen, da die Christen im Geist leben«. Il avance les arguments suivants: 1. la thèse d'une résurrection de type juif contre laquelle se dresseraient les Corinthiens n'est pas attestée dans le NT, mais seulement dans II Clém. 9; Herm. Sim. V, 7, 2; Justin Dial. 80, 5 etc. 2. l'argumentation de Paul dans toute la lettre atteste chez les Corinthiens ce sentiment d'être arrivé au but (4, 8 et 8, 1). La même thèse que W. G. Kümmel défend était déjà apparue chez H. von Soden (»Sakrament und Ethik bei Paulus« in: *Das Paulusbild in der neueren deutschen Forschung*, Darmstadt, 1964 p. 361 n. 28). C'est aussi l'idée de H. D. Wendland (*op. cit.* p. 120) et de R. Bultmann (*Theol.* p. 172) qui, après avoir montré que Paul a mal compris les Corinthiens, énonce leur thèse: »sie haben nur die realistische Auferstehungslehre der jüdisch-urchristlichen Tradition bestritten. Die Anschauung konnte sich auch in den Satz kleiden: ἀνάστασιν ἤδη γεγονέναι d. h. die Auferstehungslehre konnte spiritualisiert werden (2 Tim. 2, 18; vgl. aber auch Joh. 5, 24 f. und Eph. 5, 14)«.

[10] R. Bultmann *Theol.* p. 172.

[11] E. Fuchs *op. cit.* p. 201.

déjà enrichis (4, 8); ils prônent le slogan »tout est permis« (6, 12; 10, 23), à quoi Paul répond que la connaissance enfle, mais c'est l'amour qui édifie (8, 1).

On peut alors se demander comment les Corinthiens peuvent en être arrivés à prétendre que »la résurrection a déjà eu lieu«[12]. Certains passages de la prédication de Paul ont pu laisser croire qu'avec le Christ et sa venue, tout était déjà accompli (par exemple Rom. 6, 4 ou Col. 2, 12). Mais chez l'apôtre, la nouveauté de vie n'est que la première étape de la rédemption. L'Esprit donné aux croyants n'est que les arrhes ou les prémices de la résurrection finale; et d'ailleurs cette idée de la résurrection future apparaît bien dans le texte de Rom. 6, 5: »si c'est un même être avec le Christ que nous sommes devenus par une mort semblable à la sienne, nous le *serons* aussi par une résurrection semblable.« Pourtant, le συνηγέρθητε de Col. 2, 12 ou le συνεζωοποίησεν ὑμᾶς σὺν αὐτῷ de Col. 2, 13 pouvaient être compris par les Corinthiens en dehors de toute la tension présent-futur caractéristique de la sotériologie paulinienne. De même aussi le »déjà« de Rom. 13, 11 et de 1 Cor. 4, 8 pouvait-il être considéré de façon absolue. Enfin les passages sur le don de l'Esprit au baptême et la vie »en Esprit« qui lui fait suite pouvaient inciter les Corinthiens à penser que la résurrection avait déjà eu lieu. Dans ce cas, on comprend qu'ils niaient à la fois la résurrection corporelle et le caractère eschatologique de celle-ci.

Face à une telle compréhension de la résurrection, l'argumentation que Paul développe dans les vv. 35–49 est particulièrement judicieuse. Lorsque l'apôtre dit de façon un peu massive au v. 12: »comment certains parmi vous disent-ils qu'il n'y a pas de résurrection des morts?«, il faut donc comprendre: »pas de résurrection future et corporelle.«[13]

2. *Exégèse de 1 Cor. 15, 35–49*

a) V. 35: le thème des vv. 36–58

Comme l'a noté J. Weiss[14], le v. 35 introduit une nouvelle section dans le style de la diatribe. La grande majorité des exégètes se ran-

---

[12] C'est la thèse des gnostiques de 2 Tim. 2, 18.

[13] C'est aussi ainsi que le comprend H. von Soden: »Ebenso handelt es sich m. E. 1. Kor. 15 nicht um Leugnung der Auferstehung – so formuliert Paulus von seinem eschatologischen Verständnis der Auferstehung aus –, sondern um die Behauptung, daß die Auferstehung schon erfolgt sei (in der γνῶσις, im πνεῦμα). Geleugnet wird in Korinth der somatische und eschatologische (beides gehört wesentlich zusammen) Charakter der Auferstehung« (*op. cit.* p. 361 n. 28).

[14] J. Weiss *Der erste Korintherbrief* (Meyer V), 9. Aufl., Göttingen, 1910 (Neu-

gent à cet avis. Ils se divisent par contre lorsqu'il s'agit de préciser quelle est la portée exacte des deux questions posées par l'apôtre, à savoir: »comment les morts ressuscitent-ils? Avec quel corps reviennent-ils?«

F. Godet[15] pense qu'elles n'ont pas tout à fait le même sens – cela ressort pour lui du δέ qui les lie (= »et de plus«); si »la première porte sur l'opération cachée par laquelle s'accomplit le réveil du corps livré à la mort«, la seconde porte »sur le résultat de cette opération mystérieuse, c'est-à-dire sur la nature et les qualités du corps ressuscité«. Le v. 36 répondrait alors à la première question, les vv. 37–49 à la seconde[16]. J. Jeremias[17] propose de voir dans le v. 35 deux questions bien distinctes, auxquelles Paul répondrait dans les vv. 36–58 sous forme de chiasme. La question »comment les morts ressuscitent-ils?« touche au déroulement des événements dont l'apôtre parle dans les vv. 50–57, alors que la question »avec quel corps reviennent-ils?« trouve une réponse dans les vv. 36–49. Il faut reconnaître que dans ce passage qui va du v. 36 au v. 58, Paul défend le caractère corporel et futur de la résurrection. Cependant, voir dans le v. 35 une sorte de plan des vv. 36–58 nous paraît trop subtil. H. Conzelmann[18], quant à lui, renvoie à 1 Cor. 10, 11 et 15, 56 où δέ introduit simplement une explication[19]. Cela nous

---

druck 1970) p. 367. On préférera l'appréciation sobre de J. Weiss à l'emphase du P. Allo: »Cette troisième section du chapitre est spécialement merveilleuse de doctrine, et, par endroits, de lyrisme. C'est un véritable ›discours de sagesse entre parfaits‹ que l'Apôtre donne à lire à ses pauvres Corinthiens« (*op. cit.* p. 419).

[15] F. Godet *Commentaire sur la Première Epître aux Corinthiens,* 2e éd., Neuchâtel, 1965 vol. II p. 397.

[16] On trouve la même interprétation dans le commentaire anglais de A. Robertson – A. Plummer *A critical and exegetical Commentary on the First Epistle of St. Paul to the Corinthians* (ICC), 2e ed., Edinburgh, 1914 p. 368: »The πῶς implies, What is the force that will raise the dead, and in what way does it act? The ποίῳ σώματι implies, What is the result of its action? What are the nature and properties of the raised body?«

[17] J. Jeremias *op. cit.* p. 287 (cf note 5).

[18] H. Conzelmann *Der erste Brief an die Korinther* (Meyer V), 11. Aufl., Göttingen, 1969 p. 332 n. 5.

[19] On peut noter que c'est ainsi qu'ont compris Str.-B. III, p. 473. A propos du v. 35a (la question »comment«), ils rapportent la querelle entre Schammai et Hillel au sujet du corps de résurrection:

Schammai	*Hillel*
Nicht wie seine (des Menschen) Bildung in dieser Welt ist auch seine Bildung (bei der Auferstehung) in der zukünftigen Welt.	*Wie* seine Bildung in dieser Welt, *ebenso* ist auch seine Bildung in der zukünftigen Welt.
In dieser Welt beginnt sie (im Mutterschoß) mit Haut und Fleisch und schließt mit Sehnen und Knochen; *aber*	In dieser Welt beginnt sie mit Haut und Fleisch und schließt mit Sehnen und Knochen; *ebenso* auch in der Zukunft: sie beginnt mit Haut und

paraît juste, car Paul ne peut se représenter une existence privée de corps ni dans la vie présente ni dans la vie future[20]. La résurrection corporelle est donc présupposée chaque fois qu'il parle de résurrection, donc aussi lorsqu'il demande: »comment les morts ressuscitent-ils?«. Face à la réduction spiritualisante de l'espérance chrétienne que représente la thèse corinthienne, Paul précise sa question: comment, c'est-à-dire, avec quel corps? Dans ce contexte, la seconde question est polémique.

b) Vv. 36—38: l'analogie du grain de semence

Commentant ces versets, le P. Allo déclare: »L'image (du grain de semence), si naturelle en soi, pouvait naître spontanément dans son propre esprit (à Paul), ou lui être inspirée par le souvenir du logion de Jésus, conservé par la tradition avant d'être consigné dans le Quatrième Evangile.«[21] Il semble difficile de suivre cet avis, car l'analogie du grain de semence que Paul utilise ici n'est qu'une des expressions de la nécessité de passer par la mort pour parvenir à la vie. On rencontre en effet cette idée, largement répandue dans le monde antique, sous trois formes principales[22]:

1. Dans une première série de textes, nous trouvons exprimée la pensée que la vie n'est possible qu'à travers *la mort pour* un idéal particulier. Cette notion apparaît aussi bien dans le stoïcisme que dans l'AT, dans le NT et dans la littérature rabbinique.

---

in der Zukunft beginnt sie mit Sehnen und Knochen und schließt mit Haut und Fleisch (Ez. 37, 8).	Fleisch und schließt mit Sehnen und Knochen (Job 10, 10).

(C'est nous qui soulignons)

[20] Il n'est pas exact de dire avec R. Bultmann que σῶμα est le facteur de continuité entre la vie présente et la vie future, car il y a un moment où le croyant est privé de σῶμα: c'est l'état de nudité que le croyant connaît entre sa mort et la résurrection (2 Cor. 5, 1—10). Paul désigne aussi cet état par l'expression »avec Christ«. La continuité ne peut pas être exprimée en termes anthropologiques; il faut la chercher dans l'appel que Dieu adresse aux hommes et dans la communion qui unit toujours plus étroitement le croyant au Christ. Cf à ce sujet K.-A. Bauer *Leiblichkeit — das Ende aller Werke Gottes* (StNT 4), Gütersloh, 1971, pp. 31—34. Cf aussi J. A. T. Robinson *The Body*. A Study in Pauline Theology, London, 1952 p. 78: »our survival (both now and hereafter) as distinct selves depends, for the Bible, not on the body, but upon the fact that everyone is called by God to a unique and eternal relationship with Himself«.

[21] P. Allo *op. cit.* p. 421.

[22] Une partie des textes à ce propos ont été rassemblés par H. Braun »Das ›Stirb und werde‹ in der Antike und im NT«, *Gesammelte Studien*, 2. Aufl., Tübingen, 1967 pp. 136—158.

a) Dans le stoïcisme, la vie véritable est fontion d'une certaine dignité humaine, d'un idéal élevé, noble, propre à préserver certaines vertus patriotiques. Celui qui refuse de mourir est un lâche; il peut certes continuer à vivre, mais sa vie sera un esclavage, un asservissement aux hommes et aux choses matérielles[23]. Pour appuyer cette thèse, nous citons deux textes d'Epictète; le premier est emprunté au 3e Livre des *Entretiens*. L'auteur veut montrer qu'on peut tirer profit de la mort et il donne l'exemple de Ménécée qui a donné sa vie pour sauver Thèbes, sa ville natale: »— Crois-tu que Ménécée ait tiré peu d'avantage de sa mort? — Plaise au ciel que celui qui parle ainsi en retire le même avantage que lui en a retiré! — Voyons, homme, n'a-t-il pas sauvegardé en lui le patrimoine, la générosité, la fidélité, la noblesse? Et s'il eût survécu, n'aurait-il pas perdu tout cela? N'eût-il pas acquis tout le contraire? N'eût-il point gagné l'âme d'un lâche, d'un homme vil, d'un antipatriote, d'un homme qui tient à la vie avec excès? Crois-tu qu'en mourant, il ait retiré peu d'avantage? Non, mais le père d'Admète a-t-il retiré grand avantage de sa vie si lâche et si misérable? Et, plus tard, n'a-t-il pas dû mourir? Cessez, je vous en conjure par les dieux, cessez d'accorder votre admiration à ce qui est pure matière, cessez de vous rendre vous-mêmes les esclaves des choses, d'abord, puis, par elles, également des hommes qui ont le pouvoir de vous les procurer ou de vous les enlever.«[24] Dans le second texte, tiré du Livre IV du même ouvrage, Epictète cite l'exemple bien connu de Socrate, à qui Criton conseillait d'éviter la mort: »Il (Socrate) ne considère que ce qu'il est honnête de faire; le reste, il ne le regarde même pas et n'en tient aucun compte. Il ne voulait pas, en effet, suivant ses expressions, sauver son misérable corps, mais cela seul qu'une conduite juste grandit et sauve, qu'une conduite injuste amoindrit et perd. Et Socrate ne sauve point sa vie au prix du déshonneur (...). Cet homme, on ne peut le sauver au prix du déshonneur, mais c'est par la mort qu'il est sauvé, non par la fuite.«[25] Dans les deux textes cités, l'idée est la même: dans l'ordre des valeurs, la vie présente est supplantée par un idéal élevé du devoir et de la dignité de l'homme, seul garant d'une vie véritable et quoi qu'il en coûte pour la vie présente.

b) En lisant l'AT, on pénètre dans un univers tout différent et on découvre que lorsque l'AT exprime l'idée de mourir pour un idéal particulier, c'est pour la refuser. En effet, en parlant de la vie, l'AT reste toujours sur un terrain très concret. La vie est liée à l'abondance, à la prospérité, à la réussite. Elle est donnée par Dieu à celui qui obéit à la Loi. En conséquence, la mort est un signe de malédiction. C'est la punition pour la désobéissance à la volonté de Dieu. La condition pour avoir la vie, selon

---

[23] »Der Stoiker wahrt und gewinnt, gerade wenn er im Entscheidungsfalle dessen Tod nicht ausbiegt, seine Eigentlichkeit, die als ethische Unabhängigkeit von Materie und Umwelt verstanden ist« (H. Braun *op. cit.* p. 137).

[24] Epictète *Entretiens* Livre III. Texte établi et traduit par J. Souilhé avec la collaboration de A. Jager (Budé), Paris, 1963 p. 63–64 (III, 20, 5–8).

[25] Epictète *Entretiens* Livre IV. Texte établi et traduit par J. Souilhé avec la collaboration de A. Jager (Budé), Paris, 1965 p. 30 (IV, 1, 163–165).

l'AT, ce n'est donc pas de mourir, mais d'aimer le Seigneur et d'obéir à ses commandements (Dt 30, 15–20). On ne trouve pas dans l'AT l'idée qu'on pourrait donner sa vie pour Dieu. Non pas que l'obéissance soit moins radicale que dans le NT, mais il apparaîtrait impossible à un Israélite de donner lui-même à Dieu la vie qu'il a reçue de ce dernier. C'est Dieu qui, seul, peut reprendre ce qu'il a donné, s'il le juge bon. Il y a cependant un texte qui paraît contredire ces affirmations; c'est Gen. 22, 1–19. Or il n'en est rien, et ceci pour les raisons suivantes: d'abord ce n'est pas Abraham qui fait le sacrifice de sa propre vie pour Dieu. Abraham est appelé à se priver de son fils. La mort d'Abraham n'est pas envisagée ici. Ensuite le sacrifice de ce que Dieu a donné n'est là que comme une épreuve; il doit mettre en évidence l'obéissance d'Abraham. Le sacrifice en soi n'a pas de valeur pour le salut d'Abraham: la preuve, c'est qu'il n'a pas lieu dès le moment où Abraham a donné la garantie de son obéissance. Enfin c'est précisément cette obéissance qui donne à Abraham la vie (vv. 17–18), et non la mort de son fils – ou la sienne, dont il n'est pas question ici.

Il faut encore citer un texte qui montre le refus de l'AT à l'idée que la mort pour un idéal particulier procure la vie: c'est Ps. 44,23. Ce texte est intéressant pour nous, parce qu'il est aussi cité par Paul dans Rom. 8, 36. Or la comparaison entre le contexte du Psaume et celui de l'Epître est suggestive:

Psaume 44, 21–25

Si nous avions oublié le nom de notre Dieu, tendu les mains vers un Dieu étranger,
est-ce que Dieu ne l'eût pas aperçu, lui qui sait les secrets du cœur?
C'est pour toi qu'on nous massacre tout le jour, qu'on nous traite en moutons d'abattoir.
Lève-toi, pourquoi dors-tu, Seigneur? Réveille-toi, ne rejette pas jusqu'à la fin!
Pourquoi caches-tu ta face, oublies-tu notre oppression, notre misère?

Rom. 8, 35–37

Qui nous séparera de l'amour du Christ? La tribulation, l'angoisse, la persécution, la faim, la nudité, les périls, le glaive? selon le mot de l'Ecriture:
A cause de toi, l'on nous met à mort tout le long du jour; nous avons passé pour des brebis d'abattoir.
Mais en tout cela, nous n'avons aucune peine à triompher par celui qui nous a aimés.

Dans les deux cas, il est question de souffrance à cause de Dieu. Mais, alors que Paul accepte cette humiliation avec l'assurance que rien, même pas la mort, ne pourra le séparer de l'amour de Dieu, le psalmiste se révolte et revendique l'intervention de Dieu. Dieu est injuste s'il laisse souffrir celui qui est »massacré tout le jour« à cause de lui. Paul accepte ce »massacre« qui a été la marque de la vie et du ministère du Christ; pour le psalmiste, souffrance et douleur sont des marques, des signes de la malédiction de Dieu.

C'est peut-être dans ce sens qu'il faut comprendre la souffrance du »Serviteur«, comme signe de la malédiction que le Serviteur subit à la place des hommes.

c) Plusieurs textes du NT attestent l'idée qu'il n'y a de vie véritable qu'après avoir passé par la mort pour un idéal particulier. Les Evangiles à eux seuls offrent six variantes de ce thème: celui qui veut sauver sa vie la perdra, mais celui qui perd sa vie – à cause du Christ ou de l'Evangile – la sauvera. Il s'agit des textes suivants: Mc 8, 35; Lc 9, 24; Mt 10, 39; Mt 16, 25; Lc 17, 33; Jn 12, 25. A propos de ces six attestations, on peut faire quelques remarques: 1. les formulations de Mc 8, 35 et Lc 9, 24 sont des antithèses parfaites, proches d'un texte du Talmud Bab.: Tamid IV 32 a[26]; 2. Matthieu donne une forme mixte, constituée par des éléments de Mc 8, 35/Lc 9, 24 et un élément qui lui est propre (10,39); 3. par contre l'antithèse est brisée dans Lc 17, 33 et plus encore dans Jn 12, 25; 4. on relèvera l'absence de complément christologique dans ces deux textes, Lc 17, 33 et Jn 12, 25, alors que tous les autres ont l'adjonction »à cause de moi«, à laquelle Mc ajoute encore »et de l'Evangile«. Dans les Evangiles, aucune des formulations du thème qui nous occupe ici ne semble être primitive. La forme primitive doit être cherchée dans un compromis entre le parallélisme rigoureux de Mc 8, 35/Lc 9, 24 et l'absence de complément christologique de Lc 17, 33/Jn 12, 25; 5. malgré l'adjonction de l'expression »à cause de moi (et de l'Evangile)«, il n'est pas certain que ces textes fassent clairement allusion au martyre – même si cette interprétation peut se justifier lorsqu'on pense aux débuts de l'histoire de l'Eglise[27]. Les Evangiles expriment ici le caractère radical de la décision de la foi pour qui veut suivre le Christ. Le renoncement à soi-même, plus encore, le don de sa propre vie dans une situation-limite, est la condition de la vraie vie. On peut rappeler ici la parole de Jésus au jeune homme riche, qui exprime le même paradoxe de la foi: vends tout ce qui tu possèdes ... et tu auras un trésor dans les cieux (Mt 19, 21 par.).

Cette obéissance radicale, c'est celle qui a été prêchée et vécue par Paul durant son ministère. Dans son discours d'adieu aux anciens d'Ephèse, avant de monter à Jérusalem où il sait que chaînes et tribulations l'attendent, il déclare en effet: »mais la vie à mes yeux ne vaut pas la peine qu'on en parle, pourvu que j'achève ma course et que j'accomplisse la mission que j'ai reçue du Seigneur Jésus de rendre témoignage à l'Evangile de la grâce de Dieu« (Actes 20, 24)[28]. Certes, Paul ne dit pas ici explicite-

---

[26] Dans ce texte, Alexandre de Macédoine pose une série de questions aux anciens: »He said to them: What shall a man do to live? They replied: Let him mortify himself. What should a man do to kill himself? They replied: Let him keep himself alive« (*The Talmud Babylonian* Seder Kodashim (éd. d'I. Epstein), London, 1961 ss. vol. 3 p. 27).

[27] Cf rabbi Freedmann: »an interpretation that has been historically justified« (in: *The Talmud Babylonian* Seder Mo'ed vol 1 p. 400. E. Klostermann note à propos de Mt 10, 39: »zur Sache vgl. zu Mk 8, 35; es handelt sich auch Mt 10, 39 deutlich um den Märtyrertod« (*Das Matthäus-Evangelium* [Hdb. z. NT 4], 2. Aufl., Tübingen, 1927 p. 92). Et H. Braun remarque que »diese sekundäre Form (avec ἕνεκεν ἐμοῦ) ist Martyriumsparänese« (*op. cit.* p. 138).

[28] L'expression οὐδενὸς λόγου ποιοῦμαι τὴν ψυχὴν τιμίαν ἐμαυτῷ est difficile, aussi certains manuscrits ont-ils voulu alléger (cf apparat critique de Nestlé). W. Bauer (*Griechisch-deutsches Wörterbuch zu den Schriften des Neuen Testa-*

ment que la mort qu'il subira à cause de l'Evangile lui procurera la vie. Ce qu'il veut dire, c'est que son travail et sa peine ont pour but de sauver les Ephésiens: »c'est pourquoi je l'atteste aujourd'hui devant vous, je suis pur de votre sang à tous« (v. 26). Cela signifie qu'après le travail missionnaire accompli par l'apôtre, si les Ephésiens n'ont pas la vie, il n'en est plus responsable; c'est leur affaire à eux. Mais cette affirmation implique tout de même que si Paul a ainsi accompli sa mission et s'il peut aller au-devant de la mort avec une telle assurance, c'est qu'il a la certitude d'obtenir le prix lorsqu'il aura achevé sa course.

C'est d'ailleurs l'idée qui apparaît explicitement dans le texte de Phil. 1, 19–20 dans lequel sont réunis tous les éléments du problème. Paul, parlant de sa situation personnelle, dit ceci: »au fond, que je vive ou que je meure, peu importe pourvu que l'Evangile soit annoncé et que le Christ soit par là glorifié, parce que je sais que si le Christ est annoncé, hypocritement ou sincèrement (Paul fait allusion à ceux qui travaillent par envie ou par esprit de rivalité, v. 15), je sais que cela servira à mon salut« (v. 19). Ici, les deux raisons qui font dire à Paul »peu importe la vie« sont liées: l'annonce de l'Evangile (= la glorification du Christ) et, en conséquence, le salut auquel participera celui qui, comme Paul, aura donné sa vie pour cela. Il faut cependant remarquer la manière fine et pleine de nuances avec laquelle Paul s'exprime. L'assurance de son salut n'est pas le but premier du sacrifice de sa vie (ceci dit contre la théologie des œuvres). Au centre de toute la théologie et de toute la vie de l'apôtre, il y a le Christ et la mission que Paul a reçue du Seigneur Jésus. On pourrait d'ailleurs retrouver parfois la même idée chez les rabbins à propos de la Tora: l'obéissance à la Tora n'est pas accomplie pour avoir la vie, mais avant tout à cause de celui qui l'a prescrite[29].

Toute la problématique du schéma »mourir pour vivre« est reprise dans un texte important qui en fait apparaître un aspect que nous n'avons pas encore rencontré. Dans Rom. 8, 31–39 en effet, Paul cite le Ps. 44, 23: »A cause de toi, l'on nous met à mort tout le long du jour; nous avons passé pour des brebis d'abattoir«, et l'apôtre ajoute: »mais en tout cela, nous n'avons aucune peine à triompher par celui qui nous a aimé. Oui, j'ai l'assurance que ni mort, ni vie, ni anges, ni principautés, ni présent, ni avenir, ni puissances, ni hauteur, ni profondeur, ni aucune autre créature ne pourra nous séparer de l'amour de Dieu manifesté dans le Christ Jésus, notre Seigneur« (Cf aussi Rom. 14, 8). Paul définit ici la vraie vie, celle

---

ments und der übrigen urchristlichen Literatur, 5. Aufl., Berlin, 1963 art. λόγος la α) comprend τίμιος comme ἄξιος et traduit: »keines Wortes wert halte ich mein Leben«. H. Conzelmann (*Die Apostelgeschichte* [Hdb. z. Nt 7], Tübingen, 1963 p. 118) suggère une autre possibilité: le texte de Nestlé pourrait être un mélange de deux formules: οὐδενὸς λόγον ποιοῦμαι »ich nehme auf nichts Rücksicht« et »ich halte mein Leben nicht für kostbar«. Que l'on accepte l'une ou l'autre hypothèse, il est clair que Luc parle ici de la mort de Paul (en relation avec Actes 20, 24; cf 21, 13).

[29] Cf J. Bonsirven *Textes rabbiniques des deux premiers siècles pour servir à l'intelligence du Nouveau Testament*, Rome, 1955 p. 44 No. 198.

qui est communion avec le Christ, celle qui se situe au-delà de la mort. Mais en même temps, et c'est cet aspect qui n'est pas encore apparu, cette vie est possible parce que Christ, le premier, a passé par la mort avant de devenir le premier-né d'entre les morts, prémices de ceux qui sont morts. Toute l'œuvre de la rédemption répond donc à ce thème: passer par la mort pour parvenir à la vie.

Enfin, un dernier texte doit retenir notre attention: 1 Thess. 2, 8. A première lecture, il semble que Paul y exprime l'idée que nous n'avons pas encore rencontrée ici, qu'il est prêt à donner sa vie non seulement pour que l'Evangile soit proclamé et que par là le Christ soit glorifié, non seulement pour que les Thessaloniciens aient la vie, mais parce qu'il est lié sur le plan purement humain avec les Thessaloniciens: »tant vous nous étiez devenus chers«.

Comment comprendre ce texte? La majorité des exégètes veut voir dans la première personne du pluriel employée ici par Paul une mention du groupe: Paul parle de lui et de ses compagnons. Nous préférons dire avec Ch. Masson[30] que ce pluriel exprime »moins les sentiments de trois missionnaires que ceux de l'apôtre qui leur donnait le ton«. L'expression »nous aurions voulu vous livrer (...) notre propre vie« est difficile. Paul veut-il dire qu'il aimerait mourir pour les Thessaloniciens? Il faut se rappeler que l'anthropologie néotestamentaire prend sa source dans celle de l'AT et que c'est par conséquent de la pensée hébraïque qu'il faut partir pour comprendre le terme de ψυχή. Comme נפש, ψυχή ne désigne pas l'âme opposée au corps, ou même une partie de l'homme. L'homme n'a pas une âme; il *est* une âme vivante (Gen. 2, 7). Mais à côté de ce sens général, ψυχή peut aussi désigner la personnalité, non seulement ce qui fait que l'homme existe, mais aussi ce qui fait qu'il est un *homme*[31]. Aussi B. Rigaux a-t-il raison quand il dit à propos de notre texte que ψυχή désigne »l'homme dans son être tout entier, dans ce qu'il a de plus profond et de meilleur«[32]. Si tel est le sens de ψυχή dans 1 Thess. 2, 8, on peut dire alors qu'il n'est pas question pour Paul de mourir pour les Thessaloniciens, mais de leur consacrer son temps et ses forces en leur annonçant l'Evangile. B. Rigaux note fort justement: »L'apôtre chrétien donne le Christ en se donnant lui-même. Le service est un sacrifice. Le serviteur n'est pas plus grand que le Maître, mais doit être son imitateur. Le Christ a donné sa vie. Nous croyons qu'en se référant au don de Jésus, Paul parle plutôt de son être tout entier.«[33] Cette interprétation nous semble confirmée d'une part par la suite du texte, dans lequel Paul rappelle son attitude envers les Thessaloniciens; il mentionne son labeur et ses fatigues; il a travaillé de jour comme de nuit pour n'être pas à leur charge tandis qu'il leur annonçait l'Evangile. N'est-ce pas »donner sa vie«? D'autre part, le sens de μετα-

[30] Ch. Masson *Les deux Epîtres de saint Paul aux Thessaloniciens* (CNT XIa), Neuchâtel-Paris, 1957 p. 29.

[31] D. Lys *Nèphèsh.* Histoire de l'âme dans la révélation d'Israël au sein des religions Proches-Orientales (EHPhR 50), Paris, 1959 p. 38.

[32] B. Rigaux *Saint Paul. Les Epîtres aux Thessaloniciens* (Et. bibl.), Paris, 1956 p. 422.

[33] *Ibid.* p. 421.

διδόναι τινι appuie aussi cette interprétation. B. Rigaux traduit par »donner, mais en conservant une part pour soi, partager, communiquer«[34] et Ch. Masson remarque dans une note: »Μεταδιδόναι τινι = faire part de ce qu'on a à quelqu'un. Sous la dépendance de ηὐδοκοῦμεν = nous étions disposés, l'infinitif μεταδοῦναι exprime le don continuel que Paul faisait de lui-même aux Thessaloniciens et non le sacrifice de sa vie.«[35] Ainsi le texte de 1 Thess. 2, 8 n'est pas une exception. Il ne s'agit pas pour Paul de donner sa vie pour les Thessaloniciens, mais de renoncer à lui-même pour proclamer l'Evangile. Paul ne dit pas que par là il aura la vie, mais nous avons vu ailleurs que c'est avec cette assurance qu'il envisage la mission qui lui a été confiée par le Seigneur Jésus.

d) Si nous nous tournons vers la littérature rabbinique, nous découvrons un certain nombre de textes qui, eux aussi, expriment l'idée que la vie véritable n'est possible qu'au travers de la mort pour un idéal particulier, cet idéal étant, chez les rabbins, l'obéissance inconditionnelle à la Tora. Citons à propos la discussion que rapporte le traité Berachot IX, 63 b du Talmud Bab. à propos de Dt 27, 9[36]: »Fais silence et écoute, Israël. Aujourd'hui, tu es devenu un peuple pour Yahvé ton Dieu.« Les rabbins posent d'abord la question: »est-ce seulement ce jour-là qu'Israël reçut la Loi?« Ils répondent: »pour ceux qui étudient la Loi, elle est autant aimée que le jour de sa révélation sur le mont Sinaï«. Vient ensuite cette autre question: »Que veut dire: Fais silence et écoute?« Certains rabbins expliquent que la Loi ne doit pas s'étudier seul, mais en société (Jér. 50, 36); c'est même un péché que de l'étudier seul (Nb 12, 11). D'autres rabbins comprennent autrement Dt 27, 9: il faut s'exercer par la controverse à l'explication de la Loi. Et Resch Lakisch précise: »comment sait-on que les paroles de la Loi ne s'accomplissent qu'en faveur de celui qui se tuerait pour elle? C'est qu'il est dit: Voici la Loi, si un homme meurt sous une tente (Nb 19, 14)«. Enfin, Raba propose de comprendre le texte ainsi: il faut d'abord commencer par apprendre la Loi, la méditer, et ensuite, on peut en parler.

Ce texte, révélateur des discussions et de l'exégèse rabbiniques dans laquelle nous n'entrons pas[37], nous intéresse parce qu'il atteste l'idée que la Loi n'est bénéfique — il faut comprendre: donne la vie — que pour celui qui se tue pour elle: pour avoir la vie[38], il faut aller jusqu'à mourir pour la Tora[39].

---

[34] *Ibid.* p. 422.

[35] Ch. Masson *op. cit.* p. 29 n. 3.

[36] *Talmud de Jérusalem*, éd. de Moïse Schwab, Paris, 1960 ss. vol. 1 p. 504 (cf aussi *The Talmud Babylonian* Seder Zera' p. 400—401).

[37] Cf J. Bonsirven *Exégèse rabbinique et exégèse paulinienne* (BThH), Paris, 1939.

[38] Cf Aboth Rabbi Nathan, éd. Schechter 39a: »Wer ein Wort des Gesetzes bewahrt, bewahrt seine Seele נפשו הוא משמר, und wer ein Wort des Gesetzes zugrunde richtet, richtet seine Seele zugrunde נפשו הוא מאבד« (in: Str.-B I, p. 588).

[39] On pourrait encore citer Talmud Bab. Shabbath IX, 83b (*The Talmud Babylonian* Seder Mo'ed vol. 1 p. 400) et Talmud Bab. Gittin V, 57b (*ibid.* vol. 4 p. 268).

2. Nous avons vu quelques textes qui expriment l'idée que la vie n'est possible qu'à travers la mort pour un idéal particulier. Une deuxième forme sous laquelle apparaît le schéma »mourir pour vivre« parle de la nécessité de la mort, non plus *pour* un idéal particulier, mais *avec* quelqu'un. Cette notion est courante dans les religions à mystères et nous en avons un écho dans Rom. 6, 1—11 ou dans Col. 2, 20; 3, 1; 3, 3—4; 2 Tim. 2, 11. H. Braun, après avoir cité un texte des »Métamorphoses« d'Apulée (XI, 1—26) et un texte des papyri magiques[40], conclut que le schéma »mourir pour vivre« que le NT exprime, par exemple à propos du sacrement du baptême, a son origine dans l'hellénisme oriental[41]. Il dégage cependant la spécificité de la pensée paulinienne par rapport aux religions à mystères en soulignant que ce n'est pas la célébration en tant que telle, mais ses conséquences qui intéressent l'apôtre. En effet, on trouve chez Paul le même schéma, mais sans célébration sacramentelle, dans Gal. 2, 19s. par exemple[42].

Dans une thèse fort bien faite sur Rom. 6, 1—11, Günther Wagner[43] est plus prudent. Après une étude solide des différents cultes envisagés comme parallèles à Rom. 6 (Eleusis, Osiris-Isis, Tammuz-Marduk, Adonis, Attis), il en arrive à la conclusion que peu de ces cultes sont susceptibles d'avoir servi d'arrière-fond à Paul, soit parce que leur localisation ou leur sphère d'influence ne le permettaient pas, soit parce qu'ils ne contenaient pas les éléments constitutifs d'une religion à mystère[44]. G. Wagner réfute donc la thèse de la dépendance de Paul par rapport à ces religions et il tente de comprendre Rom. 6 à la lumière des événements de l'histoire du salut[45].

Il ne nous appartient pas ici de trancher. Il nous suffit de constater l'existence du schéma »mourir pour vivre« sous l'aspect »mourir

---

[40] K. Preisendanz *Papyri Graecae Magicae* (Leipzig 1928) vol. I No. 4 lignes 475—723.

[41] H. Braun *op. cit.* p. 153: »das sakramentale ›Stirb und werde‹ auch des NT hat seinen Ursprung im orientalischen Hellenismus«.

[42] *Ibid.* p. 154: l'auteur note que »die Begehung der Taufe, an welcher das ›Stirb und werde‹ hängt, nie das eigene eigentliche Thema bildet, daß also gar nicht das arcanum als solches den jeweiligen neutestamentlichen Text interessiert, wie das doch bei der Isisweihe und beim Aufstieg in die Himmelswelt im Pariser Zauberpapyrus der Fall ist«.

[43] G. Wagner *Das religionsgeschichtliche Problem von Rom. 6, 1—11* (AThANT 39), Zürich, 1962.

[44] *Ibid.* p. 271—280.

[45] *Ibid.* p. 299—306. L'auteur conlut ainsi: »Das σύν Χριστῷ, das in Röm. 6, 3 ff. in mancherlei Weise zum Ausdruck kommt, erklärt sich nicht aus der Mysterienhypothese, sondern aus dem repräsentativen und eschatologischen Heilsgeschehen in Christus, in das der Getaufte hineingezogen ist« (p. 307).

avec quelqu'un« dans le monde antique et dans le NT, et de renvoyer à l'ouvrage de G. Wagner[46].

3. Comme dernière expression de l'idée qu'il faut passer par la mort pour parvenir à la vie véritable, mentionnons l'analogie du grain de semence (utilisée par Paul dans le texte de 1 Cor. 15, 36–38 qui nous occupe), largement répandue dans l'Antiquité.

a) On trouve cette analogie chez les rabbins, sous une forme presque toujours semblable. Elle doit permettre de savoir si les morts ressuscitent nus ou vêtus[47]: si le grain qui est mis en terre »nu« donne une plante »habillée«, à combien plus forte raison les hommes, enterrés avec leurs vêtements, ressusciteront-ils avec ces derniers[48]. On remarquera ici cependant que l'analogie n'est pas propre à exprimer et à illustrer la pensée du judaïsme sur le »comment« de la résurrection. En effet, le grain est mis en terre et il devient une plante. Il y a donc changement entre la mise en terre du grain et l'apparition de la plante, alors que les morts sont enterrés habillés et ressusciteront vêtus de leur habits[49].

---

[46] *Ibid.* pp. 68–269.

[47] Quelques textes à ce sujet: Keth. 111b (Str.-B. III, 475): »R. Chijja b. Joseph (260) hat gesagt: die Gerechten werden dereinst in ihren Kleidern auferstehen. Eine Schlußfolgerung vom Geringeren auf das Größere vom Weizenkorn aus: wenn das Weizenkorn, das nackt ערומה in die Erde kommt (wörtlich: begraben wird), in wer weiß wie vielen Bekleidungen herauskommt, um wieviel mehr gilt das dann von den Gerechten, daß sie in ihren Kleidern auferstehen werden!« Dans le traité Sanh. 90b (Str.-B. I, 552; II, 551 et W. Bacher *Die Agada der Tannaïten,* Straßburg, 1890 réimp. 1966 vol. 2 p. 68–69), on peut lire: »Der Patriarch der Samaritaner (d'après la correction de Bacher, alors que le texte dit ›la reine Cléopâtre‹) fragte den R. Meïr (150) und sprach: Ich weiß, daß die Entschlafenen wieder aufleben werden; denn es heißt Ps. 72, 16: ›Sie werden hervorblühen (d. h. auferstehen) aus der Stadt wie das Gras der Erde.‹ Aber wenn sie auferstehen, werden sie nackt oder werden sie in ihren Kleidern auferstehen? Er antwortete ihm: Man kann vom Weizenkorn aus die Schlußfolgerung vom Leichteren auf das Schwerere ziehen; wenn das Weizenkorn, das nackt in die Erde gelegt wird, in wer weiß wie vielen Umkleidungen wieder hervorwächst, um wieviel mehr gilt das dann von den Gerechten, die in ihren Gewändern begraben werden!« Enfin citons encore Pirqe R. El. 33 (17c) (Str.-B. III, 475): »R. Eliezer (90) sagte: Alle Toten werden bei der Wiederbelebung der Toten auferstehen und in ihren Kleidern heraufkommen. Woher lernst du das? Vom Samen der Erde durch einen Schluß vom Geringeren auf das Größere vom Weizenkorn aus: wenn das Weizenkorn, das nackt in die Erde kommt, in wer weiß wie vielen Bekleidungen herauskommt, um wieviel mehr gilt das dann von den Gerechten, daß sie in ihren Kleidern auferstehen werden!«

[48] Cf R. Morisette »La condition de ressuscité. 1 Cor. 15, 35–49; structure littéraire de la péricope«, *Biblica* 53 (1972), 211–16.

[49] C'est ce que montre un texte de l'Apocalypse syriaque de Baruch 50, 2–4: »La terre alors rendra les morts qu'elle reçoit maintenant pour les conserver. Sans rien modifier de leur forme, elle les rendra tels qu'elle les reçut et, comme je les lui remets, ainsi les fera-t-elle ressusciter. Car il importera alors de manifester aux vivants que les morts vivent, que ceux qui étaient partis (re)viennent.

b) Epictète fait allusion au grain de semence dans ses »Entretiens« au livre IV, chap. 8. Il ne fait pas mention de la résurrection; le contexte est tout autre: il s'agit de souligner que le grain passe une longue période dans la terre et qu'il croît progressivement; cette période est indispensable à son épanouissement futur. A l'aide de cet enseignement de la nature, Epictète met en garde ceux qui se croient trop vite des philosophes, sans avoir pris le temps de croître et d'arriver lentement à maturité.

c) On retrouve par contre un rapport avec la résurrection dans l'emploi que Clément fait de l'analogie du grain de semence (24, 4—5)[50]. Nous aurons à revenir sur ce texte dans la partie de notre travail consacrée à l'histoire de l'exégèse de 1 Cor. 15, 35—49. Notons seulement ici que pour l'auteur, l'analogie du grain de semence est un indice de la résurrection future; il y en a d'autres: l'alternance du jour et de la nuit (24, 3) et l'exemple du phénix (25, 1 ss.). Il ne s'agit pas pour Clément d'illustrer la manière dont s'opère la résurrection, comme c'était le cas chez les rabbins, mais de rendre vraissemblable la résurrection. Les semences tombent sèches et nues sur la terre où elles vont se décomposer; mais de leur décomposition, Dieu les fait lever à nouveau (24, 5). Ainsi en sera-t-il de ceux qui sont morts.

d) A la fin du texte de Clément (24, 5), nous trouvons une allusion qui n'est pas développée par l'auteur: non seulement Dieu fait vivre à nouveau les semences après leur décomposition, mais il multiplie la graine unique et lui fait porter du fruit. Cet élément est hérité de la tradition, comme le montre Jn 12, 24: »En vérité, en vérité, je vous le dis, si le grain de blé ne tombe en terre et ne meurt, il reste seul; mais s'il meurt, il porte beaucoup de fruit.« Ici, le contexte est christologique; l'analogie se rapporte à Jésus. Jean retient la nécessité de la mort du grain pour illustrer un thème important de sa christologie: l'heure de la glorification du Christ est en même temps l'heure de sa passion; c'est en mourant que, paradoxalement, le grain produit beaucoup de fruit. Passion et glorification ont une valeur rédemptrice qui s'exprime par le fait que le grain doit mourir pour porter beaucoup de fruit[51].

Avant de revenir à saint Paul, résumons très brièvement les différentes applications de l'analogie du grain de semence que nous avons rencontrées. a) Les rabbins portent leur attention sur la parure de la plante pour montrer que les morts ressuscitent habillés. b) Epictète insiste sur le long moment pendant lequel le grain reste en terre avant que la plante n'arrive

---

Et lorsque ceux qui aujourd'hui se connaissent se seront reconnus mutuellement, alors le jugement entrera en vigueur et les événements prédits arriveront« (*Apocalypse de Baruch.* Intr., trad. du syriaque et commentaire par P. Bogaert (SC 144), Paris, 1969 p. 497—98, vol. 1).

[50] Clément de Rome *Epître aux Corinthiens.* Introd., texte, trad., notes et index par A. Jaubert (SC 167), Paris, 1971 p. 142.

[51] Cf R. Bultmann *Das Evangelium des Johannes* (Meyer II) 17. Aufl., Göttingen, 1962 p. 325: »Jesu δοξασθῆναι ist nicht ein mystischer Vorgang, der ihn allein beträfe, sondern ein heilsgeschichtliches Ereignis: zu seiner δόξα gehört die Sammlung seiner Gemeinde.«

à maturité pour dire à son interlocuteur qu'il faut attendre et se former avant de se croire philosophe. c) Clément s'attache au fait que le grain se décompose dans la terre et que Dieu le fait lever à nouveau, pour démontrer que la résurrection est possible. d) Enfin Jean applique l'analogie au Christ et met en évidence la nécessité de la mort du grain pour porter beaucoup de fruit, montrant par là que pour opérer la rédemption, Jésus devait passer par la mort.

Comment comprendre 1 Cor. 15, 36–38? Pour H. Riesenfeld[52], 1 Cor. 15 est le reflet d'une confrontation entre Paul et des »spiritualistes« qui prétendent que la résurrection a déjà eu lieu. La tâche de l'apôtre consiste à montrer qu'il n'en est rien. Pour ce faire, il utilise l'analogie du grain de semence qui constitue le centre de son argumentation. Cette analogie fait apparaître la nécessité de la mort comme condition de la vie nouvelle. Les Corinthiens n'auront donc part à la résurrection qu'après avoir passé eux aussi par la mort. Aussi, pour H. Riesenfeld, le thème du chapitre 15 n'est pas comme on le pense généralement »la résurrection des morts«, mais: »la mort comme condition de la résurrection«. L'auteur voit d'ailleurs dans ce passage de Paul une étape importante de la théologie de l'apôtre. Alors que dans 1 Thess. 4, 15–17 Paul pense être de ceux qui seront vivants lors de la parousie – il dit en effet: »nous les vivants« – il n'en est déjà plus de même dans 1 Cor. 15, où il affirme face à ses adversaires la nécessité de la mort comme condition de la résurrection; il n'attend donc plus lui-même la parousie dans un délai très court. Les Epîtres postérieures, notamment 2 Cor. 5, 1–10 et Phil. 1, 19–24 seraient, toujours selon H. Riesenfeld, le dernier mot de la pensée paulinienne sur ce point.

Dans cette interprétation, l'analogie doit permettre de préciser le moment de la résurrection. Cette dernière n'interviendra qu'après la mort. Cette idée est aussi soulignée par H. Braun qui note que la nécessité de la mort est l'élément commun à Paul et à Jean dans l'emploi de l'analogie du grain de semence[53].

Que faut-il penser de cette exégèse? A lire 1 Thess. 4, 17–19, et quelle que soit l'interprétation que l'on donne de l'expression »nous les vivants«, il est à peu près certain que Paul a attendu la parousie de son vivant[54]. Cette attente a-t-elle disparu par la suite, comme le

[52] H. Riesenfeld »Das Bildwort vom Weizenkorn bei Paulus (zu 1 Cor. 15)«, in: *Studien zum NT und Patristik* (TU 77), Berlin, 1961 pp. 43–55.

[53] H. Braun *op. cit.* p. 145: »Reales Sterben ist notwendig: für die neue Existenz – nach Paulus; für das Fruchtbringen Jesu – nach dem 4. Evangelium« et plus loin: »Ἐὰν μὴ ἀποθάνῃ – diese Unterstreichung ist das Christianum in der Verwendung des Topos vom Samenkorn« (*ibid.*).

[54] Cf H. A. Wilcke *Das Problem eines messianischen Zwischenreichs bei Paulus* (AThANT 51), Zürich, 1967 p. 133–135. Pour notre part, nous comprenons l'expression »nous les vivants« au sens large: l'attente de la parousie dans un

pense H. Riesenfeld? De nombreux textes pauliniens permettent de répondre par la négative. Paul a toujours attendu la fin dans un délai très proche, même après 1 et 2 Thessaloniciens. On peut renvoyer à 1 Cor. 1, 7; 7, 29–31; 10, 11; 15, 50 ss.; Gal. 6, 9; Rom. 13, 11 ss.; Phil. 4, 5. Dès lors 1 Cor. 15 n'est plus une étape marquante dans la prise de conscience de la nécessité de la mort chez l'apôtre. Ce dernier dit d'ailleurs dans 1 Cor. 15, 52: »les morts ressusciteront incorruptibles, et nous, nous serons transformés.« Tous ne mourront donc pas.

Ce dernier texte fait aussi échec à toute l'interprétation que H. Riesenfeld donne de l'analogie du grain de semence. Paul n'entend pas parler du moment de la résurrection, mais de la manière dont elle s'effectuera. En ce sens, l'expression »ce que tu sèmes, toi, ne reprend vie, s'il ne meurt« n'a pas une valeur historico-temporelle, mais une valeur théologique. Le corps actuel doit faire place à un corps nouveau, mais il n'est pas nécessaire que ce soit la mort qui marque la fin du corps terrestre – comme le montre justement 1 Cor. 15, 51: »nous ne mourrons pas tous, mais tous nous serons transformés.« La mort du corps n'est donc pas une nécessité en soi; ce que Paul veut souligner, c'est la puissance créatrice de Dieu, à l'œuvre dans la nouvelle création[55]. L'analogie n'est pas citée sous une forme générale (»ce qu'on sème«), mais elle est formulée dans le style de la diatribe (»Insensé!«) qui oppose le »toi« du v. 36 à »Dieu« du v. 38. Elle souligne en même temps le contraste qu'il y a entre le grain nu et le corps à venir. Entre ces deux grandeurs, il y a une coupure radicale, parce que la résurrection est une nouvelle création de Dieu[56].

---

délai très proche est constitutive de l'espérance de chaque génération de chrétiens (cf l'oraison dominicale: »Que ton règne vienne ...«).

[55] Ceci n'apparaît pas chez H. Riesenfeld qui dit pourtant: »Der Körper (σῶμα), der bei der Auferstehung hervortritt (›Hervorwächst‹ im Sinne des Bildes), ist ein anderer als der tot in die Erde gelegte (gesäte) irdische Körper. Es findet eine Verwandlung statt, und diese bedeutet eine Steigerung« (*op. cit.* p. 47). Mais il n'y a justement pas de »transfiguration« si le corps de résurrection est autre. C'est une nouvelle création. D'ailleurs, comment mesurer cette »croissance« dont parle H. Riesenfeld?

[56] H. Conzelmann *Grundriß der Theologie des Neuen Testaments* (Einführung in die evangelische Theologie 2), München, 1967 p. 211: »Allerdings denkt Paulus nicht biologisch-organisch. Er betrachtet den Samen nicht hinsichtlich seiner Möglichkeit als Kern, sich zu entfalten. Er hebt hervor: Dem Samen sieht man nicht an, was er sein wird; er ist ›nackt‹. Sein künftiges Sein ist ein Wunder. Paulus hebt nicht die Kontinuität hervor, sondern den Akt der Schöpfung.« On trouve par contre une interprétation de ce type combattu par H. Conzelmann chez le P. Allo (*op. cit.* p. 422): »C'est par la volonté de Dieu que la plante sort de la graine; Paul ramène tout à la Cause première, puissance de la vie, et appropriation de la plante nouvelle à la nature du germe, – ce qui maintient une

Le problème auquel Paul s'attache n'est donc pas celui de la mort, mais celui du corps nouveau. C'est ainsi qu'il réfute la thèse corinthienne: le don de l'Esprit ne suffit pas, car il n'est pas encore la résurrection. Cette dernière est *corporelle;* l'Esprit doit opérer la transformation du corps terrestre en corps spirituel. Le développement que l'apôtre amorce en parlant de l'analogie du grain de semence aboutit précisément au v. 44a: le corps spirituel ne peut pas apparaître, si le corps terrestre ne disparaît pas — par la mort ou par sa transformation.

Il faut relever que par rapport aux différentes interprétations et aux différents emplois de l'analogie du grain de semence que nous avons trouvés dans le monde antique, la version de Paul est originale. Comme les rabbins, l'apôtre envisage le »comment« de la résurrection. Mais chez les rabbins, l'analogie est citée pour permettre une description des corps des ressuscités qui doivent passer en jugement pour être ensuite transformés en mieux ou en pire. Les rabbins en restent à l'apparence des corps, et de ce fait, l'analogie n'a qu'une portée anthropologique. Paul va plus loin: le sens de l'analogie est chez lui théologique. L'image illustre le nouvel acte créateur de Dieu. L'élément de contradiction que nous avons relevé chez les rabbins, à savoir que pour la plante, il y a changement, alors que pour les corps ressuscités, il n'y en a pas — du moins jusqu'au jugement — cet élément est justement exploité par Paul pour mettre en évidence le miracle de la nouvelle création. En ce sens, H. Braun a raison: l'expression »s'il ne meurt« est le »christianum« dans l'emploi de l'analogie, parce que le corps de résurrection est quelque chose de nouveau, sans continuité anthropologique avec le corps terrestre[57].

Quelle est l'origine de l'analogie du grain de semence chez Paul? H. Riesenfeld pense que l'apôtre l'a empruntée à la catéchèse primitive; il renvoie à ce sujet à Mc 4, 1—20 et par. et à la tradition qui

---

certaine identité entre les deux. Seulement, il ne dit pas que c'est un miracle, et que Dieu *donne* un corps qui n'était aucunement contenu dans le grain; il sait bien qu'il y était en puissance, et que c'est une loi de la nature qui s'applique (...); il attribue simplement l'effet de la loi au Créateur qui est l'auteur de cette loi.« C'est ce que Conzelmann appelle une exégèse »biologisch-organisch«! Le commentaire anglais de A. Robertson et A. Plummer (*op. cit.* p. 369) est ambigu: »The new living organism is not the old one reconstructed, although it has a necessary and close connexion with it.« S'il y a continuité, elle n'est pas d'ordre anthropologique, comme l'a noté H. Conzelmann (*Kor-Komm.* p. 334 n. 14: »Die Frage ist überholt durch die Kontinuität der Verheißung, durch welche der in Christus Gestorbene er selbst bleibt.«).

[57] H. Braun *op. cit.* p. 145. A noter que Jean a aussi retenu dans l'analogie la nécessité de la mort pour que le grain porte beaucoup de fruit. Mais à la différence de Paul, le champ d'application de l'analogie est chez lui strictement christologique.

nous est rapportée par Jean[58]. Mais l'explication de H. Riesenfeld est à nos yeux trop subtile. On préférera se rappeler que l'analogie du grain de semence était un lieu commun chez les rabbins[59] et que Paul a pu la rencontrer pendant ses études chez Gamaliel.

Une question reste à préciser et cette question introduira l'exégèse des vv. 39—44a: quel est le sens de σῶμα aux vv. 37—38? D'après E. Schweizer[60], ce terme a ici exceptionnellement la signification de »forme«. Mais alors pourquoi Paul emploie-t-il le mot dans un sens aussi inhabituel? Dire avec J. Weiss[61] et P. Hoffmann[62] que l'apôtre emploie ici σῶμα parce qu'il parle de la plante en pensant à la résurrection ne convient pas, car l'analogie ne porte précisément pas sur ce point. Elle montre que du grain nu, Dieu fait quelque chose de tout autre: la plante. Or l'aspect visible de la plante, c'est son σῶμα. Ce σῶμα est son nouvel organisme par rapport au grain nu. Paul va préciser: chaque plante a un σῶμα qui lui est propre et les différents »corps« diffèrent l'un de l'autre par leurs σάρξ (v. 39). Σῶμα au vv. 37—38 vise la plante dans sa corporéité nouvelle. Elle n'a pas un σῶμα, mais elle est un σῶμα. Dans le contexte de l'analogie, σάρξ impliquerait seulement un changement de matière par rapport au grain nu. L'emploi de σῶμα souligne le caractère entièrement nouveau de la plante.

c) Vv. 39—44a: la diversité des corps

Ayant affirmé que Dieu a créé un nouveau corps, Paul tente dans les vv. 39—44a de rendre vraisemblable pour ses interlocuteurs la

[58] »Die paulinische Ausführung des Bildes von der Aussaat besteht dennoch wahrscheinlich in der Übertragung der christologischen Symbolik des Weizenkorns auf die Aussage von der Nachfolge und dazu in einer eschatologischen Zuspitzung dieser Aussage auf Tod und Auferstehung des einzelnen Christen. Hier liegt offenbar eine Entwicklung vor, die sich am einfachsten erklären läßt, wenn man annimmt, das in Jo 12, 24—26 vorliegende Material habe den Ausgangspunkt abgegeben« (*op. cit.* p. 53). Et plus loin, H. Riesenfeld ajoute: »Es ist also zu vermuten, daß Paulus die uns erst aus Jo 12, 24—26 bekannte Tradition eines — ursprünglich einheitlichen oder zusammengesetzten — Jesuswortes schon zu einer Zeit in einer in den Grundzügen gleichen Form gekannt und seinerseits die Übertragung des Bildmotives vom ersten auf den zweiten Teil dieses Jesuswortes vollzogen hat« (*ibid.*).

[59] W. D. Davies *Paul and Rabbinic Judaism.* Some Rabbinic Elements in Pauline Theology, London, 1955 p. 305: »The analogy of the grain of the corn used by Paul was thus a Rabbinic commonplace.«

[60] E. Schweizer Art. »Σῶμα κτλ.« in: *ThWbNT* VII, 1057 dit: »1 Kor. 15, 38 ist die einzige Stelle, an der σῶμα in der Diskussion mit der gegnerischen Position in die Nähe des Begriffs ›Gestalt‹ kommt«.

[61] *Op. cit.* p. 369.

[62] P. Hoffmann *Die Toten in Christus.* Eine religionsgeschichtliche und exegetische Untersuchung zur paulinischen Eschatologie (NTA NF 2), Münster, 1966 p. 250.

possibilité d'un corps autre que le corps actuel et il va montrer la place que ces deux corps occupent dans l'économie du salut (vv. 42a–44a).

L'explication du terme σῶμα (vv. 37–38) a déjà fait apparaître la difficulté terminologique du passage. Celle-ci va s'accroître encore. Dans les vv. 39–44a, l'apôtre utilise successivement les termes σάρξ-σῶμα-δόξα. Comment s'articulent-ils les uns par rapport aux autres?

Le v. 39 est l'exégèse du v. 38: ἴδιον σῶμα. Il pourrait donc sembler que σάρξ au v. 39 est équivalent à σῶμα au v. 38. Mais *d'une part*, comme nous l'avons montré, σῶμα désigne ce que la plante *est;* σάρξ désigne la substantialité de ce σῶμα. Il serait cependant faux de conclure avec H. Lietzmann[63] que σάρξ = »Stoff« et σῶμα = »Form«. Nous l'avons vu, σῶμα = »Gestalt« et non »Form«, car le σῶμα n'existe pas en soi. Dire que σῶμα = »Form«, c'est rendre impossible la création d'un nouveau corps lors de la résurrection. Le corps de résurrection serait alors le même que le corps terrestre; seule, sa consistance changerait[64]. Mais à cela, Paul dirait: μὴ γένοιτο! L'apôtre ne peut pas envisager un sujet abstrait, indépendamment de son corps. Quand l'homme meurt, c'est dans son corps (Rom. 7, 24). Et lors de la résurrection, Dieu agit comme il l'a fait lors de la Création en appelant à l'être ce qui était non-être[65]. *D'autre part* au v. 40, Paul, après avoir exprimé ce qui distingue les différents corps terrestres par le terme de σάρξ, oppose globalement ces corps terrestres aux corps célestes. Pour ce faire, il revient au terme σῶμα. Celui-ci a donc le même sens qu'aux vv. 37–38: c'est un être en tant qu'il apparaît sous une certaine détermination. Or ici, σῶμα est combiné avec δόξα qui désigne, non pas la matière, mais la qualité des corps célestes (nous y reviendrons plus bas). Notre thèse est ainsi confirmée par cette connexion: σῶμα-δόξα. Σῶμα n'est pas l'équivalent de σάρξ.

Au v. 39, σάρξ a le sens de »chair«[66]. Ce sens n'est pas spécifique

---

[63] *Op. cit.* p. 84.

[64] *Ibid.:* »Gesät wird ein mit den Unvollkommenheiten der σάρξ behafteter Leib, auferstehen wird ein Leib aus himmlischen πνεῦμα«.

[65] H. D. Wendland *Die Briefe an die Korinther* (NTD 7), 10. Aufl., Göttingen, 1964 p. 133: Dieu »handelt, indem er das Leben der Auferstehung schafft, ganz als der Schöpfer des Neuen, der das Sein aus dem Nichtsein heraufrufen kann (Röm. 4, 17)«.

[66] Avis différents: E. Schweizer Art. »Σάρξ« in: *ThWbNT* VII, 124 qui pense que »chair« désigne ici la totalité de l'existence humaine: »so ist auch 1 Kor. 15, 39 trotz der substantiellen Denkform nicht nur der Muskulöse Teil des Körpers gemeint«. »Chair« serait donc ici synonyme de »corps«. C'est ce que pense J. A. T. Robinson *op. cit.* p. 17 n. 2: »The word ›flesh‹ (in v. 39) is quite incidental and is perhaps introduced at all only in order to avoid another repetition of the word ›body‹, which already occurs in vv. 37, 38 and 40«.

du langage paulinien. On le rencontre chez les Grecs et dans la LXX: πᾶσα σὰρξ χόρτος (Is. 40, 6). A côté de ce sens neutre, on trouve chez Paul un sens spécifique — que nous ne rencontrons d'ailleurs pas ici dans notre texte: la »chair« désigne l'homme dans son existence éphémère, fragile. De là une association non nécessaire (Gal. 2, 20; 2 Cor. 5, 9), mais fréquente entre »chair« et »péché«. La »chair« est alors une puissance (avec ses »désirs« et ses »œuvres«) qui domine le σῶμα.

Ici, au v. 39, c'est le sens premier que nous trouvons, sens théologiquement neutre[67]. J. Héring l'appelle le sens »chimique«, qu'il distingue du sens moral (principe charnel), racial (parenté naturelle, non selon la promesse), biologique (בשר = créature) et social (ἐν σαρκί de 1 Cor. 7, 28)[68].

L'énumération des différentes sortes de »chairs« n'est pas sans rappeler l'énumération de Gen. 1—2, comme le montre le tableau suivant:

Gen. 1	*Gen. 2*		*1 Cor. 15*
ἰχθύς	ἄνθρωπος		ἄνθρωπος
πετεινόν	θηρίον	κτήνος	κτήνος
τετράποδα-ἑρέπτα-	πετεινόν	πετεινόν	πτηνά
θηρία		θηρίον	
ἄνθρωπος	v. 20		ἰχθύς

Ce qu'il faut remarquer, avec H. D. Wendland, c'est que cet exemple n'est pas une construction abstraite: Paul illustre la puissance créatrice de Dieu à l'œuvre dans la nouvelle création à la fin des temps précisément à partir de son œuvre créatrice dans le passé[69]. Les vv. 39 ss. sont donc plus qu'un exemple montrant la diversité des corps dans la création. Le nouveau corps, le corps de résurrection, sera le résultat d'un même acte créateur de Dieu, ce même acte qui a produit la première création.

Au v. 40, l'apôtre revient à l'emploi de σῶμα. Au v. 39, il a distingué les différents corps terrestres et ceux-ci diffèrent les uns des autres par leur σάρξ. Au v. 40, Paul oppose globalement ceux-ci aux corps célestes, d'où l'emploi de σῶμα[70].

[67] Pour σάρξ ἀνθρώπων cf 2 Cor. 4, 11. E. Schweizer *ThWbNT* VII, 99 relève que σάρξ désigne pour la première fois la chair animale dans Hésiode *Theog.* 538 et que ce terme est employé pour les poissons et les petits animaux dans Diosc. *Mat. Med.* II; Poll. Onom. V, 51.

[68] *Op. cit.* p. 146.

[69] H. D. Wendland *op. cit.* p. 134: »Diese Schöpfungswirklichkeit ist Gleichnis der Erlösungswirklichkeit.«

[70] H. Conzelmann *Kor.-Kommentar* p. 335: »Σῶμα ist auch nicht das individuelle Sein als solches, sondern: sofern alles individuelle Sein einer Seinsweise zugehört.«

On peut se demander ce que sont ces »corps célestes«. Certains ont voulu y voir les puissances célestes[71]. Certes, Paul connaît et admet l'existence de ces puissances: deux fois, en dehors de 1 Cor. 15[72], elles sont désignées par l'adjectif ἐπουράνια: Eph. 3, 10 et 6, 12. Quatre fois, elles sont localisées: ἐν (ἐπί) οὐρανῷ ou pluriel: 1 Cor. 8, 5; Eph. 1, 10; Col. 1, 16 et 20. Il faut encore mentionner le cas unique de Eph. 2, 2: τοῦ ἀέρος. Dans une série des textes, ces puissances ne sont pas qualifiées (par ex. Eph. 1, 10; Col. 1, 16. 20) alors qu'elles le sont par exemple dans le passage d'Eph. 3, 10 où les puissances célestes (ἐν τοῖς ἐπουρανίοις) doivent maintenant, par le moyen de l'Eglise, connaître la sagesse infinie en ressources déployées par Dieu en Christ. Il semble qu'il y ait ici opposition entre l'Eglise d'une part, les puissances célestes de l'autre. Ailleurs, Paul est plus précis sur ce point; dans Eph. 6, 12 il parle des »Esprits du Mal qui habitent les espaces célestes«. On trouve la même idée dans Eph. 2, 2: le Prince de l'empire de l'air poursuit son œuvre en ceux qui résistent. Vivre selon ce Prince, c'est vivre selon le cours du monde et c'est être mort par suite des fautes et des péchés dans lesquels on vit. Ici, le Prince de l'empire de l'air est opposé à Christ. Enfin dans 1 Cor. 8, 5 Paul oppose aux prétendus dieux qui existent soit au ciel soit sur terre le Dieu unique, le Père de qui tout vient et pour qui nous sommes, et le Seigneur Jésus-Christ, par qui tout existe et par qui nous sommes.

Il n'y a aucun doute: pour Paul, ces puissances sont réelles; le λεγόμενοι de 1 Cor. 8, 5 s'entend au sens de Gal. 4, 8 (cf aussi 1 Cor. 10, 19 ss.). Ces puissances, quand elles sont qualifiées, le sont négativement. En précisant qu'elles existent au ciel et sur la terre, Paul veut souligner le fait que même lorsqu'elles sont opposées à Dieu, elles restent néanmoins des créatures[73]. Il est difficile de préciser davantage ce que sont ces puissances pour l'apôtre; faut-il penser aux dieux du syncrétisme hellénistique ou aller dans le sens de H. Conzelmann qui voit en elles les puissances auxquelles l'homme est asservi et dont le croyant est libéré?[74]

[71] Par exemple H. Traub Art. »Οὐρανός« in: *ThWbNT* V, 542: »Mit den irdischen und unterirdischen Mächten sind auch die in den Himmeln (Plur. Phil. 3, 20) sich befindenden besiegt und zu einem Teil der das All umfassenden Herrschaft Jesu Christi geworden (Kol. 1, 20; Eph. 1, 10). Im Judentum sind diese als Engelsarten verstanden, gnostisch-hellenistisch als Schicksalsgewalten. Ähnlich, aber theologisch unbetont, ist 1 Kor. 15, 40 ἐπουράνια Gegensatz zu ἐπίγεια angewendet, um an ihm die Verschiedenheit der σώματα und ihrer δόξα zu verdeutlichen.«

[72] Si on admet que Col. et Eph. soient des Epîtres pauliniennes ou rattachées à l'»Ecole paulinienne« (H. Conzelmann *Theol.* p. 323).

[73] H. Conzelmann *Kor.-Kommentar* p. 170.

[74] *Ibid.* p. 170 n. 36. Pour le syncrétisme hellénistique, on lira P. Wendland

Dans un sens ou dans l'autre, il nous paraît cependant impossible de voir ces puissances dans 1 Cor. 15, 40, où l'apôtre oppose les σώματα ἐπίγεια aux σώματα ἐπουράνια. En effet, les »corps terrestres« sont connus du lecteur: ce sont les hommes, le bétail, les oiseaux et les poissons (v. 39). Les »corps célestes«, eux, sont énumérés au v. 41: ce sont le soleil, la lune et étoiles. Il n'y a pas besoin d'identifier les astres avec des puissances angéliques[75]. Pour désigner les »corps terrestres«, l'apôtre a pris des exemples dans la création. Il va faire de même pour les »corps célestes«; ici aussi, c'est plus qu'un exemple, c'est le rappel de la puissance créatrice de Dieu (Gen. 1, 14—16). Pour distinguer ces corps célestes entre eux, Paul ne va pas parler de »chair«, mais de »gloire« ou d'»éclat«, ce qui confirme la thèse selon laquelle les corps célestes sont bien le soleil, la lune et les étoiles de Gen. 1, 14—16. L'apôtre emploie le terme »chair« pour désigner ce qui est vivant, les hommes, les animaux[76]. Dans le grec classique, δόξα est mis en relation avec δοκέω et désigne a) l'avis, l'opinion que j'ai (»opinio«) et b) l'avis, l'opinion qu'on a sur moi (»gloria«). Le premier sens a complétement disparu dans le NT et chez les Pères; on trouve par contre le second sens dans Lc 14, 10; dans 1 Cor. 11, 15 (où δόξα est opposé à ἀτιμία) et dans 2 Cor. 6, 8 (même remarque). En plus de ce sens, le NT donne à δόξα deux autres sens qui ne se rencontrent pas dans le grec classique: a) reflet (par exemple dans 1 Cor. 11, 7: δόξα θεοῦ où δόξα est associé à εἰκών) et b) l'éclat. On trouve cette dernière signification dans Mt 4, 8; 6, 29; Lc 12, 27 et finalement 1 Cor. 15, 40. Contrairement à ce que pensent H. Lietzmann[77] et J. Héring[78], il n'est pas gênant de sous-entendre δόξα après ἐπιγείων. Pour comparer les corps célestes aux corps terrestres, Paul se place à un autre point de vue qu'au v. 40: il parle de l'apparence qu'ils ont, sans plus envisager leur constitution »biologique-organique«. Dans Mt 6, 29 il est question de la

---

Die hellenistisch-römische Kultur in ihren Beziehungen zu Judentum und Christentum. Die urchristlichen Literaturformen (Hdb. z. NT) 2.—3. Aufl., Tübingen, 1912 pp. 127—136.

[75] Comme le propose H. Traub *op. cit.* 542. Cf aussi Robertson-Plummer *op. cit.* p. 371: »St. Paul is appealing to the Corinthians' experience of nature, to the things which they see day by day: and they had no experience of angels.« Cf aussi Allo *op. cit.* p. 422. Par contre, Lietzmann *op. cit.* p. 84 attribue à Paul l'idée que les astres sont des êtres vivants, ayant des corps. Il cite pour appuyer sa thèse des textes de Philon.

[76] Pour les animaux sacrifiés, il n'emploie pas le terme σάρξ, mais κρέας (E. Schweizer *ThWbNT* VII, 124 n. 214). Pour la δόξα cf M. Carrez *De la souffrance à la gloire.* De la ΔΟΞΑ dans la pensée paulinienne (Bibl. théol.), Ntel-Paris, 1964.

[77] H. Lietzmann *op. cit.* p. 84.

[78] J. Héring *op. cit.* p. 146.

δόξα de Salomon, et pourtant, Salomon lui aussi entre dans la catégorie de la σάρξ ἀνθρώπων de 1 Cor. 15, 39.

A propos des vv. 40—41, il faut encore noter avec A. Robertson et A. Plummer que l'apparence dont il s'agit est purement physique[79], alors que l'interprétation patristique, sur laquelle nous reviendrons, voudrait voir dans la différence entre corps célestes et corps terrestres l'illustration de la distinction entre saints et pécheurs.

Au v. 42, οὕτως répond à la fois à la question »comment« (v. 42b—43) et à la question »avec quel corps« (v. 44a). Mais sur quoi porte exactement οὕτως? Comme nous l'avons dit à propos des vv. 39—41, il s'agit pour l'apôtre de montrer qu'il existe des corps différents du présent corps de chair, ceci pour rendre vraisemblable l'existence du corps de résurrection — étant entendu que c'est Dieu qui est le créateur de ces corps différents, lui qui donne »à chacun son propre corps«. La mention des différents corps et de ce qui les distingue les uns des autres est donc formelle et ne préjuge en rien de ce que sera le corps de résurrection. L'opposition que relève Paul entre corps terrestres et corps célestes ne recouvre pas celle qui existe entre le corps actuel et le corps de résurrection. Par conséquent aussi, la »gloire« qui caractérise les corps célestes ne désigne pas l'état plus ou moins brillant des ressuscités, selon leurs mérites[80]. Οὕτως porte donc sur la suite du texte qui, d'une part, reprend de ce qui précède l'idée de différence entre l'état actuel et la résurrection, et qui, d'autre part, précise quelle est cette différence dans les quatre antithèses des vv. 42b—44a.

Dans ces antithèses, le verbe »semer« peut être compris de deux façons: certains exégètes l'entendent de la mise en terre du corps, comme peut le suggérer l'analogie du grain de semence; d'autres, beaucoup moins nombreux, comprennent »semer« dans le sens de »créer«. Le P. Allo[81], quant à lui, propose une solution mixte et peu claire, en disant que le terrain des semailles, ce n'est pas seulement la sépulture, mais c'est aussi toute la vie terrestre, marquée par la corruption, la sordidité et l'impuissance; la mise au tombeau n'est que l'aspect dernier et caractéristique de la vie humaine terrestre. Cette explication ne satisfait pas. A. Robertson et A. Plummer reprennent, en la nuançant[82], l'interprétation de Charles, Milligan et d'autres qui notent fort justement qu'il n'y a rien à tirer de l'ana-

[79] A. Robertson—A. Plummer *op. cit.* p. 371: »Throughout the passage the differences between the various σώματα are physical, non ethical.«

[80] Le P. Allo note fort justement que l'apôtre, en parlant de la résurrection, parle de la gloire commune à tous (*op. cit.* p. 423).

[81] *Op. cit.* p. 424.

[82] *Op. cit.* p. 380—81: »Moreover, sowing is a very natural figure to use respecting the dead body of one who is to rise again.«

logie du grain de semence pour comprendre le sens du verbe »semer« ici; en effet, dans l'analogie, la mise en terre précède la mort du grain, alors que pour le corps, c'est la mort qui précède la mise en terre[83].

S'il est assez rare de trouver le verbe »semer« dans le sens de »créer«, il ne faut cependant pas exclure la possibilité de comprendre ainsi ce verbe. La LXX emploie »semer« pour désigner le renouveau d'Israël, présenté comme une répétition de la première création. Jérémie dit en effet: »Voici venir des jours, oracles de Yahvé, où je sèmerai sur la maison d'Israël et sur la maison de Juda une semence d'hommes et une semence de bétail« (31, 27; LXX 38, 27). Ezéchiel rapporte ces paroles: »Me voici, je viens vers vous, je me tourne vers vous, vous allez être cultivées et ensemencées (montagnes d'Israël). Je vais multiplier sur vous les hommes, la maison d'Israël toute entière. Les villes seront habitées et les ruines rebâties. Je multiplierai sur vous hommes et bêtes, ils seront nombreux et féconds« (36, 9 ss.). Enfin dans IV Macc. 10, 2 nous trouvons un emploi du verbe »semer« qu'il faut retenir; il s'agit des sept frères martyrs, dont le troisième ne veut pas se désolidariser des autres et déclare: »Ne savez-vous donc pas que c'est le même père qui m'a engendré (σπείρω), que c'est la même mère qui m'a enfanté ...«[84]

Dans la LXX, jamais le verbe »semer« ne désigne la mise en terre d'un corps humain. Il en va de même dans le NT.

Si nous nous tournons maintenant vers un verbe synonyme de »semer« et que nous examinons l'emploi de »planter« (φυτεύω) dans la LXX et dans le NT, nous pouvons retenir les textes suivants: d'abord le Ps. 80 (LXX 79) 15 s. dans lequel le psalmiste crie: »Yahvé Sabaot, reviens enfin, observe des cieux et vois, visite cette vigne: protège-la, celle que la droite a plantée!« L'auteur fait allusion à Israël; ici comme aussi dans Jérémie 2, 21 c'est à Dieu qu'Israël doit son existence: »Moi pourtant, je t'avais planté (Israël), comme un cep de choix«. Dans Jérémie 12, 2 il est question des impies: »Tu les plantes, ils s'enracinent, ils viennent bien, ils portent du fruit.« L'allusion à la création se précise dans Jérémie 45, 4: »Ainsi parle Yahvé (contre Baruch): ce que j'avais bâti, je le démolis, ce que j'avais planté, je l'arrache: je vais frapper toute la terre!« Enfin un dernier texte, qui, lui, fait explicitement allusion à la

[83] *Ibid.:* »The vital germ is placed in material surroundings, like seed in oil, and continues in them until death sets the vitality free to begin a new career under far more glorious conditions.«

[84] »Wisset ihr denn eigentlich gar nicht, daß mich derselbe Vater erzeugt hat (σπείρω), wie die Getöteten, daß mich dieselbe Mutter geboren hat« (E. Kautzsch *Die Apokryphen und Pseudepigraphen des Alten Testaments*, Tübingen, 1900, vol. 2 p. 165).

création de l'organisme humain[85]: »Lui (Dieu) qui plante l'oreille n'entendrait pas? S'il a façonné l'œil, il ne verrait pas?« (Ps 94 [LXX 93] 9). On peut ajouter que souvent dans la LXX, l'homme est comparé à un arbre planté: Ps. 1, 3; Ez. 19, 10; Dan. 4, 17. Dans le NT, Matthieu relie l'idée de plantation à l'appartenance à Dieu: »Tout plant que n'a point planté mon Père céleste sera déraciné« (15, 13). Le contexte est polémique; l'auteur vise la prétention des pharisiens à constituer la vraie plantation de Dieu[86].

On complétera ces textes par les remarques suivantes: 1) La signification »engendrer«, »procréer« pour σπείρω est attestée dans la grécité: Soph. Trach. 33; Eur. Ion. 49; Plat. Leg. VIII, 841d; Plat. Resp. VI, 492a; Aesch. Sept. c. Theb. 753[87]. 2) La LXX emploie σπέρμα Gen. 3, 15 pour désigner la haine entre la semence de la femme et celle du serpent. Ce terme a d'ailleurs le même sens de »descendance« dans Gen. 7, 3; 9, 9; 12, 7; 13, 15–16. 3) Dans Is. 41, 19–20 Dieu plante des arbres dans la forêt (θήσω) afin qu'Israël voie que la main de Yahvé a fait cela (ποιέω = ici: »créer«, employé aussi dans Gen. 1). 4) Dans 1 Cor. 15, 42–44 σπείρεται est le passif de l'action divine et ne peut donc pas désigner la mise en terre du corps.

Les textes cités et ces quelques remarques nous paraissent suffire pour établir que σπείρω et ses synonymes désignent un acte créateur de Dieu, qu'il s'agisse de la première création ou du renouveau d'Israël. Dans 1 Cor. 15, 42, σπείρεται a aussi ce sens; il s'agit par conséquent de la création du corps et non de son inhumation. La suite du texte paulinien montrera si cette interprétation est possible ou si elle se heurte à des difficultés insurmontables.

Les vv. 42b–44a présentent quatre antithèses, dont J. Héring dit qu'elles sont »vigoureuses et lumineuses, déchirant la nuit de notre ignorance comme les clairons de la victoire rompant le silence d'une attente angoissée!«[88] Lumineuses ou non, ces antithèses sont d'une interprétation difficile et peu nombreux sont les exégètes qui ont serré le sens de très près. La construction des vv. 42b–44a présente deux séries de termes apparemment synonymes: d'une part la série φθορά – ἀτιμία – ἀσθένεια – ψυχικός, et d'autre part la série ἀφθαρσία – δόξα – δύναμις – πνευματικός. Trois questions se posent à leur sujet: d'abord ces termes sont-ils équivalents? Ensuite, si

---

[85] G. Quell Art. »σπέρμα« in: *ThWbNT* VII, 542: »Ps. 94, 9 ist auf Gottes Schöpfungswerk am Organismus des Menschen angewandt.«

[86] Cf P. Bonnard *L'Evangile selon saint Matthieu* (CNT 1), 2e éd. Neuchâtel-Paris, 1970 p. 229, qui cite en ce sens Is. 60, 21; Jub. 1, 16; 7, 34; 21, 24; Hén. 10, 16; Ps. Sal. 14, 2 s.; et pour Qumran I QS 8, 5; 11, 8; CD 1, 7.

[87] Cf G. Quell *op. cit.* 538.

[88] J. Héring *op. cit.* p. 147.

comme nous le croyons, σπείρεται se rapporte à la première création, la première série de termes peut-elle rendre compte de la nature de l'homme tel qu'il a été créé? Enfin, quel est le sens précis de chaque terme des deux séries? Commençons par cette dernière question.

1. Φθορά-ἀφθαρσία: Dans le NT, les deux termes ne se rencontrent que dans les Epîtres et leur mention la plus fréquente se trouve dans 1 Cor. 15. Le meilleur commentaire de cette antithèse est Rom. 8, 18 ss., texte dans lequel »la servitude de la corruption« est opposée à »la gloire des enfants de Dieu«. Le contexte vise la rédemption qui atteindra la création dans le futur (»c'est avec l'espérance d'être elle aussi libérée de la servitude de la corruption«) et l'attente de cette rédemption (»dans l'attente de la rédemption de notre corps« v. 23)[89], attente qui repose sur les prémices de l'Esprit déjà reçus (v. 23). Cette rédemption est nécessaire, parce que la création, contre son gré, a été soumise à la vanité (v. 20), à cause de celui qui l'y a soumise (Dieu lui-même, selon le P. Lagrange, F. J. Leenhardt, O. Michel)[90]. Mais pourquoi Dieu a-t-il soumis la création à la corruption? Le texte ne le dit pas. On voit souvent ici un écho de Gen. 3, 17–19, mais dans Gen. 3, 19 le caractère périssable de l'homme n'est pas la conséquence de la désobéissance de l'homme: »car tu es poussière ...« est-il dit. D'après la Genèse, la punition de la faute n'est pas la mort, mais la condition difficile dans laquelle l'homme est placé; il doit désormais trouver lui-même de quoi se nourrir, au prix d'un travail pénible. Dès lors, la mort est inscrite dans la nature même de l'homme créé par Dieu[91]. Φθορά désigne donc cette condition mortelle qui est dès l'origine celle de l'homme.

A l'appui de cette interprétation, citons quelques textes. D'abord Col. 2, 22 où φθορά a le sens neutre: il désigne le caractère périssable des choses, sans qu'il soit question ici de la conséquence d'une désobéissance[92]. Ce caractère périssable des choses fait partie du

---

[89] Cf le texte de P 46 DGit qui ici s'impose.

[90] Point n'est besoin de trancher ici la question de savoir si κτίσις = création ou créature. Sur ce point, l'article de G. W. H. Lampe »Die neutestamentliche Lehre von der Ktisis«, *KuD* 11 (1965), 21–32 est peu convaincant. On relèvera en particulier ces deux déclarations: »Der Mensch ist ein Teil der Schöpfung. Er ist mit der übrigen Natur durch die Tatsache verbunden, daß er einen Leib hat, in gewisser Hinsicht sogar Leib ist« (p. 26); et plus loin: »Deshalb führt die Hoffnung auf die Neuschöpfung des Leibes möglicherweise zu dem Gedanken der Neuschöpfung der natürlichen Ordnung, von der er ja seinen Teil bildet« (*ibid.*).

[91] H. Strack et P. Billerbeck notent à propos de ce point chez les rabbins: »Meist aber wird die Fluchverhängung über die Schöpfung einfach konstatiert, ohne daß über ihren Zusammenhang mit Adams Sünde des weiteren reflektiert wird« (*op. cit.* III, p. 247).

[92] C. F. D. Moule *The Epistles to the Colossians and to Philemon* (CGTC),

plan créateur de Dieu. Le deuxième texte qui doit être cité, c'est 2 Pi. 2, 12. Les impies sont comparés à des animaux sans raison et l'auteur ajoute: ils sont »voués par nature à être pris et détruits.« Quel sens donner à l'expression »par nature«? Il faut penser à Jude 10. H. Windisch[93] interprète φθορά comme renvoyant au jugement divin, mais il n'explique pas le terme qui fait ici difficulté. J. Chaine dit dans son *Commentaire*[94] que »les animaux sont destinés par leur nature propre à être pris et à périr« et que »dans le plan divin, ils n'existent que pour l'usage de l'homme«. Il faut noter cependant que φθορά revient deux fois dans le passage que nous citons. Si l'explication de J. Chaine convient au premier φθορά, elle ne s'applique pas au second, car ici il s'agit non plus d'une destruction »naturelle«, mais d'une conséquence de l'injustice des impies; »salaire de l'injustice« (v. 13), dit le texte. Φθορά renvoie donc au jugement. De ce texte de 2 Pi. 2, 12, il ressort que φθορά peut avoir deux sens: a) le sens de »destruction naturelle«, attesté aussi par Col. 2, 22 et peut-être Rom. 8, 21; b) le sens de »salaire de l'injustice des hommes«, attesté par 2 Pi. 2, 12b.

Si nous poursuivons la lecture de 2 Pi. 2 nous découvrons au v. 19 un troisième sens du même mot. En effet, dans l'expression »ils sont eux-mêmes esclaves de la corruption«, φθορά ne désigne ni le caractère naturellement périssable de la création, ni la punition d'une désobéissance, mais la »corruption morale«[95]. L'expression rappelle d'ailleurs le passage de Rom. 6, 20 dans lequel l'apôtre dit: »vous étiez esclaves du péché«.

Enfin, citons encore Gal. 6, 8, qui présente un parallélisme entre »chair« et »esprit« d'une part, »corruption« et »vie éternelle« de l'autre. Paul dit aux Galates: »qui sème dans sa chair, récoltera de la chair la corruption; qui sème dans l'esprit, récoltera de l'esprit la vie éternelle.« Semer dans la chair, c'est ne faire confiance qu'à soi-même. La corruption qui menace celui qui agit ainsi — comme aussi la vie éternelle qui récompense celui qui »sème dans l'esprit« — est

---

Cambridge, 1957 p. 108 note ici que l'expression de Col. 2, 22 »seems to mean: 'destined to perish in the course of using them up'«. Et E. Lohse *Die Briefe an die Kolosser und an Philemon* (Meyer IX, 2), 14. Aufl., Göttingen, 1968 p. 182 va dans le même sens; toutes les choses interdites par les tabous que veut introduire la ›philosophie‹ sont là au contraire pour que l'on s'en serve. »Gott hat sie ausnahmslos (πάντα!) dazu bestimmt, daß sie durch den Gebrauch des Menschen verzehrt werden.«

[93] H. Windisch *Die katholischen Briefe* (Hdb. z. NT 15), 3. Aufl., Tübingen, 1951 p. 95.

[94] J. Chaine *Les Epîtres catholiques.* La Seconde Epître de saint Pierre, l'Epître de saint Jude (Et. bibl.), 2e éd., Paris, 1939 p. 69.

[95] *Ibid.*

eschatologique[96]. Celui qui ne se confie qu'en lui restera ce qu'il est: étant périssable par nature, cet homme périra et sera à jamais privé de la vie éternelle. Celui qui, par contre, marche selon l'Esprit donné en Christ héritera la vie éternelle.

Ce texte de l'Epître aux Galates nous ramène à 1 Cor. 15, 42: ici aussi, nous avons une antithèse; le verbe est au passif (σπρείρεται) alors qu'il était à l'actif dans Gal. 6, 8 (ὁ σπείρων); à φθορά Paul oppose ici ἀφθαρσία, alors qu'il parlait de »vie éternelle« dans le texte de Gal. 6[97]. Dans les deux textes, φθορά est prise d'un point de vue différent: la »corruption« est eschatologique dans Gal. 6, 8; elle atteindra celui qui ne se confie qu'en lui-même. Mais pourquoi l'atteindra-t-elle, sinon parce que l'homme est créé corruptible, comme l'affirme justement 1 Cor. 15, 42: σπείρεται ἐν φθορᾷ. Pour que l'homme ressuscite incorruptible (c'est-à-dire, pour qu'il hérite la vie éternelle), il faut que Dieu envoie l'Esprit et que l'homme le reçoive, pour être transformé par lui[98].

Dans la première antithèse de 1 Cor. 15, 42 Paul oppose donc deux moments de l'économie divine, la première création et la résurrection, seconde création, qui verra s'opérer la »rédemption de notre corps« (Rom. 8, 23).

2. Ἀτιμία — δόξα: le terme ἀτιμία est relativement peu fréquent dans le NT. Opposé à δόξα, il désigne »ce qui ne convient pas« (1 Cor. 11, 14; 2 Cor. 6, 8). Peut-être pourrions-nous définir ἀτιμία par rapport à son contraire, la δόξα. Nous avons déjà rencontré un sens particulier de δόξα au v. 40 où nous avons traduit par »l'éclat«. Dans l'AT, on parle de δόξα quand Dieu se révèle. Le terme désigne à la fois cette révélation de Dieu et sa manifestation[99]. La δόξα est essentiellement un attribut de Dieu (Ps. 138, 5; 24, 8; 66, 2; 79, 9). Mais elle est aussi objet d'espérance pour les hommes: quand la terre sera remplie de la gloire de Yahvé, on saura que sa souveraineté s'étend sur toute la terre (Ps. 57, 6. 12; 7, 19). C'est pourquoi toute la préoccupation du Deutéro-Isaïe est de préparer le chemin pour la venue de cette gloire (Is. 40, 3 ss.). L'auteur oppose d'ailleurs la gloire de Yahvé à la faiblesse de l'homme (vv. 6—7); la gloire de Yahvé doit remplir la terre, alors que »toute chair« périt. Mais cette gloire de Yahvé est objet d'espérance: les hommes y seront associés lorsqu'elle éclatera sur toute la terre. Il est tentant de voir dans cette

---

[96] H. Schlier *Der Brief an die Galater* (Meyer VII), 13. Aufl., Göttingen, 1965 p. 277 dit à propos des termes φθορά et ζωὴ αἰώνιος: »Sie treten an den Tag erst bei der Parusie Christi.«

[97] Combinaison des deux: Rom. 2, 7. [98] Cf Rom. 5, 5; Gal. 4, 6; 1 Thess. 4, 8.

[99] G. von Rad Art. »δόξα« ThWbNT II, 243: »Das Wesen des כבוד selbst hat man sich wohl als eine strahlende Feuersubstanz vorzustellen.«

opposition entre le caractère périssable de l'homme et la participation à la gloire divine qui lui est promise la clef de l'antithèse que nous étudions. Cette antithèse entre ce qui doit périr et la gloire promise apparaît aussi dans Phil. 3, 21, où Paul montre que c'est le Christ qui, à son retour opérera cette transformation: il »transfigurera notre corps de misère pour le conformer à son corps de gloire, avec cette force qu'il a de pouvoir même se soumettre tout l'Univers«.

Il y a cependant un texte qui semble contredire l'interprétation que nous proposons, c'est Rom. 3, 23. Il semble ici que les hommes avaient à l'origine une gloire qu'ils ont perdue à la suite de leurs transgressions. S'il en est ainsi, ἀτιμία ne caractérise pas la situation initiale de l'homme dans le monde, mais une modification de cette situation créationnelle à la suite du péché. Mais l'objection n'est qu'apparente, car la gloire de Dieu n'est jamais une qualité ou un attribut que l'homme possède »physiquement«. A la suite de la transgression de la volonté de Dieu, l'homme sort de la relation dans laquelle Dieu l'avait établi par rapport à lui et dans laquelle la rédemption le rétablira (Rom. 8, 30).

La seconde antithèse des vv. 42b ss. reprend donc sous une forme différente l'opposition entre la création et la nouvelle création eschatologique.

3. Ἀσθενεία-δύναμις: L'emploi du terme ἀσθενεία est fréquent pour désigner l'homme. Clément d'Alexandrie dit par exemple: »parce que l'homme, enjeu de la bataille, est un faible animal, il incline facilement vers le pire et donne son aide à ceux qui le haïssent: d'où résultent pour lui des maux plus grands encore.«[100] Et dans un autre ouvrage du même auteur, on lit: »Relativement à la façon dont on y a part, les biens d'ici-bas portent le même nom et le Logos fait d'une manière divine l'éducation de la faiblesse humaine, en passant des choses sensibles au spirituel.«[101] De même aussi chez Philon: »Or le Démiurge, sachant qu'il détient la supériorité dans tous les ordres de perfection et que les êtres engendrés ont, en dépit de leurs grands airs, une nature faible, ne veut pas proportionner ses bienfaits et ses châtiments à sa puissance, mais aux possibilités qu'il voit chez ceux qui doivent avoir leur part de l'un ou l'autre de ses attri-

---

[100] Clément d'Alexandrie *Extraits de Théodote.* Texte grec, introd., trad. et notes de F. Sagnard (SC 23), Paris, 1948, p. 196 (il s'agit de *Extr.* 73, 3). On pourrait aussi citer *Strom.* II, 16, 72, 4 (SC 38 p. 91) et VII, 3, 16, 2 (GCS III, 12).

[101] Paedagogus 12, 86, 2 (SC 158 p. 167): »παιδαγωγοῦντος ἐνθέως τοῦ λόγου τὴν ἀνθρώπων ἀσθένειαν ἀπὸ τῶς αἰσθητῶν ἐπὶ τὴν νόησιν.

buts.«[102] D'autres passages du même auteur pourraient encore être cités[103].

C'est dans la ligne de ce dernier texte en particulier qu'il faut comprendre l'ἀσθενεία chez Paul. C'est d'abord un état de faiblesse naturelle, liée à la σάρξ (Gal. 4, 13; Rom. 6, 19). Mais cette faiblesse est un terrain favorable pour l'œuvre des désirs et des convoitises de la chair. On passe alors du plan anthropologique au plan théologique.

Dans 1 Cor. 15, 42 Paul reste cependant sur le plan anthropologique: ἀσθενεία a le sens neutre; comme telle, cette faiblesse est associée à φόβος et à τρόμος (1 Cor. 2, 3), à ὕβρις, ἀναγκή, διωγμός, στενοχωρία (2 Cor. 12, 10); elle est opposée à δύναμις (2 Cor. 12, 9; 13, 4).

Dans la LXX, la δύναμις est liée essentiellement à Dieu, non comme un de ses attributs abstraits, mais comme sa manifestation dans l'histoire[104]. Dans le NT, la δύναμις θεοῦ prend sa pleine signification en Christ, qui la révèle dès sa naissance (Lc 1, 35) et jusqu'à sa résurrection (Mt 22, 29). C'est pourquoi cette puissance fonde l'espérance chrétienne: c'est par elle que Dieu a ressuscité Jésus et c'est par elle qu'il ressuscitera les croyants à la parousie.

On peut donc dire à propos de la troisième antithèse des vv. 42b ss. qu'à la faiblesse inhérente à la création, Paul oppose la puissance qui caractérisera la nouvelle création, exprimant ainsi sous un troisième aspect les deux étapes de l'économie divine[105].

4. Ψυχικός — πνευματικός: La quatrième antithèse envisage la même problématique en opposant le corps terrestre au corps de résurrection, le corps psychique au corps spirituel[106].

Dans le judaïsme tardif, l'aspect nouveau que revêtent les corps ressuscités est exprimé fréquemment par l'idée qu'ils sont parés de vêtements particuliers. On rencontre deux opinions à ce sujet: pour les uns, les morts ressuscitent avec les vêtements qu'ils portaient lors de leur ensevelissement

---

[102] Philon *Quod Deus sit immutabilis*. Introd., traduction et notes par A. Mosès (Les Œuvres de Philon d'Alexandrie 8), Paris, 1963 p. 103.

[103] Par exemple *De spec. leg.* I, 293 ss.

[104] W. Grundmann Art. »δύναμις« *ThWbNT* II, 293: »Die Kraft Gottes hat nach seinem Willen und Ziel einen geschichtsgestaltenden und geschichtsbildenden Charakter.«

[105] Le meilleur commentaire de 1 Cor. 15, 42, c'est Phil. 3, 21.

[106] H. Clavier »Brèves remarques sur la notion de σῶμα πνευματικόν«, in: *The Background of the NT* (In honour C. H. Dodd), Cambridge, 1964 pp. 342—62. Son interprétation est psychologisante. Il dit par exemple à propos de l'expression »corps spirituel«: »la formule occasionnelle ne revient plus, sans doute parce qu'elle ne l'a pas satisfait entièrement« (p. 355); ailleurs il dit que Paul »a été l'homme des dualités; son caractère y prêtait déjà, son expérience humaine a fait le reste« (p. 360). Cf aussi: R. Morisette »L'antithèse entre le ›psychique‹ et le ›pneumatique‹ en I Cor. 15, 44—46«, *RevSR* 46 (1972), 97—143.

et ils sont transformés ensuite; pour les autres, les morts ressuscitent déjà avec des vêtements resplendissants. Citons quelques textes qui défendent et illustrent l'une ou l'autre de ces positions. Dans *l'Ascension d'Isaïe,* l'auteur dit que »les saints viendront avec le Seigneur, avec leurs vêtements, qui sont placés en haut dans le septième ciel; avec le Seigneur, ils viendront, ceux dont les esprits sont revêtus, ils descendront et seront dans le monde; et il confirmera ceux qui seront trouvés dans la chair avec les saints, dans les vêtements des saints, et le Seigneur servira ceux qui auront veillé en ce monde. Et après cela, ils se changeront dans leurs vêtements, en haut, et leur chair sera laissée dans le monde« (IV, 16—17)[107]. Dans le même ouvrage, nous lisons encore: »Car au-dessous de tous les cieux et de leurs anges sont placés ton trône, tes vêtements, ta couronne, que tu dois voir« (VII, 22. Cf aussi VIII, 26; IX, 11). Ailleurs: »La voix dit: Il est permis au saint Isaïe de monter ici, car ici est ton vêtement« (IX, 2). »Et là (au 7e ciel) je vis tous les justes qui (furent) depuis le temps d'Adam; et là je vis le saint Abel et tous les justes; et là, je vis Hénoch et tous ceux qui sont avec lui, qui sont dépouillés des vêtements de la chair, et je les vis dans leurs vêtements d'en-haut, et ils étaient comme les anges qui se tiennent là dans une grande gloire« (IX, 7—9). R. H. Charles[108] assimile les vêtements d'en-haut aux corps glorieux. Mais E. Tisserant[109] est plus prudent en affirmant qu'on ne peut savoir au juste ce que l'auteur entendait par ces vêtements de gloire, car Hénoch reçoit ce vêtement de la gloire de Dieu, bien qu'il doive redescendre sur terre pour instruire sa postérité. A ce propos, un autre passage offre une difficulté semblable. Il est dit: »Alors monteront avec lui beaucoup de justes dont les âmes n'ont pas reçu leurs vêtements jusqu'à ce que soit monté le Seigneur Christ et qu'ils soient montés avec lui. Alors donc, ils recevront leurs vêtements et leurs trônes et leurs couronnes lorsqu'il sera monté dans le 7e ciel« (IX, 17—18). Ici, R. H. Charles pense que ceux qui n'ont pas reçu leurs vêtements ne peuvent être qu'imparfaitement justes, puisque d'après le texte éthiopien de IX, 7 tous les justes sont déjà au 7e ciel, en possession de leurs vêtements et que certains hommes jouissent déjà de la béatitude d'après les versions latine et slave du même texte. Mais les différences entre les versions ne permettent pas d'établir que les justes seulement sont déjà au 7e ciel. Deux passages de *l'Ascension d'Isaïe* méritent encore d'être cités ici; dans le premier, l'auteur dit: »Et je vis là beaucoup de vêtements déposés, beaucoup de trônes et beaucoup de couronnes. Et je dis à l'ange: De qui sont ces vêtements, (ces) trônes et (ces) couronnes? Et il me dit: ces vêtements, il y a

[107] *L'Ascension d'Isaïe.* Traduction de la version éthiopienne avec les principales variantes des versions grecques, latines et slaves. Introd. et notes par E. Tisserant (Documents pour l'étude de la Bible), Paris, 1909, p. 124. Tisserant note ici que les corps dont les élus seront revêtus au ciel ressembleront par leur forme seulement, mais non par leur nature, aux corps actuels.

[108] *The Ascension of Isaiah.* Translated from the Ethiopic version, which, together with the New Greek fragment, the Latin versions and the Latin translation of the Slavonic, is here published in full. Ed. with introd., notes and indices by R. H. Charles, London, 1900, p. 60.

[109] *Op. cit.* pp. 174—75.

beaucoup (d'hommes) de ce monde qui les recevront, en croyant aux paroles de celui qui sera nommé, comme je te l'ai dit, et ils les observeront et croiront en elles, et ils croiront en sa croix; ces choses pour eux sont préparées« (IX, 24–26). Le second passage, c'est XI, 40: »Et vous, veillez dans l'Esprit Saint, pour recevoir vos vêtements, les trônes et les couronnes de gloire qui sont déposés dans le 7e ciel.«

Dans le livre des *Secrets d'Hénoch*, on peut lire au chapitre XXII: »(Et) le Seigeur dit à Michel: ›Prends Hénoch, et dépouille-le des (vêtements) terrestres, et oins-le de la bonne huile, et revêts-le des vêtements de gloire‹. Et Michel me dépouilla de mes vêtements, et il m'oignit de la bonne huile: et la vue de l'huile plus que d'une lumière, (et) sa graisse comme une rosée bienfaisante, et son parfum une myrrhe resplendissant comme un rayon de soleil. Et je me regardai moi-même, et je fus comme un des glorieux, et il n'y avait pas de différence d'aspect.«[110]

Autre témoin appartenant au judaïsme tardif, *l'Apocalypse de Baruch* défend l'idée que les morts ressusciteront tels qu'ils sont ici-bas, afin de pouvoir être reconnus lors du jugement. Après celui-ci, ils seront changés[111].

Enfin dans le *Pasteur* d'Hermas, l'auteur[112] déclare que »tous ceux qui allaient dans la tour avaient des vêtements blancs comme neige«.

En conclusion de cette rapide enquête[113], on peut dire que, si l'idée d'une nouvelle apparence des ressuscités domine tous les textes cités, nulle part, la pensée n'est aussi précise que chez Paul, car nulle part, il n'est vraiment question de l'opposition de deux corps, comme c'est le cas dans 1 Cor. 15. Par ailleurs, l'idée d'un nouvel aspect des ressuscités n'est jamais mis en relation avec la résurrection du Christ. Le judaïsme tardif se préoccupe davantage de dépeindre l'aspect du corps de résurrection que de développer une réflexion théologique sur la résurrection dans le plan de Dieu.

Qu'en est-il de l'opposition des deux corps chez l'apôtre Paul? On connaît l'interprétation de H. Lietzmann, réfutée par W. G. Kümmel[114] et bien d'autres après lui: le σῶμα serait une »forme« (au sens grec de ce terme), constituée pendant l'existence terrestre d'une substance charnelle et à la résurrection de πνεῦμα céleste. Il n'est pas possible d'accepter cette exégèse.

Dans le NT, ψυχικός se rencontre 5 fois, dont trois chez Paul dans

---

[110] *Le Livre des Secrets d'Hénoch.* Texte slave et trad. française par A. Vaillant (Textes publiés par l'Institut d'Etudes slaves IV), Paris, 1952.

[111] Cf Apoc.syr. de Baruch 51, 10. *Apocalypse syriaque de Baruch.* Introd., trad. du syriaque et commentaire par P. Bogaert (SC 144–145), 2 vol., Paris, 1969.

[112] Sim. 8, 2, 3. Hermas *Le Pasteur.* Introd., texte critique, traduction et notes par R. Joly (SC 53), Paris, 1958.

[113] On aurait encore pu citer *Hén.* 62, 15–16 (E. Kautzsch *op. cit.* vol. 2 p. 272); IV Esdras 2, 39 et 45 (*The fourth Book of Ezra.* The latin version ed. from the Mss by R. L. Bensly, with introd. by Montague Rhodes James (TSt III/2), Cambridge, 1895).

[114] H. Lietzmann *op. cit.* p. 84 et la réfutation de W. G. Kümmel dans le même ouvrage pp. 194–95.

la Première Epître aux Corinthiens[115]. L'apôtre affirme dans 1 Cor. 15, 46 que ce qui est psychique précède ce qui est spirituel. Dans 1 Cor. 2, 14–15, l'homme psychique est opposé à l'homme spirituel. Ce qui est intéressant, c'est que Paul n'emploie jamais l'adjectif ψυχικός (-κόν) seul, mais toujours comme antithèse de πνευματικός (-κόν). C'est à partir de la Révélation que l'homme apparaît psychique ou spirituel[116]. L'apôtre oppose l'homme qui a reçu l'Esprit de Dieu et qui peut par conséquent juger »spirituellement« des choses, à celui qui n'a pas reçu l'Esprit de Dieu et que Paul appelle l'homme psychique (1 Cor. 2, 14) ou charnel (3, 1)[117].

Le terme ψυχικός semble donc désigner l'homme avant qu'il n'ait reçu l'Esprit. Peut-on en dire plus? On sait que Paul ne partage pas l'anthropologie hellénistique[118]. Pourtant, à côté de σῶμα il emploie ψυχή. Ce mot a trois sens chez l'apôtre: 1) dans Rom. 2, 9 l'expression ἐπὶ πᾶσαν ψυχὴν ἀνθρώπου désigne l'homme en tant qu'être vivant (cf aussi Rom. 13, 1); 2) dans toute une série de textes, ψυχή désigne la vie humaine: Rom. 11, 3; 16, 4; 2 Cor. 1, 23; 12, 15; Phil. 2, 30; 1Thess. 2, 8; 3) parfois, l'âme semble être individualisée et avoir une fonction particulière: Eph. 6, 6 »comme des esclaves du Christ, qui font avec âme la volonté du Dieu«. L'expression est expliquée au verset 7: servant avec bienveillance, en étant dans de bonnes dispositions. Ψυχή est ici le siège de la volonté et exprime l'adhésion de toute la personne, comme dans Phil. 1, 27 et Col. 3, 23; 4) à tous ces textes, il faut ajouter la formule de 1 Thess. 5, 23 qui mentionne l'esprit, l'âme et le corps. Mais il ne faut pas partir de ce dernier texte pour comprendre l'anthropologie paulinienne, qui n'est ni trichotomiste, ni dualiste[119]. L'anthropologie de Paul a sa source

[115] 1 Cor. 2, 14; 15, 44. 46; Jacques 3, 15; Jude 19.

[116] L'homme »en-soi« n'intéresse pas l'apôtre, comme d'ailleurs le NT. Cf W. G. Kümmel *Das Bild des Menschen im NT* (AThANT 13), Zürich, 1948 pp. 7–8. On pourrait dire la même chose de l'AT: cf W. Eichrodt *Das Menschenverständnis des Alten Testaments* (AThANT 4), Zürich, 1947.

[117] H. Conzelmann *Kor-Kommentar* p. 89: »Sie bezeichnet die Korinther weder als grundsätzlich Blinde noch als qualifizierte Sünder, sondern also als ›natürliche‹ Menschen, als ἄνθρωποι.« Σάρκινον est synonyme de σαρκικόν. Cf apparat pour Rom. 7, 14; 1 Cor. 3, 3.

[118] Il faut ici distinguer l'hellénisme et la gnose. Schématiquement, l'hellénisme divise l'homme en deux: le corps destiné à périr, et l'âme immortelle, qui en est le principe supérieur. La gnose par contre considère ensemble le corps et l'âme comme inférieurs et leur oppose le pneuma divin.

[119] H. Conzelmann *Theol.* p. 196: »Es handelt sich um eine vielleicht schon vorpaulinische Wendung im liturgischen Stil mit seiner Neigung zur Dreigliedigkeit. Paulus könnte genau so gut einfach sagen: ὑμῶν τὸ πνεῦμα ou ὑμεῖς. Die drei Begriffe werden nicht definiert, sondern naiv kumuliert. Sie bezeichnen die Ganzheit des Menschseins, an dieser Stelle unter dem Gesichtspunkt, daß Paulus für seine Gemeinde um Bewahrung bittet.« Dans 1 Cor. 5, 3

dans l'AT; or quand l'AT parle de נפש, il envisage d'une part l'homme dans son ensemble, considéré en tant qu'être vivant (Gen. 2, 7), d'autre part certaines manifestations de la vie qui est en l'homme: souffle, aspiration, désir. Ici, comme chez Paul, ψυχή, tout en ayant un sens spécifique qui varie d'ailleurs d'un texte à l'autre, ne désigne pas une partie de l'homme, opposée à une autre qui serait le corps ou l'esprit.

Ces remarques nous permettent de préciser le sens de l'expression σῶμα ψυχικόν. L'apôtre veut désigner par là la personne (σῶμα) animée par la ψυχή (conformément à Gen. 2, 7: »l'homme devint une âme vivante«). Le σῶμα ψυχικόν, c'est l'homme tel qu'il a été créé par Dieu.

A cet homme de la première création, Paul oppose l'homme tel qu'il sera lors de la résurrection[120]; et cet homme, il le désigne en parlant de σῶμα πνευματικόν. Il faut, pour comprendre cette expression, se rappeler que depuis la glorification du Christ, l'Esprit a été donné aux croyants comme signe et gage de leur résurrection (Rom. 8, 23). Il en fait dès maintenant des créatures nouvelles en renouvelant leur être intérieur (2 Cor. 4, 16; Eph. 3, 16) et en leur permettant de marcher »en nouveauté de vie« (Rom. 6, 4; 7, 6; Gal. 5, 22–25). Mais, même renouvelé par l'Esprit, le croyant reste encore dans sa chair, sujette à la maladie et à la mort. Le renouvellement de son être entier n'aura lieu qu'à la fin des temps, lorsque Dieu renouvellera la création toute entière et transformera le corps charnel, psychique, en corps spirituel[121]. Certes depuis la résurrection du Christ et sa glorification, le croyant est une nouvelle créature

---

Paul dit d'ailleurs simplement σῶμα-πνεῦμα. On peut donc conclure avec H. Conzelmann: »Paulus hat überhaupt kein festes Schema vom Wesen des Menschen« (*ibid.*).

[120] Le schéma anthropologique que Paul adopte ici est plus proche de celui de la gnose que de celui de l'hellénisme (cf note 118). Pourtant, l'apôtre se distance nettement de la gnose: 1. σῶμα n'est pas une grandeur destinée à disparaître parce que méprisable (en tant que matière). Σῶμα est au contraire création de Dieu et désignera l'homme lors de la résurrection, puisqu'il sera »corps spirituel« – ce qui est impensable pour un gnostique; 2. ψυχή n'est pas une partie de l'homme opposée à cette autre partie qu'est le πνεῦμα; ψυχή caractérise l'homme créé par Dieu (Gen. 2, 7); 3. la rédemption ne consiste pas pour l'apôtre à libérer le πνεῦμα, parcelle du πνεῦμα divin, des liens du corps: au contraire, elle consiste à élever l'homme du niveau psychique au niveau spirituel, et cela dans son corps, en sorte que l'homme devient »corps spirituel«.

[121] Cf O. Cullmann »Immortalité de l'âme ou résurrection des morts?«, *Des sources de l'Evangile à la formation de la théologie chrétienne*, Neuchâtel-Paris, 1969, pp. 149–171. Sur les anticipations de cette rédemption, nous renvoyons à un autre article du même auteur: »La délivrance anticipée du corps humain d'après le Nouveau Testament«, publié dans le même recueil d'articles aux pp. 87–95.

(2 Cor. 5, 12); mais cette nouvelle créature reste cependant encore faible, psychique, sans gloire (1 Cor. 15, 43). A la résurrection, ce n'est pas seulement l'homme intérieur qui sera renouvelé, mais le corps lui-même deviendra sous l'effet de l'Esprit un corps spirituel, de sorte que l'homme pourra vivre dans la gloire, l'incorruptibilité, la force[122]. L'expression qu'emploie l'apôtre pour désigner ce corps de résurrection est donc particulièrement adéquate. Il sera vain de chercher à s'en faire une représentation physique — ce serait tomber dans les travers de l'apocalyptique juive. La seule exégèse rigoureuse du σῶμα πνευματικόν, c'est Paul lui-même qui la donne dans les trois antithèses du v. 43.

Nous pouvons maintenant répondre à la question de savoir si les quatre antithèses des vv. 42b—44a sont équivalentes en disant qu'elles sont rigoureusement parallèles.

Paul oppose ainsi dans ces antithèses l'homme tel qu'il a été créé par Dieu (Gen. 2, 7) à l'homme tel que Dieu le ressuscitera — étant entendu que cet homme, c'est le croyant. Créé corps psychique, il ressuscitera corps spirituel. C'est dire que la résurrection ne sera pas le rétablissement d'une condition que l'homme aurait perdue par suite du péché[123]. A la résurrection, l'homme ne redevient pas ce qu'il était à la création, mais il est élevé du niveau psychique au niveau spirituel. Cette transformation est rendue possible par la résurrection et la glorification du Christ et par le don de l'Esprit auquel elle est liée (Rom. 8, 11). La venue du Christ n'a pas été rendue nécessaire à cause du péché seulement. Dès l'origine, elle était nécessaire pour accomplir le plan de Dieu, ce plan qui consiste en une création en deux étapes: une première création à un niveau d'être psychique et une nouvelle création à un niveau d'être supérieur.

---

[122] Il est intéressant de remarquer que pour Gen. 2, 7 la LXX traduit נשמה par πνοή et non par πνεῦμα.

[123] Contre A. Feuillet »La demeure céleste et la destinée des chrétiens. Exégèse de II Cor. V, 1—10 et contribution à l'étude des fondements de l'eschatologie paulinienne«, *RechSR* 44 (1956), 371: »Et tout comme à ses yeux (Paul) le Christ glorieux est le même qui fut cloué sur la croix et enseveli, il considère le corps glorieux des chrétiens comme n'étant pas autre que leur corps actuel transformé« et plus loin: »il apparaît avec évidence que le corps glorieux ne sera que le corps actuel arraché à ›l'esclavage de la corruption‹ qu'avait entraîné le péché, et rétabli dans sa pureté originelle«. Il faut objecter à cela que d'une part, le corps de résurrection est pour l'apôtre une réalité tout à fait nouvelle; c'est une nouvelle création. D'autre part, cette nouvelle création n'est pas au même niveau d'être que la première, puisque Paul oppose le corps spirituel au corps psychique. Enfin, les notions de péché et de chute sont absentes de 1 Cor. 1, 35—49.

Excursus sur l'interprétation de J. A. T. Robinson

Dans son oucrage *The Body,* J. A. T. Robinson a donné une interprétation intéressante et originale du σῶμα πνευματικόν qui s'appuie essentiellement sur la vision de l'Eglise, corps du Christ. Cette image a son origine dans l'incarnation et elle présente l'Eglise comme une extension de cette incarnation (p. 56). Paul illustre le rapport étroit qu'il y a entre le corps de résurrection du Christ (l'Eglise) et le corps des chrétiens qui le forment à l'aide du symbole de l'union sexuelle. L'auteur cite Eph. 5, 28—32 et 2 Cor. 11, 2. Paul utilise aussi à cette fin la théologie sacramentelle qu'il expose dans Rom. 6 et 1 Cor. 10. Cette dernière a l'avantage de préciser la dimension corporative de l'Eglise: »further, the grounding of the doctrine of the Body of Christ in the Eucharist does full justice to the emphasis on which we have insisted, namely, that is to be interpreted *corporally,* as the extension of the life and person of the incarnate Christ beyond His resurrection and ascension« (p. 57).

Malgré leur nombre, les croyants forment un seul corps, à l'image des membres du corps humain (1 Cor. 12, 12; 10, 17; Rom. 12, 5; Gal. 3, 28). Paul exprime la même idée en disant aussi que nous sommes les membres d'un corps dont Christ est la tête (1 Cor. 11, 3; Eph. 1, 23). Or telle est l'espérance de l'Eglise: »... nothing less than that the complete fulness of God which already resides in Christ, should in Him become theirs. This can never be true of isolated Christians, but in the ›fullgrown man‹, in the new corporeity which is His body, ›the measure of the stature of the fulness of Christ‹ is theirs to attain (Eph. 4, 13) — for the Father's decree is that the Divine fulness should dwell in Him, not simply as an individual, but σωματικῶς« (p. 69). C'est le don de l'Esprit qui rend possible la dimension eschatologique de l'Eglise. L'incorporation de notre corps au corps de résurrection du Christ commence au baptême. Le baptême marque donc par là la naissance du corps de résurrection (p. 79). Jusqu'à la parousie, ce corps, membre du corps du Christ, devra attendre sa délivrance de l'esclavage auquel la corruption le soumet (Rom. 8, 21). Mais en même temps, du baptême à la parousie, il y a une »gradual transformation and glorification of the body« (p. 81). Cette croissance et cette glorification progressive du corps sont en même temps celles de l'Eglise, en sorte que la transformation finale, lors de la parousie, du σῶμα ψυχικόν en σῶμα πνευματικόν sera aussi celle de l'Eglise. J. A. T. Robinson dit à propos de 1 Cor. 15 précisément: »When this chapter is set in its proper context of the whole Pauline theology, it becomes quite impossible to think of the resurrection hope in terms of the individual unit. The carrier of the glory (ἔνδοξον, literally, ›a thing full of glory‹) is not the individual but *the Church* (Eph. 5, 27). The Church has been rendered capable of this by baptism, ›the general baptism for all men ... at Golgotha‹ (O. Cullmann *Baptism in the New Testament* 29), wherein Christ ›gave himself for it; that he might sanctify it by the washing of water with the word‹ (Eph. 5, 25 f.)« (p. 82). Or, l'Eglise étant le témoin du monde dans sa vie naturelle, non corrompue, et étant l'instrument de sa destinée, la résurrection du corps sera en même temps »the resurrection body of history itself, the world as its redemption has so far been made effective« (p. 83).

Cette thèse a surtout le mérite de ne pas isoler la résurrection du corps, mais de la voir dans la perspective de l'histoire du salut, et donc de la situer non après la mort de chaque croyant, mais à la parousie (p. 78). On peut cependant se demander s'il était adéquat de faire appel à la théologie de l'Eglise-corps du Christ et si l'argument de O. Cullmann, dans *Christ et le Temps,* n'était pas plus convainquant sur ce point[123bis]. Ceci mis à part, le point faible de cette thèse nous paraît être le mépris de la situation historique de 1 Cor. 15 et de l'Eglise de Corinthe. Pour l'auteur, Paul refuse de répondre à la question qui lui est posée sous forme individuelle pour y répondre dans une perspective collectiviste: preuve en sont les exemples abstraits et collectifs qu'il emploie pour expliquer la résurrection du corps (p. 81). Mais au v. 38, Paul disait pourtant: à chacun son propre corps! En outre, la croissance et la glorification progressive du corps de résurrection depuis le baptême jusqu'à la parousie sont difficilement conciliables avec les antithèses des vv. 42 ss. Il y a croissance, certes, depuis le baptême; mais cette marche »en nouveauté de vie« ne touche justement pas le corps, en sorte que le σῶμα πνευματικόν sera précisément quelque chose de tout à fait neuf. Enfin, si le corps spirituel est l'Eglise, que représente le corps psychique dans l'interprétation de J. A. T. Robinson?

On conclura donc en disant que le corps spirituel est bien le corps que les croyants revêtiront à la résurrection. La dimension communautaire, sur laquelle J. A. T. Robinson insiste à juste titre, ne dissout pourtant pas l'individu dans un corps collectif, mais se manifeste dans le fait que les croyants attendent la parousie et que la résurrection n'a pas lieu après la mort de chacun d'eux, individuellement. La dimension communautaire, ce n'est pas le corps spirituel; c'est l'histoire du salut.

d) Vv. 44b—49: les deux Adam

Le v. 44b a été compris par les commentateurs de deux façons; certains y voient une thèse que Paul va développer dans les vv. 45 ss. (H. Lietzmann, A. Robertson, A. Plummer), d'autres le comprennent comme une dernière antithèse (H. Conzelmann). Le P. Allo y voit une »simple affirmation triomphale«[124]. Il nous semble pour notre part que εἰ annonce la typologie du v. 45 et que le v. 44b se rattache par conséquent à ce qui suit.

Au v. 45a, Paul introduit une citation de Gen. 2, 7 (LXX) qu'il modifie en ajoutant πρῶτος et 'Αδάμ[125]. Ces adjonctions permettent de faire entrer Gen. 2, 7 dans le schéma paulinien de l'économie divine: πρῶτος ἄνθρωπος permet d'attendre un δεύτερος ἄνθρωπος (v. 47: ἔσχατος) et la mention d'Adam fait du premier homme un

[123bis] O. Cullmann *Christ et le Temps,* 2e éd., Ntel-Paris, 1966 pp. 167—75.

[124] Allo *op. cit.* p. 424.

[125] »in targumartiger Paraphrase«, J. Jeremias Art. »'Αδάμ« *ThWbNT* I, 142.

prototype (Urmensch)[126] auquel sera opposé le second Adam[127]. Enfin, troisième élément nouveau par rapport à l'AT, Paul introduit l'antithèse ψυχή-πνεῦμα en ajoutant au v. 45a le v. 45b; il fait ainsi du second Adam l'antithèse du premier[128].

Le v. 45a confirme notre interprétation du σῶμα ψυχικόν: si nous sommes maintenant »corps psychique«, c'est parce que »le premier homme, Adam, a été fait âme vivante« (Gen. 2, 7)[129]. Il s'agit donc bien de la première création[130]. Par contre le corps spirituel, qui

---

[126] J. Héring *op. cit.* p. 148 remarque qu'ἄνθρωπος fait double emploi avec 'Αδάμ. Or, comme 'Αδάμ est nécessaire pour le parallélisme avec le v. 45b, il faut biffer ἄνθρωπος au v. 45a (B Koinè Ir Or Ambr etc.). A cette hypothèse, on objectera: 1. que Paul a trouvé ἄνθρωπος dans sa citation; 2. au v. 45b, P 46 supprime 'Αδάμ! Si on en tient compte, l'argument du parallélisme entre 45a et 45b tombe. On maintiendra donc le texte de Nestlé, éventuellement le texte donné par P 46.

[127] Paul utilise ici la formule rabbinique קל וחמר e contrario (a minori ad majus). H. Conzelmann *Theol.* p. 230 note: »Adam ist in dieser Konfrontation mit Christus nicht einfach der Adam der biblischen Schöpfungserzählung, sondern der Urmensch und Repräsentant der Menschheit.«

[128] Nous n'entrons pas dans la difficile question de la typologie adamique. On consultera surtout à ce sujet l'ouvrage d'E. Brandenburger *Adam und Christus.* Exegetisch-religionsgeschichtliche Untersuchung zu Röm. 5, 12—21 (1. Kor. 15), (WMANT 7), Neukirchen, 1962, pp. 15—157 (bon résumé dans H. Conzelmann *Kor-Kommentar* pp. 338—41). Cf aussi R. Scroggs *The Last Adam.* A Study in Pauline Anthropology, Oxford, 1966. Plus ancien: J. Jeremias Art. »Αδάμ« *ThWbNT* I, 141—43.

[129] En interprétant la notion de »corps psychique« à partir de Gen. 2, 7 nous laissons ouverte la question de l'origine de l'antithèse »psychique-spirituel«. Les deux problèmes sont rarement dissociés, mais ils doivent l'être. Cf. J. Dupont *Gnosis.* La connaissance religieuse dans les Epîtres de saint Paul, Louvain-Paris, 1949 pp. 170—80 qui renvoie à juste titre à Gen. 2, 7 pour expliquer le »corps psychique«, mais qui conclut: »L'antithèse entre les adjectifs ›psychique‹ et ›pneumatique‹ dans I Cor. XV 44—46, s'explique par le contact immédiat de ce passage avec le récit de la création de l'homme (Gen. 2, 7).« Mais la manière dont l'auteur récupère la notion de πνεῦμα pour Gen. 2, 7 est illégitime, exégétiquement: »sans employer le mot *pneuma,* le texte biblique parlait du souffle divin qui a donné la vie à l'homme. Il était aisé de mettre en opposition le souffle vivifiant de Dieu et l'âme vivante de l'homme. Le souffle divin était un *pneuma* (sic!). Paul n'avait plus qu'à faire le Christ détenteur de ce *pneuma* vivifiant« (*ibid.* p. 172). Nous dirons donc que Paul gagne le sens de »psychique« à partir de Gen. 2, 7; mais, avec Bultmann, nous ajouterons: »I repart it as utterly impossible to derive the pauline view of the two divisions of manking, the *psychikoi* and the *pneumatikoi,* from Gen. 2, 7« (R. Bultmann »Gnosis«, *JThS* NS III [1952], 16). L'affirmation d'E. Schweizer Art.« πνεῦμα« *ThWbNT* VI, 419 »Paulus redet also sachlich jüdisch, terminologisch hellenistisch« ne se justifie pas, car l'idée que Paul exprime dans l'antithèse »psychique-pneumatique« est inconnue du judaïsme.

[130] Contre D. M. Stanley *Christ's Resurrection in Pauline Soteriology,* Rome, 1961 p. 126: »The antithesis is not instituted in the nature order of creation, but

caractérise l'état des ressuscités, a sa source dans le Christ »Esprit vivifiant«, qui devient ainsi le prototype de l'humanité renouvelée par l'Esprit.

Les exégètes posent souvent la question à propos de ce v. 45a: quand le Christ a-t-il été fait »Esprit vivifiant«? Certains affirment qu'il l'était dans sa préexistence (J. Weiss), d'autres qu'il l'est devenu lors de l'incarnation (le P. Allo), d'autres enfin situent l'action du Christ comme Esprit vivifiant à partir de sa résurrection et de son ascension (H. Lietzmann, A. Robertson, A. Plummer, H. Conzelmann). Les défenseurs de cette dernière thèse s'appuient sur Rom. 1, 4. On peut rappeler aussi Rom. 8, 9—11. En effet, pour l'apôtre, le Christ et l'Esprit ont une fonction identique dans l'œuvre rédemptrice. Par eux, c'est la même énergie divine qui renouvelle dès à présent l'être intérieur du croyant, qui le fait marcher dans l'obéissance de la foi et qui, à l'avènement du Royaume de Dieu, le recréera sur le plan physique en lui donnant une corporalité nouvelle et spirituelle, pour le faire participer à la gloire et à l'incorruptibilité. Mais si le Christ et l'Esprit ont la même fonction, ils l'accomplissent successivement dans l'histoire du salut: depuis la glorification du Christ, c'est l'Esprit qui est à l'œuvre; c'est lui qui a suscité l'apparition de l'Eglise. Christ est donc devenu »Esprit vivifiant« depuis le moment de sa glorification.

On fera encore sur la typologie introduite ici par Paul les remarques suivantes: 1. cette typologie a pour fonction de préciser la réponse donnée à la question des Corinthiens au v. 35, et l'opposition entre le corps psychique et le corps spirituel. En opposant à Adam fait âme vivante Adam devenue Esprit vivifiant, l'apôtre donne une dimension christologique à l'antithèse corps psychique-corps spirituel[131]. Parce qu'Esprit vivifiant, le Christ rend possible pour les croyants le corps spirituel à la résurrection; par sa mort rédemptrice et sa résurrection, il ne rétablit donc pas l'homme dans sa relation originelle avec Dieu, mais il l'élève du niveau d'être psychique au niveau d'être spirituel. La nouvelle création n'est pas une nouvelle »première création«. 2. à la différence de Rom. 5, 12 ss. et de 1 Cor. 15, 22, il n'est pas question ici de la désobéissance d'Adam et de ses conséquences pour l'humanité[132]. Adam est caractérisé comme celui

---

between the old creation, devasted by sin, and the new, effected by Christ's redemptive death and resurrection«.

[131] H. D. Wendland *op. cit.* p. 135: »Die Begründung (...) ist also christologischen Charakters.«

[132] Il y deux problèmes à distinguer: »die Lehre vom Erbtod« et »die Lehre von der Erbsünde«. H. A. Wilcke *Das Problem eines messianischen Zwischenreichs bei Paulus* (AThANT 51), Zürich, 1967 p. 68 pense qu'on ne trouve ni dans 1 Cor. 15, 22 ni dans Rom. 5, 12 ss. la doctrine du *péché* originel. C'est plus

qui a été fait âme vivante, de même que le Christ est désigné comme celui qui est devenu Esprit vivifiant. 3. cette interprétation est confirmée par le caractère historique que l'apôtre donne à la typologie; πρῶτος et ἔσχατος ne sont pas des jugements de valeur, mais deux étapes de l'histoire du salut. La typologie adamique a ainsi mis l'antithèse des deux corps en perspective historique.

On peut comprendre dans le même sens le v. 46 et voir dans πρῶτον-ἔπειτα le parallèle de πρῶτος/ἔσχατος du v. 45. Une difficulté subsiste cependant: faut-il suppléer σῶμα ou ἐστίν? Si on opte en faveur de σῶμα, alors ἔπειτα ne peut plus être le parallèle de ἔσχατος. Ce dernier terme désigne la glorification du Christ; ἔπειτα ne peut pas désigner la résurrection des croyants à la fin des temps. Or ce point est précisément celui à propos duquel Paul s'oppose aux Corinthiens. Suppléer σῶμα au v. 46 serait laisser ouverte la possibilité pour les Corinthiens de prouver leur thèse en s'appuyant sur le v. 45: depuis la glorification du Christ (=le don de l'Esprit), nous sommes (corps) spirituels! Il faut donc opter plutôt pour ἐστίν[133] (à moins de supposer que le v. 45 est une parenthèse[134], ce qui n'a pas beaucoup de sens).

Le v. 46 tire la conclusion logique du v. 45: puisque le premier homme, Adam, a été fait âme vivante et que le second Adam est devenu Esprit vivifiant, ce n'est pas ce qui est spirituel qui vient d'abord, mais ce qui est psychique. Ce verset 46 était peut-être polémique dans la situation de Corinthe et dans le contexte des spéculations philoniennes sur les deux Adam; la polémique apparaît dans la formulation: οὐ πρῶτον[135].

Si le v. 46 est polémique, nous pensons qu'il vise davantage les Corinthiens que Philon. Nous rejoignons en cela la thèse défendue par J. M. Wedderburn »Philo's ›Heavenly Man‹«, *NovTest* 15 (1973), 302: »(...) the verse becomes a polemic against an unrealistic spiritualizing of this present life, a blending of heaven and earth that does away with the earthiness of the latter; the Corinthians erred in holding to a one-stage soteriology, rather than in reversing the order of a two-stage one. So far from having already realized the fulness of salvation in their Spirit-filled earthly life (I Cor. 4, 8) the Corinthians must realize that they are still but mortal and must await their full redemption at Christ's coming.«

Il faut d'ailleurs simplifier beaucoup l'interprétation de Philon pour

---

problématique pour Rom. 5 que pour 1 Cor. 15, 22. E. Brandenburger *op. cit.* distingue les deux notions: »Erbsünde« (pp. 15–45) et »Erbtod« (pp. 45–64).

[133] Avec H. Conzelmann *Kor-Kommentar* p. 342 n. 61.

[134] Cf Rawlinson, cité par H. Lietzmann *op. cit.* p. 86. Cf aussi E. Brandenburger *op. cit.* p. 75 n. 1.

[135] E. Brandenburger *op. cit.* pp. 74–75 souligne le caractère polémique du v. 46 – qu'il considère comme une parenthèse.

voir chez lui la position que Paul combattrait dans le v. 46. On lit souvent que pour Philon, l'homme de Gen. 1, 26 représente l'idée de l'homme, alors que Gen. 2, 7 décrit l'homme réel, empirique. Or l'analyse des principaux textes de Philon relatifs à ce sujet montre que la réalité est plus complexe. Pour l'Alexandrin, Gen. 1 n'est pas une narration historique, même si le texte présente les événements selon un ordre temporel. Philon dit en effet que »les choses qui naissent réclament un ordre. Or, l'ordre implique le nombre« (*De Opif.* 13 éd. de Lyon p. 149). Il ajoute au paragraphe 28 du même ouvrage: »Il n'y a rien de beau dans le désordre. Or l'ordre, c'est une suite et un enchaînement de choses qui précèdent et de choses qui suivent« (p. 159). Enfin plus loin, il dit clairement encore: »Donc tout était alors constitué en même temps. Mais tout étant constitué en bloc, l'ordre était pourtant tracé« (*ibid.* 67 p. 185). Cette idée reprend ce qui avait été exprimé au paragraphe 36 et qui nous intéresse particulièrement ici: le monde incorporel a été créé le premier jour, dit Philon. Les six autres jours sont consacrés à la création du monde sensible. Il est par conséquent difficile d'affirmer que Gen. 1, 26 désigne l'idée de l'homme et Gen. 2, 7 son correspondant sensible — puisque Gen. 1, 26 se rapporte au 6e jour, et que ce dernier est employé à la création du monde sensible. Il faut noter aussi que chez Philon, ce n'est pas toujours ce qui est ancien dans le temps qui est supérieur: le 7e jour est par exemple meilleur que les six autres.

Pourtant, lorsqu'il explique Gen. 2, 7 Philon dit que Moïse »montre par là très clairement la différence du tout au tout qui existe entre l'homme qui vient d'être façonné ici et celui qui avait été précédemment engendré à l'image de Dieu. Celui-ci, qui a été façonné, est sensible; il participe désormais à la qualité; il est composé de corps et d'âme; il est homme ou femme, mortel par nature. Celui-là, fait à l'image de Dieu, c'est une idée, un genre ou un sceau; il est intelligible, incorporel, ni mâle ni femelle, incorruptible de nature« (*ibid.* 134 p. 231). Il est intéressant en outre de relever que cet homme empirique de Gen. 2, 7 occupe lui-même une position privilégiée par rapport aux hommes qui l'ont suivi: ces derniers naissent des hommes, alors qu'il est né de Dieu; et si la copie est inférieure au modèle, combien plus le sera une copie de copie (*ibid.* 140—41 pp. 235—37).

On peut résumer ainsi la position de Philon au sujet de la création de l'homme, telle qu'elle aparaît dans le *De Opif.*:

a) L'idée de l'homme est conçue par Dieu le premier jour, avec les idées de tout ce qui existera.

b) Gen. 1, 26 décrit la réalisation de cette idée de l'homme le 6e jour.

c) Gen. 2, 7 illustre la création de l'homme sensible, empirique, formé de la glaise du sol et doté par Dieu du souffle de vie qui en fait une »âme vivante«. Ici, Philon oppose cet homme à l'idée qui en a été conçue en Gen. 1, 26.

d) Philon ajoute à cette liste les descendants de cet homme de Gen. 2, 7. Ils sont inférieurs à ce dernier puisqu'ils tirent leur existence des hommes.

On le voit, lorsqu'il interprète Gen. 1 et 2, Philon n'oppose pas simplement l'homme idéal à l'homme sensible. La raison en est double: d'une part, il est possible, comme le suggère J. M. Wedderburn (*art. cité* p. 305), que Philon utilise deux traditions et ceci d'autant plus facilement qu'il ne s'intéresse pas à la chronologie. Selon l'une, la sanctification du 7e jour amènerait Philon à regarder la création des six jours précédents comme la création des choses sensibles, perceptibles; selon la seconde, les six jours de la création dans Gen. 1 correspondraient à la création des genres et des idées, alors que Gen. 2 décrirait les espèces. Mais d'autre part, il faut aussi distinguer chez Philon lui-même plusieurs niveaux d'interprétation. Selon le niveau où il se situe, il ne parle pas joujours des mêmes textes — ici, Gen. 1, 26 et Gen. 2, 7 — dans le même sens.

Cette remarque vaut aussi pour la terminologie. Philon introduit la distinction entre »homme céleste« et »homme terrestre« dans *Leg.all.* I, 31 (cf aussi I, 32.88.90). C'est pour lui une manière pratique de parler des deux hommes. Très vite, les expressions »homme céleste« et »homme terrestre« sont comprises métaphoriquement comme deux comportements (I, 34): le »céleste« est celui qui s'élève au-dessus de la matière et aspire à retrouver l'image de Dieu. Philon dit d'ailleurs dans le *De Gig.* 63 (éd. de Lyon p. 51) qu'Abraham, d'homme du ciel qu'il était, cherchant à connaître la réalité supérieure, est devenu homme de Dieu, »lorsqu'une perfection plus grande lui permit de changer de nom«. Ce passage nous montre que Philon dépasse la terminologie dualiste qu'il emploie. Son exégèse de Gen. 1 et 2 ne peut donc pas se réduire à l'opposition entre »monde des idées« et »monde sensible«, ou, en termes pauliniens, entre homme spirituel et homme psychique.

Le v. 47 reprend l'antithèse du v. 45: ψυχικός devient χοϊκός, πνευματικός devient ἐξ οὐρανοῦ[136]. Χοϊκός ne se trouve qu'ici (47. 48.49) dans le NT[137]. Malgré la différence de vocabulaire (la LXX a χοῦν) la pensée du v. 47b est une reprise de Gen. 2, 7: ἐκ γῆς = מן-האדמה. Nous pouvons ainsi préciser le sens de ψυχικός: l'homme psychique, c'est l'homme modelé par Dieu avec la glaise du sol et dans les narines duquel il a insufflé un souffle de vie pour qu'il devienne un être vivant[138].

---

[136] J. Héring *op. cit.* p. 149 remarque que χοϊκός fait double emploi avec ἐκ γῆς et se trouve sans parallèle au v. 47b. Par contre, il est justifié dans le v. 48. Héring conclut qu'il a pénétré dans le v. 47b depuis le v. 48, par erreur. Mais aucun Mss n'atteste la leçon qu'Héring voudrait primitive. De plus P 46 ajoute dans le v. 47b πνευματικός. Il faut considérer cette leçon comme secondaire, inspirée par le désir de parallélisme avec le v. 47a; on gardera donc la leçon difficile de Nestlé. Sur l'absence d'article pour ἐκ γῆς-ἐκ οὐρανοῦ, cf F. Blass-A. Debrunner *Grammatik des neutest. Griechisch*, 12. Aufl., Göttingen, 1965 253, 3.

[137] E. Brandenburger *op. cit.* p. 76 n. 1.

[138] J. Bonsirven *Exégèse rabbinique et exégèse paulinienne* (BThH), Paris, 1939 p. 315: »Les termes du récit de la création attestent la réalité du »corps psychique« (1 Cor. 15, 45 citant Gen. 2, 7)« et J. Héring *op. cit.* p. 149: »Le caractère terrestre n'est donc pas un effet de la chute. Il est inhérent à la création.

Les commentateurs sont partagés sur le sens à donner à ἐξ οὐρανοῦ. Pour A. Robertson et A. Plummer, l'expression se rapporte à la seconde venue, plutôt qu'à l'incarnation[139]; H. D. Wendland par contre pense plutôt à l'incarnation[140]. Dans le contexte, il nous semble que les deux explications sont à rejeter. Le v. 47 explique le v. 45; il répond à la question de savoir pourquoi le premier Adam a été fait âme vivante et le second Esprit vivifiant. C'est à cause de leur origine: ἐξ οὐρανοῦ est le parallèle de ἐκ γῆς et désigne l'origine divine du Christ par opposition au caractère »terreux« du premier Adam[141]. Avant d'exister comme homme, Christ était de condition divine (Phil. 2, 6—7); mais, historiquement, l'ordre de succession exprimé au v. 46 demeure. En enlevant à l'expression »du ciel« son caractère local et temporel, Paul tourne le dos à l'apocalyptique. C'est pourquoi il peut dire au v. 48: »les célestes«, c'est-à-dire ceux qui portent le corps spirituel, ceux qui sont σῶμα πνευματικόν.

Le v. 48 énonce un principe général, que l'apôtre applique à son schéma de l'histoire du salut au v. 49. La formule »tel — tels« doit être comprise à partir de εἰκών au v. 49. Dans le NT, εἰκών est utilisé dans différentes acceptions[142]: il désigne le Christ comme image de Dieu (2 Cor. 4, 4; Col. 1, 5); mais il caractérise aussi les croyants, en tant qu'ils sont des nouvelles créatures à l'image de Dieu (Col. 3, 9—10). Εἰκών désigne aussi la ressemblance que les chrétiens auront avec l'image du Christ (Rom. 8, 29; 1 Cor. 15, 49; 2 Cor. 3, 18). Enfin signalons deux emplois particuliers de ce terme, d'abord dans Rom. 1, 23 où il indique le caractère de créature à l'image de Dieu, caractère que l'homme a perdu; puis dans 1 Cor. 11, 7 où l'homme est l'εἰκών et la δόξα de Dieu.

Paul se situe ici dans une tradition exégétique dont on a souvent reconnu l'importance. J. Jervell relève à ce propos quatre points que l'apôtre reprend de l'exégèse juive et gnostique: 1. l'opposition homme terrestre — homme céleste, employée par Philon et les

---

De la chute, il n'est d'ailleurs pas question ici (...). D'autre part, l'homme idéal, représenté par le deuxième Adam, sera plus qu'un Adam terrestre restitué, il sera incorruptible, fait de matière céleste, selon vers. 48 s. Nous suivons pleinement Héring, sauf lorsqu'il dit »fait de matière céleste«.

[139] A. Robertson-A. Plummer *op. cit.* p. 374: »This refers to the Second Advent rather than to the Incarnation.«

[140] H. D. Wendland *op. cit.* p. 136.

[141] H. Conzelmann *Theol.* p. 223: »Die Erlösung ist nicht ein Tatbestand in der Welt, sondern ist Bestimmung des Weltseins selbst.«

[142] J. Jervell *Imago Dei.* Gen. 1, 26 f. im Spätjudentum, in der Gnosis und in den paulinischen Briefen (FRLANT N. F. 58), Göttingen, 1960; F. W. Eltester *Eikon im Neuen Testament* (BZNW 23), Berlin, 1958; H. Conzelmann *Kor-Kommentar* Excursus pp. 220—21.

gnostiques dans leur exégèse de Gen. 1, 27 et 2, 7 (v. 47); 2. la représentation de l'homme à l'image d'Adam d'une part, de l'homme à l'image du Christ de l'autre, qui aurait sa source dans Gen. 1, 26 s. et 5, 3 (v. 49); 3. l'exégèse philonienne de Gen. 1, 26 et Gen. 2, 7 qui distingue deux groupes d'hommes, les »pneumatiques« et les »psychiques« (vv. 46—48); 4. au v. 45, Christ est désigné comme Esprit vivifiant. Or la gnose identifie souvent l'Esprit de Gen. 1, 2 avec l'homme de Gen. 1, 26 s.

S'il est vrai que Paul utilise le matériel exégétique gnostique et juif, il s'oppose cependant radicalement aux spéculations juives et gnostiques sur la typologie d'Adam et sur l'exégèse de Gen. 1, 26 s. Il suffit pour s'en convaincre de citer le v. 46 qui met toute l'exégèse paulinienne dans une perspective de l'histoire du salut totalement étrangère à la gnose[143]. On notera aussi que l'apôtre ne cite pas ici Gen. 1, 26 s., mais seulement Gen. 2, 7 (v. 45). Il n'est pas question de l'»imago dei« dans ce passage de l'Epître. J. Jervell[144] tente de montrer que le v. 49 repose sur la tradition du christianisme hellénistique et que la terminologie employée est la même que la terminologie baptismale. Sa thèse s'appuie sur le sens de φέρω. Il note que dans le NT, φέρω s'emploie pour »revêtir« un vêtement (Mt 11, 8; Jn 19, 5; Jacques 2, 3; Rom. 13,4) et que le baptême est aussi présenté comme l'acte dans lequel on revêt les attributs du Christ céleste (Gal. 3, 27; Col. 3, 9 ss. et Eph. 4, 22 ss.). Il remarque ensuite que pour ressusciter, le corps doit mourir, comme dans le baptême, le vieil homme, le σῶμα τῆς ἁμαρτίας, meurt (Rom. 6, 6; Col. 2, 12) et qu'il y a un parallélisme entre le destin du Christ et celui du croyant dans le baptême, qui s'exprime dans les catégories de »faiblesse« et de »force« (Rom. 6, 3 ss.; Phil. 3, 10; Col. 2, 12; 2 Cor. 13, 3 s.). Enfin cette interprétation baptismale du v. 49 expliquerait, selon son auteur, la double leçon de φορέσο(ω)μεν: le subj. aoriste aurait le sens d'un impératif et devrait être compris dans le cadre de la dialectique indicatif-impératif.

Cette exégèse ne nous paraît pas convaincante. Les trois textes cités par J. Jervell et qui parlent de revêtir le Christ emploient tous les trois ἐνδύομαι et non φέρω (Gal. 3, 27; Col. 3, 9 ss. et Eph. 4, 22 ss.). Si, ensuite, un contexte baptismal peut être envisagé pour le v. 49b, en s'appuyant pour cela sur 45b, le v. 49a s'y prête mal.

---

[143] J. Jervell *op. cit.* p. 260 note justement: »So haben wir also hier zu tun mit einer Korrektur von gnostischen und philonischen Gedanken von der urchristlichen Eschatologie«. On sait que chez Philon, c'est l'homme de Gen. 1, 26 qui est l'homme idéal, celui de Gen. 2, 7 lui étant inférieur, selon le schéma platonicien de la théorie des idées.

[144] J. Jervell *op. cit.* p. 261.

Enfin, pour ingénieuse qu'elle soit, l'explication de la leçon φορέσωμεν ne satisfait pas; J. Jervell reconnaît d'ailleurs que la leçon primitive est l'indicatif[145]. Il nous semble donc que l'incertitude des manuscrits s'explique mieux par la confusion entre ο et ω que par un changement intentionnel du texte paulinien pour le mettre en accord avec un contexte baptismal qui, lui-même, est discutable.

Que signifie alors l'expression »porter l'image du terrestre«? Les sources du judaïsme tardif disent aussi que l'homme porte l'image d'Adam; mais c'est pour renvoyer à Adam en tant qu'image de Dieu[146]. La gnose, quant à elle, connaît la représentation de l'homme fait à l'image d'un »Urmensch«, mais cet »Urmensch« est alors le πνευματικός. Enfin les textes rabbiniques mettent toute l'humanité en rapport avec Adam, pour expliquer les conséquences du péché de celui-ci sur celle-là. On le voit: la pensée de Paul n'est pas assimilable à l'une ou l'autre de ces conceptions. Nous l'avons dit déjà, il n'est pas question dans le texte de l'apôtre de Gen. 1, 26 s. Adam n'est donc pas vu sous l'angle de l'»imago dei«. Par ailleurs, chez Paul, Adam n'est pas le πνευματικός, mais le ψυχικός. Enfin le contexte a révélé qu'il n'était pas question, dans ce passage, de la désobéissance d'Adam. Pour comprendre ce que signifie »porter l'image du terrestre«, rappelons-nous ce que Paul dit du premier Adam. Au v. 45, l'apôtre rappelle qu'Adam a été fait âme vivante; il ajoute au v. 47 qu'il est terrestre, de la terre. Or, »tel est le terrestre, tels aussi les terrestres«. Nous avons porté l'image du terrestre, parce que nous aussi, nous avons été et nous sommes encore âmes vivantes, terrestres, de la terre, soumis à la corruption, au déshonneur et à la faiblesse (v. 43), comme l'a été le premier Adam. C'est pourquoi, comme lui, nous sommes σῶμα ψυχικόν. Mais le second Adam, lui, est devenu Esprit vivifiant. En vertu du principe que pose l'apôtre »tel le céleste, tels aussi les célestes«, nous porterons l'image du céleste, c'est-à-dire que nous serons σῶμα πνευματικόν[147]. Ce corps

---

[145] *Ibid.* »Paulus selbst schrieb Indikativ.« L'indicatif est aussi défendu par H. Lietzmann, H. Conzelmann, A. Robertson-A. Plummer. Il nous paraît impossible de dire avec le P. Allo *op. cit.* p. 429: »St Paul ne prédit pas seulement la gloire, il dit qu'il faut la gagner, en s'assimilant progressivement à l'image du Christ (...)«. De même, J. Héring *op. cit.* p. 149: »On suppose que cette image peut déjà être en nous dès ici-bas. Il s'agit de ne pas lui refuser l'hospitalité et de ne pas retomber sous la domination de la σάρξ.«

[146] J. Jervell *op. cit.* p. 266: »Adamgleichheit begründet also Gottgleichheit.«

[147] Cf E. Käsemann *Leib und Leib Christi.* Eine Untersuchung zur paulinischen Begrifflichkeit (BHTh 9), Tübingen, 1933 p. 166: »Das erwartete σῶμα πνευματικόν ist die Eikon des himmlischen Anthropos.« Le fait que les ressuscités soient caractérisés par la notion de »corps spirituel« et que ce dernier ait sa source dans le don de l'Esprit reçu au baptême montre qu'il n'y a pas de résurrection générale chez Paul, mais une résurrection des seuls croyants.

spirituel attendu, c'est l'image de l'homme céleste. Porter l'image du céleste, ce sera être recréé entièrement (σῶμα) par le »pneuma« divin, pour vivre désormais incorruptibles, glorieux, pleins de force (v. 43). Cette interprétation justifie le futur φορέσομεν du v. 49. Certes, depuis la glorification du Christ, les hommes reçoivent l'Esprit lors de leur baptême; mais ce n'est là qu'un élément de la rédemption. Toute l'argumentation de Paul dans 1 Cor. 15 tend à montrer que les croyants ne seront σῶμα πνευματικόν qu'à partir de la parousie (vv. 50 ss.). Ce n'est qu'alors qu'ils porteront l'image du céleste et qu'ils vivront incorruptibles, glorieux, pleins de force. Jusqu'à la parousie, l'apôtre ne connaît qu'un seul corps spirituel, c'est celui du Christ tel qu'il lui est apparu sur le chemin de Damas (Gal. 1, 16; 1 Cor. 9, 1; 1 Cor. 15, 8; Actes 9, 3 ss.; 22, 6 ss.; 29, 12 ss.).

3. Résultats de l'exégèse

1. L'exégèse que nous avons faite de 1 Cor. 15, 35—49 nous a conduit à voir dans la résurrection une nouvelle création de Dieu. La nécessité de la mort, affirmée dans les vv. 36—38, exclut la notion grecque d'immortalité de l'âme. Certes, entre la mort et la résurrection, il y a l'état »près du Seigneur« ou »avec Christ«. Mais ce n'est pas une partie du croyant qui survivrait à la mort[148]. La continuité entre la vie terrestre et la vie des ressuscités réside dans ce Dieu qui invite les hommes à répondre à son amour et qui fait aux croyants la promesse d'une vie entièrement renouvelée, promesse qui repose sur le »déjà« de la résurrection du Christ et sur le don de l'Esprit. C'est peut-être, comme l'a montré H. Schwantes[149], parce que Paul

[148] Ph.-H. Menoud *Le sort des trépassés,* 2e éd., Neuchâtel-Paris, 1966, pp. 72—73 donne fort judicieusement trois arguments contre une interprétation de la formule »avec Christ« au sens de l'immortalité de l'âme: 1. quand Paul emploie cette expression, il s'agit du croyant, et non de tout homme; 2. ce qui rend possible l'état »avec Christ«, ce n'est pas la structure de l'âme, mais l'œuvre rédemptrice du Christ; 3. l'état »avec Christ« n'est pas encore le salut; c'est un état intermédiaire entre le »corps psychique« et le »corps spirituel«.

[149] H. Schwantes *Schöpfung der Endzeit.* Ein Beitrag zum Verständnis der Auferweckung bei Paulus (AvThRw 25), Berlin, 1963 p. 86: »Die besondere Betonung des Leiblichen im Auferstehungskerygma hat ihren Ursprung einzig darin, daß Paulus *die Auferweckung im Schöpfungssinn,* will sagen, *als Schöpfung verstanden hat«;* et l'auteur ajoute (p. 87): »Wer diese ihre Leiblichkeit bestreitet, wie das in manchen Kreisen zu Korinth wahrscheinlich Mode war, verleugnet damit gleichzeitig *Gottes Schöpfung,* will sagen, Gottes *endzeitliches Schaffen.* Denn Auferweckung ist ja endzeitliche Schöpfung! Er verneint damit die Zukunft auch seines eigenen Heils.«

présente la résurrection comme une nouvelle création qu'il ne peut concevoir qu'une résurrection *corporelle*.

2. L'exégèse de 1 Cor. 15, 35—49 montre que cette nouvelle création est parallèle à la première. J. Jervell a posé la question de savoir quel rapport il y avait entre les deux créations: la première n'est-elle que psychique et la seconde spirituelle, donc supérieure[150]? L'auteur le nie; en conséquence, son exégèse présente des résultats exactement opposés aux nôtres[151].

a) Pour J. Jervell, le verbe »semer« des vv. 42 ss. se rapporte à la mort du corps, parce que, dit l'auteur, il n'est question que de mort dans le contexte. Pour notre part, il nous paraîtrait plus juste de dire qu'il n'est question que de résurrection. L'interprétation du verbe »semer« ne peut pas se fonder sur l'image de la mise en terre du grain de semence, car l'analogie des vv. 36—38 n'est pas à comprendre dans un sens organique et biologique.

b) D'après J. Jervell, les trois premières antithèses des vv. 42—43 ne peuvent pas faire allusion à la première création; elles décrivent la situation de péché dans laquelle se trouve l'humanité. Mais alors, pourquoi ne trouve-t-on jamais le terme ἁμαρτία, terme que l'apôtre connaît pourtant fort bien?

c) Au sujet de la quatrième antithèse, J. Jervell montre que dans le texte de l'apôtre, l'homme psychique est l'homme tel que Dieu l'a créé; mais il ajoute qu'il faut comprendre cette affirmation dans son contexte; or celui-ci indique qu'il s'agit non de ce que l'homme était à l'origine, mais de ce qu'il est devenu par la suite. L'homme psychique, c'est l'homme devenu pécheur à la suite de la transgression[152]. Nous avouons ne pas pouvoir suivre cette méthode d'exégèse qui consiste à dire: voilà ce que le texte dit; mais il faut comprendre ce que le texte dit à partir de ce qu'il veut dire (son intention principale); et ce que le texte veut dire n'est justement pas ce qu'il dit! Par ailleurs, il nous semble difficile de suivre encore l'auteur lorsqu'il montre que Paul ne présente pas l'homme comme une créature,

[150] J. Jervell *op. cit.* p. 264: »Man muß hier die Frage stellen, ob mit dem psychischen nur eine zweitrangige Seinsstufe bezeichnet werden soll, etwa so: Die erste Schöpfung war nur psychisch und deshalb der höheren pneumatischen Stufe unterlegen.«

[151] J. Jervell *op. cit.* pp. 264 ss.

[152] J. Jervell *op. cit.* p. 295: »Wenn V. 45 deutlich sagt, daß die psychische Wesenheit Adams durch den Schöpfungsakt festgelegt ist, so ist dies von der Hauptintention her zu verstehen: Es liegt Paulus gar nicht daran, zu zeigen, was der Mensch im Verhältnis zum Schöpfer ist, sondern was der Mensch der ersten Schöpfung im Verhältnis zum Geist Gottes *geworden ist:* Wenn also V. 44 ff. dem Wortlaut nach von der psychischen Geschöpflichkeit der ersten Menschheit spricht, so sind diese Verse doch inhaltlich so zu deuten, daß sie das geschichtliche Hervortreten der ersten Menschheit meinen.«

mais qu'il a en vue l'homme dans son existence historique. J. Jervell justifie cette distinction en faisant de l'antithèse »psychique-spirituel« le parallèle de l'antithèse »chair-esprit«[153]. Ψυχικός serait alors l'équivalent de σαρκικός et ce dernier terme caractériserait l'homme pécheur. Mais cette affirmation est hâtive, car »charnel« peut aussi avoir le sens neutre que nous trouvons par exemple dans 1 Cor. 3, 1. Enfin l'auteur conclut que l'homme psychique n'est pas à un niveau d'être inférieur par rapport à l'homme spirituel; il n'y a pas évolution de l'un à l'autre. Mais, en affirmant que les deux créations se situent à deux niveaux d'être différents, nous ne prétendons pas qu'il y ait évolution de l'une à l'autre; il s'agit de deux actes créateurs du même Dieu, le Dieu qui a ressuscité Jésus-Christ d'entre les morts.

Les quatre antithèses des vv. 42–43 opposent donc la première création à la nouvelle création. La quatrième antithèse précise le sens de la relation entre les deux créations: la seconde est élevée à un niveau d'être supérieur. C'est là l'œuvre de l'Esprit vivifiant. Cette interprétation des antithèses trouve une confirmation dans l'analogie du grain de semence d'une part, puisque la plante qui sort de terre est autre chose que le grain qui y est semé, dans la typologie adamique d'autre part, puisqu'il s'agit pour Paul d'illustrer ainsi les deux étapes de l'histoire du salut en présentant le premier Adam comme le chef de l'humanité avant le venue du Christ et le second Adam comme le chef de l'humanité nouvelle – ce que confirme encore le v. 49.

3. En présentant la résurrection comme une nouvelle création et en la situant christologiquement à un niveau d'être supérieur par rapport à la première création, Paul indique que la résurrection n'est pas une simple restitution de la création corrompue par le péché[154]. La prédication de l'apôtre est une prédication de la Croix (1 Cor. 1, 18). La Croix, qui a déterminé sa vie de pharisien et motivé sa persécution contre l'Eglise (Dt 21, 23; Gal. 3, 13) est devenue à Damas signe de la puissance et de l'amour de Dieu[155]. L'apôtre a compris alors seulement son vrai sens: Christ est mort à la place des hommes pour rétablir les croyants dans une relation filiale avec Dieu (Rom. 8, 14–17). Mais il y a plus. Sa mort est insé-

[153] J. Jervell *op. cit.* p. 265: »(...) wonach ψυχικός als σαρκικός zu verstehen ist.«

[154] Cf H. Schwantes *op. cit.* p. 82.

[155] Ph.-H. Menoud »Le sens du verbe ΠΟΡΘΕΙΝ (Gal. 1, 13. 23 Act. 9, 21)«, in: *Apophoreta.* Festschrift für E. Haenchen zu seinem 70. Geburtstag (BZNW 30), Berlin 1964, p. 183: »S'il (Paul) est apôtre, c'est qu'il a compris que la malédiction qui atteint le Christ est une malédiction substitutive qui procure le salut à ceux qui sont unis au Christ.«

parable de sa résurrection[156]. Par sa résurrection, non seulement les croyants sont réconciliés avec Dieu, mais ils sont appelés à une vie nouvelle, dont les prémices constituent le don de l'Esprit, et qui apparaît maintenant déjà, mais de manière cachée (Rom. 6, 4—11; Gal. 2, 20). Cette vie sera manifestée pleinement lorsque les croyants marcheront non par la foi, mais par la vue et lorsqu'ils seront revêtus de ce même corps spirituel et incorruptible que le Christ glorieux a revêtu avant eux. Tel est le *novum* de la nouvelle création, rendu possible par la résurrection du Christ et le don de l'Esprit. Celui-ci constitue ainsi la première étape d'une rédemption qui ne sera réalisée dans sa plénitude qu'après la parousie; alors les croyants porteront l'image du céleste[157].

---

[156] Et vice-versa: H. Conzelmann *Theol.* p. 227: »Den Erhöhten haben wir nur als Gekreuzigten.«

[157] La notion d'»image du céleste« est la pointe de l'argumentation de Paul contre la thèse corinthienne. Depuis sa résurrection, le Christ est porteur d'un corps spirituel; or, même après le don de l'Esprit, les croyants restent dans un corps périssable, marqué par la faiblesse, un corps psychique. Par conséquent, ils ne sont pas encore porteurs de l'image du céleste. Cette dernière reste pour eux une réalité eschatologique.

II. HISTOIRE DE L'EXÉGÈSE

1. Le deuxième siècle

a) Les pères apostoliques

On sait que l'expression »Pères apostoliques« remonte au 17e s. et que J. B. Cotelier, en 1672, groupait sous ce terme cinq écrivains ecclésiastiques: Barnabé, Clément de Rome, Ignace d'Antioche, Polycarpe de Smyrne et Hermas[1]. Dans ce chapitre, nous nous tenons à cette liste, en y ajoutant, avec les modernes, la Didachè, mais en réservant par contre l'Epître à Diognète pour le chapitre sur les Apologistes grecs[2].

Les Pères apostoliques ne citent pas textuellement 1 Cor. 15, 35–49. C'est à peine si l'on peut noter une réminiscence de 1 Cor. 15, 36–38 dans *l'Epître aux Corinthiens* de Clément de Rome, lorsque l'auteur parle de la résurrection future (chap. 24–26).

Clément commence par affirmer que Dieu a donné les prémices de la résurrection future quand il a ressuscité des morts le Seigneur Jésus (24, 1). L'auteur donne ensuite quatre exemples qui attestent la réalité de la résurrection: 1. la succession du jour et de la nuit (24, 3); 2. les semailles: les semences tombent en terre, sèches et nues. De leur dissolution, Dieu fait lever à nouveau ces semences et l'unique graine se multiplie et porte du fruit (24, 4–5); 3. l'oiseau phénix qui meurt après avoir vécu 500 ans; mais de sa chair en putréfaction sort un ver qui, nourri de la pourriture

---

[1] J. Quasten *Initiation aux Pères de l'Eglise*, trad. de l'anglais par J. Laporte, Paris, 1955 vol. I p. 49. B. Altaner *Précis de Patrologie*, adapté par H. Chirat, Mulhouse, 1961 p. 140.

[2] C'est aussi la division adoptée par la collection Hemmer et Lejay, *Les Pères apostoliques*, texte grec, trad. française, introd. et index, 4 vol., Paris, 1907–1912, alors que dans sa »Neubearbeitung der Funkschen Ausgabe« parue à Tübingen en 1956, K. Bihlmeyer ajoute Papias, Quadratus et l'Epître à Diognète, mais ne donne pas le Pasteur, le réservant pour un volume ultérieur. Notre travail était déjà terminé quand nous avons pu prendre connaissance de l'ouvrage de T. H. C. Van Eijk *La Résurrection des morts chez les Pères apostoliques* (TH 25), Paris 1974. Nous n'avons pu en tenir compte que dans une faible mesure. Les résultats de son travail complètent et confirment en tous points notre rapide exposé sur les Pères apostoliques.

de l'oiseau mort, devient à nouveau un oiseau[3] (25); 4. des textes scripturaires: Ps. 28, 7; 3, 6; 32, 4; Job 19, 26. Et Clément ajoute, après l'exemple du phénix et en conclusion aux exemples tirés de la nature: »Trouverons-nous donc étrange et étonnant que le Créateur de l'univers fasse revivre ceux qui l'ont servi saintement et avec la confiance d'une foi parfaite, alors qu'il nous fait voir dans un oiseau la magnificence de sa promesse?« (26, 1). Mais de ces quatre signes ou attestations de la résurrection, il n'y a rien à tirer sur la nature de la résurrection. Tout au plus pourrait-on déduire de 26, 1 que Clément envisage une résurrection des croyants seulement, c'est-à-dire de ceux qui ont »servi saintement et avec la confiance d'une foi parfaite«. Dans le dessein de Clément, les images employées et les citations bibliques ne visent qu'à rendre vraisemblable la résurrection future. On notera d'ailleurs que l'analogie du grain de semence est mieux à sa place chez Clément que chez Paul. Ce dernier traite du corps de résurrection; or il emploie une analogie qui est inadéquate pour définir la nature de ce corps[4] et dont le sens est de mettre en évidence le nouvel acte créateur de Dieu lors de la résurrection. C'est précisément ce sens que lui donne Clément, en l'associant à l'exemple de l'alternance du jour et de la nuit et à celui du phénix[5].

---

[3] Cette légende, d'origine égyptienne, était fort répandue dans le monde antique. Cf pour les textes profanes R. Knopf (Hdb. z. NT Erg.) pp. 88—89; pour les parallèles juifs J. Hubaux et M. Leroy *Le Mythe du Phénix*, Liège, 1939, pp. IX et XXVII à XXXI; pour les témoignages du judaïsme rabbinique J. Hamburger *Real-Encyclopädie des Judentums* 2 (1897), pp. 908—909. Le premier à rapporter cette légende est sans doute Hérodote (II, 73). Mais L. Sanders *L'hellénisme de saint Clément de Rome et le paulinisme*, Louvain, 1943, p. 73 n. 2 a montré que »la seule rencontre verbale du passage de Clément avec le texte d'Hérodote consiste dans le mot σμύρνα; chez Hérodote, la trame de l'histoire, avec tous ses détails, diffère trop du morceau de Clément pour qu'on puisse croire qu'elle en soit la source«. Les textes du judaïsme et les parallèles rabbiniques diffèrent passablement de la version du mythe que donne Clément. Cette dernière, par contre, est très proche du récit de Pline l'Ancien (*Hist. nat.* X, 2) et de celui de Pomponius Méla (*Chorogr.* III, 8), qui écrivaient sous le règne de l'empereur Claude (L. Sanders *op. cit.* pp. 72—73, qui donne les trois textes sous forme synoptique p. 72 n. 3). La source du récit de Clément est donc à chercher dans la tradition particulière à Rome de la légende du phénix. Cf aussi R. van den Broek *The Myth of the Phoenix according to classical and early christian Traditions*, Leiden, 1972.

[4] Cf H. Conzelmann *Theol.* p. 211.

[5] Du stricte point de vue du vocabulaire, Clément emprunte plus aux Synoptiques qu'à Paul, comme le montre le tableau ci-après (auquel on pourrait ajouter les parallèles de Jn 12, 24):

Clément	*Paul et les Synoptiques*	
γυμνά	γυμνὸν κόκον	1 Cor. 15, 37
διαλύεται	ἀποθάνῃ	1 Cor. 15, 36
ἐξῆλθεν ὁ σπείρων	ἐξῆλθεν ὁ σπείρων	Mt 13, 3 //
ἅτινα πεσόντα	ἃ μὲν ἔπεσεν	Mt 13, 4
	ὃ μὲν ἔπεσεν	Mc 4, 4; Lc 8, 5
πλείονα αὔξει καὶ	ἐδίδου καρπόν	Mt 13, 8

De cette première constatation négative en découle une autre: les expressions ›corps psychique‹ et ›corps spirituel‹ ne se rencontrent jamais dans les écrits des Pères apostoliques. Pourtant si ψυχικός ne fait pas partie de leur vocabulaire, πνευματικός est employé dans de nombreux textes qu'il est intéressant pour nous d'examiner.

Nous ne nous arrêtons ni au passage de Did. 10, 3 dans lequel l'auteur parle »d'une nourriture et d'un breuvage spirituels«, ni à l'Epître de Barnabé qui qualifie le don de l'Esprit de »don spirituel« (1, 2) et qui exhorte ses lecteurs à être des »hommes spirituels« (4, 11); nous ne retenons pas non plus les trois textes de II Clément relatifs à l'Eglise »spirituelle« (14, 1; 14, 2; 14, 3). Par contre les Lettres d'Ignace d'Antioche touchent à notre sujet, parce qu'à l'exception d'Eph. 11, 2 et de Magn. 13, 1 où πνευματικός n'a pas d'antithèse, πνευματικός est toujours mis en relation avec σαρκικός. Les deux termes, chez Ignace, se complètent plus qu'ils ne s'opposent. En effet, le terme de »charnel« n'a pas chez lui le sens péjoratif qu'il a chez Paul. Associé à »spirituel«, il désigne le composant humain, le corps vivant, la personne en tant qu'elle appartient au monde des hommes. Ainsi Ignace peut-il dire à Polycarpe: »Justifie ta dignité épiscopale par une entière sollicitude de chair et d'esprit« (1, 2); ou encore: »Tu es charnel et spirituel«, c'est-à-dire tu appartiens au monde des hommes et à celui de Dieu (2, 2). Dans le même sens que ces textes de la lettre à Polycarpe, il faut citer Magn. 13, 2: »Soyez soumis à l'évêque et les uns aux autres, comme le Christ selon la chair fut soumis au Père, et les Apôtres au Christ et au Père et à l'Esprit, afin que l'union soit à la fois charnelle et spirituelle«; ou encore Smyr. 12, 2 et 13, 2. »Charnel« est synonyme de l'adjectif »humain« qu'Ignace emploie d'ailleurs une fois dans Eph. 5, 1 pour qualifier ses relations avec l'évêque des Ephésiens et où il précise qu'il s'agit d'une intimité »non humaine«, mais toute »spirituelle«. L'intérêt de ces citations est de montrer que chez Ignace, l'adjectif σαρκικός[6] est théologiquement neutre; comme tel, il a le sens de l'adjectif ψυχικός que nous trouvons dans 1 Cor. 15. 35–49. Il ne s'agit pas du corps de péché, mais du corps qui fait de chacun un être vivant,

ἐκφέρει καρπόν	ἐδίδου καρπὸν ἀναβαίνοντα καὶ αὐξανόμενα, καὶ ἔφερεν	Mc 4, 8
	ἐποίησεν καρπόν	Lc 5, 8
ξηρά	ἐξηράνθη	Mt 13, 6 //

On remarquera aussi qu'avec les Synoptiques et Jn 12, 24, Clément ajoute par rapport à Paul l'idée que le grain porte du fruit. Pour une comparaison entre Paul et Clément, cf T. H. C. Van Eijk *op. cit.* pp. 52–53.

[6] Il faut faire exception d'Eph. 8, 2 dans lequel Ignace reprend la terminologie paulinienne de 1 Cor. 2,14 et oppose les »charnels« aux »spirituels«.

un être de chair et d'esprit[7]. Et ce qui confirme notre point de vue, c'est qu'Ignace désigne aussi le Christ par les mêmes expressions que celles qu'il emploie pour désigner les hommes. Il dit en effet aux Eph. (7, 2): »il n'y a qu'un seul médecin, charnel et spirituel, engendré et inengendré, venu en chair, Dieu, d'abord passible et maintenant impassible, Jésus-Christ notre Seigneur.« La nature humaine du Christ est qualifiée de »charnelle«, ce qui montre bien que ce terme n'est pas synonyme de »pécheur«. Mais il y a plus encore: pour montrer l'identité du Ressuscité avec le Jésus terrestre, Ignace dit du Christ: »Et après sa résurrection, Jésus mangea et but avec eux (ses disciples) comme un être de chair, étant cependant spirituellement unis à son Père (σαρκικός, καίπερ πνευματικῶς . . .)« (Smyr. 3,3). L'adjectif »charnel« est donc si peu péjoratif pour Ignace qu'il peut qualifier le Christ ressuscité de »charnel«. Il veut par là désigner la réalité humaine du Christ, plus qu'il n'entend décrire la nature de son corps de résurrection. A ce propos, les Pères apostoliques sont d'ailleurs d'une discrétion totale, qu'il s'agisse du corps de résurrection du Christ, ou qu'il s'agisse de celui des hommes.

Dans la Didachè la résurrection des morts est mentionnée une seule fois, après les cieux ouverts et le son de la trompette comme troisième »signe« de la vérité (16, 6). Le v. 7 précise qu'il s'agit de la résurrection »non de tous, il est vrai, mais comme il a été dit: ›Le Seigneur viendra et tous ses saints avec lui‹ (Zach. 14, 5)«. L'auteur défend donc une résurrection des seuls croyants, mais ne dit pas un mot sur la nature de cette résurrection.

Dans l'Epître de Barnabé[8], on peut mentionner deux passages relatifs à la résurrection. Barn. 5, 6–7 rappelle que, comme il fallait que le Christ se manifeste dans la chair pour abolir la mort et prouver la résurrection d'entre les morts, il a supporté de souffrir ainsi pour montrer dès le temps

[7] R. Bultmann »Ignatius und Paulus«, in: *Studia Paulina in honorem J. de Zwaan septuagenarii*, Haarlem, 1953, p. 45: »Der große Unterschied von Paulus ist der, daß für Ign. das Fleisch nicht primär die Sphäre der Sünde, sondern die der Vergänglichkeit, des Todes ist«; et plus loin: »Der paulinische Gedanke, daß das Fleisch als Macht abgetan ist (Rm 8, 2 ff., bes. V. 9), hat bei Ign. die merkwürdige Form gewonnen, daß das Fleisch selbst in die Gemeinschaft mit dem Geist gebracht worden ist« (*ibid.* p. 47). – L'article cité est reproduit dans *Exegetica*, Tübingen, 1967, pp. 400–411.

[8] L'Epître de Barnabé, n'est ni une épître, ni de Barnabé: elle est un traité théologique anti-juif d'origine probablement égyptienne, visant à donner une interprétation chrétienne de l'AT. cf J. Quasten *op. cit.* I, pp. 99–106 et G. Oger dans *Les Pères apostoliques* (Coll. Hemmer et Lejay) vol. I p. LXI, qui relève que l'Epître est l'œuvre d'un juif converti d'Alexandrie, familiarisé avec les explications allégoriques de l'Ecriture et s'adressant à la communauté égyptienne, composée en grande partie de chrétiens venus du paganisme et particulièrement éprouvés par le prosélytisme juif. Par contre P. Prigent, dans son édition (SC 172) penche pour une origine syrienne de l'Epître.

de son séjour sur terre qu'ayant fait la résurrection, c'est lui qui jugera (ὅτι τὴν ἀνάστασιν αὐτὸς ποιήσας κρινεῖ)[9]. Le texte est embrouillé et obscur[10]. L'idée que le Christ ressuscite les morts — si c'est de cela qu'il s'agit — est nouvelle. Quoi qu'il en soit, la nature de la résurrection n'est pas précisée. Dans un autre passage, à la fin de l'écrit, chap. 21 v. 1, l'auteur s'exprime ainsi: »celui qui accomplit toutes les volontés de Dieu et chemine d'après elles, sera glorifié dans le Royaume de Dieu, tandis que celui qui choisit les iniquités de l'autre voie périra avec ses œuvres.« Δὶα τοῦτο ἀνάστασις, δὶα τοῦτο ἀνταπόδομα. Le texte est ambigu, parce que ἀνταπόδομα peut signifier à la fois: récompense et châtiment. Ce dernier sens ne semble pas s'imposer ici, et avec W. Bauer[11], on préférera opter en faveur du sens neutre: »jugement«, sans préjuger du verdict de ce jugement. Si cette interprétation est la bonne, on trouve ici l'idée que la résurrection précède le jugement, et qu'il s'agit par conséquent d'une résurrection générale[12]. Le texte cité plus haut (5, 6—7) va aussi dans ce sens. Mais pas plus que la Didachè, l'Epître de Barnabé ne nous donne d'indications sur la résurrection des corps.

Nous avons déjà mentionné les chap. 24—26 de l'Epître de Clément de Rome aux Corinthiens. Il faut citer encore deux autres passages de cette Epître: dans 35, 2—3, Clément énumère les dons de Dieu: vie dans l'immortalité, splendeur dans la justice, vérité dans la franchise, foi dans la confiance, continence dans la sainteté. Ce sont là les dons que l'intelligence saisit dès maintenant. Quant aux dons à venir, Clément renonce à toute précision, disant seulement que Dieu seul en connaît le nombre et la beauté. Enfin, il n'y a rien à tirer non plus pour notre sujet de 37, 5 où, reprenant, dans la perspective du corps du Christ qu'est l'Eglise, l'image du corps humain, pour montrer l'utilité de chaque membre, Clément affirme que tous les membres servent au salut du corps entier. Or, le salut du corps entier dont il s'agit ici n'est pas la résurrection corporelle, mais

---

[9] Sur l'arrière-fond de 5, 6—7 cf P. Prigent *L'Epître de Barnabé et ses sources* (Et. bibl.), Paris, 1961 pp. 160—161: »Barnabé réunit et harmonise là deux traditions à l'origine indépendantes« (p. 160), l'une relative à l'anéantissement de la mort et à la résurrection, l'autre relative à l'accomplissement de la promesse d'un peuple nouveau. Il s'agit là de deux thèmes traditionnels chez les premiers auteurs chrétiens et qui, pour la première fois, se trouvent ici réunis.

[10] Il est en effet difficile de savoir s'il s'agit de la résurrection des morts ou s'il s'agit de la résurrection du Christ. H. Windisch *Der Barnabasbrief* (Hdb. z. NT), Tübingen, 1920 p. 329 opte pour cette dernière interprétation, sans toutefois exclure la première. Selon lui, toutes deux trouveraient un appui dans des textes johanniques: c'est ainsi que la résurrection future serait opérée par Jésus-Christ lui-même dans Jn 5, 21. Il n'y a pas lieu de donner ici une interprétation de ce texte, mais disons qu'il ne nous paraît pas désigner expressément la résurrection des morts. Christ exige une décision et une obéissance qui sont pour les croyants les conditions de la résurrection, mais c'est Dieu qui reste l'auteur de cette dernière, selon le NT.

[11] W. Bauer *Wört.* col. 114.

[12] C'est aussi l'opinion de H. Windisch *op. cit.* p. 407: »Der Vf. lehrt eine allgemeine Auferstehung zum Zwecke des vergeltenden Gerichts.«

seulement la vie, le bien-être du corps auquel chacun de ses membres contribuera. Il n'y a donc pas d'allusion à la résurrection dans ce texte.

Dans l'Homélie du 2e s. dite anciennement 2e Epître aux Corinthiens, nous retenons, pour l'examiner, le début du chap. 9. Après avoir dit au chap. 8, 4 que pour avoir la vie éternelle, il fallait faire la volonté du Père, conserver pure sa chair et garder les commandements du Seigneur, et après avoir répété un peu plus loin (8, 6): »Gardez votre chair pure«, l'auteur ajoute: »Que nul d'entre vous ne dise que cette chair ne sera pas jugée et qu'elle ne ressuscitera pas« (9, 1). Et il avance les arguments suivants: 1. vous avez été sauvés, vous avez retrouvé la vue dans le temps que vous étiez dans cette chair (9, 2); par conséquent, comme Dieu vous a appelés dans la chair, vous viendrez à lui dans la chair (9, 4); 2. si le Christ, d'Esprit qu'il était d'abord, s'est fait chair et nous a appelés ainsi, de même, c'est dans cette chair que nous recevrons notre récompense (9, 5). Vient ensuite une exhortation à s'aimer les uns les autres. Pour défendre la résurrection de la chair, l'auteur avance donc deux arguments: c'est dans la chair que nous avons été appelés; le Christ lui-même s'est fait chair pour nous appeler[13]. Ce passage est jusqu'à présent le plus explicite que nous ayons rencontré chez les Pères apostoliques touchant la nature du corps de résurrection.

Le Pasteur d'Hermas ne nous apprendra rien de particulier à ce sujet[14]. Quant aux Lettres d'Ignace, nous relevons trois passages intéressants. D'abord Eph. 11, 2. Parlant du martyre, Ignace exprime son espérance et sa confiance dans le Christ en ces termes: »En dehors de lui, que rien n'ait valeur pour vous, lui en qui je porte mes chaînes, perles spirituelles; je voudrais ressusciter avec elles, grâce à votre prière, à laquelle je voudrais toujours participer pour être trouvé dans l'héritage des chrétiens d'Ephèse, qui ont été toujours unis aux Apôtres, par la force de Jésus-Christ«. On peut, à partir de ce passage, avancer l'hypothèse qu'il s'agit d'une résurrection en vue du jugement, dans lequel les chaînes d'Ignace attesteraient qu'il a été martyr pour le Christ. S'il en est ainsi, l'identité du corps actuel et du corps de résurrection doit être présupposée. Dans un second texte, Trall. 9, 2, nous rencontrons l'idée, déjà attestée par Clément de Rome, que les prémices de la résurrection des morts avaient été données par Dieu dans la résurrection du Christ. Or, dans ce texte de l'Epître aux Talliens, Ignace semble ne pas envisager une résurrection des non-croyants: »C'est son Père qui l'a ressuscité (le Christ), et c'est lui aussi qui, à sa ressemblance, nous ressuscitera en Jésus-Christ, nous qui croyons en lui, en dehors de qui nous n'avons pas la vie véritable.« S'agit-il ici aussi, comme dans le texte précédent, d'une résurrection précédant le jugement? Il serait alors difficile d'expliquer pourquoi Ignace ne l'envisage que pour les croyants. La difficulté ne doit pourtant pas nous arrêter trop longtemps:

[13] T. H. C. van Eijk *op. cit.* p. 86 relève trés justement que »Pour la première fois, l'Incarnation du Christ, c'est-à-dire le fait qu'il a assumé la σάρξ, sert d'argument pour la ›σαρκὸς ἀνάστασις‹. Elle n'est plus mise en relation avec la résurrection du Christ, qui n'est même pas mentionnée«.

[14] Cf T. H. C. van Eijk *op. cit.* pp. 93 ss.

pour Ignace, la résurrection est davantage un article de foi, un objet d'espérance qu'une doctrine. Aussi lui importe-t-il davantage de l'affirmer que d'en définir soigneusement les modalités. Enfin, examinons un dernier texte: la salution finale de l'Epître aux Philadelphiens 11, 2: il est dit en effet que les Ephésiens et les Smyrniotes seront comblés d'honneurs par le Seigneur Jésus-Christ, εἰς ὅν ἐλπίζουσιν σαρκί, ψυχῇ, πνεύματι, πίστει, ἀγάπῃ, ὁμονοίᾳ. Dans sa traduction, A. Lelong[15] voit ici une allusion à la résurrection: »ils seront à leur tour comblés d'honneurs par le Seigneur Jésus-Christ, en qui ils ont mis leur espérance pour le corps, l'âme et l'esprit, par la foi, la charité, la concorde.« La traduction du P. Camelot[16] nous paraît plus adéquate: »ils seront eux aussi honorés par le Seigneur Jésus-Christ, en qui ils espèrent de chair, d'âme et d'esprit, dans la foi, la charité, la concorde.« Il ne nous semble pas que le texte exprime une idée de finalité. Aussi, nous comprenons ainsi: ils espèrent pleinement, de tout leur être ... Nous n'avons par conséquent ici aucune indication précise sur la résurrection corporelle.

La résurrection des morts est donc affirmée par tous les Pères apostoliques. Did. 16, 6 précise qu'elle précédera la parousie et qu'elle sera réservée aux justes seulement; Ignace (Trall, 9, 2) et Clément (24, 1), auxquels on peut ajouter Barn. 5, 6 affirment que la résurrection du Christ est un gage de la résurrection des morts et Clément rappelle encore les signes de la résurrection que Dieu donne dans la nature. Seul, Barnabé semble envisager une résurrection générale, les autres auteurs paraissant au contraire réserver la résurrection aux fidèles dans la foi. Enfin l'Homélie du 2e s. — et peut-être Ignace Eph. 11, 2 — va plus loin en insistant sur la nécessité de l'identité du corps actuel et du corps de résurrection. Cette idée est ici commandée par celle de rétribution.

Cette enquête montre que chez les Pères apostoliques, la résurrection est affirmée comme un fait, objet de la foi des croyants. Elle n'est pas exposée comme une doctrine cohérente. On peut donner à cela plusieurs explications. J. N. D. Kelly[17] pense que l'insistance des Pères apostoliques à mentionner la résurrection des morts est due au fait qu'ils se trouvent en présence de docètes et de gnostiques qui refusaient de croire à la résurrection de la chair. Peut-être en effet y a-t-il de la part des Pères une volonté de mettre en garde les communautés chrétiennes contre les dangers des courants de pensée qui menacent leur foi et leur espérance. Cependant, ce souci ne nous semble pas être le motif principal des affirmations de la résurrection dans les écrits qui nous occupent, car une réelle mise en garde aurait nécessité plus de détails et une argumentation plus serrée (cf Paul dans 1 Cor. 15!). Pour J. Starck[18], le »retard de la parousie« a permis au

---

[15] *Les Pères apostoliques* (Coll. Hemmer et Lejay), vol. III, p. 81.

[16] Ignace d'Antioche *Lettres (*SC 10), Paris, 1945 p. 93.

[17] J. N. D. Kelly *Early Christian Doctrines*, London, 1958 p. 463: »The insistence of these writers is probably to be explained by the rejection of a real resurrection by Docetists and Gnostics, who, of course, refused to believe that material flesh could live on the eternal plane.«

[18] J. Starck »L'Eglise de Pâques sur la Croix«, *NRTh* 75 (1953), p. 343 en par-

doute de s'installer dans les communautés; d'où le double rappel des Pères: Dieu est fidèle; ce qu'il a promis, il le réalisera; bien plus, il a commencé à le réaliser en Christ. La résurrection à la fin des temps est donc certaine, à cause de la résurrection du Christ. Ici aussi, il est possible que le motif du »retard de la parousie« puisse être avancé pour expliquer certaines exhortations des Pères. Cependant les mentions de la résurrection des morts nous paraissent pouvoir trouver une explication un peu différente de celles que nous venons de rapporter. En effet, dans les écrits des Pères apostoliques, l'affirmation de la résurrection des morts est liée le plus souvent à une exhortation d'ordre éthique: Barn. 2, 1; Clém. 25; 35, 4; Homélie 9, 6; Ign. Eph. 11, 2; Trall. 9, 1. Or, cet élément est au premier plan, en sorte que l'on peut dire avec J. Starck[19] que »la conformité de l'existence chrétienne avec les exigences de la foi reçue est le sujet principal de ces exhortations«. Si les Pères avaient voulu réfuter un courant docète ou gnostique, s'ils avaient voulu convaincre ceux qui ne croyaient plus à la résurrection, on trouverait chez eux un développement catéchétique précis sur le déroulement des événements eschatologiques et sur le corps de résurrection.

Les Pères parlent de la résurrection pour susciter chez leurs lecteurs un comportement digne de l'appel qu'ils ont reçu et des promesses faites en Christ, une attitude d'obéissance (jusqu'au martyre: Ignace, Polycarpe), de lucidité et d'amour du prochain. C'est pourquoi de brèves mentions de la résurrection suffisent, et c'est pourquoi aussi leurs écrits ne nous éclairent pas beaucoup sur le problème des rapports entre le corps psychique et le corps spirituel – problème qui, selon toute vraisemblance, ne se posait pas pour eux[20].

b) Les apologistes grecs du IIe siècle

Pas plus que les Pères apostoliques, les apologistes grecs du IIe siècle ne citent 1 Cor. 15, 35–49. Néanmoins la résurrection est, avec la défense du monothéisme, un des grands thèmes de la littérature apologétique de cette époque.

Justin. – Nous n'avons de Justin que trois écrits, conservés dans un seul manuscrit, le Paris. 450 de 1364: les deux Apologies et le Dialogue avec Tryphon. Mais nous savons par Eusèbe (HE IV, 18) que Justin a composé encore de nombreux autres ouvrages[1]. L'un d'eux retient particulièrement

ticulier, lorsque l'auteur dit à propos de 1 Clém.: »la difficulté à admettre la résurrection des morts (...) est moins objection intellectuelle que lassitude généralisée. On est fatigué de toujours attendre, de toujours espérer«.

[19] *Op. cit.* p. 338.

[20] Pour la question de la résurrection chez les Pères apostoliques, on consultera aussi l'ouvrage d'A. P. O'Hagan *Material Re-Creation in the Apostolic Fathers* (TU 100) Berlin, 1968 (cf aussi le compte-rendu que nous en avons donné dans la *DLZ* 91 [1970], 149–152).

[1] Cf J. Quasten *op. cit.* vol. I, pp. 231 ss. qui donne la liste de ces ouvrages et les sources qui nous permettent d'en connaître l'existence présumée.

notre attention, puisqu'il s'agit d'un *De Resurrectione* dont les *Sacra Parallela* de S. Jean Damascène donnent quelques fragments[2]. Malheureusement, on ne peut pas, aujourd'hui encore, avoir la certitude que ce traité est authentique. Il nous semble cependant que beaucoup d'indices permettent de penser que le *De Resurrectione* est de Justin. Rappelons pour mémoire les données du problème[3].

a) *Les Sacra Parallela* de S. Jean Damascène (lère moitié du 8e s.) contiennent quatre fragments d'un *De Resurrectione* sous le nom de Justin. Peut-on donner quelque crédit à cette attribution? Un rapide coup d'œil à l'édition de Holl suffit à mettre le doute dans notre esprit. En effet, Holl répartit les citations données dans les *Sacra Parallela* en trois groupes: les citations authentiques, les citations douteuses et les citations fausses. Il donne les fragments du *De Resurrectione* dans le second groupe. G. Archambault[4] aussi relève qu'en ce qui concerne les citations mises sous le nom de Justin, 13 fragments appartiennent effectivement aux œuvres dont on nous annonce qu'ils sont extraits; mais 17 n'ont pas pu être identifiés — et parmi eux le texte qui nous occupe ici — et 7 ne sont pas de Justin, mais d'autres auteurs tels que Nilus, Jean Chrysostome, Clément d'Alexandrie, Méthode, etc. Ainsi peut-on conclure avec G. Archambault que »l'indication des *Sacra Parallela* ne nous assure pas d'ordinaire que le morceau qu'ils citent appartient réellement à l'écrit désigné par le titre, et ne décide pas si cet écrit est authentique ou apocryphe«[5].

b) Procope de Gaza (5–6e s.) renvoie au *De Resurrectione* de Justin dans une liste d'ouvrages qu'il cite à propos de Gen. 3, 21[6]. Il veut par là s'opposer aux allégoristes qui prétendent que Dieu a créé l'homme à son image, donc avec un corps subtil et adapté à la vie paradisiaque, et que ce n'est qu'après la chute qu'il l'a revêtu d'un corps charnel, symbolisé en Gen. 3, 21 par les tuniques de peau. On peut vérifier les citations de Procope: elles sont précises et exactes. On a par conséquent de bonnes raisons de penser que Procope a connu un *De Resurrectione* attribué à Justin[7].

---

[2] Cf les *Sacra Parallela* éd. à Paris en 1712 par Lequien et réimpr. dans Migne *PG* XCV, 1040 et XCVI. Aujourd'hui, on consultera l'éd. de K. Holl dans *TU* NF V/2, Leipzig, 1899, pp. 32–55. Les fragm. du *De Res.* occupent les pp. 36–49. On les trouvera aussi dans les deux éd. de J. C. Th. Otto *Corpus Apol. Christian. Saec. sec.* III, Jena, 2e éd., 1849, pp. 208–245, et dans l'éd. à part des œuvres de Justin publiées auparavant par le même éditeur en 3 vol. (Jena, 1842–47), dans laquelle on trouvera le *De Res.* aux pp. 506–543 du vol. II (1843). Les deux éd. d'Otto accompagnent le texte grec d'une trad. latine.

[3] Sur cette question, on lira les travaux suivants: G. Archambault *RPh* 29 (1905), 73–93; W. Delius *Th. Viat.* 4 (1952), 181–204; F. R. M. Hitchcock *ZNW* 36 (1937), 35–60; P. Prigent *Justin et l'AT* (Et. bibl. 1964) pp. 36–68; Th. Zahn *ZKG* 8 (1886), 20–37.

[4] Cf art. cité dans la note précédente.

[5] *Op. cit.* p. 75.

[6] *PG* LXXXVII, 222 AB.

[7] G. Archambault va plus loin et admet que le *De Res.* que Procope connaît est le même que celui dont Jean Damascène nous donne des fragm. Tous deux en effet portent le même titre; les deux théologiens sont contemporains; une comparaison des fragm. des *Sacra Parallela* avec le contenu de la citation de

c) Méthode d'Olympe cite Justin dans son Dialogue sur la Résurrection ou »Aglaophon«[8], livre II, chap. 18, mais il n'indique pas à quel ouvrage il emprunte la citation de Justin. Nous connaissons ce texte de Méthode par quatre sources: 1) par les »Exerpta« de Méthode conservés par Photius; 2) par les *Sacra Parallela;* 3) par deux florilèges syriaques; 4) par une traduction du traité de Méthode en vieux slave. Ces quatre sources ne sont pas trop nombreuses pour nous permettre d'identifier le texte de la citation de Justin, car ce texte est introduit par un φησί qui, dans la version de Photius, pourrait aussi bien se rapporter à Photius citant Méthode qu'à Méthode citant Justin. Les *Sacra Parallela* omettent tout ce qui pourrait concerner Justin, ainsi que le φησί qui nous occupe. Tout le paragraphe que ce mot introduit (et qui est une exégèse de 1 Cor. 15, 50) est aussi omis par la version slave, qui pourtant garde la mention de Justin au paragraphe précédent. Enfin, un des florilèges syriaques qui semble antérieur à Photius donne le texte avec la mention de Justin et l'exégèse de 1 Cor. 15, 50 introduite par φησί. Or, si ce florilège date du 7e s. comme on le pense généralement, il ne peut dépendre de Photius (+ 891). Par conséquent, le φησί qui introduit la citation est bien de Méthode citant Justin. On ajoutera encore deux remarques. D'abord, il est significatif que les *Sacra Parallela* qui omettent le paragraphe dans lequel Justin est mentionné, omettent également le φησί dans le paragraphe suivant. Ensuite, au début du même chapitre, Méthode donne son exégèse de 1 Cor. 15, 50: celle-ci diffère de celle attribuée à Justin, puisqu'il pense que la chair désigne l'instinct aveugle qui pousse aux plaisirs sexuels, alors que dans la citation de Justin, la chair désigne le corps, comme toujours chez Justin. Il reste à établir de quel ouvrage de Justin la citation est extraite. Ici, un rapprochement avec le *De Resurrectione* s'impose; il est en effet vraisemblable qu'un auteur qui écrit un traité sur la résurrection cite un traité du même nom. Par ailleurs, les deux écrits sont dirigés contre les négateurs de la résurrection de la chair. Enfin, on a relevé, aussi bien dans le contexte que dans la citation de Méthode elle-même, une grande parenté de vocabulaire avec le *De Resurrectione* de Justin[9]. On aura donc de bonnes raisons de penser que dans l'»Aglaophon«, Méthode nous donne une citation de Justin que les *Sacra Parallela* ont omise et qui pourrait être tirée d'un *De Resurrectione.* Remarquons cependant que Méthode garde le silence sur sa source en se contentant d'en indiquer l'auteur. Une certitude ne peut donc pas encore être entièrement acquise sur l'authenticité du *De Resurrectione* attribué à Justin dans les *Sacra Parallela.* Seule, une comparaison du traité avec les œuvres de Justin reconnues authentiques pourrait être vraiment convaincante[10]. Or, ce travail a été maintenant fait par P. Prigent[11] qui conclut: »A mes yeux la cause est entendue, le

---

Procope recommande une telle hypothèse. Nous reviendrons sur ce dernier point.

[8] *Méthodius*, éd. G. N. Bonwetsch (GCS 27), Leipzig, 1917, pp. 370–371.

[9] Cf les exemples que donne P. Prigent *op. cit.* p. 41 et déjà avant lui G. Archambault.

[10] C'est aussi le résultat auquel arrive G. Archambault.

[11] *Op. cit.* p. 52–56.

De Resurrectione est bien de Justin« (p. 56). Avant de confronter ce traité avec les œuvres de Justin, P. Prigent avait relevé un parallélisme intéressant entre cet ouvrage et *l'Adv.haer.* V d'Irénée, fournissant ainsi une indication qui permet de faire remonter le *De Resurrectione* au 2e s., avant de l'attribuer à Justin[12]. Pour notre part, nous considérons le traité comme authentique. Les pages qui suivent, en mettant en lumière la théologie de la résurrection chez Justin, confirment, à notre point de vue, cette hypothèse.

Dans le *De Resurrectione*[13], l'auteur défend la résurrection de la chair. Le texte nous donne deux précisions sur les adversaires auxquels il s'adresse: d'une part, ceux-ci défendent l'immortalité de l'âme; d'autre part, ils prétendent que le corps corruptible ne peut pas ressusciter (chap. 10)[14]; sur ce point, ils sont partisans de la doctrine que Pythagore et Platon avaient déjà soutenue *(ibid.)*. L'âme est immortelle, parce qu'elle est une partie de Dieu. Justin ajoute encore que les adversaires sont parmi ceux qui ont crucifié le Sauveur, donc des Juifs qui portent le nom du Sauveur, mais blasphèment par leurs œuvres *(ibid.)*. Ils semblent ainsi pouvoir se rattacher au judaïsme hellénistique. Dans le détail, leurs arguments contre la résurrection de la chair sont les suivants: 1. il est impossible que ce qui est

---

[12] P. Prigent montre encore qu'il y a un lien entre Tertullien et le *De Res.* sans que ce lien passe par Irénée, que Tertullien a par ailleurs connu. Enfin, il tente de mettre à jour les relations entre le *Syntagma* et le *De Res.* Ces pages nous paraissent moins convaincantes: il est audacieux de vouloir montrer des liens qui existent entre des fragments d'un ouvrage dont l'authenticité est contestée et un ouvrage perdu de l'auteur présumé.

[13] Le texte du *De Res.* que nous donnent les *Sacra Parallela* ne laisse subsister aucun doute: nous ne possédons pas le traité entier. Le texte est en effet coupé par les deux indications καὶ μετ' ὀλίγα et plus loin καὶ μετὰ βραχύ (βραχέα) (Holl dans son éd. suit ces indications et distingue trois fragm. (107–109) plus un quatrième fragm. (110) de deux lignes insignifiantes. Otto, quant à lui, divise le texte en chapitres: chap. 1–8 = Holl fragm. 107; chap. 9 = Holl fragm. 108; chap. 10 = Holl fragm. 109). En outre, la lecture des fragm. que nous possédons révèle que nous ne connaissons ni le début, ni la fin du traité. Il manque donc l'introduction et la conclusion du traité, et deux morceaux qui devaient relier à l'origine les fragm. 107 et 108 dans l'éd. de Holl (chap. 8 et 9 de l'éd. d'Otto) aux fragm. 108 et 109 (chap. 9 et 10). Plusieurs essais de reconstruction ont été tentés. Th. Zahn veut remplir la première lacune par la citation de Procope de Gaza relative à Gen. 3, 21 et la seconde par la citation de Méthode. Ainsi, il ne nous manquerait que l'introduction et la conclusion du traité. Mais cette hypothèse ne convainc pas. A propos de la citation de Procope, G. Archambault a fait justement remarquer que la lacune que Th. Zahn voulait remplir était trop petite pour contenir l'exégèse de Gen. 3, 21 et des précisions sur le corps d'Adam. De plus, à la fin du premier fragm. déjà, Justin se réfère à la création et donne une interprétation »orthodoxe« du texte de la Genèse. D'après G. Archambault, c'est à ce passage que Procope fait allusion en citant Justin. P. Prigent va aussi dans ce sens: »Il serait donc fort possible que la référence de Procope ne vise que le contenu des fragm. conservés (*op. cit.* p. 43).

[14] Nous empruntons à Otto la division en chapitres, plus adéquate pour nous y retrouver dans ce texte que les longs fragments de K. Holl.

corruptible et voué à la destruction soit restitué (chap. 2); 2. il est inutile que la chair ressuscite, car alors ses membres les plus vils ressusciteront aussi; or, à la résurrection, on ne se mariera plus. On sera comme des anges (*ibid.* cf Mt 22, 30) et les anges ne mangent ni ne procréent. Certains pensent même que le Christ ne peut pas être venu dans la chair *(ibid.)*; 3. si la chair ressuscite, alors les infirmes retrouveront leurs infirmités (chap. 4); 4. la résurrection est impossible à Dieu; elle est indigne de lui; enfin 5. la chair n'est pas promise à la résurrection (chap. 5). En effet, elle est indigne de la résurrection, parce qu'elle est cause de péché (chap. 7). Elle n'est pas promise à la résurrection, parce qu'elle n'est pas, comme l'âme, une partie de Dieu (*chap.* 8). Justin répond à ces objections point par point: 1. il est vrai que les membres les plus vils ressusciteront aussi, mais si tous les membres ressuscitent, ils n'auront pas nécessairement la même fonction qu'ils ont ici-bas. Car ici-bas déjà, il y a des hommes et des femmes qui ne se marient pas, alors qu'ils le pourraient. La naissance virginale par ailleurs est aussi là pour nous montrer que Dieu peut créer sans passer par le processus naturel de procréation (chap. 3); 2. au sujet de la question de l'infirmité du corps, Justin rappelle que Jésus a déjà opéré pendant son ministère terrestre des guérisons (Mt 11, 5). Combien plus à la résurrection rendra-t-il à chacun son intégrité corporelle: la chair ressuscitera parfaite et intègre (... ἀκέραιον καὶ ὁλόκληρον). Les guérisons opérées par le Christ marquent non seulement l'accomplissement des prophéties, mais elles annoncent encore la grande restauration que sera la résurrection (chap. 4); 3. contre l'impossibilité de la résurrection de la chair, Justin avance trois arguments: a) les païens attribuent à leurs dieux la toute-puissance (il cite ici Homère *Od.* X, 306 ss. »Les dieux peuvent tout«). Pourquoi les chrétiens ne croiraient-ils pas leur Dieu aussi puissant que les païens les leurs? (chap. 5); b) le second argument est tiré de la création et on le retrouve dans la Première Apologie: nous ne croirions pas à la création si elle n'était sous nos yeux *(ibid.)*; c) enfin les thèses des philosophes eux-mêmes n'excluent pas la résurrection: Platon, Epicure et les Stoïciens sont d'accord pour dire que les éléments à partir desquels toute chose existe sont incorruptibles. Par conséquent, si la matière (Platon), les quatre éléments (Stoïciens) ou l'agencement des atomes et du vide (Epicure) sont incorruptibles, n'importe quel corps, composé de matière, des quatre éléments ou d'atomes et de vide, pourra toujours être reconstitué tel qu'il était, après avoir été détruit. Cette théorie ouvre la possibilité de la résurrection (chap. 6); 4. les adversaires disent encore que la chair est indigne de ressusciter, mais Justin avance ici l'argument de la création de l'homme à l'image de Dieu (Gen. 1, 26); or Δῆλον ὅτι σαρκικὸν λέγει ἄνθρωπον (chap. 7). Quant à l'objection qui accuse la chair d'entraîner l'homme dans le péché, Justin fait remarquer que la chair ne péche pas, si elle n'est pas poussée par l'âme. Car entre la chair et l'âme, il y a un lien comparable au joug qui unit deux bœufs. Si les bœufs sont séparés l'un de l'autre, ils ne peuvent labourer. Ainsi, la chair seule ne peut pas pécher. Par ailleurs, Jésus n'est-il pas venu appeler les pécheurs et non les justes (Mc 2, 17)? 5. dernier argument des adversaires: la chair n'est pas promise à la résurrection, parce qu'elle n'est pas une partie de Dieu. Justin répond par deux arguments: a) les créateurs humains, sculpteurs, peintres, ne se désintéressent pas de leurs œuvres après les avoir faites et ils rénovent celles qui se détruisent. Pourquoi Dieu se désintéresserait-il de son œuvre? C'est l'accuser d'avoir travaillé en vain (chap. 8); b) Justin tourne en ridicule l'argument selon lequel, l'âme étant une partie de Dieu, elle seule serait promise à la résurrection. Quelle démonstration de sa puissance Dieu ferait-il alors, en redonnant la vie à ce qui est par nature immortel et n'est rien d'autre qu'une partie de lui même? *(ibid.)*

A ces arguments qui répondent aux objections de ses adversaires, Justin en ajoute encore d'autres: 1, ce n'est pas l'âme seulement, mais la chair aussi qui a entendu la prédication de Dieu; et les deux ont cru. Dieu serait injuste en sauvant l'âme et non la chair (chap. 8): 2. la résurrection de l'homme entier, corps et âme, est annoncée et en quelque sorte garantie par celle du Christ, dont les disciples ont pu constater la réalité »charnelle«. De plus, la résurrection est déjà anticipée dans les guérisons et les résurrections que Jésus a opérées pendant son ministère[15] (chap. 9); 3. en plus de tous les raisonnements que l'on peut faire et que Justin a dû faire »à cause des faibles«, comme il dit (fin du chap. 1), la résurrection pourrait être suffisamment prouvée par le fait que le Sauveur l'a lui-même annoncée dans l'Evangile (chap. 10); 4. si le Christ annonçait l'immortalité de l'âme, il n'annoncerait rien de nouveau par rapport à Pythagore et à Platon. Or, il annonce quelque chose de nouveau et d'inouï: Dieu va rendre ce qui est corruptible incorruptible, ce qui est mortel immortel (chap. 10); 5. dernier argument: Justin compare l'attitude du Christ à celle d'un médecin. Le médecin laisse en effet celui qu'il sait condamné jouir des biens de ce monde. Si le Christ ne laisse pas notre chair suivre ses désirs et ses passions, c'est bien parce qu'il sait qu'elle n'est pas condamnée, mais au contraire promise au salut *(ibid.)*. Telle est l'argumentation du *De Resurrectione*. Elle donne bien le »climat« de la littérature apologétique du 2e siècle.

Dans les *Apologies* et le *Dialogue avec Tryphon*, les textes relatifs à la résurrection s'accordent avec ce qui a été dit dans le *De Resurrectione*. Justin se dresse ici aussi contre les tenants de l'immortalité de l'âme. Il leur refuse même le nom de chrétiens, comme il refuse le nom de Juifs aux Sadducéens et à tous ceux qui, avec eux, nient la résurrection. Il leur oppose l'»orthodoxie« intégrale[16] qui défend la résurrection de la chair et le règne de mille ans dans la nouvelle Jérusalem (*Dial.* 80, 4—5). Justin, en effet, adopte l'eschatologie millénariste d'Apocalypse 20, 4—6 (*Dial.* 81 ,4). La résurrection des croyants sera suivie, après mille ans, d'une seconde résurrection, générale, celle-là, et du jugement à la suite duquel les croyants jouiront de l'immortalité et de l'incorruptibilité, délivrés de toute peine,

[15] C'est aussi l'interprétation des guérisons opérées par Jésus que donne O. Cullmann dans son article »La délivrance anticipée du corps humain d'après le NT«, *Des sources de l'Evangile à la formation de la théologie chrétienne*, Neuchâtel-Paris, 1969, pp. 87—95.

[16] Ἐγὼ δέ, καὶ εἴ τινές εἰσιν ὀρθογνώμονες κατὰ πάντα Χριστιανοί.

dans la compagnie du Christ, alors que les méchants souffriront éternellement le supplice du feu (*Dial.* 117, 3; I *Apol.* 8, 4; 10, 2; 10, 3; 21, 6; 42, 4; 52, 3; II *Apol.* 11, 8). Lorsque Justin précise, c'est toujours la résurrection de la chair qu'il affirme (I *Apol.* 8, 4; 52, 3), car rien n'est impossible à Dieu – les païens eux-mêmes l'affirment au sujet de leurs dieux – (I *Apol.* 18, 6; *De Res.* 5). Il développe dans I *Apol.* 19 le même argument que dans le *De Res.* 5: la résurrection peut sembler impossible, au point que certains refusent d'y croire. Mais si nous faisions le même raisonnement au sujet de la création de l'homme, nous ne croirions pas à notre propre existence! La création atteste, elle aussi, la puissance incroyable de Dieu.

En résumé, les deux arguments que Justin apporte en faveur de la résurrection de la chair dans les *Apologies* et le *Dialogue,* nous les trouvons aussi dans le *De Resurrectione:* d'une part, la foi en la toute-puissance de Dieu, cette toute-puissance que même les païens ne refusent pas à leurs dieux, d'autre part la démonstration de cette toute-puissance lors de la création. Ces arguments sont les moins originaux – les moins spécifiquement chrétiens – parmi ceux que nous avons rencontrés dans le *De Resurrectione.* Ils conviennent cependant bien à des ouvrages-programmes tels que les *Apologies* et le *Dialogue avec Tryphon.* Les arguments plus »techniques« du *De Resurrectione* se justifient parfaitement dans un traité d'une portée moins générale et, par surcroît, polémique.

En conclusion de cette rapide étude de la théologie de la résurrection chez Justin, on notera encore deux points. a) Plusieurs fois dans la *Première Apologie,* Justin affirme l'idée d'une survivance de l'âme après la mort (I *Apol.* 18 et 20, 4). Il reprend là à son compte une idée des poètes et des philosophes païens et s'en sert pour montrer qu'eux déjà pensent que leurs dieux peuvent rendre possible une vie après la mort. De plus, chez Justin, cette survivance de l'âme est nécessaire à cause de la rétribution, sinon la mort serait un gain pour les méchants (18, 1). Mais cette idée ne contredit pas la théologie justinienne de la résurrection, car cette survivance de l'âme n'est pas l'état définitif auquel doivent parvenir les hommes. Contrairement aux tenants de l'immortalité de l'âme, Justin affirme que l'état définitif ne sera atteint qu'à la résurrection, lorsque les morts déposés en terre reprendront leurs corps[17]. b) On comprend que le contexte dans

---

[17] Cette survivance de l'âme qui attend de revêtir un corps à la résurrection n'est pas l'état intermédiaire »avec Christ« de Paul. Chez Justin, ce temps est déjà une anticipation du jugement, puisque les âmes des méchants subissent la peine de leurs crimes et que celles des justes ont un sort heureux (I *Apol.* 20, 1). Chez Paul, l'état »avec Christ« est réservé aux seuls croyants. L'apôtre ne parle pas du sort des autres. Si, comme nous le croyons, Paul n'enseigne qu'une résurrection, réservée aux croyants, et si pour lui le châtiment réservé aux méchants est de ne pas ressusciter et de ne pas avoir part au Royaume, il faut admettre qu'il ne se passe plus rien pour eux depuis la mort. Pour eux, cette dernière est un événement définitif. Justin, lui, adopte la thèse des deux résurrections. Si les méchants ressuscitent, on doit se préoccuper, comme Paul l'a fait pour les croyants, de leur état entre la mort et le résurrection. C'est pourquoi Justin voit pour eux dans cet état d'attente une sorte de punition précédant

lequel écrit Justin ne lui permette pas de parler du »corps spirituel«. Il aurait été difficile de faire comprendre cette notion à des chrétiens qui n'avaient que trop tendance à spiritualiser. Cependant, si, contre eux, Justin défend la résurrection de la chair, il ne conçoit pas cette dernière à la manière juive, affirmant la parfaite identité du corps actuel et du corps de résurrection. On se souvient de sa réponse à ceux qui lui objectaient que si le corps de résurrection était le corps de chair que les hommes portent sur terre, il en aurait aussi toutes les infirmités (*De Res.* 4). Pour qualifier ce nouveau corps, Justin n'emploie pas l'expression paulinienne πνευματικόν, mais il se sert du terme ὁλόκληρον, et il fonde cette affirmation christologiquement de façon intéressante en disant qu'ici-bas déjà, Jésus a guéri des infirmités. Ces guérisons sont une sorte de »délivrance anticipée« du corps humain, et comme telles, elles sont les prémices de la grande restauration finale que sera la résurrection. Cette idée de restauration montre bien ce qui sépare Justin de Paul au sujet de la résurrection: alors que chez l'apôtre la résurrection est une nouvelle création, Dieu donnant à chacun[18] un corps nouveau et spirituel, elle n'est pour Justin qu'une restauration de ce qui a été, Dieu donnant à chacun[19] un corps de chair adapté aux nouvelles conditions de vie, un corps de chair »parfait et intègre«. C'est dire que la différence de niveau d'être entre création et résurrection n'a pas de place dans la théologie de Justin, alors qu'elle est centrale pour la compréhension de l'économie divine chez Paul.

Tatien. – L'œuvre de Tatien révèle un autre aspect de l'apologétique du 2e siècle au sujet de la résurrection. Les savants discutent encore sur la question des destinataires de *l'Oratio ad Graecos*[20], le seul écrit de Tatien qui nous soit parvenu, le *Diatessaron* mis à part; ce qui est certain, c'est que l'auteur est plus préoccupé de critiquer la culture grecque dans son ensemble (cf le passage des chap. 33–34 sur les statues) que de s'opposer à une doctrine particulière, comme c'était le cas dans le *De Res.* de Justin.

---

la résurrection générale et le jugement. Sur la question de l'état intermédiaire, cf A. Stuiber *Refrigerium Interim* (Theophaneia 11), Bonn, 1957.

[18] C'est-à-dire, aux croyants seulement – puisque pour Paul, les méchants ne ressuscitent pas.

[19] C'est-à-dire à tous les hommes, puisque tous ressuscitent, les uns pour la récompense éternelle, les autres pour le châtiment éternel.

[20] *Tatiani Oratio ad Graecos,* recensuit Ed. Schwartz (TU 4, 1), Leipzig, 1888. Sur la question des destinataires, liée à cette autre question de savoir si l'œuvre est un véritable discours ou une œuvre littéraire, nous renvoyons à A. Puech *Recherches sur le Discours aux Grecs de Tatien,* suivies d'une traduction française du Discours avec notes (Univ. de Paris, Bibl. de la Fac. des lettres 17), Paris, 1903 (spécialement pp. 1–5) et M. Elze *Tatian und seine Theologie,* Göttingen, 1960, pp. 41–46. Pour un avis différent: R. M. Grant »The date of Tatians Oratio«, *HThR* 46 (1953), 99–101 qui place le Discours très tard. On consultera aussi pour le texte, avec l'éd. de Schwartz, celle plus récente de J. Goodspeed *Die ältesten Apologeten,* 1914 pp. 266–305. Les deux éd. sont jugées sévèrement par M. Elze: »Nur ungefähr ein Drittel der Schwartzschen Verbesserungen ist beizubehalten« (*op. cit.* p. 15).

Aussi ne trouve-t-on pas chez lui la précision que l'on rencontre chez ce dernier au sujet de la résurrection.

Le texte classique se trouve au chap. 6 de *l'Oratio ad Graecos*. Tatien y affirme d'entrée sa foi en la résurrection du corps[21] et distingue cette dernière de la doctrine stoïcienne des renouvellements du monde. La résurrection, en effet, prend place à la fin du monde; elle précède le jugement, qui d'ailleurs la motive. Tatien précise aussi que le juge sera le Dieu créateur, et non un juge tel que Minos ou Rhadamanthe. Pour convaincre ses lecteurs, il avance le même argument que Justin dans son *Apol.* (I) chap. 19: avant de naître, je n'étais pas et j'ignorais qui je devais être. Une fois né, j'ai cru à ma propre existence. De même quand, par la mort, je ne serai plus, je serai de nouveau — comme je suis né après un temps où je n'étais pas. Cette doctrine repose d'une part sur la foi en la toute-puissance de Dieu, d'autre part — et ici Tatien s'écarte partiellement de Justin — sur une cosmologie et une anthropologie qui ne sont pas sans rapport avec le platonisme. C'est ainsi que l'auteur peut dire, toujours dans son chapitre sur la résurrection, qu'avant de naître, il n'avait »qu'une existence latente dans la matière générale de la chair«[22]; si le feu détruit sa misérable chair, le monde conserve cette matière qui s'en est allée en fumée et s'il disparaît noyé ou dévoré par les bêtes, il est en dépôt dans le magasin d'un maître opulent.

Essayons de dégager les lignes de force de la cosmologie et de l'anthropologie qui sont à l'arrière-fond de ces affirmations[23]. Le chap. 4 de *l'Oratio* nous donne en raccourci la pensée de Tatien à ce sujet: Dieu est esprit, mais il n'est pas immanent à la matière. Il est le créateur des esprits de la matière et des formes qui sont en elles. Tel est le premier principe du »système«. Le second, c'est l'existence de deux esprits: l'esprit qui pénètre la matière est inférieur à l'esprit divin. Il est analogue à l'âme. On le voit, la première affirmation est dirigée contre le stoïcisme: Dieu ne se confond pas avec la matière. Dieu était seul avant la création[24]. Il contenait toute chose en lui. Par sa volonté, le Logos est sorti de lui[25]. Il est ainsi devenu l'œuvre engendrée la première par le Père, distinct de lui. Tatien illustre le caractère de cet engendrement par une image déjà employée par Justin (*Dial.* 128): la torche allumée à une autre torche ne diminue pas la lumière de cette dernière[26]. Après avoir ainsi défini la rela-

---

[21] Σωμάτων ἀνάστασιν ἔσεσθαι πεπιστεύκαμεν. Pour l'emploi de σῶμα, cf chap. 15: οὔτε ἀνίσταται (ἡ) σὰρξ χωρὶς ψυχῆς.

[22] Traduction A. Puech, à laquelle nous empruntons aussi les expressions de la paraphrase de Tatien qui suit.

[23] Cf A. Puech *op. cit.* pp. 54—75 et M. Elze *op. cit.* pp. 63—105.

[24] Pour ce qui suit, cf le chap. 5 de *l'Oratio.*

[25] M. Elze *op. cit.* p. 74 définit ce moment comme le passage »aus dem potentiellen Sein in ein aktuelles Sein«. Il dit de même à ce sujet: »Aus den hypostatischen δύναμις λογική des Vaters ist die selbständige δύναμις λόγου geworden« *(ibid.)*.

[26] Autre exemple: »de même que la parole que je vous transmets ne me prive pas de ma parole« (chap. 5).

tion entre Dieu et le Logos, Tatien parle de la relation entre le Logos et le monde. Aussitôt engendré, le Logos engendre à son tour la création en organisant la matière renfermée en Dieu. Les hommes ont été créés immortels, mais avant de créer les hommes, le Logos a d'abord créé les anges[27]. Les deux ordres de créatures ont été faites libres. Tatien insiste sur ce libre-arbitre, parce que c'est là que se situe, selon lui, la cause de la chute. En effet, les hommes ont suivi le premier-né des anges et l'ont déifié. Alors, d'immortels qu'ils étaient à l'origine, les hommes sont devenus mortels, parce que l'esprit le plus puissant s'est retiré d'eux[28]. Cette expression »l'esprit le plus puissant s'étant retiré d'eux« nous amène au second point du »système« de Tatien, à savoir la distinction entre les deux esprits, celui qui pénètre la matière et celui qui lui est supérieur: l'esprit divin. Cette distinction est la clef de l'anthropologie de Tatien. Il y revient au chap. 12 de *l'Oratio* en disant qu'il y a deux espèces différentes d'esprit, dont l'une s'appelle l'âme et dont l'autre est supérieure à l'âme: elle est à l'image et à la ressemblance de Dieu. Les deux ont été données à l'homme à l'origine. Alors que l'esprit supérieur lui garantissait l'immortalité, l'âme avait pour fonction de servir de lien à la chair[29]. Comme telle, l'âme n'est pas immortelle (chap. 13). Pour qu'elle ait part à l'incorruptibilité, il faut qu'elle s'unisse à l'esprit qui lui a été donné lors de la création et qui s'est retiré d'elle après la chute. Il faut donc qu'elle permette au corps, dont elle unit les différentes parties, d'être le temple de Dieu (chap. 15).

Les données de Tatien sur l'eschatologie[30] découlent de ce qui précède. L'auteur affirme au chap. 6 de *l'Oratio* que les corps ressusciteront après la fin du monde. La mort les détruit. Pourtant, si le corps est détruit, sa matière n'en est pas moins conservée comme dans un dépôt, visible de Dieu seul, qui s'en servira pour reconstituer le corps dans son état ancien.

---

[27] *Oratio* chap. 7. M. Elze a montré, à notre avis de façon convaincante, que Tatien était plus proche du platonisme que du gnosticisme et du stoïcisme. Un argument décisif en faveur de cette thèse est l'absence de rédempteur dans le »système« de Tatien.

[28] A. Puech (*op. cit.* pp. 63–65) met en évidence le fait que la cause de la chute chez Tatien n'est pas la désobéissance comme dans Gen. 3, mais l'idolâtrie: »cela paraît tout à fait en contradiction avec le texte biblique« (p. 64). Cependant, chez Tatien comme dans Gen. 3, la chute est rendue possible par le libre-arbitre que Dieu a donné à l'homme, que celui-ci décide lui-même ce qui est bon pour lui (Gen. 3) ou qu'il décide qui sera son Dieu (Tatien). Les deux récits ne sont pas en contradiction l'un avec l'autre.

[29] Cf chap. 15: δεσμὸς δὲ τῆς σαρκὸς ψυχή.

[30] M. Elze n'a pas de chapitre consacré à l'eschatologie de Tatien. Cela répond à son intention de présenter la doctrine de Tatien comme un système (Tatien aurait cherché »die Lehre des Christentums in ein geschlossenes System zu bringen« *op. cit.* p. 129) et de faire de sa théologie »den ersten Entwurf einer christlichen Systematik, vor Origenes und abseits von den Gnostikern« *(ibid.)*. Cependant, il faut reconnaître qu'il y a chez Tatien des données qui échappent à ce système, entre autres ses affirmations sur la résurrection à la fin des temps, qui sont inconciliables avec sa doctrine du temps, telle que l'expose M. Elze (*ibid.* pp. 103–105) sur la base des affirmations du chap. 26 de l'*Oratio*.

Quant au sort le l'âme après la mort, Tatien, au chap. 13, distingue deux cas: a) si elle ne connaît pas la Vérité, elle meurt, et se dissout avec le corps – puisque sa fonction est d'assurer un lien entre les parties du corps, et qu'en soi, elle est mortelle. Pourtant, à la fin du monde, elle doit ressusciter avec le corps pour recevoir avec lui le châtiment: la mort éternelle[31]. On ne s'étonnera pas ici que l'âme meure, puisque seul l'esprit assure l'immortalité et que nous envisageons le cas de celui qui ne connaît pas la Vérité. Par contre, on est surpris d'apprendre qu'à la fin des temps, corps et âme ressusciteront pour subir le châtiment; b) si elle a acquis la connaissance de Dieu, l'âme ne meurt pas, fût-elle dissoute pour un temps. Elle ne meurt pas, non parce qu'elle serait immortelle, mais parce que dans ce cas, elle est liée à l'esprit divin qui l'habite.

Il ressort de ces quelques données que le »système« de Tatien se passe de sotériologie[32]. Tout découle chez lui de la doctrine de Dieu et de la fonction cosmologique du Logos. Tout, sauf la mort des croyants et la résurrection des croyants et des incroyants. Tatien est d'ailleurs très bref à ce sujet, n'invoquant qu'un seul argument théologique: la toute-puissance de Dieu. Après l'argumentation serrée de Justin, il faut reconnaître que celle de Tatien sur ce point est pauvre. Vraisemblablement, Tatien a introduit là une donnée de la tradition, étrangère à son propre »système«[33].

Athénagore. – Dans la *Supplique au sujet des chrétiens* qu'il adressa

---

[31] θάνατον διὰ τιμωρίας ἐν ἀθανασίᾳ λαμβάνουσα. Que faut-il entendre par »la mort dans l'immortalité«? A. Puech (*op. cit.* p. 71 n. 1) l'entend au sens de »l'état misérable du pécheur, châtié et incapable de repentir«. Cela signifierait que les pécheurs ont en quelque sorte la vie éternelle aussi. Notre traduction suggère une autre interprétation de cette expression paradoxale: le châtiment réservé à l'âme et au corps des pécheurs est une mort sans résurrection, une mort éternelle. Il y a peut-être une difficulté à admettre que les pécheurs ressuscitent pour mourir éternellement, mais l'interprétation de Puech nous amène dans des difficultés encore plus grandes, car si l'âme n'est pas immortelle en soi (*Orat.* 13) et que pour les pécheurs, l'union entre l'âme et l'esprit – seul principe d'immortalité – est rompue, comment admettre qu'après la résurrection, ils restent éternellement dans »l'état misérable du pécheur«?

[32] M. Elze *op. cit.* p. 105: »eine Theologie ohne Soteriologie, ein Christentum ohne Christus.«

[33] M. Elze *op. cit.* p. 82: »Auch in seiner Logoslehre ist und bleibt Tatian der Philosoph platonischer Provenienz, selbst dort also, wo er bewußt an eine christliche Tradition anknüpft.« Nous ne pouvons pas suivre l'interprétation de R. M. Grant »The heresy of Tatian«, *JTS* NS 5 (1954), 62–68. Il comprend ainsi la doctrine de la résurrection chez Tatien: »There will be a resurrection of bodies (6, 1), but when Tatian gives any indication of the substance of these bodies he calls it not flesh (sarx) but ›fleshly element‹ (sarkion 6, 2; 25, 2). In his index to Tatian, Schwartz calls this a Cynic word; more significantly it is a technical term of the Valentinians. We conclude that in Tatian's view the ›fleshly‹ resurrection is a resurrection of the soul and Spirit alone, apart from anything more material than the soul (20, 3)« (p. 65). Or, si chez Tatien, l'esprit est le principe d'immoralité et l'âme le lien entre les différentes parties du corps, comment une résurrection de l'esprit et de l'âme seule serait-elle possible?

aux Empereurs Marc-Aurèle et Commode, Athénagore se proposait de réfuter les trois accusations généralement portées contre les chrétiens: athéisme, cannibalisme et inceste. La plus grande partie de l'œuvre est consacrée à la question de l'athéisme, alors que la réponse aux accusations de cannibalisme et d'inceste est développée plus brièvement dans les chap. 31—37. Ces derniers nous intéressent, parce qu'au chap. 36, l'auteur avance contre l'accusation de cannibalisme l'argument suivant: quel est l'homme qui croit à la résurrection et fait en même temps en lui-même une tombe pour les corps destinés à ressusciter? Ce sont les gens sans religion et sans foi en l'au-delà qui sont capables de pareilles choses. Les chrétiens, au contraire, avec leur espérance en une vie éternelle et leur crainte du jugement, fuient la plus petite faute. Il leur est impossible d'être assassins ou cannibales, malgré ce que disent à tort les païens à leur sujet. D'ailleurs les philosophes, Pythagore et Platon entre autres, sont aussi sur ce point des témoins de la résurrection des corps[34]. Athénagore renonce à en dire davantage, mais annonce qu'il traitera de la résurrection dans une œuvre particulière réservée à cette question (chap. 37).

Ce traité sur la résurrection, nous l'avons, conservé à la suite de la *Supplicatio,* dans le Cod. Paris. 451 ou Cod. d'Aréthis (Xe s.)[35]. Il se divise en deux parties[36]. Dans la première, λόγος ὑπὲρ τῆς ἀληθείας (chap. 1—10), Athénagore répond à une double objection des adversaires qui prétendent que Dieu n'a ni le pouvoir, ni la volonté de ressusciter les corps détruits. Or, dit l'auteur, Dieu peut ressusciter les morts, car il sait tout et peut tout. Il sait tout, parce qu'il a créé l'homme et le connaît parfaite-

[34] J. Geffcken *Zwei griechische Apologeten,* Leipzig, 1907, p. 237, note justement: »Athenagoras meint also, nicht etwa, daß Pythagoras und Platon die Auferstehung der Körper gelehrt hätten, sondern daß nach Analogie ihres Denkens über den Stoffwechsel die christliche Anschauung eine auch philosophisch begründete sei.«

[35] Les travaux d'O. v. Gebhardt (TU I/3 pp. 154—196) et E. Schwartz (TU IV/2) ont permis d'établir la tradition textuelle des œuvres d'Athénagore. Elle repose sur un unique ms du Xe s., le Cod. Paris. 451, copié en 914 par Baanes pour l'archevêque Arethas. Ce dernier a corrigé lui-même le ms et c'est ce ms corrigé que l'on retrouve dans le Cod. Mutinensis III D 7, Cod. Paris. 174 et 450. Le Cod. Argentoratensis 9 est une copie du Cod. Mutinensis III D 7 (cf A. v. Harnack TU I/1—2 et Geffcken *op. cit.* pp. 117—119). La meilleure éd. est actuellement celle de E. Schwartz (TU IV/2). C'est celle que nous citons.

[36] L'authenticité de *De Res.* d'Athénagore fait moins problème que celle du traité de Justin. Pourtant, elle a été contestée par R. M. Grant *HThR* 47 (1954), 121—129. Se basant sur la tradition manuscrite d'abord, sur la critique interne ensuite, Grant veut faire du traité d'Athénagore »a product of the third or early fourth century and is directed against Origen's doctrine of resurrection« (p. 129). En plus des arguments de critique externe et interne qui ne nous paraissent pas absolument décisifs, Grant fait reposer sa démonstration sur la ressemblance entre le *De Res.* d'Athénagore et celui de Justin, qu'il place aussi au 3e—4e s. L'auteur pense que les adversaires, dans le traité d'Athénagore, sont des croyants qui contestent la résurrection de la chair. S'il en était ainsi, l'auteur du traité n'insisterait pas dans la première partie de son œuvre sur la possibilité et la volonté de Dieu de ressusciter les morts.

ment. Aucune molécule qui constitue la substance du corps humain n'échappe à son savoir (chap. 3). En créant l'homme, Dieu a par ailleurs manifesté sa toute puissance. Or, s'il a pu créer l'homme, il pourra aussi le ressusciter. Pourtant, un cas fait difficulté: si un homme est mangé par une bête, ses molécules sont assimilées par la bête. Si celle-ci est mangée à son tour par un homme, les molécules du premier homme sont assimilées par celui qui mange la bête. A qui appartiendront-elles à la résurrection? Il y a deux possibilités: soit l'homme dont les molécules auront été assimilées ne pourra pas ressusciter, soit les molécules retrouveront leur place première lors de la résurrection, et l'homme qui les a assimilées ressuscitera alors incomplet (chap. 4). Athénagore consacre à cette question les chap 5–8 de son traité: qu'en est-il d'un organisme dissout dans un autre organisme? Il répond ainsi: Dieu a déterminé pour chaque corps la nourriture qui convenait. Une nourriture étrangère, pour laquelle le corps n'a pas été créé, ne sera pas assimilée. – Autre objection des adversaires sur le pouvoir que Dieu a de ressusciter les morts: un artiste ne peut pas recréer une œuvre d'art détruite. A cela, Athénagore répond en citant l'Ecriture: ce qui est impossible aux hommes est possible à Dieu (Lc 18, 27; Mt 19,26). Cette démonstration occupe le chap. 9 du traité. Athénagore a ainsi montré que Dieu peut ressusciter les morts. Il affirme ensuite que Dieu veut les ressusciter. Il le veut parce que cela est juste: la résurrection des corps ne fait de tort ni aux créatures spirituelles, ni aux créatures dépourvues de raison, ni enfin aux hommes eux-mêmes. Il le veut aussi parce que cela est digne de lui: si Dieu n'a pas jugé indigne de lui de créer l'homme corruptible, il sera encore moins indigne de lui de le recréer incorruptible (chap. 10). Ainsi la première partie du traité établit qu'il y a une résurrection des morts. La seconde partie, λόγος περὶ τῆς ἀληθείας (chap. 11–25) va montrer pourquoi il y a une résurrection des morts. Ici, Athénagore ne répond plus à des objections. Il argumente d'abord à partir de la création, puis à partir de l'eschatologie. Quel est le but poursuivi par Dieu en créant l'homme (chap. 11)? Il ne peut pas l'avoir créé pour ses propres besoins: Dieu n'a pas de besoin. Il a créé l'homme pour que celui-ci existe (chap. 12). Si c'est bien pour cette raison qu'il l'a créé, il serait contradictoire que cette existence cesse. Le but poursuivi par Dieu en créant l'homme implique donc la résurrection (chap. 13). Par ailleurs, la nature humaine consiste en une âme et un corps. L'homme n'est homme que par l'union de ces deux éléments. Si l'homme ne doit pas cesser d'exister, il faut donc que la séparation entre l'âme et le corps qui intervient lors de la mort soit suivie d'une réunion de ces deux éléments. Par conséquent, la nature de l'homme implique à son tour la résurrection (chap. 14–17). Mais si la création déjà montre la nécessité de la résurrection, celle-ci est réclamée aussi par la fin réservée à l'homme. Il est en effet nécessaire qu'il y ait un jugement, sinon pourquoi ne pas jouir de la vie? Comme l'âme ne peut pas comparaître seule, puisqu'elle a été complice du corps pendant toute la durée de la vie de l'homme, il faut qu'elle soit à nouveau unie au corps pour le jugement, après en avoir été séparée par la mort. Le nécessité du jugement implique la nécessité de la résurrection (chap. 18–23). Et si l'on sait que le sort réservé à l'homme est un état de béatitude, on conviendra que l'homme entier, corps et âme, doit y avoir part, d'où aussi la nécessité de la résurrection (chap. 24–25).

Ce bref résumé montre la construction rigoureuse du traité. Alors que dans son *De Res.*, Justin se laisse guider par les objections de ses adversaires, Athénagore nous donne un exposé positif et logiquement construit sur la résurrection. Il s'adresse à des païens cultivés, qui exigent une argumentation philosophique rigoureuse, alors que Justin répond à des objections qui viennent du judaïsme-hellénistique (ses adversaires citent l'Ecriture: Mc 12, 25).

Dans le détail de l'argumentation d'Athénagore, il nous faut encore relever un point qui intéresse notre sujet. Au chap. 10, l'auteur dit qu'il n'est pas indigne de Dieu de recréer l'homme *incorruptible*, puisqu'il n'a pas jugé indigne de lui de le créer *corruptible*. Plus loin, au chap. 17, il est question des anomalies de la nature humaine, parmi lesquelles il y a le sommeil et la mort. Or, dit Athénagore, ces anomalies sont constitutives de la nature humaine. Bien plus: elles existent dès l'origine et sont voulues par le créateur. De ces deux passages des chap. 10 et 17, il ressort clairement que pour Athénagore, l'homme a été créé corruptible, mortel, et donc inférieur à ce qu'il sera à la résurrection. Cette idée a surpris les commentateurs. A. Bieringer[37], dans les notes de sa traduction allemande du traité, remarque la contradiction avec Rom. 8 (mais il y a erreur: il s'agit non de Rom. 8, mais de Rom. 5, 12). J. Lehmann[38] va dans le même sens en citant Rom. 5, 12. Il essaie de comprendre le texte et sa conclusion est aussi la nôtre: Dieu a créé l'homme tel qu'il est maintenant, avec tout ce que cela implique: transformation du corps, faiblesse, maladie qui entraînent finalement la mort[39]. Mais J. Lehmann s'étonne qu'Athénagore ait pu se mettre pareillement en contradiction avec l'Ecriture et l'enseignement de l'Eglise[40]. Il explique alors ainsi les affirmations des chap. 10 et 17: Athénagore écrit ici en apologète et non en chrétien; il utilise les armes de la spéculation philosophique et non celles de la foi. Dans les passages en question, il ne veut qu'indiquer l'ancienneté des anomalies de la nature humaine et leur relation avec le dessein créateur. Du point de vue dogmatique, ils conservent leur faiblesse[41]. Cette explication ne nous

---

[37] *Die Schriften des christlichen Philosophen Athenagoras aus Athen*, Kempten, 1875, p. 141 n. 1.

[38] J. Lehmann *Die Auferstehungslehre des Athenagoras*, Leipzig, 1890, p. 43: »Offenbar ein direkter Widerspruch zur christlichen Lehre, wie sie sich auf die Aussprüche der Schrift, insbesondere der paulinischen Briefe stützt.«

[39] *Ibid.* p. 44–45: »Gott hätte demnach den Menschen im Anfang so geschaffen, wie er jetzt ist, mit allen Anomalien seiner Natur, mit allen Wandlungen, welche die verschiedenen Altersstufen mit sich bringen, mit allen Schwächen, Gebrechen und Krankheiten, welche den leiblichen Tod allmählich, aber sicher herbeiführen.«

[40] *Ibid.* p. 45: »Daß Athenagoras diese Ansicht hier, wie oben unter I,2.b (c'est-à-dire au chap. 10) vertreten wollte, ist trotzdem nicht anzunehmen.«

[41] *Ibid.* p. 45: »Die Anomalien der menschlichen Natur stammen aus der Urzeit menschlichen Daseins und sind ein Objekt göttlicher Verordnung. –

convainc pas. La distinction entre apologète et chrétien, entre armes de la spéculation philosophique et armes de la foi ne nous paraît pas soutenable, car même lorsqu'ils utilisent le raisonnement philosophique, c'est la foi, et leur foi de chrétien, que les apologètes défendent. Il faut donc admettre qu'Athénagore ne situe pas la création et la résurrection au même niveau d'être et se souvenir qu'à côté de Rom. 5, 12, Paul a aussi écrit 1 Cor. 15, 42b—44, texte dans lequel la même idée est exprimée par l'antithèse du corps psychique et du corps spirituel. Mais si, chez Paul, cette opposition est liée au don de l'Esprit, si chez l'apôtre, l'Esprit est un réel facteur de transformation de l'être intérieur jusqu'à la parousie et du corps lors de celle-ci, Athénagore, lui, ne parle pas de corps spirituel pour qualifier le corps de résurrection. Si ce dernier diffère du corps terrestre, c'est par l'absence de tous les éléments liquides, sang, salive, bile, ainsi que par l'absence de souffle (πνεῦμα! d'où l'impossibilité pour Athénagore de qualifier ce corps de σῶμα πνευματικόν). La constitution moléculaire de l'organisme restera cependant la même que ce qu'elle était auparavant (chap. 7). Ce corps sera en outre exempt des anomalies liées à la faiblesse de la chair; il ne connaîtra plus de besoin, il ne subira ni croissance, ni transformation. Désormais, ayant revêtu l'incorruptibilité, il pourra être éternellement le témoin de la majesté et de la sagesse de Dieu (chap. 13 et 25).

Ce qui frappe chez Athénagore, comme chez Tatien, c'est l'absence de christologie. Dans toute sa démonstration, jamais l'auteur n'invoque la résurrection du Christ. Dans le *De Res.*, le nom du Christ n'est pas mentionné et aucune allusion au Jésus historique n'est faite. Lorsque la *Supplique* parle du Fils de Dieu, elle le présente comme la Parole du Père, par qui, dans l'unité avec le Père, toutes choses ont été faites (chap. 10). Toute l'argumentation repose sur l'existence de Dieu, sur sa puissance et son savoir. Peut-être qu'à l'époque d'Athénagore comme aujourd'hui encore, on admettait plus facilement l'existence de Dieu que l'incarnation de son Fils, peut-être que la création faisait moins problème que la résurrection; il convenait donc de s'appuyer sur celle-là pour affirmer celle-ci.

Théophile d'Antioche. — Théophile est le seul apologiste du 2e s. à avoir été évêque [42]. G. Bardy donne un grand poids à ce fait, soulignant qu'»avec Théophile, ce n'est plus un laïc, si éloquent ou si instruit soit-il, que nous entendons; c'est un évêque, c'est-à-dire un représentant autorisé de l'Eglise, un gardien authentique de son enseignement« [43]. Le seul ouvrage qui nous reste de Théophile est une apologie adressée à un particulier, Autolycus, et ce texte a attiré à son auteur des jugements sévères de la part des critiques. G. Bardy lui-même, après avoir invité le lecteur à découvrir dans les Livres à Autolycus »un écho fidèle de la doctrine

---

Vom christlich-dogmatischen Standpunkte aus wird freilich die Stelle ihre Schwäche behalten.«

[42] Eus. *H. E.* IV, 20: Théophile est le sixième évêque de l'Eglise d'Antioche.

[43] Théophile d'Antioche *Trois livres à Autolycus*, trad. de J. Sander, introd. et notes de G. Bardy (SC 20), Paris, 1948, p. 7.

enseignée et transmise par l'Eglise aux environs de 180«[44] constate qu'»en Théophile, nous trouvons davantage le type du chrétien moyen, qui essaie d'attirer à la foi les païens au milieu desquels il vit«[45]; et plus loin, à propos du livre III, il note que »dans tous ces calculs, le Sauveur ne tient aucune place«[46]. R. M. Grant est allé plus loin encore dans sa critique; pour lui, la pensée de Théophile est anti-paulinienne[47]. D'autres auteurs ont noté le contraste entre la culture de Théophile et celle, beaucoup plus poussée, des apologistes du 2e s[48]. Enfin A. Harnack déjà a nié l'importance de Théophile comme témoin de l'existence d'un canon du NT vers 180[49].

Les Trois livres à Autolycus sont indépendants l'un de l'autre, bien qu'ils forment un tout. Le premier est une ὁμιλία (II, 1), un exposé dans lequel l'auteur explique à son ami quel est son Dieu et quelle est sa façon de lui rendre un culte. Le deuxième livre est un traité, un σύγγραμμα (II, 1), visant à démontrer l'inanité de la religion dans laquelle Autolycus est retenu. Le troisième livre enfin se présente comme une collection de matériel, un ὑπόμνημα (III, 1), servant à prouver l'ancienneté des Ecritures. Le problème de la résurrection est évoqué au début du livre I, en rapport avec les thèmes de la foi et du jugement. Pour comprendre comment ces notions s'articulent les unes par rapport aux autres, il faut revenir au point de départ de l'entretien. Autolycus a demandé à Théophile: montre-moi ton Dieu (I, 2). Théophile répond que d'une part, la vision de Dieu est réservée pour les derniers temps et que d'autre part, elle est liée à la foi qui caractérise la vie présente (I, 7). A la résurrection seulement, la vision remplacera la foi pour ceux qui auront cru, alors que l'incrédulité sera récompensée comme elle le mérite. Pour voir Dieu, il faut donc d'une part que l'homme mortel revête l'incorruptibilité et d'autre part qu'il ait cru pendant sa vie terrestre.

Théophile reprend le problème de la résurrection au chap. 13. Il mentionne là une série d'indices qui rappellent les chap. 24 ss. de l'Epître de Clément de Rome. Pourtant les deux listes ne sont pas absolument identiques. L'introduction aux deux listes atteste aussi une différence qu'il faut

---

[44] *Ibid.* pp. 7–8. Contre cette opinion: R. M. Grant *HThR* 40 (1947), 255–56 ou encore p. 229: »The first book is an example of confused rationalism.« Nous montrerons qu'à notre avis, ce jugement ne se justifie pas et que le livre I est tout entier centré sur le thème de la foi en Dieu.

[45] *Ibid.* p. 24.

[46] *Ibid.* p. 53. Mais est-ce la doctrine enseignée et transmise par l'Eglise aux environs de 180?

[47] R. M. Grant *HThR* 43 (1950), p. 191: »But his thought is not simply un-Pauline; it is anti-Pauline.« Il donne trois exemples: II, 27; II, 25; III, 9 et conclut: »The existence of Theophilus as bishop of Antioch proves conclusively the indistinctness of the line between orthodoxy and heresy in the late second century, as well as of the line between Judaism and Christianity« (p. 196).

[48] N. Zeegers-Vander Vorst in: *Studia Patristica* X (TU 107), Berlin, 1970, pp. 168–174.

[49] A. v. Harnack *ZGK* 11 (1890), 1–21. R. M. Grant est cependant d'un avis différent: *JBL* 66 (1947), 181–189.

noter: alors que Clément (24, 1) mentionne la résurrection du Christ comme prémice de la résurrection future des croyants, Théophile (I, 13) dit à son interlocuteur que Dieu donne de nombreuses preuves pour qu'il croie en lui. Les indices de la résurrection renvoient donc à la résurrection future elle-même, pour Clément; pour Théophile, ils doivent permettre de croire en Dieu. Cette remarque permet de rattacher le passage sur la résurrection à l'ensemble du projet de Théophile. Ce dernier, en réponse à Autolycus, définit le Dieu auquel il croit pour le distinguer des croyances de son interlocuteur (I, 9–10): Dieu est transcendant (I, 3), maître de tout, antérieur à toute chose, créateur de toute chose, supérieur à toute chose (I, 4). Il est lui-même agent de la résurrection (I, 7). Ainsi tous les signes de la résurrection que Théophile donne au chap. 13 n'ont d'autre but que de susciter chez Autolycus la foi en Dieu. La résurrection n'est qu'une manifestation de ce Dieu unique et tout-puissant que les chrétiens confessent. Elle n'est pas un dogme isolé, mais elle est partie intégrante de la foi monothéiste. Le livre I de Théophile trouve son unité dans ce thème de la foi en Dieu. – Parmi les signes qui annoncent la résurrection, Théophile, comme Clément de Rome, renvoie à la succession des jours et des nuits, à laquelle il ajoute celle des saisons. Le thème est courant dans le stoïcisme[50]. Une comparaison de I Clém. 24, 3 avec Théophile I, 13 fait apparaître la différence de formulation des deux auteurs et leur indépendance l'un par rapport à l'autre. On relèvera d'ailleurs la même indépendance dans l'exemple des semences, bien que le sens de l'image employée soit le même chez les deux auteurs. Théophile complète l'exemple du grain de semence par celui des arbres et des plantes, et il conclut cette section par l'anecdote pittoresque que nous donnons ici dans la traduction de J. Sander[51]: »Il arrive qu'un moineau, ou un autre oiseau, avale une graine de pommier, de figuier ou d'autre chose, et qu'il gagne une colline pierreuse, ou un tombeau: il se soulage, et voilà qu'elle prend et devient un arbre, cette graine qui avait été naguère avalée, et qui avait passé par de si chauds endroits! Tout cela, c'est la sagesse divine qui le fait, pour montrer par ces indices mêmes que Dieu est capable de réaliser l'universelle résurrection de tous les hommes« (I, 13).

Théophile ne parle pas du phénix; par contre, il mentionne la résurrection mensuelle de la lune. Il est intéressant de constater que tous les exemples de résurrection donnés par Théophile se trouvent déjà au chap. 6 pour illustrer la puissance de Dieu. Celle-ci se manifeste en effet dans les saisons qui changent périodiquement, dans le ciel qui varie, dans la course des astres, le défilé des jours et des nuits, des mois et des années, la beauté des semences, des plantes et des fruits ...[52]. Cela confirme notre interpré-

---

[50] Cf *Stoicorum veterum Fragmenta* II, no. 693 (p. 201). Stobée rapporte ici une citation de Chrysippe. Mais le stoïcisme a fait sienne cette idée. On pourrait aussi citer Sénèque *Ep.* 36.

[51] SC 20 p. 72.

[52] Nous retrouvons d'ailleurs toutes ces manifestations de la toute-puissance de Dieu dans l'interprétation que Théophile donne du récit de la création, livre II, 10 ss.

tation du chap. 13: les analogies de la résurrection, dans ce chapitre, attestent la puissance de Dieu, dont la résurrection n'est qu'une manifestation parmi d'autres; le problème qui intéresse Théophile n'est pas tant la foi à la résurrection que la foi en Dieu. Dans la suite du texte, et parmi les analogies de la résurrection qui manifestent la puissance de Dieu et doivent susciter la foi en lui, Théophile mentionne encore la façon dont le corps se remet d'une maladie. Mais aucune allusion n'est faite ici aux guérisons opérées par Jésus, comme anticipation de la résurrection (cf Justin *De Res.* 9). Il est typique que dans l'argumentation de Théophile, le Christ ne joue aucun rôle en relation avec la résurrection. On peut se demander si c'est bien le reflet de la doctrine enseignée et transmise par l'Eglise – ceci en pensant à la remarque de G. Bardy, citée plus haut. Enfin, dernier exemple donné par Théophile: les écrits des prophètes (I, 14). La réalisation partielle de leurs prophéties permet de croire que ce qu'ils ont prédit pour le futur trouvera aussi son accomplissement. Mais, alors que Clément cite les Psaumes et Job, Théophile ne donne aucune référence précise[53]. Il opère une déduction logique; il ne renvoie pas à la lettre de l'Ecriture[54].

Au terme de cet examen des principaux passages des livres à Autolycus relatifs à la résurrection, on peut dire que Théophile ne donne pas de précision sur la nature de la résurrection. Il dit seulement que l'homme dépouillera la condition mortelle pour revêtir l'incorruptibilité (I, 7). La résurrection ne l'intéresse que dans la mesure où elle atteste la puissance de Dieu et sert à amener Autolycus à la foi en Dieu. La résurrection marque par ailleurs le moment où la vérité triomphera: ceux qui auront cru en Dieu verront Dieu, les autres subiront des châtiments éternels (I, 14). Théophile utilise donc le thème de la résurrection pour préciser la réponse qu'il donne à Autolycus. Ce dernier lui avait demandé de lui montrer son Dieu. Il répond: tu ne pourras le voir qu'à la résurrection qu'il opérera lui-même. En attendant, crois en lui, aidé par les signes de sa puissance qu'il met sous tes yeux (I, 13). Ainsi, par la défense du monothéisme qu'il présente à Autolycus, par l'absence de toute référence au Christ[55], Théo-

[53] G. Bardy a raison quand il dit: »Le nom de prophète a, chez Théophile comme chez les autres apologistes, un sens très général. Il sert à désigner tout homme inspiré par Dieu. Cf Justin, I *Apol.* LII, 1; Tertullien, *Apolog.* XIX, 8*–10*; Athénagore, *Legat.* II, 9« (SC 20 p. 88, note 1).

[54] A tous ces exemples, on peut encore ajouter un passage de l'interprétation que Théophile donne du récit de la création, au livre II, 10 ss. Mais ce texte n'apporte pas d'élément nouveau par rapport à ce qui était dit de la résurrection dans le livre I.

[55] Théophile parle du Christ dans le contexte de la distinction entre λόγος ἐνδιάθετος et λόγος προφορικώς. Cf II, 10 et 22. Le premier est le Verbe immanent en Dieu, le second le Verbe engendré au-dehors. G. Bardy note fort justement l'absence de référence à la personne et à la prédication de Jésus dans les livres à Autolycus, aussi bien lorsqu'il s'agit d'expliquer le nom de Christ que dans la chronologie du livre III, ou encore dans les descriptions des mœurs des chrétiens. Mais nous ne pouvons pas le suivre lorsque, faute de trouver une explication à ce silence, il conclut: »En fait, les apologistes ne cherchent pas à

phile apparaît plus comme un défenseur de la foi traditionnelle juive que comme un gardien authentique de l'enseignement de l'Eglise.

Avec Justin, Tatien, Athénagore et Théophile d'Antioche, nous avons fait le tour de la littérature apologétique du 2e siècle. Les écrits que nous n'avons pas mentionnés, en particulier *l'Apologie* d'Aristide et *l'Epître à Diognète* ne traitent pas de la résurrection[56].

Alors que chez les Pères apostoliques, la résurrection est simplement affirmée, en relation avec l'éthique, dans la littérature apologétique du 2e siècle, elle fait l'objet d'une étude détaillée, puisque deux traités y sont consacrés, celui de Justin d'une part, celui d'Athénagore de l'autre. Ce n'est pas sans raison. Les apologistes défendent tous la résurrection de la chair. La chair est créée par Dieu; elle est donc digne de ressusciter (Justin *De Res.* 7; Athénagore *De Res.* 10), car Dieu ne va pas se désintéresser de ce qu'il a créé: il peut et il veut la ressusciter. Par ailleurs, lors du jugement à la fin des temps, la chair devra aussi comparaître avec l'âme, car il n'est pas concevable que l'âme seule soit châtiée ou récompensée, alors que les deux éléments ont été liés pendant la vie terrestre de l'homme.

Cette insistance sur la résurrection de la chair, commune à tous les

---

exposer le mystère chrétien. Tel n'est pas leur but. Ils se contentent d'écarter des objections, de répondre à des difficultés, de préparer à la foi les esprits de leurs lecteurs. Nous avons d'autant moins le droit de leur demander des comptes que notre mentalité est plus différente de la leur« (SC 20, p. 45). Tout cela n'empêche pas — tout cela exige même — de parler du Christ. Prendre au sérieux la conclusion de G. Bardy serait renoncer définitivement à comprendre le passé, y compris les auteurs de l'Ecriture. Il ne s'agit pas de »demander des comptes«, mais le travail exégétique consiste précisément à chercher à comprendre un auteur qui appartient à une mentalité et à un temps différents des nôtres pour savoir: 1) ce qu'il veut dire; 2) ce qu'il peut encore nous dire aujourd'hui.

[56] L'expression »résurrection des morts et vie du siècle à venir« se rencontre une fois dans l'*Apologie* d'Aristide 15, 3 (éd. du texte chez J. Geffcken *Zwei griechische Apologeten*, 1907, p. 24). Les mots »résurrection des morts« manquent pourtant dans le texte syriaque. Geffcken ne tranche pas la question de savoir si c'est une adjonction dans le texte grec, mais il remarque que la résurrection était la pierre d'achoppement du monde païen (Actes 17, 32). Dans l'*Epître à Diognète* 6, 8 l'auteur fait allusion à la résurrection en disant que »les Chrétiens campent dans le corruptible, en attendant l'incorruptibilité céleste« (SC 33 bis p. 67). On peut encore mentionner ici l'ouvrage *Sur la Pâque*, dans lequel Méliton, que l'on classe généralement avec les apologistes, caractérise ainsi les conséquences de la désobéissance d'Adam: »En effet, il laissa en héritage à ses enfants non la chasteté, mais l'impudicité, non l'incorruptibilité, mais la corruptibilité, non l'honneur, mais le déshonneur, non la liberté, mais l'esclavage, non la royauté, mais la tyrannie, non la vie, mais la mort, non le salut, mais la perdition« (§ 49 SC 123 p. 87). L'œuvre d'Adam est l'opposé de celle du Christ, telle que Paul la décrit dans les antithèses de 1 Cor. 15, 42—44, que Méliton a peut-être en mémoire lorsqu'il écrit le passage que nous citons.

apologistes, est dirigée contre la doctrine de l'immortalité de l'âme[57] que défendent les tenants de l'hellénisme; elle est un article de la foi »orthodoxe« (Justin *Dial.* 80, 4—5). Tatien l'oppose aussi à l'idée stoïcienne du constant renouvellement des mondes (*Orat.* 6). Parce qu'ils écrivent dans un contexte polémique, les apologistes expliquent dans le détail le processus de la résurrection. C'est ainsi que pour Tatien, la matière, une fois le corps dissout, est conservée dans un dépôt connu de Dieu seul. C'est là que Dieu puisera pour reformer le corps à la résurrection (*Orat.* 6). Pour Athénagore, le savoir de Dieu porte sur la constitution moléculaire du corps et c'est à ce savoir qu'il fera appel pour reconstituer le corps de résurrection (*De Res.* 2).

Toutefois, si le corps de résurrection est reconstitué par Dieu à la ressemblance du corps créé, il ne sera pourtant pas exactement semblable à ce dernier: il revêtira l'incorruptibilité et ses membres n'auront plus les mêmes fonctions que celles qu'ils avaient sur terre (Justin *De Res.* 3), car ce corps n'aura plus de besoin; il ne subira plus de transformation (Athénagore *De Res.* 7) et sera exempt de toute infirmité, en sorte que, par rapport au corps terrestre, il sera parfait et intègre (Justin *De Res.* 4; *Dial.* 69,7).

Préoccupés de répondre aux défenseurs de l'immortalité de l'âme, les apologistes affirment la résurrection de la chair et nuancent cette affirmation, sous la pression des adversaires qui veulent en montrer l'absurdité (au sens de Mc 12,25 par.). Ils n'ont pas pu lancer dans le débat la notion de »corps spirituel«. Pourtant, c'est aussi en répondant à des »spiritualistes« que Paul a opposé corps psychique et corps spirituel. Il faut croire qu'à l'époque des apologistes, cette notion n'aurait plus été comprise par des esprits grecs pour lesquels la notion de réalité implique celle de matière, de chair. Peut-être aussi que l'expression »corps spirituel« présuppose une christologie et une pneumatologie dans lesquels les apologistes n'ont pas pu ou pas voulu entrer, préférant argumenter en philosophes à partir de la notion de Dieu, admise par leurs adversaires comme base commune de discussion. Cela nous montre que la notion de »corps spirituel« n'est pas banale. Ne s'en sert pas qui veut!

c) Irénée de Lyon

N'ayant pas rencontré de citation de 1 Cor. 15,35—49 dans la littérature apocryphe et dans les récits de martyres de l'antiquité chrétienne, nous en arrivons à Irénée, qu'avec raison, les manuels de

[57] Cf à ce sujet l'ouvrage toujours classique de E. Rohde *Psychè*. Le culte de l'âme chez les Grecs et leur croyance à l'immortalité, éd. française par Aug. Reymond (Bibliothèque scientifique), Paris 1928 pp. 264 ss.

patristique classent sous la rubrique »littérature antihérétique«. Le grand ouvrage de l'évêque de Lyon est en effet consacré à la réfutation de l'hérésie gnostique. Il est par là une source précieuse pour la connaissance de la gnose. Une question de méthode se pose donc au début de ce chapitre: faut-il, avant d'étudier Irénée, réserver un chapitre à l'exégèse gnostique de 1 Cor. 15, 35–49? Ce texte est en effet cité dans la littérature gnostique, mais un inventaire des emplois qui en est fait nous montre que les textes gnostiques qui le citent sont précisément rapportés par les auteurs qui les réfutent: Irénée, Clément d'Alexandrie, Hippolyte[1]. Il nous paraît par conséquent plus simple de les examiner en même temps que la réfutation qui en est donnée et de les étudier dans les chapitres que nous réservons à Irénée, à Clément et à Hippolyte.

Deux exemples d'exégèse dans le contexte gnostique

a) *1 Cor. 15, 41.* – Irénée cite ce verset dans le cadre de sa critique de la doctrine des éons[2]. Il nous faut donc rappeler comment cette

---

[1] Aucune citation de 1 Cor. 15, 35–49 n'est signalée dans les textes gnostiques que donnent d'une part Hennecke-Schneemelcher *Ntl. Apokryphen* I, 3. Aufl. 1959, pp. 158–271, d'autre part les *Koptisch-gnostische Schriften* I (GCS 45), 2. Aufl., 1954. La même remarque vaut pour la *Lettre à Flora* de Ptolémée et pour le *De Resurrectione* (Epistula ad Rheginum), dans lequel la résurrection est l'éveil à la connaissance de la Vérité, la régénération, l'union au Christ revêtu dans le baptême, la mort étant l'ignorance de Dieu. Par contre, W. Völker *Quellen zur Geschichte der christl. Gnosis,* 1932 relève deux citations susceptibles de nous intéresser: chez les Ophites, dans un fragment du »Livre de Baruch« du gnostique Justin et chez Valentin. Le premier texte, qui cite 1 Cor. 15, 46 s. est repris par Hippolyte *Refutatio* V, 24, 2–27, 5; en particulier V, 21, 32 (= Völker p. 32, 3). Le second est cité par Irénée *Adv. Haer.* I, 8, 3 (= Harvey I, 72, 5) et mentionne 1 Cor. 15, 48. Enfin Clément d'Alexandrie, dans ses *Extraits de Théodote* (SC 23), 1948 mentionne plusieurs fois 1 Cor. 15, 35–49, soit parce qu'il reproduit la documentation des Valentiniens (80, 2 cite 1 Cor. 15, 42; 50, 3 cite le v. 45a; 3, 2 cite le v. 45b; 56, 1 cite le v. 47; 80, 3 cite le v. 49), soit parce qu'il argumente lui-même à partir de ce texte (il cite le v. 40 en 11, 2; le v. 44 en 14, 2; le v. 49 en 15, 1).

[2] La critique de la gnose occupe les Livres II et III de l'*Adv. Haer.* Dans le Livre II, Irénée argumente à partir du raisonnement, alors que dans le Livre III, il s'appuie sur la Révélation. Pour le plan de l'ouvrage, on consultera A. Benoît *Saint Irénée,* Paris, 1960 pp. 151–201. Nous citons Irénée en donnant l'indication du livre en chiffre romain, du chap. et du paragraphe en chiffres arabes. Ces indications correspondent à l'éd. de Massuet, reprise par Migne. Pour les Livres I et II, nous y ajoutons entre parenthèses la référence à l'éd. de Harvey en donnant le tome, la page et la ligne et en adoptant par là l'usage de Reynders *Lexique comparé du texte grec et des versions latine, arménienne et syriaque de l'›Adversus Haereses‹ de saint Irénée,* Louvain, 1954 vol I, p. 3: »Les *références* indiquent le *tome,* la *page* et la *ligne* du *texte latin de Harvey,* compte non tenu du texte grec, quelle que soit sa situation sur la page; la

dernière se présente chez les Valentiniens et pour cela, nous suivons l'exposé qu'en donne Irénée au Livre I, 1, 1 ss (H I, 8, 1 ss)[3].

Les Valentiniens admettent l'existence d'un Eon parfait préexistant, qu'ils appellent Προαρχή, Προπάτωρ, Βυθός. Avec lui coexiste Ἔννοια (Pensée) qu'ils appellent aussi Χάρις et Σιγή. Un jour, cet Eon parfait eut l'idée d'émettre à partir de lui-même le »Principe de toutes choses«; il déposa cette émission comme un germe au sein de Silence, qui la reçut, conçut et enfanta Νοῦς, semblable et égal au Principe qui l'avait émis, seul capable de comprendre la grandeur du Père. Νοῦς est aussi appelé Μονογενής ou Πατέρ καὶ Ἀρχὴ τῶν πάντων. En même temps fut émise Ἀλήθεια. Cette première tétrade va se compléter: Μονογενής émet à son tour Λόγος et Ζωή[4]. De ce couple sont émis ensuite Ἄνθρωπος et Ἐκκλησία. Ces huit éons, groupés en quatre couples dérivant les uns des autres par émanations successives, forment l'Ogdoade. Tous ces éons font à leur tour des émanations, par couples, en vue de la gloire du Père: Λόγος et Ζωή, après avoir émis Ἄνθρωπος et Ἐκκλησία, produisent encore 10 éons, dont les noms importent peu ici. Ἄνθρωπος émet avec Ἐκκλησία 12 éons, parmi lesquels Σοφία[5]. Ces trente éons au total forment le Plérôme[6].

---

numérotation des lignes, qui est nôtre (Harvey n'en comporte pas), ne tient pas compte des lignes occupées par les titres ou les indications des livres et chapitres.« Pour les Livres III–V, nous donnons entre parenthèses la référence à l'éd. des »Sources chrétiennes«. C'est à elle que nous empruntons les traductions que nous donnons dans le texte.

[3] Cf F. M. Sagnard *La gnose valentinienne*, Paris, 1947 en particulier pp. 145–198 et pp. 295–333.

[4] Plus tard, il émettra aussi le Christ et l'Esprit-Saint, qui auront vis-à-vis du Plérôme une fonction d'instruction et d'unité.

[5] La Σοφία, désirant comprendre la grandeur infinie du Père, s'étendait toujours davantage vers l'avant, en sorte qu'elle se serait dissoute dans l'essence du Tout si Ὅρος, en éon supplémentaire destiné à consolider l'ensemble des éons, ne l'avait retenue. Cependant, deux éléments de Σοφία ont été séparés d'elle et demeurent à l'extérieur du Plérôme: Ἐνθύμησις (= Intention) et Ἀχαμώθ (Sagesse, ici extérieure au Plérôme). Cette dernière est de nature spirituelle, étant issue du Plérôme. A la suite de sa rencontre avec le Sauveur (cf note suivante), elle fut guérie de ses passions. Mais deux substances furent alors issues d'elle, l'une mauvaise, provenant des passions, l'autre passible, provenant de la conversion. C'est là l'origine de la division tripartite de la substance dans le système de Ptolémée (I, 5, 1 = H I, 41, 8–43, 4).

[6] De ce Plérôme sera issu le Sauveur, chacun des éons ayant, avec l'assentiment du Christ et de l'Esprit-Saint, apporté et mis en commun ce qu'il y avait de meilleur en lui. Ce Sauveur est appelé le Fruit ou Ἰησοῦς. Etant en quelque sorte la quintescence du Plérôme, il joue un rôle important à l'extérieur de celui-ci. F. M. Sagnard *op. cit.* pp. 324–25 donne un bon résumé de la fonction de ce Sauveur dans le système de Ptolémée: »Ainsi le Père transcendant est lumière, et les Eons sont constitués de cette ›lumière paternelle‹. Tel est le

Irénée montre dans sa critique que la modalité des émissions des éons est indéfendable (II, 17 = H I, 306, 22–313, 18). Il pose à ce sujet les trois questions suivantes: l'éon émis est-il uni à l'éon émetteur, comme les rayons sont unis au soleil? L'éon émis est-il au contraire séparé de celui qui l'a émis, en sorte qu'il en est indépendant, comme c'est le cas pour les hommes et les animaux dont les enfants, à la naissance, deviennent indépendants de leurs parents? L'éon émis se développe-t-il à partir de l'éon émetteur comme une branche sort d'un arbre? Ces questions doivent montrer que dans les trois cas, il y a consubstantialité entre les éons émis et les éons émetteurs. Les éons sont comme des lumières qui s'allument les unes aux autres (II, 17, 4 = H I, 308, 4–308, 20) à partir d'une lumière originelle, qui est la lumière paternelle (II, 17, 5 = H I, 308, 26), en sorte qu'il n'y a qu'une lumière dans tout le Plérôme (II, 17, 5 = H I, 308, 29). Or s'il en est ainsi, la théorie des gnostiques est incapable, selon Irénée, de rendre compte de la différence entre ce qui est passible et ce qui est impassible. En effet, soit la déchéance de la passion (»labes passionis« II, 17, 5 = H I, 308, 21), qui résulte de l'ignorance, affecte le Plérôme tout entier, puisque tous les éons sont de même substance. Dans ce cas, l'Eon parfait sera lui-même dans la déchéance de l'ignorance; il s'ignorera lui-même. Soit alors toutes les lumières qui sont dans le Plérôme demeurent semblablement impassibles, car si toutes les lumières sont constituées par la lumière paternelle, impassible, un éon ne peut pas être passible, fut-il le plus jeune dans l'ordre d'allumage. Et Irénée ajoute: il en va de même si tous les éons sont des étoiles: tous participent de la même nature, car même si une étoile diffère d'une étoile en clarté, la différence ne porte pas sur la qualité ou la substance, selon laquelle une chose est passible ou impassible:

Plérôme, monde plein et lumineux, fait de substance ›spirituelle‹ (›pneumatique‹), consolidé par Christ et Pneuma ἅγιον (Esprit-Saint), ›égalisé‹ au point que chacun porte le nom des autres. Et le ›fruit‹ de cet ensemble est le *Sauveur*, expression parfaite et *Etoile* de tout le Plérôme, chargé d'opérer à l'extérieur, c'est-à-dire ›dans les régions de l'ombre et du vide‹. Ayant en lui toute la ›vertu‹ (δύναμις) du Plérôme, reçue du Père, il brille parmi les ténèbres de ce monde. Comme le Logos a ›formé‹ les Eons du Plérôme, d'une ›formation d'existence‹, comme le Christ a ›formé‹ des mêmes Eons d'une ›formation de gnose‹, ainsi le Sauveur va ›former‹ les êtres extérieurs au Plérôme, en les faisant apparaître, grâce à sa lumière. En premier lieu, il forme la Sagesse extérieure au Plérôme, – la Mère, – d'une ›formation de gnose‹; c'est par cette Sagesse, qu'il donnera naissance aux Valentiniens, ›semence de gnose‹, sur laquelle interviendra encore une formation du même genre. Quant au reste de la création, il est tiré par Sagesse des ›idées‹ contenues dans le Sauveur: il reproduit donc, à sa façon, l'image des Eons et du Plérôme. Ainsi Sauveur et Sagesse sont bien à la tête du monde extérieur au Plérôme.«

»Etenim si ›stella a stella in claritate differt‹ (1 Cor. 15, 41), sed non secundum qualitatem, nec secundum substantiam, secundum quam passibile aliquid vel impassibile est; sed aut universos, ex lumine cum sint paterno, naturaliter impassibiles et immutabiles esse oportet: aut universi cum paterno lumine et passibiles, et commutationum corruptionis capaces sunt« (II, 17, 5 = H I, 308, 31).

Irénée ne dit pas en quoi consiste la différence entre une étoile et une autre étoile. Peut-être n'était-ce pas nécessaire. Pour le savoir, il faut nous demander si 1 Cor. 15, 41 a été cité par les gnostiques en réponse à la critique d'Irénée ou si Irénée le cite de lui-même, prévoyant l'objection des gnostiques. En faveur de cette dernière hypothèse, on relèvera que ce texte n'est jamais employé dans le livre I, dans lequel Irénée expose le système valentinien: 1 Cor. 15, 41 n'est donc pas un des textes scripturaires sur lesquels les Valentiniens s'appuient pour justifier leur doctrine. Certes, ce n'est pas un argument suffisant, mais d'autres indices peuvent l'appuyer. Si Irénée rapportait dans sa critique de la théorie des éons une citation des gnostiques, ne devrait-il pas alors la réfuter en donnant le vrai sens du texte? On dira peut-être qu'Irénée ne donne pas non plus son interprétation des textes cités par les gnostiques en I, 8, 3 (H I, 70, 11 –73, 2), mais qu'il se contente de refuser globalement l'interprétation gnostique de l'Ecriture (I, 9, 1 = H I, 80, 9–82, 3). Il reste néanmoins encore un texte en faveur de notre hypothèse. En II, 17, 9 (H I, 310, 22–311, 15) Irénée mentionne l'argument que les gnostiques avancent pour défendre leur théorie des éons; or, les gnostiques ne citent pas 1 Cor. 15, 41: ils affirment seulement que chaque éon est émis et que chaque éon ne connaît que celui qui l'émet, et non le précédent (II, 17, 9 = H I, 310, 26). Il faut donc conclure que c'est Irénée qui introduit ce texte pour répondre à l'avance à une objection que les gnostiques pourraient faire à la critique qu'il adresse à leur théorie des éons.

Dans ce contexte, la citation du verset de saint Paul n'a plus rien à faire avec la résurrection. Nous avons là un exemple instructif de la manière dont souvent l'Ecriture est citée chez les Pères. C'est pourquoi il valait la peine de nous y attarder un peu. Mais on comprendra que dans la suite de notre travail, nous ne retenions que les citations qui sont suivies d'une exégèse du texte paulinien ou qui apparaissent dans un contexte qui touche directement à notre sujet. A ce point de vue, le second exemple d'une exégèse gnostique que l'on trouve citée par Irénée est intéressant.

b) *1 Cor. 15, 48a.* — Irénée donne dans son Livre I une description de la gnose valentinienne: les chapitres 1, 1–10, 3 (H I, 8, 1–97, 15) rapportent le système de Ptolémée; les chapitres 11, 1–22, 2 (H I,

98, 1–189, 26) celui de Marc le Mage; enfin les chapitres 23, 1–31, 4 (H I, 190, 1–244, 7) nous font connaître celui de Simon le Mage Samaritain. C'est l'exposé du système de Ptolémée qui nous retient ici. A. Benoit y reconnaît trois grands thèmes: le Plérôme (1, 1–2 = H I, 8, 1–11, 8) dont la description est appuyée par des citations scripturaires (1, 3 = H I, 11, 8–13, 2); la chute dans le Plérôme (2, 1–6 = H I, 13, 3–23, 11), avec des textes scripturaires (3, 1–6 = H I, 24, 1–31, 8); les événements à l'extérieur du Plérôme (4, 1–7, 5 = H I, 31, 7–66, 4), avec ici aussi des textes de l'Ecriture (8, 1–5 = H I, 66, 5–80, 8). Parmi ces derniers, 1 Cor. 15, 48 a.

Pour décrire les trois types d'hommes qu'ils connaissent, les gnostiques font en effet appel à deux listes de textes, dont l'une donne des textes de l'Evangile, l'autre des textes pauliniens. C'est à ces derniers que nous nous arrêtons. L'homme »hylique«, les gnostiques le retrouvent dans la citation de 1 Cor. 15, 48 a: Οἷος ὁ χοϊκός, τοιοῦτοι καὶ οἱ χοϊκοί.L'homme »psychique«, c'est celui dont parle Paul en 1 Cor. 2, 14: »l'homme psychique n'accueille pas ce qui est de l'Esprit de Dieu«. Enfin l'homme »spirituel« est désigné par Paul dans 1 Cor. 2, 15: »l'homme spirituel au contraire juge de tout«. Ces trois citations, données par Irénée en I, 8, 3 (H I, 70, 11–73, 2) renvoient à la distinction des trois substances faite par les gnostiques.

Il faut remarquer que les gnostiques ont trouvé un parallèle aux termes »psychique« et »spirituel« chez Paul, mais qu'ils n'en ont pas trouvé pour »hylique«. Pour ce dernier, ils doivent donc faire appel à χοϊκός. Les deux mots désignent l'homme, considéré du point de vue de la matière dont il a été fait. Pourtant, malgré le triple parallélisme du vocabulaire: πνευματικός = πνευματικός, ψυχικός = ψυχικός. ὑλικός = χοϊκός, la terminologie paulinienne ne recouvre pas la terminologie gnostique. En effet, chez Paul, χοϊκός (v. 48) correspond à l'expression ἐκ γῆς du v. 47, qui elle-même renvoie à εἰς ψυχὴν ζῶσαν (v. 45). Or, l'homme fait de la glaise du sol et dans les narines duquel Dieu a insufflé le souffle de vie, c'est l'homme »psychique«. Chez Paul, χοϊκός est donc l'équivalent de ψυχικός, alors que chez les gnostiques, l'homme »psychique« est celui qui s'est élevé au-dessus de la condition de l'homme »hylique« et qui est sur la voie qui lui permettra d'atteindre le degré le plus élevé que l'homme puisse atteindre. Si »psychique« n'a pas ce sens dans 1 Cor. 15 (puisque là, il est l'équivalent de »terrestre« comme nous venons de le montrer), il n'est pas non plus certain que l'adjectif ait ce sens même là où, comme dans 1 Cor. 2, 14, Paul l'oppose à »spirituel«. Chez Paul, »psychique« désigne un statut anthropologique, le statut de l'homme créé. Quand il veut parler de l'homme »psychique« au sens où les gnostiques entendent ce terme, Paul emploie l'adjectif σαρκικός.

Nous trouvons donc pour la première fois une interprétation péjorative du terme »psychique«, par opposition à l'homme »spirituel«: chez les gnostiques, »psychique« a un peu le sens du σαρκικός paulinien[7]. Ce déplacement de signification se retrouvera souvent dans l'exégèse des termes »psychique« et »spirituel«, c'est pourquoi il valait la peine de nous arrêter à cette citation des gnostiques, rapportée par Irénée.

L'exégèse d'Irénée

Dans le Livre V de l'*Adv. Haer.*, Irénée s'attache à défendre la résurrection de la chair. Il s'appuie pour ce faire sur des textes pauliniens. C'est pourquoi nous trouvons dans les chapitres 7—12 de ce livre une exégèse suivie de 1 Cor. 15, 35—49[8]. C'est la première que nous rencontrons, aussi suivrons-nous de près le texte d'Irénée pour en rendre compte le plus fidèlement possible.

a) *1 Cor. 15, 36. 42—44.* — Le chapitre 7 du Livre V s'ouvre par l'affirmation de la résurrection du Christ dans la chair, événement dont les disciples sont les témoins puisqu'ils ont pu voir les marques des clous et l'ouverture sur le côté dans son corps. Or, si le Christ est ressuscité dans la chair, les chrétiens ressusciteront aussi de la même façon. C'est ce que Paul affirme aux Romains (8, 11): »Si l'Esprit de celui qui a ressuscité Jésus d'entre les morts habite en vous, celui qui a ressuscité le Christ d'entre les morts vivifiera aussi vos corps mortels« (trad. SC 153 p. 85). Ces »corps mortels« ne peuvent être ni les âmes, ni l'Esprit. En effet, les âmes sont ce souffle de vie que Dieu a insufflé à l'homme pour qu'il devienne une »âme vivante«: ce souffle est incorporel et de plus, il est immortel — ce qui est mortel étant précisément privé du souffle de vie, ce même souffle ne peut être sans souffle de vie! Quant à l'Esprit, il ne peut pas être dissout, étant simple, non composé. Par »corps mortels«, Paul désigne donc la chair, l'ouvrage modelé par Dieu. *Elle*, peut être privée du souffle de vie et mourir; *elle*, peut être décomposée et dissoute dans la terre. C'est elle par conséquent que, selon l'apôtre, Dieu vivifiera.

---

[7] On se souvient que chez Ignace, c'est »charnel« qui avait le sens neutre du »psychique« paulinien. Ici, c'est »psychique« qui a le sens péjoratif du »charnel« paulinien.

[8] Sur le texte du NT que l'on trouve chez Irénée, on consultera l'ouvrage de W. Sanday — C. H. Turner *Novum Testamentum S. Irenaei Episcopi Lugdunensis*, Oxford, 1923. Pour 1 Cor. 15, 35—49, cf pp. 143—45. Dans l'introduction, A. Souter note que le texte d'Irénée est d'un intérêt d'autant plus grand du point de vue de la tradition textuelle du NT que l'auteur appartient à l'Asie-Mineure et qu'il a vécu et écrit en Gaule.

Irénée voit une confirmation de cette thèse dans 1 Cor, 15,36. 42–44 qu'il cite et commente de la façon suivante:

»Et propter hoc ait de ea in prima ad Corinthios: ›Sic et resurrectio mortuorum: seminatur in corruptione, surgit in incorruptione‹. Etenim ›tu‹, ait, ›quod seminas non vivificatur, nisi prius moriatur‹. Quid est autem quod ut granum tritici seminatur et putret in terra, nisi corpora quae in terra ponuntur, in qua et semina jactantur? Et propter hoc dixit: ›Seminatur in ignobilitate, surgit in gloria‹. Quid enim ignobilius carne mortua? Vel quid iterum gloriosus surgente ea et percipiente incorruptelam? ›Seminatur in infirmitate, surgit in virtute‹: in infirmitate quidem sua, quoniam cum sit terra in terram vadit; virtute autem Dei, qui eam suscitat a mortuis. ›Seminatur corpus animale, surgit corpus spirituale‹. Indubitate docuit quoniam neque de anima neque de spiritu sermo est ei, sed de mortificatis corporibus. Haec sunt enim corpora animalia, hoc est participantia animae: quam cum amiserint, mortificantur; deinde per Spiritum surgentia fiunt corpora spiritalia, uti per Spiritum semper permanentem habeant vitam« (V, 7, 1–2 = SC 153 pp. 88–90).

Le verset 36 donne à Irénée la clé d'interprétation des vv. 42–44: l'image du grain de froment est ici prise à la lettre pour illustrer la mise en terre du cadavre. Dès lors, ce n'est plus la nécessité de passer par la mort qui est la pointe de la comparaison, mais c'est l'opposition entre ce qui est jeté en terre et ce qui en sort, opposition qui précisément, pour Irénée, est exprimée dans les quatre antithèses qui suivent: »Quoi de plus ignominieux qu'une chair morte? En revanche, quoi de plus glorieux que cette même chair une fois ressuscitée et ayant reçu l'incorruptibilité en partage?« (trad. SC 153 pp. 89–91). Et plus loin, à propos de l'opposition entre faiblesse et puissance: »La faiblesse dont il s'agit est celle de la chair, qui, étant terre, s'en va à la terre; mais la puissance est celle de Dieu qui la ressuscite d'entre les morts« (*ibid.* p. 91). Enfin, l'antithèse du corps psychique et du corps spirituel exprime la même idée: »Sans aucun doute possible, l'apôtre nous apprend par là que ce n'est ni de l'âme, ni de l'Esprit qu'il parle, mais des corps morts. Tels sont bien en effet les corps ›psychiques‹, c'est-à-dire participant à une âme: lorsqu'ils la perdent, ils meurent; puis, ressuscitant par l'Esprit, ils deviennent des corps spirituels, afin de posséder, par l'Esprit, une vie qui demeure à jamais« (*ibid.*).

Dans cette exégèse, il faut retenir les points importants pour le sujet qui nous occupe, et relever d'abord qu'Irénée comprend le verbe ›semer‹ de la mise en terre du corps après sa mort. L'auteur semble tirer ce sens de l'analogie avec le grain de froment. Mais on peut contester cette lecture du texte, car la semence mise en terre n'est pas ›morte‹ comme le cadavre; de plus la semence n'a pas de corps: Dieu lui donne un corps lorsqu'elle sort de terre. L'exemple du grain de semence n'explique ni ne justifie l'exégèse qu'Irénée donne du verbe ›semer‹; par conséquent, il ne justifie pas non plus la manière dont il comprend le terme d'ignominie qui désignerait la chair morte, le cadavre. On ne voit pas en quoi un cadavre, avant sa mise en terre, est ignominieux. Par contre l'explication de la faiblesse de la chair et de l'expression ›corps psychique‹ nous paraît pertinente. Irénée renvoie pour la faiblesse du corps à la nature de ce dernier, créé à partir de la glaise du sol, selon Gen. 2, 7a. Par lui-même, tel qu'il a été créé, l'homme n'est pas immortel. Son sort est de retourner à la terre d'où il vient; ce n'est que par la puissance de Dieu qu'il a part à l'incorruptibilité. Créé faible, parce que créé à partir de la terre, l'homme est aussi créé corps ›psychique‹. Irénée explique cette expression en faisant appel à Gen. 2, 7b: Dieu a insufflé à l'homme un souffle de vie (= une âme) et l'homme est devenu un être vivant, un corps »animé«, un corps psychique. Le souffle de vie, l'âme, ne garantit pas à l'homme l'immortalité, l'incorruptibilité – bien que l'âme soit en elle-même impérissable, comme le précise Irénée lorsqu'il dit: »On ne peut non plus dire l'âme mortelle, puisqu'elle est souffle de vie« (V, 7, 1 =SC 153 p. 87). Or, si l'homme est mortel, c'est précisément parce qu'à la mort, il perd ce souffle de vie: »Mourir, en effet, c'est perdre la manière d'être propre au vivant, devenir sans souffle, sans vie, sans mouvement, et se dissoudre dans les éléments dont on a reçu le principe de son existence« (V, 7, 1 = SC 153 p. 87). Tel qu'il a été créé, animé par le souffle de vie, l'homme est néanmoins mortel. Ce n'est que par l'action de l'Esprit qu'il aura part à l'incorruptibilité. Dès lors, il ne sera plus, comme lors de la création, ›corps psychique‹, mais il sera ›corps spirituel‹. La fonction de l'Esprit est double: d'une part, il est l'agent de la résurrection[9], d'autre part il assure au corps l'incorruptibilité[10].

Dans cette exégèse d'Irénée, il faut relever que la notion de péché n'intervient pas pour expliquer la faiblesse et le caractère corruptible de la chair. L'auteur renvoie à la création: créé à partir de la glaise du sol,animé par le souffle de vie qui fait de lui un corps psychique, l'homme a nécessairement une vie limitée dans sa durée et sujette à la corruption[11]. L'immortalité n'est pas inscrite dans la constitution

---

[9] »per Spiritum surgentia fiunt corpora spiritalia« (V, 7, 2 = SC 153 p. 90).

[10] »uti per Spiritum semper permanentem habeant vitam« *(ibid.)*.

[11] On citera ici V, 12, 1: »Or la première vie a été expulsée parce qu'elle avait été donnée par le moyen d'un simple souffle et non par le moyen de l'Esprit« (SC 153 p. 143); ou V, 12, 2: »Le souffle est donc chose temporaire, tandis que l'Esprit est éternel« (SC 153 p. 147); ou enfin V, 12, 3: »C'est elle (la substance

de l'homme ou dans la nature de l'âme: elle est l'œuvre de l'Esprit qui agit par la puissance de Dieu.

b) *1 Cor. 15, 45–46.* – L'interprétation que donne Irénée des versets 42–44 l'amène, comme nous l'avons vu, à opposer le corps créé et le corps de résurrection, et par là, à opposer deux moments de l'économie divine: la création et la résurrection. Cette idée, l'auteur la développe et la précise à l'aide des versets suivants du texte paulinien:

»›Sed non primo quod spirituale est‹, ait Apostolus, hoc tamquam ad nos homines dicens, ›sed primo quod animale est, deinde quod spirituale‹ secundum rationem. Oportuerat enim primo plasmari hominem et plasmatum accipere animam, deinde sic communionem Spiritus recipere. Quapropter et ›primus Adam[12] factus est‹ a Domino ›in animam viventem, secundus Adam in Spiritum vivificantem‹« (V, 12, 2 = SC 153 p. 148).

Irénée souligne la différence entre le souffle de vie et l'Esprit. Le premier est donné à tous les hommes, pour un temps limité. C'est de lui qu'ils tirent leur vie; l'Esprit par contre est donné »exclusivement à ceux qui foulent aux pieds les convoitises terrestres« (V, 12, 2 = SC 153 p. 145). Or, souffle de vie et Esprit sont dans une succession temporelle qu'il n'est pas possible de renverser, comme le souligne Paul au v. 46: ce qui apparaît d'abord, c'est le psychique, puis vient le spirituel. Et Irénée commente ainsi: »Rien de plus juste, car il fallait que l'homme fût d'abord modelé, qu'après avoir été modelé il reçût une âme, et qu'ensuite seulement il reçût la communion de l'Esprit« (SC 153 p. 149). Les deux moments de l'économie divine sont dans un ordre de succession logique: nécessairement, la création de l'homme précède le don qui lui est fait de l'Esprit.

Ces deux étapes sont encore illustrées par l'opposition du premier et du second Adam. Mais on notera ici la manière originale dont Irénée comprend cette antithèse. En effet, si, chez Paul comme chez Irénée, le premier Adam désigne l'homme tel qu'il a été créé, l'homme »fait âme vivante«, le second Adam ne représente pas pour Irénée ce qu'il représente chez Paul, à savoir le Christ, »Esprit vivifiant«, c'est-à-dire donnant la vie. Irénée commente ainsi le v. 45:

---

de la chair) que le Seigneur est venu rendre à la vie, afin que, comme nous mourons tous en Adam parce que psychiques, nous vivions tous dans le Christ parce que spirituels, après avoir rejeté, non l'ouvrage modelé par Dieu, mais les convoitises de la chair, et avoir reçu l'Esprit-Saint« (SC 153 p. 151).

[12] On notera l'omission de ›homo‹, omission qui se retrouve dans la version arménienne d'Irénée. Cf à ce sujet Turner *op. cit.* 1923 p. clxxi qui pense que l'omission remonte au texte grec employé par Irénée (contre Souter *ibid.* p. clxvii).

»Sicut igitur qui in animam viventem factus est devertens in pejus perdidit vitam, sic rursus idem ipse in melius recurrens (et) assumens vivificantem spiritum, inveniet vitam« (V, 12, 2 = SC 153 pp. 148–150)[13].

Pour Irénée, le second Adam, ce n'est pas le Christ qui vivifie, mais l'homme qui accueille (assumens) l'Esprit vivifiant[14]. Les deux Adam désignent donc la même humanité, à deux moments différents de l'économie divine. La liberté que prend Irénée avec le texte de Paul peut s'expliquer: l'auteur est soucieux de souligner la continuité entre le psychique et le spirituel, en vue de défendre la résurrection de la chair. »Car ce n'est pas une chose qui était morte et une autre qui est rendue à la vie, de même que ce n'est pas une chose qui était perdue et une autre qui est retrouvée, mais, cette brebis même qui était perdue, c'est elle que le Seigneur est venu chercher. Qu'est-ce donc qui était mort? De toute évidence la substance de la chair, qui avait perdu le souffle de vie et était devenue sans souffle et morte. C'est elle que le Seigneur est venu rendre à la vie, afin que, comme nous mourons tous en Adam parce que psychiques, nous vivions tous dans le Christ parce que spirituels, après avoir rejeté, non l'ouvrage modelé par Dieu, mais les convoitises de la chair, et avoir reçu l'Esprit-Saint« (V, 12, 3 = SC 153 p. 151). Nous retrouvons dans ce passage l'idée paulinienne qu'Irénée a déjà défendue et qui montre que la mort est liée à la condition de créature attribuée à l'homme: l'homme meurt parce qu'il est psychique, et non parce qu'il est pécheur. L'exégèse qu'Irénée donne des vv. 48–49 apportera une confirmation de cette thèse, en la précisant sur deux points.

c) *1 Cor. 15, 48–49.* — Dans le chapitre 8 du Livre V, Irénée définit la fonction de l'Esprit. Ce dernier est donné aux hommes comme »arrhes« de l'héritage promis par Dieu, pour que les hommes s'habituent »à saisir et à porter Dieu« (V, 8, 1 = SC 153 p. 93). Le don de l'Esprit fait de ceux qui le reçoivent des hommes spirituels. Mais, prévenant une objection des adversaires gnostiques, Irénée précise que les hommes spirituels ne sont pas dépourvus de corps. Il dit en effet: »des esprits sans corps ne seront jamais des hommes spirituels; mais c'est notre substance — c'est-à-dire le composé d'âme et de chair — qui, en recevant l'Esprit de Dieu, constitue l'homme

[13] Ce passage est conservé en grec dans les *Sacra Parallela* éd. Holl (TU 20, 1), Leipzig. 1901 p. 75 (no. 164). Cf SC 153 pp. 148–150 (Fr. gr. 12).

[14] Dans la nomenclature des titres christologiques que donne A. Houssiau *La Christologie de saint Irénée,* 1955 pp. 25–38, le titre Second Adam n'apparaît pas. Pourtant, Irénée désigne une fois le Christ comme Second Adam, en l'opposant au Premier Adam: III, 21, 10 (= SC 34 p. 370 ss.).

spirituel« (V, 8, 2 = SC 153 p. 97). Et s'il en est ainsi ici-bas, il n'en ira pas autrement lors de la résurrection, malgré le sens que les gnostiques donnent à 1 Cor. 15, 50. Pour Irénée, ce texte n'est pas un argument qui s'oppose à la résurrection de la chair, car l'expression »la chair et le sang« n'est pas à prendre au sens littéral. Elle désigne ceux qui refusent d'accueillir l'Esprit de Dieu. Ceux-là n'hériteront pas le Royaume de Dieu, car sans l'Esprit de Dieu, la chair est morte et le sang n'a pas plus de valeur que de l'eau (V, 9, 3 = SC 153 p. 113). Là où, par contre, il y a l'Esprit de Dieu, »la chair, possédée en héritage par l'Esprit, oublie ce qu'elle est, pour acquérir la qualité de l'Esprit et devenir conforme au Verbe de Dieu« (V, 9, 3 = SC 153 p. 113–115). Irénée cite ici saint-Paul:

»›Sicut portavimus imaginem ejus qui de terra est, portemus et imaginem ejus qui de caelo est‹. Quid ergo est terrenum? Plasma. Quid autem caeleste? Spiritus. Sicut igitur, ait, sine Spiritu caelesti conversati sumus aliquando in vetustate carnis, non obaudientes Deo, sic nunc accipientes Spiritum ›in novitate vitae ambulemus‹ (Rom. 6, 4), obaudientes Deo« (V, 9, 3 = SC 153 p. 114).

L'auteur ne voit pas dans le texte paulinien une antithèse entre deux types d'hommes ou deux types d'humanités[15]. »L'image de celui qui est terrestre« devient chez lui »l'image de *ce qui* est terrestre« et ce qui est »terrestre«, c'est l'ouvrage modelé (plasma); de même, »l'image de celui qui est céleste« devient »l'image de *ce qui* est céleste« et c'est l'Esprit. Cette exégèse surprend, parce que ›plasma‹ est neutre, alors que le ›ejus qui‹ du texte paulinien désigne un masculin. On attendrait aussi ›quis‹ et non ›quid‹ dans la question posée par Irénée. Mais ce dernier ne veut pas opposer, comme le fait Paul, les deux Adam, mais il oppose le ›plasma‹ à l'Esprit, la période où les hommes marchaient »dans la vétusté de la chair« à celle qui est marquée par le don de l'Esprit et la nouveauté de vie. Cela signifie que la dimension eschatologique qui formait la pointe de l'argumentation paulinienne dans ces versets est fortement atténuée, au profit d'une exhortation à marcher selon le don de l'Esprit. Ainsi pour Irénée, le v. 49b ne vise pas un événement futur, mais renvoie au don de l'Esprit, comme l'auteur l'indique au chap. 11 du même livre V, en reprenant d'ailleurs l'exégèse du v. 49:

»Hoc autem quod ait: ›Sicut portavimus imaginem ejus qui de limo est‹,

[15] Irénée ne connaît pas »le céleste«, antétype du »terrestre« (cf le *Lexique comparé* de B. Leynders, Louvain, 1954, vol. II pp. 44–45: caelestis). Il connaît le »terrenus« l'homme formé de la glaise du sol; il connaît un »corpus animale«, un homme à qui Dieu a insufflé un souffle de vie; il connaît enfin le »spirituel«, l'homme qui a accueilli l'Esprit de Dieu.

simile est illi dicto: ›Et haec quidam fuistis, sed abluti estis, sed sanctificati estis, sed justificati estis in nomine Domini Jesu Christi et in Spiritu Dei nostri‹. Quando igitur portavimus imaginem ejus qui de limo est? Scilicet quando hae quae praedictae sunt carnis operationes perficiebantur in nobis. Quando autem iterum imaginem caelestis? Scilicet quando, ait, ›abluti estis‹ credentes ›in nomine Domini‹ et accipientes ejus Spiritum« (V, 11, 2 = SC 153 p. 138).

Ici, comme dans le texte précédent, Irénée ne fait pas intervenir les deux Adam, mais il oppose une période pendant laquelle les hommes n'avaient pas encore reçu l'Esprit et marchaient selon ce qui est ›terrestre‹, à la vie qui laisse place à l'intervention et à la présence de l'Esprit. Il précise que le départ de la vie nouvelle, c'est le baptême d'eau et d'Esprit, accompagné de la confession de foi du baptisé.

Irénée peut d'ailleurs se sentir d'autant plus autorisé à comprendre comme il le fait le v. 49 b qu'il lit dans sa version: »portemus«, traduction du subjonctif aoriste grec à valeur d'impératif[16]. Aussi peut-il commenter ce terme par le verbe »ambulemus«, exhortant ses lecteurs à accueillir l'Esprit et à vivre dans l'obéissance à Dieu. Tout cela va bien dans le lens de la démonstration de la résurrection de la chair qui préoccupe l'auteur. La chair et le sang ne peuvent pas hériter le Royaume, s'ils restent ce qu'ils étaient à la création, »plasma«, et si l'homme laisse s'accomplir en lui les œuvres de la chair ou, en langage paulinien, s'il porte l'image de ce qui est terrestre; car »tel a été l'homme terrestre, tels sont aussi les hommes terrestres« (v. 48 cité par Irénée en V, 9, 3 = SC 153 p. 112). Par contre, celui qui accueille l'Esprit et marche en nouveauté de vie porte en lui l'image de ce qui est céleste; celui-là aura part à l'héritage promis et au Royaume.

Avec la constitution du Canon, les Epîtres pauliniennes font partie du trésor de l'Eglise. Aussi Irénée est-il le premier qui en ait donné une exégèse[17]. J. Werner est très critique à son égard[18] et il

[16] Les manuscrits hésitent entre le futur et le subj. aoriste. La critique externe est nettement en faveur de ce dernier (P 46 et tous les grands onciaux sauf BI). Cependant, les arguments de critique interne sont en faveur du futur, que donnent aussi Nestlé-Aland dans leur édition du texte.

[17] W. Schneemelcher *ZKG* 75 (1964) p. 13: Irénée est »der erste, der in der Kirche sich um eine Auslegung der Paulusbriefe gekümmert hat«. Dans le même sens, H. von Campenhausen *Die griechischen Kirchenväter* (UB 14), 1955 p. 29. Cf aussi J. Werner *Der Paulinismus des Irenaeus* (TU VI, 2), 1889 p. 1 et W. Bousset *Kyrios Christos*, réimpr. 1967 p. 356.

[18] J. Werner note que dans sa manière de citer les textes pauliniens, Irénée »schöpft nicht aus ihnen, sondern er denkt mit ihnen« (*op. cit.* p. 98–99).

cite l'emploi qu'Irénée fait de 1 Cor. 15, 44 pour soutenir sa thèse de la résurrection de la chair: Irénée base sa démonstration sur le fait que dans l'antithèse du corps »psychique« et du corps »spirituel«, il s'agit toujours du corps, donc de la chair qui, de »psychique«, devient sous l'action de l'Esprit, »spirituelle«[19]. Sur ce point, la remarque de Werner est pertinente. Pourtant, il faut rappeler que Irénée et Paul sont dans des climats théologiques différents et s'adressent tous deux à des lecteurs particuliers. Les adversaires visés par Paul, rappelons-le pensaient que la résurrection avait déjà eu lieu. C'est pourquoi l'apôtre doit montrer que, si l'Esprit a été donné et si son action s'étend déjà sur certaines sphères de l'activité humaine, elle n'a pas encore opéré la transformation du corps. Cette dernière est réservée pour le futur et c'est avec elle seulement que l'on pourra parler de la résurrection. Dieu alors redonnera la vie aux croyants; il transformera leurs corps psychiques en corps spirituels, en sorte que la résurrection sera une nouvelle création. Les adversaires auxquels s'adresse Irénée admettent, eux, une résurrection future. Mais elle sera spirituelle seulement; la matière et le corps n'y auront pas part. Irénée, dans sa réponse, n'a donc pas à se préoccuper du caractère futur de la résurrection. Cela apparaît clairement dans son exégèse des vv. 48—49. Il doit par contre s'efforcer de montrer que le corps participera à la résurrection. Or pour ce faire, la notion paulinienne de »corps spirituel« est ambiguë. Irénée l'utilise tout de même en précisant l'antithèse »corps psychique« — »corps spirituel« de la façon suivante: la chair telle qu'elle a été créée est psychique et ne peut pas ressusciter. Pour qu'elle ressuscite, il faut que l'Esprit l'habite. Alors seulement, l'homme marchera en nouveauté de vie, et son corps pourra, à la résurrection, être transformé en corps spirituel, étant entendu que ce dernier n'est pas immatériel, mais que c'est la chair soumise entièrement à l'Esprit.

Irénée se sépare donc de Paul sur la question de la nature du corps de résurrection: création entièrement nouvelle pour l'apôtre, il n'est pour l'évêque de Lyon que le corps de chair habité par l'Esprit et possédant par lui une vie qui demeure à jamais (V, 7, 2 = SC 153

---

[19] »Charakteristisch ist dabei der Gebrauch von 15[44] seminatur corpus animale, surgit corpus spirituale, das Iren. vermöge der Betonung des corpus für sich verwendet, indem er die Unterscheidung von animale und spirituale gänzlich ignoriert« (J. Werner *op. cit.* p. 91). Et plus loin, le même auteur poursuit: »Aus 1 Cor. 15, 44: seminatur corpus animale, surgit corpus spirituale, folgert Iren. V, 7, 2, daß beides derselbe corpus mit derselben caro sei: indubitate docuit, quoniam neque de anima, neque de spiritu sermo est ei, sed de mortificatis corporibus. Haec sunt enim corpora animalia, id est, participantia animae; quam cum amiserint, mortificantur: deinde per Spiritum surgentia fiunt corpora spiritalia, uti per Spiritum semper permanentem habeant vitam« (*ibid.* p. 101).

p. 91). Mais si les deux auteurs se distinguent l'un de l'autre sur ce point précis, ils se rejoignent pour affirmer tous deux que l'économie divine comporte deux étapes qui sont à deux niveaux d'être différents: la création, caractérisée par le souffle de vie que Dieu insuffle à l'homme pour en faire un être vivant, »psychique«, et la résurrection, marquée par le don de l'Esprit qui, lorsqu'il habite l'homme, lui ouvre le domaine de l'incorruptibilité et du Royaume. Pour Paul comme pour Irénée, l'immortalité n'est pas donnée à l'homme lors de sa création, mais seulement lorsqu'il s'unit au Fils de Dieu en recevant l'Esprit[20]. Par ailleurs, l'incarnation du Fils de Dieu ne vient pas rétablir une condition de perfection que l'homme aurait perdue à la suite de la chute. Elle élève au contraire l'homme à un niveau d'être qu'il n'avait jamais connu, permettant au mortel de revêtir l'immortalité, à ce qui est corruptible de revêtir l'incorruptibilité[21].

---

[20] Il est curieux de voir que W. Bousset, qui a remarquablement bien compris saint Paul sur ce point, n'arrive pas à rendre justice à Irénée qui, selon lui, aurait attribué au premier homme un état de perfection: »Nach Irenaeus ist der erste Mensch, wie er aus Gottes Hand hervorgegangen ist, ein hohes gottähnliches Wesen, welches die εἰκών und ὁμοίωσις Gottes besitzt, nach Paulus ist der erste Mensch prinzipiell ein minderwertiges Wesen, das »nur« ψυχὴ ζῶσα ist, deshalb dieser niederen Welt angehört« (*op. cit.* p. 356). L'auteur dit très justement à propos de saint Paul: »Die Lehre, daß Adam durch den Sündenfall einen wesentlichen Verlust erlitten habe, spricht Paulus nirgends aus; sie ist durch die Ausführungen im ersten Korintherbrief direkt ausgeschlossen; (...) Aber weitere Spekulationen über eine uranfängliche höhere Wesenheit Adams darf man auch Rö. 5, 12 ff. nicht hineinlesen. Demgemäß bedeutet für Paulus das Erscheinen Christi in keiner Weise eine ἀνακεφαλαίωσις oder *recapitulatio*, eine Rückkehr des Endes zum Anfang. – Christus ist für Paulus auch als ἄνθρωπος πνευματικός nicht die Restitution der adamitischen Wesenheit vor dem Sündenfall, sondern er ist »als Mensch« von wesenhaft höherer Art als der erste Mensch« (*ibid.* p. 357). Contrairement à ce qu'affirme Bousset, tout cela vaut aussi pour Irénée. On peut citer tout le passage du Livre IV de l'*Adv. Haer.* dans lequel l'auteur répond à la question: »Dieu n'eût-il pu faire l'homme parfait dès le commencement?« (IV, 38, 1 = SC 100 p. 943). Certes, Dieu aurait pu, mais l'homme, étant créé et donc enfant, n'aurait pu recevoir la perfection. Il faut que l'homme devienne adulte. Or, précisément, Irénée interprète ce passage de l'enfance à l'âge adulte comme un passage de l'état mortel à l'immortalité. Il dit en effet: »Ainsi fallait-il que d'abord apparût cette nature, puis qu'ensuite ce qui est mortel fût vaincu et englouti par l'immortalité, et ce qui est corruptible, par l'incorruptibilité, et que l'homme devînt à l'image et à la ressemblance de Dieu, après avoir reçu la connaissance du bien et du mal« (IV, 38, 4 = SC 100 p. 961) et plus loin: »Comment seras-tu parfait, alors que tu viens à peine d'être créé? Comment seras-tu immortel, alors que, dans une nature mortelle, tu n'as pas obéi à ton Créateur?« (IV, 39, 2 = SC 100 p. 965).

[21] Cf Livre III, 19, 1 (SC 34 p. 333): »Car c'est là le motif pour lequel le Verbe de Dieu s'est fait ›homme‹, et le Fils de Dieu, ›Fils de l'homme‹: c'est

2. *La littérature chrétienne du 3e s. jusqu'au concile de Nicée*

A) Les écrivains grecs d'Orient

a) Clément d'Alexandrie

Il ne nous reste que quelques fragments du commentaire sur les Ecritures que Clément rédigea sous le titre d' ΥΠΟΤΥΠΩΣΕΙΣ[1]. La plupart sont conservés en grec par Eusèbe et édités par O. Stählin (GCS III, pp. 195–215) avec les commentaires abrégés sur les Epîtres catholiques que nous possédons dans une adaptation latine sous le titre d'*Adumbrationes ad Epistolas canonices*. Aucun fragment ne traite de 1 Cor. 15, 35–49. Par ailleurs, Clément annonce à deux reprises dans son *Pédagogue* un ouvrage sur la résurrection[2].

---

pour que l'homme entre en communion avec le Verbe de Dieu et que, ›recevant l'adoption‹, il ›devienne fils de Dieu‹. Nous ne pouvions pas en effet recevoir ›l'incorruptibilité‹ et ›l'immortalité‹ sans une union étroite avec l'immortalité et l'incorruptibilité; mais comment aurions-nous pu nous unir à l'immortalité et à l'incorruptibilité, si d'abord cette incorruptibilité, cette immortalité ne s'était faite ce que nous sommes (...).«

[1] Eusèbe *H. E.* VI, 13, 1 nous dit à ce sujet: »De même nombre que les *Stromates* sont les livres intitulés *Hypotyposes* dans lesquels il (Clément) fait, par son nom, mention de Pantène comme de son maître et où il expose les explications des Ecritures et les traditions qu'il en a reçues« (SC 41 p. 104) et plus loin *H. E.* VI, 14, 1: »Dans les *Hypotyposes* il fait, pour le dire brièvement, des exposés résumés de toute l'Ecriture (néo)-testamentaire, sans omettre celles qui sont controversées, je veux dire l'*Epître de Jude* et les autres *Epîtres* catholiques, et l'*Epître de Barnabé* et l'*Apocalypse* dite *de Pierre*« (SC 41 p. 106). Pour le texte de 1 Cor. 15, 35–49 cf M. Mees *Die Zitate aus dem NT bei Clemens von Alexandrien*, 1970 p. 169.

[2] *Paed.* I, 6, 47, 1 où, à propos du pain eucharistique, nous lisons: (I, 6, 46, 3) »Il faut noter ici le sens mystique de »pain«; il dit que c'est sa chair, sûrement sa chair ressuscitée: comme le blé qui sort de la décomposition et de l'ensemencement, sa chair se reconstitue après l'épreuve du feu, pour la joie de l'Eglise: elle est comme le pain une fois qu'il a été cuit. (47, 1) Mais nous montrerons cela plus précisément dans notre traité sur la Résurrection« (SC 70 p. 195). A ce texte, il faut en ajouter un second: *Paed.* II, 10, 104, 3 dans lequel Clément explique la parabole du semeur (Mt 13, 38). Il note à ce propos: »›Car le monde est un champ cultivé‹, et nous en sommes le gazon, nous qui recevons la rosée qui est la grâce de Dieu, nous qui, une fois tondus, grandissons, ainsi qu'on le montrera plus en détail dans le *Traité de la résurrection*« (SC 108 p. 199). Ces deux allusions de Clément permettent de penser que son traité se serait occupé à la fois de la résurrection du Christ et de celle des chrétiens. Pour A. Méhat, qui a relu notre chapitre sur Clément et nous a fait part de ses remarques, ce dont nous le remercions, le περὶ ἀναστάσεως ne serait pas un ouvrage, mais un τόπος, soit d'enseignement, soit d'un écrit à venir (par ex. chapitre des *Stromates* ou des *Hypostases*). Il aurait consisté en un commentaire de 1 Cor. 15 et se trouvait dans les *Hypotyposes*.

Mais ce dernier ne nous est pas parvenu et n'est pas mentionné dans la liste qu'Eusèbe a dressée des œuvres de Clément[3].

A l'exception de deux citations du texte paulinien qui nous intéresse dans les *Stromates* et de deux autres mentions du même texte dans les *Eclogae propheticae,* 1 Cor. 15, 35—49 est cité souvent dans les *Extraits de Théodote.* Or, cet ouvrage est d'interprétation délicate. Supposé être des notes »ad usum privatum«[4], le texte laisse parfois difficilement apparaître ce qui est citation de Théodote et ce qui est commentaire de Clément. De plus, si Théodote se rattache à la gnose valentinienne, il en représente la branche dite »orientale«, alors que Ptolémée dont Irénée rapportait le système est, avec Héracléon, un tenant de l'école »italique«[5]. Il faut donc se garder d'attribuer trop vite à Théodote ce que nous savons de Ptolémée.

L'exégèse des vv. 47 et 49 chez Théodote

Nous ne pouvons pas refaire le travail critique qui consiste à déterminer ce qui, dans les *Extraits de Théodote,* appartient à la gnose et ce qui appartient à Clément. Aussi suivons-nous l'édition critique du P. Sagnard, qui sépare clairement ce qui est de Clément et ce qui est citation de Théodote. Le Père Sagnard a d'ailleurs été précédé dans son travail par O. Dibelius et R. P. Casey[6]. Les résultats de ces trois études sont en grande partie concordants. En les comparant, on remarque une tendance à attribuer une part toujours plus importante du texte des »Extraits« à Clément lui-même[7].

Dans les textes que les auteurs cités attribuent à Théodote, nous nous arrêtons à deux passages, l'un parce qu'il rapporte une citation

[3] Cf cette liste dans *H. E.* VI, 13, 1 = SC 41 p. 104.

[4] Cl. Mondésert *Clément d'Alexandrie.* Introduction à l'étude de sa pensée religieuse à partir de l'Ecriture, Paris 1944 p. 225 et F. Sagnard *Extraits de Théodote* (SC 23) p. 7. A. Méhat nous signale que cette opinion reçue est contestée par P. Nautin dans un article de *Vig. Chr.* à paraître. Il s'agirait d'extraits d'un ouvrage de Clément, peut-être une suite perdue des *Stromates.*

[5] Cf Hippolyte *Réf.* VI, 35, 5—7 (cité par Sagnard dans son édition des *Extraits de Théodote,* SC 23 p. 6). G. Quispel »The original doctrine of Valentine«, *VigChr.* 1 (1947), 43—73 fonde son essai de reconstruction du système de Valentin sur la distance géographique qui sépare Ptolémée de Théodote (cf surtout p. 47).

[6] O. Dibelius »Studien zur Geschichte der Valentinianer;, *ZNW* 9 (1908), 230—47; 329—40 et W. Bousset *Jüdisch-christl. Schulbetrieb,* Göttingen, 1914 pp. 156—98. Cf aussi J. Munck *Untersuchungen über Klemens von Alexandria,* Stuttgart 1933, pp. 151—185, R. P. Casey *The Excerpta of Clement of Alexandria,* London 1934 pp. 25—33.

[7] Dibelius attribue à Clément les passages suivants des *Extraits de Théodote:* 4—5; 7?; 8—15; 17b; 18—20; 24, 2; 27; 30 (traces); 31?; 82—86. Casey y ajoute: 1, 3; 33, 2; et Sagnard: 7, 3b—4; 23, 4—5; 31, 1b.

de 1 Cor. 15, 47, l'autre parce qu'il cite le v. 49 du texte paulinien. Nous y trouvons une confirmation de ce qu'Irénée a rapporté à propos de l'exégèse gnostique du v. 48 a. Cela ne doit pas nous étonner, puisque les Extraits 43, 2—65 de Théodote sont parallèles à l'exposé qu'Irénée fait de la doctrine de Ptolémée dans *Adv. haer.* I, 1, 1—8, 4[8]. Nous retrouvons la théorie des trois races et l'anthropologie valentinienne: avec le limon de la terre, la ὕλη, a été confectionnée l'âme hylique (selon les gnostiques, c'est l'homme »à l'image«). Si dans cette âme hylique, le Démiurge insuffle un souffle de vie, l'homme devient alors »âme psychique« (c'est l'homme »à la ressemblance«). Ainsi, il y a donc l'homme dans l'homme, le »psychique« dans le »terrestre«. Or pour l'âme psychique, l'âme terrestre est comme une chair: l'âme psychique est cachée à l'intérieur de la chair et cette dernière, qui est l'âme hylique, est son corps. Ces deux âmes forment le »corps psychique«, dont l'élément charnel doit être chassé si l'homme veut parvenir à l'état »pneumatique«. Car Adam a reçu, semée en lui à son insu par Sagesse, la semence pneumatique. C'est pourquoi, à partir d'Adam, trois natures sont engendrées. Mais Adam ne transmet par hérédité que l'élément hylique. Il ne transmet ni l'élément psychique, ni l'élément pneumatique. C'est en cela qu'il est notre père, c'est en cela aussi qu'il est »le premier homme tiré de la terre, terrestre« (1 Cor. 15, 47):

Κατὰ τοῦτο, πατὲρ ἡμῶν ὁ 'Αδάμ, »ὁ πρῶτος (δ') ἄνθρωπος ἐκ γῆς χοϊκός« (*Extraits de Théodote* 56, 1 = SC 23 p. 172).

Ici comme nous l'avons vu dans l'exégèse gnostique que rapportait Irénée, χοϊκός correspond à »hylique«, ce dernier terme étant différencié du terme »psychique« chez les gnostiques, alors que chez

[8] Ce parallélisme pose un certain nombre de problèmes relatifs d'une part aux sources d'Irénée et de Clément, d'autre part à l'intégration de ce bloc dans l'ensemble des *Extraits* qui, comme leur titre l'indique, représentent plus la doctrine de Théodote que celle de Ptolémée. Après une comparaison détaillée des divers éléments employés dans les différentes sections des *Extraits*, Sagnard conclut cependant: »En sommes, les points de contact l'emportent de beaucoup sur les divergences. En admettant, comme il est probable, que l'on ait ici les aspects particuliers de deux écoles, l'on y perçoit surtout la résonance commune de la doctrine d'un maître dont l'esprit avait su sans doute harmoniser en lui des aspects opposés qui, dans la suite, sont allés en divergeant. Une autre raison qui contribue à faire l'unité de toutes ces doctrines, c'est leur emploi fréquent des mêmes textes de l'Ecriture, et en particulier des Evangiles et de S. Paul« (SC 23 p. 48). Nous renvoyons le lecteur au tableau analytique que donne Sagnard aux pp. 38—47 de son édition des *Extraits* (SC 23). Ce tableau fait bien apparaître la manière dont les mêmes éléments se retrouvent dans les différentes sections de l'ouvrage. Cf aussi Sagnard *La gnose valentienienne*, Paris 1947 p. 525.

Paul , »terrestre« est l'équivalent de »psychique«. Chez Paul par conséquent, Adam est notre père en tant qu'il nous transmet précisément l'élément »psychique« – ce que les gnostiques refusent. Ces derniers distinguent l'élément hylique de l'élément psychique, ce qui leur permet de dire que le »psychique«, qui »a la propriété d'aller à la foi et à l'incorruptibilité, ou à l'incroyance et à la corruption, selon son propre choix« (56, 3 = SC 23 pp. 173–175), doit se libérer de l'élément terrestre, hylique, »perdu par nature« (*ibid.*) s'il veut avoir accès à la connaissance, à la foi et à l'incorruptibilité. Chez Paul, l'origine du mal n'est pas dans l'élément »terrestre« et ce dernier n'est pas l'Adversaire, l'ivraie qui croît avec l'âme, le serpent qui s'en prend au talon, le brigand qui s'attaque à la tête du roi (52, 1–53, 1 = SC 23 pp. 167–169). Pour le dire autrement, le »corps psychique« chez Paul est un statut anthropologique neutre, tandis que le »corps psychique« des gnostiques, parce qu'il est, selon la définition de Théodote (51, 3 = SC 23 p. 166) l'ensemble de l'âme hylique et de l'âme psychique, n'est pas neutre et susceptible comme tel de recevoir la semence pneumatique. L'élément hylique, charnel, l'empêche de s'ouvrir à la semence pneumatique. C'est pourquoi cet élément doit être combattu, mis à mort, pour que les psychiques parviennent à l'incorruptibilité. Or, le sceau qui marque la destruction de l'élément hylique, c'est le baptême, au cours duquel est livré, par des jeûnes, des prières, des impositions des mains et des génuflexions, le combat suprême contre la puissance des Esprits impurs (83–84 = SC 23 pp. 207–209). Le baptisé est alors garanti contre les attaques des puissances par l'invocation de la Trinité qui accompagne l'acte du baptême. Car:

»Celui que la Mère engendre est mené à la mort et dans le monde: mais celui que le Christ régénère est transféré à la vie, dans l'Ogdoade. Et ces régénérés meurent au monde, mais ils vivent à Dieu, afin que la mort soit détruite par la mort, et la corruption par la résurrection. Car celui qui a été marqué du ›sceau‹ par l'invocation du Père, du Fils et du Saint-Esprit, n'est plus sujet aux attaques de toutes les autres Puissances; par les trois Noms, il est débarrassé de toute la triade de corruption: ›Lui qui portait l'image du terrestre (χοϊκοῦ), il porte alors l'image du céleste‹« (80, 1–3 = SC 23 pp. 203–205).

Arrêtons-nous à cette citation de 1 Cor. 15, 49: φορέσας τὴν εἰκόνα τοῦ χοϊκοῦ, τότε φορεῖ τὴν εἰκόνα τοῦ ἐπουρανίου, pour déterminer le sens qu'elle prend ici. Le texte paulinien a été quelque peu modifié, pour avoir une antithèse entre le passé et le présent, ce dernier étant, dans le contexte qui nous occupe identifié au baptême. Cela signifie que l'antithèse ne renvoie plus à la résurrection future, comme chez Paul et qu'elle n'est pas non plus prétexte à une exhortation à »porter l'image du céleste« comme chez Irénée. Celui qui est baptisé porte l'image du céleste, après avoir porté celle du terrestre. Mais qui est le terrestre et qui est le céleste?

Pour répondre, il faut recourir à d'autres textes que celui que nous venons de citer. Dans les *Extraits de Théodote* 86, 1–2 (SC 23 pp. 210–212), nous trouvons une explication de la signification du baptême, dans laquelle les Valentiniens recourent à Mt 22, 20. Dans ce texte, Jésus répond à la question des pharisiens sur l'impôt à César en leur posant cette autre question: »De qui est l'image et l'inscription?« Ainsi, de même que la pièce porte l'effigie de César, le fidèle »porte, comme inscription, par le Christ, le Nom de Dieu, et il a l'Esprit (πνεῦμα) comme Image. Même les animaux sans raison montrent, par le ›sceau‹ qu'ils portent, à qui chacun d'eux appartient: et c'est au moyen du ›sceau‹, qu'on les revendique. De même également l'âme fidèle qui a reçu le ›sceau‹ de la Vérité, ›porte sur elle les marques du Christ‹ (Gal. 6, 17)« (86, 2 = SC 23 p. 211). Ce passage de Mt 22, 20 est repris dans les *Eclogae propheticae* 24 – qui ne sont pas valentiniennes –, en rapport avec le baptême également, et là, il est interprété allégoriquement:

»Lorsque nous étions terrestres (χοϊκοί), nous appartenions à César. César est l'Archonte provisoire, dont le vieil homme est l'image terrestre (χοϊκή) et vers lequel celui-ci s'est hâté de retourner. C'est à cet Archonte qu'il faut rendre les éléments terrestres (τὰ χοϊκά), que nous avons portés *à l'image du terrestre* (τοῦ χοϊκοῦ). – ›Et à Dieu ce qui est à Dieu‹ (Mt 22, 21). Car chacune des passions est en nous comme une lettre, une empreinte (χάραγμα), une marque; mais le Seigneur nous marque d'une autre empreinte (χάραγμα), d'autres noms, d'autres lettres: de la foi, au lieu de l'incroyance, et ainsi de suite. De cette façon nous sommes transférés de l'hylique au pneumatique et *portons l'image du céleste*«. (*Ecl. proph.* 24, 2–3 = GCS III, 143, 14–19. Cité par Sagnard dans SC 23 p. 211 n. 1, à qui nous empruntons la traduction donnée).

Ce texte nous permet de répondre à la question: qui est le terrestre et qui est le céleste dont nous avons porté ou dont nous portons l'image? Le terrestre porte l'image de celui qui l'a engendré, c'est-à-dire du Démiurge. Et comme le récit de Mt oppose César à Dieu, les Valentiniens opposent le Démiurge au Seigneur, dont les pneumatiques portent l'image. C'est donc lui qui est le céleste. Cette interprétation rejoint partiellement l'intention paulinienne de voir dans le céleste le Christ permettant aux fidèles de passer du psychique au pneumatique. Mais, alors que cette transplantation est pour Paul réservée à la résurrection future, elle est opérée au moment du baptême selon les gnostiques, en sorte que le baptisé est déjà »pneumatique« et porte déjà l'image du céleste. Sur ce point, l'exégèse que nous venons de voir s'écarte de Paul. Elle s'en écarte encore sur un autre point, lorsqu'elle voit dans le terrestre, dont les hommes portent l'image, le Démiurge: elle introduit ainsi une opposition entre ce dernier, le Dieu Créateur, et le Christ, le Sauveur (cf Marcion) qui est étrangère à la pensée paulinienne et qu'Irénée lui-même a pu éviter en voyant dans le terrestre et le céleste deux éléments, et non deux figures antithétiques. L'exégèse gnostique nous montre ainsi une interprétation originale du passage paulinien qui nous occupe dans ce travail.

L'exégèse de Clément

C'est dans la section 10–15 des *Extraits de Théodote* que nous trouvons l'exégèse de Clément et cela ne saurait nous surprendre, puisque ces extraits, attribués par les spécialistes à Clément lui-même, traîtent de la question de la corporalité des natures spirituelles et de l'âme. Ce développement est central pour l'examen des rapports entre corps psychique et corps spirituel chez Clément, aussi allons-nous le suivre, en montrant comment l'auteur prend appui sur le texte paulinien pour étayer son argumentation.

a) *1 Cor. 15, 40–41.* — Après avoir distingué les »appelés« (chrétiens ordinaires) des »élus« (gnostiques chrétiens), Clément mentionne une hiérarchie des natures spirituelles. Elle comprend: les êtres pneumatiques et intelligents, les Archanges, les »Protoctistes« (les premiers-créés) et le Fils. Tous ces êtres, bien que spirituels et célestes, sont pourvus d'un corps, parce qu'aucun n'est »sans forme, sans contour, sans figure«[9] (10, 1 = SC 23 p. 77). Clément donne donc ici une définition du »corps«: ce dernier est l'équivalent de la »forme«, du »contour«, de la »figure«, »car, d'une façon générale, ce qui vient à l'existence n'est pas sans substance« (10, 2 = SC 23 p. 79). Mais l'auteur nuance aussitôt cette définition en disant que »ces êtres supérieurs n'ont pas une forme et un corps semblables aux corps qui sont dans notre monde« *(ibid.)*. Chaque être spirituel est doté d'un corps qui correspond au degré de la hiérarchie sur lequel il se trouve en raison de son »avancement« (προκοπή). Plus on »monte« dans la hiérarchie, plus l'essence ou la substance de ces êtres spirituels est pure.

Pour Clément, cette théorie des corps célestes et de leur différenciation trouve appui chez Paul:

---

[9] ἄμορφος καὶ ἀνείδος καὶ ἀσχημάτιστος.

»Ce qui est sûr, c'est que l'Apôtre a connu des corps célestes, aux belles formes, intelligents. Et comment leurs différents noms seraient-ils énoncés, si ces êtres n'étaient délimités par leur figure, leur forme, leur corps? ›Autre est l'éclat des êtres célestes, autre celui des êtres terrestres; autre celui des Anges, autre celui des Archanges‹ (1 Cor. 15, 40). De même qu'en comparaison des corps d'ici-bas (par exemple des étoiles), ils sont incorporels et sans forme, de même, en comparaison du Fils, ce sont des corps mesurés et sensibles: et de même aussi le Fils comparé au Père« (11, 2–3 = SC 23 pp. 81–83).

Paul énonce le v. 40 pour affirmer l'existence de corps différents et la possibilité d'un corps spirituel dont les ressuscités seront revêtus après avoir porté le corps psychique, image du terrestre. L'exemple des astres, chez lui, n'est qu'une image prise dans le monde que ses lecteurs ont sous les yeux. Pour Clément par contre, le v. 40 porte déjà sur la nature des différents corps, depuis les corps terrestres jusqu'aux corps les plus subtils des êtres spirituels que leur »avancement« place au sommet de la hiérarchie. C'est pourquoi Clément ajoute au texte paulinien: »autre celui des Anges, autre celui des Archanges«[10]. C'est pourquoi aussi il peut compter les étoiles au nombre des corps terrestres, opposés aux corps célestes que sont les anges, les archanges . . ., alors que Paul opposait les étoiles comme corps célestes aux corps terrestres que sont les hommes, les animaux . . . Par ailleurs, Clément voit dans les corps célestes une hiérarchie qui lui permet de donner aux différents corps une valeur relative, en fonction du degré de perfection que ceux qui les portent atteignent, en sorte que si l'on compare les corps d'ici-bas avec les corps célestes, ces derniers paraissent incorporels et sans forme, parce qu'ils sont plus subtils que les corps terrestres; mais si l'on compare ces corps subtils avec le Fils, ils apparaissent alors comme mesurés et sensibles. Ce point est développé par Clément dans les *Extraits* 12 et 13: »En premier lieu, les Anges sont du feu intelligent et des ›esprits intelligents‹: ils ont été purifiés dans leur substance. Mais le plus haut degré d'avancement à partir du feu intelligent et parfaitement purifié est la lumière intelligente, ›choses vers lesquelles les Anges désirent ardemment se pencher‹, dit Pierre (1 Pi. 1, 12). Et le Fils est encore plus pur que cette lumière. Il est ›lumière inaccessible‹, ›Dynamis de Dieu‹« (12, 1–3 = SC 23 p. 83). Les êtres spirituels des différents échelons de la hiérarchie communiquent entre eux: les êtres inférieurs contemplent les êtres supérieurs par rapport auxquels ils sont des corps mesurés et sensibles; mais ces mêmes êtres

[10] Clément ajoute souvent de lui-même aux textes qu'il cite. Cf les exemples donnés par H. Kutter *Clemens Alexandrinus und das NT*, Gießen 1897 pp. 35–37 où le texte qui nous intéresse ici n'est d'ailleurs pas cité.

contemplent aussi ceux qui leur sont inférieurs et en comparaison desquels ils paraissent alors incorporels et sans forme. Tel est pour Clément le sens des vv. 40—41: les corps célestes ne sont pas opposés massivement aux corps terrestres, mais il y a toute une gamme de corps célestes, de plus en plus subtils, de plus en plus purs, selon le degré d'»avancement« qu'ont atteint ceux qui en sont revêtus[11].

b) *1 Cor. 15, 44.* — Après avoir montré la corporalité des anges, des archanges, des Protoctistes et du Fils, Clément traite le cas des démons et de l'âme. Au sujet des démons, l'auteur répète sa thèse de la relativité des corps: si les démons sont dits »incorporels«, cela ne veut pas dire qu'ils sont privés de corps; au contraire, ils ont un corps, puisqu'ils ont une forme définie, qui leur permet de subir le châtiment. »Mais on les dit incorporels, parce qu'en comparaison des corps ›pneumatiques‹ qui sont sauvés, ils sont eux-mêmes de l'ombre« (14, 1 = SC 23 p. 87). Ce que Clément dit de l'âme doit par contre retenir particulièrement notre attention, car c'est dans son développement sur la corporalité de l'âme que l'auteur cite le texte dans lequel Paul oppose le corps psychique au corps pneumatique.

Les *Extraits* 14 et 15 sont en effet consacrés à la démonstration de la proposition: »l'âme est aussi un corps« (14, 2: Ἀλλὰ καὶ ἡ ψυχὴ σῶμα). Clément recourt à quatre textes scripturaires: 1 Cor. 15,44 (les corps pneumatiques chez Paul: 14, 2; 15, 1); Mt 20, 28b, combiné avec Lc 12, 5b (les peines de l'Enfer réservées à l'âme et au corps: 14, 3); Lc 16, 24 (la parabole du riche et de Lazare: 14, 4); 1 Cor. 13, 12 (la vision face à face: 15, 2). Pour Clément, ces versets parlent d'eux-mêmes: ils suffisent à prouver que l'âme n'est pas dépourvue de corps après la mort. Aussi n'en donne-t-il pas une exégèse; celle-ci est cependant implicite et on peut facilement la déduire de la fonction que l'auteur attribue aux versets qu'il cite. Ainsi pour 1 Cor. 15, 44, il est évident que Clément retient le terme de »corps« qui caractérise aussi bien le »psychique« que le »pneumatique«. Mais il convient de noter que si l'Alexandrin a saisi une des intentions fondamentales de l'apôtre qui, lui aussi, insiste sur la corporalité, le »corps pneumatique« ne recouvre pas la même chose chez les deux auteurs: pour Paul, cette notion désigne le corps de résurrection; pour Clément, c'est la corporalité de l'âme, donc un corps qui n'est pas donné comme une nouvelle création lors de la résurrection, mais un corps qui accompagne l'âme au-delà de la mort, et entre la mort et la résurrection. On se souviendra aussi que chez Clément, le corps

[11] Clément cite 1 Cor. 15, 41 dans *Strom.* VI, 107, 3 (= GCS II, 486, 2) dans le même sens. Il veut illustrer la différence de gloire qu'il y a entre les croyants.

est synonyme d'essence, de forme, de figure, et que ce corps doit se purifier et devenir toujours plus »subtil« par l'union à Christ, avec lequel le vrai gnostique chrétien devient »un seul Esprit« (*Strom.* VII, 88, 3 = GCS III, 62, 29). Le »corps pneumatique« est chez Paul le corps nouveau que Dieu donne à chacun lors de la résurrection, alors que ce même corps résulte pour Clément d'une purification de tout élément matériel. Il n'est donc pas une réalité nouvelle, réservée au jour de la résurrection.

c) *1 Cor. 15, 49.* – Le v. 49 confirme pour Clément la thèse de la corporalité de l'âme: »Paul d'ailleurs répète le mot ›image‹, de sorte qu'il existe bien des ›corps pneumatiques‹« (15, 1 = SC 23 p. 89). Clément n'explique pas l'expression »image du terrestre«. Par contre, à propos de l'»image du céleste«, il réaffirme l'idée que la nature spirituelle des ressuscités — ou plus exactement: des âmes après la mort — sera fonction de la perfection qu'ils auront atteinte pendant leur vie terrestre. Il dit en effet: »Et comme nous avons porté l'image du ›terrestre‹, nous porterons aussi l'image du ›céleste‹, du ›pneumatique‹, rendus parfaits dans la ligne de l'avancement (προκοπή)« (15, 1 = SC 23 p. 89)[12]. Dans l'explication très brève qu'il donne de ce verset 49, Clément réunit donc deux éléments que nous avons déjà rencontrés chez lui à propos des vv. 40, 41 et 44.

Clément ne s'est pas exprimé sur la notion de »corps psychique«, mais ce qu'il dit du »corps pneumatique« à propos du v. 44 et les grands textes dans lesquels il expose sa vision de l'histoire du salut nous permettent de saisir les sens qu'a pour lui l'antithèse des deux corps.

Clément, à l'encontre des gnostiques, porte un jugement positif sur la création[13]; mais pour lui, comme pour Irénée, cette dernière doit encore être achevée par l'œuvre rédemptrice du Christ sur la Croix[14]. Cela signifie qu'il y a une croissance depuis l'état dans

[12] »Ὡς δὲ ἐφορέσαμεν τὴν εἰκόνα τοῦ χοϊκοῦ, φορέσωμεν καὶ τὴν εἰκόνα τοῦ ἐπουρονίου«, τοῦ πνευματικοῦ, κατὰ προκοπὴν τελειούμενοι. πλὴν πάλιν εἰκόνα λέγει, ὡς εἶναι σώματα πνευματικά. F. Sagnard propose de voir dans πλήν une fausse lecture du πάλιν qui suit. Ainsi sa traduction a l'avantage d'être compréhensible, contrairement à celle que propose A. J. Festugière *VigChr.* 3 (1949) p. 196: »à moins qu'il ne répète le mot *image* pour autant qu'il s'agit de corps pneumatiques.« On s'étonnera par contre de la traduction que donne F. Sagnard pour φορέσωμεν: »nous porterons«. Il faut corriger la traduction et lire »portons«.

[13] Cf *Strom.* IV, 40, 3; VII, 12, 2.

[14] Cf *Strom.* VI, 141, 4 et II, 75, 1 ss; *Protr.* 11, 111–112 (= SC 2 pp. 172–73). Th. Rüther *Die Lehre von der Erbsünde bei Clemens von Alexandrien*, Freiburg, 1922 p. 43 note à juste titre: »Den Leibestod hat Clemens aller Wahrscheinlichkeit nach nicht als Straffolge der Ursünde angesehen.«

lequel Adam a été créé jusqu'à l'état de perfection qui caractérise le vrai gnostique. Cette croissance est due au don de l'Esprit lors du baptême. Mais le don de l'Esprit n'est qu'un point de départ qui doit aboutir à la »contemplation«, à la »vision« (θεωρία), dans laquelle l' ἀγάπη l'emporte sur la γνῶσις et sur la foi[15]. Le but est atteint lorsque le croyant est devenu un »corps pneumatique«, dépouillé de tout élément matériel, charnel, et dominé entièrement par l'Esprit. Car ce qui sépare le croyant de l'état final, c'est sa corporalité: Clément ne veut pas dire par là que le vrai gnostique chrétien est privé de corps, puisqu'au contraire, il montre que l'âme est un corps et que les êtres pneumatiques tels que les anges, archanges, Protoctistes ont un corps; il veut dire que le vrai gnostique doit être dépouillé de son enveloppe charnelle pour revêtir un corps subtil et pur[16]. Sans voir dans la chair la source du mal, Clément y voit pourtant la source des passions et c'est pourquoi il distingue le sort du corps de celui de l'âme: le corps est destiné à retourner à la terre, tandis que l'âme est promise à la vision de Dieu et à la contemplation, pour autant qu'elle ait suivi l'enseignement de la vraie philosophie (*Strom.* IV, 9, 4). La vision de Dieu ne sera possible qu'après l'abandon de notre enveloppe charnelle[17], abandon auquel le philosophe se prépare toute sa vie[18].

Dans cette vision de l'histoire du salut, la résurrection occupe une place insignifiante[19]: elle caractérise le temps dans lequel le gnosti-

---

[15] R. Frick *Die Geschichte des Reich-Gottes-Gedankens in der alten Kirche bis zu Origenes und Augustin*, Gießen, 1928, pp. 88–89: »ist der Glaube Grund und Anfang der Erkenntnis, so ist die Liebe ihre Vollendung und Erfüllung – so kann Clemens in einer stufenweisen Schilderung des Heilswegs die Liebe über die Erkenntnis stellen.« Sur le problème des rapports entre ἀγάπη et γνῶσις, cf A. Méhat *Etude sur les ›Stromates‹ de Clément d'Alexandrie*, Paris, 1966 pp. 475 ss. L'auteur défend l'idée qu'il vaut mieux renoncer à cette vaine question de la primauté. Visiblement il y a des rapports réciproques entre la gnose et la charité. C'est la seule chose que Clément ait voulu marquer (p. 482). A Méhat note cependant que la question préoccupe les théologiens ...

[16] Th. Rüther *op. cit.* p. 116 montre le niveau d'être que le vrai gnostique chrétien, au bénéfice de l'œuvre du Christ, atteint: »Aber was der Herr bietet, ist mehr als das Paradies. Die Ausstattung des Wiedergeborenen überragt die Ausstattung des Geschaffenen. Die Sohnschaft, zu der die Christen emporgeführt werden sollen, ist die höchste Stufe der Entwicklung. An Stelle des Paradieses wird der Himmel dargeboten. Darum ist denn auch das Werk des menschgewordenen Logos nicht bloß eine Erlösung, sondern auch eine Krönung.«

[17] *Strom.* I, 94, 6 (= SC 30 p. 120): »Mais après l'abandon de notre enveloppe charnelle (nous le contemplerons) ›face à face‹, capables désormais de le (Dieu) définir et de le saisir, quand notre cœur sera pur.«

[18] Cf *Strom.* IV, 12, 5.

[19] R. Frick *op. cit.* p. 90: »An Stelle der biblischen Vorstellung vom letzten

que chrétien sera libéré des désirs et des nécessités qu'implique la chair. Elle est le point ultime d'un processus qui voit le »corps spirituel« de celui qui a accepté le baptême devenir toujours plus pur et plus subtil, tout en restant un corps – Clément y insiste, et cela nous permet de situer sa position comme une *via media* entre la gnose qui affirme un mépris total du corps, et Irénée, qui défend comme Clément la notion de »corps spirituel«, mais en comprenant par là un corps de chair, ce que Clément refuse. Par rapport au texte paulinien qui nous occupe, Clément et Irénée nous semblent avoir saisi chacun un élément de la pensée de l'apôtre. Irénée a montré que la résurrection était un moment particulier dans l'économie divine et qu'elle était réservée au futur; si l'évêque de Lyon se sépare de Paul, c'est, nous l'avons dit, sur la nature du corps de résurrection. Clément, en refusant de défendre la résurrection de la chair et en voyant dans le »corps pneumatique« un corps pur et subtil, pourrait bien refléter fidèlement la pensée paulinienne; par contre il s'écarte résolument de Paul en affirmant que ce »corps spirituel« est le résultat d'un long processus de spiritualisation progressive visant à dépouiller le chrétien de tout élément charnel, pour lui permettre d'atteindre finalement la contemplation de la divinité[20] – or pour Paul, on le sait, c'est Dieu qui, lors de la résurrection future, donne à chacun le corps spirituel qu'il veut; rien n'indique qu'il y aura, comme l'affirme Clément, des degrés de gloire dans ces corps, degrés qui devraient correspondre aux mérites que les chrétiens se sont acquis pendant leur vie terrestre; sur ce point, Clément se sépare aussi de l'apôtre. Enfin, si Irénée et Clément envisagent tous deux une croissance de l'homme visant, pour parler en termes irénéens, à le faire passer de l'enfance à l'âge adulte, il faut souligner que l'intérêt de Clément se porte sur l'idéal de perfection que le gnostique atteint individuellement par son union à Christ ici-bas, alors qu'Irénée posait le problème d'une croissance de l'humanité. En cela il rejoignait l'apôtre Paul, pour lequel la résurrection sera une nouvelle création, point de départ d'une humanité renouvelée. En s'intéressant exclusivement au sort individuel du chrétien, Clément rejoint une préoccupation essentiellement gnostique.

Gericht und dem Anbruch des neuen Äons durch das Eingreifen Gottes setzt er (Clément) den Glauben an einen allmählichen Fortschritt, eine stufenweise Höherentwicklung der Seele zur höchsten Seligkeit (*Strom.* VII, 13, 1; VII, 82, 5) hin, und beruft sich dafür auf platonische und gnostische Vorstellungen von der Himmelreise der Seele (*Strom.* V, 103, 4; 106, 2 ff.).«

[20] Pour Clément, le chrétien se prépare toute sa vie à la séparation du corps et de l'âme. Aussi peut-il accueillir la mort avec joie, parce qu'elle libère l'âme des liens qui la liaient au corps (cf *Strom.* IV, 12, 5).

b) Origène

S'il nous avait été conservé, le *Commentaire d'Origène sur la Première Epître aux Corinthiens* serait, avec l'hypothétique Περὶ ἀναστάσεως de Clément d'Alexandrie, le premier commentaire suivi du texte paulinien. Cet ouvrage, que nous connaissons par la mention qu'Origène lui-même en fait dans son *Homélie XVII* sur Luc[1] et par une allusion de Jérôme[2], nous est parvenu sous forme très fragmentaire; il ne nous sera pas d'un grand secours pour le problème qui nous occupe dans ce travail. Mais par ailleurs Origène nous a laissé dans ses ouvrages une large documentation sur la résurrection, examinant le problème sous tous ses aspects et citant abondamment l'Ecriture. Parmi les textes qui donnent les renseignements les plus complets, il y a les fragments d'un *De resurrectione*[3], les chapitres 10 du Livre II et 6 du Livre III de *De Principiis*, les paragraphes 17—24 du Cinquième Livre *Contre Celse*; à ces exposés d'ensemble, il faut ajouter de nombreuses allusions à la résurrection dans les ›Commentaires‹ de l'Ecriture.

Comme nous l'avons fait pour Irénée, nous donnons d'abord l'exégèse origéniste des vv. 35—49 de 1 Corinthiens 15; nous essayons ensuite de dégager de cette exégèse de détail la manière dont Ori-

---

[1] *Hom.* XVII, 11 sur Luc (= SC 87 p. 262).

[2] Jérôme *Epist.* XLIX, 3 ad Pammachium. Mais Jérôme ne mentionne pas ce commentaire dans son catalogue des œuvres d'Origène (cf Lettre XXXIII). De cet ouvrage, on possède quelques fragments qui se trouvent dans le meilleur manuscrit des chaînes exégétiques sur les Epîtres aux Corinthiens, le Vat. gr. 762 (X—XIe s.) et ses copies, entre autres le Paris. 227 (XVIe s.) que Cramer a reproduit dans ses *Catenae* V (cf pour la question des chaînes exégétiques Devreesse *DB* suppl. I (1926) col. 1216). Jenkins a donné une meilleure édition de ces fragments en recourant au Vat. gr. 762 et au Pantocrator 28 (Athos catena) dans *JThS* 9 (1907/08), 231—47; 353—72; 500—14 et *JThS* 10 (1908/09), 29—51. Cf aussi C. H. Turner »Notes on the Text of Origen's Commentary on I Corinthians«, *JThS* 10 (1908/09), 270—76. Turner qualifie l'édition de Jenkins d'»editio princeps« (p. 270). Le fragment qui concerne 1 Cor. 15, 35—38 se trouve dans Cramer V p. 315 (Jenkins *JThS* 10 [1908—09], 49 et la note de Turner *op. cit.* p. 276).

[3] Origène fait allusion à cet ouvrage dans le *De Princ.* II, 10, 1. Il est aussi mentionné par Eusèbe *H. E.* VI, 24, 2 et par Jérome *Lettre* XXXIII et *Contra Joh. Hier.* 25. Il semble, d'après tous ces témoignages, qu'Origène ait écrit deux livres et deux homélies sur le résurrection. Il ne nous en reste que des fragments empruntés à Pamphile *Apol. pro Orig.* 7; Méthode *De Resurrectione* et Jérôme *Contra Joh. Hier.* 25—26. Ils ont été réunis et sont facilement accessibles dans Migne *PG* 11, col. 91—100 et dans l'*Epistolae cum datae tum acceptae ab Origene Fragmenta ex Libris ejusdem de Resurrectione atque ex Libris Stromatum. Liber denique de Oratione*, éd. C. H. E. Lommatzsch, Berolini, 1844, pp. 53—64.

gène envisage les rapports entre le corps psychique et le corps spirituel.

a) *1 Cor. 15, 35–38.* – Origène voyait dans l'Eglise une double erreur se répandre: certains, qu'il appelle »simplices et philosarcas« défendaient la résurrection de la chair[4]; d'autres, qu'il nomme »haereticos« niaient la résurrection aussi bien de la chair que du corps. Parmi ces derniers, il cite Marcion, Apelles, Valentin, Manes[5]. Origène se dresse contre les uns et les autres en défendant la résurrection du corps[6]. La nécessité de la résurrection – car la résurrection est présentée par Origène comme une exigence de la raison – est motivée par la nature des rapports entre le corps et l'âme[7]. Le corps souffre pour le Christ: il supporte le cachot, la prison, le fouet; à cause du Christ, il est torturé par le feu, le glaive, les bêtes, le gibet[8]; de plus, c'est lui qui résiste aux vices naturels et aux désirs charnels. Le corps a donc droit, autant que l'âme, à recevoir la récompense de tant de combats et de souffrances. Mais s'il y a une résurrection du corps, ce dernier ne sera plus, après la résurrection, ce qu'il était avant:

»Pas plus que les divines Ecritures nous ne disons que ceux qui sont morts depuis longtemps, surgissant de terre, vivront avec la même chair sans qu'elle ait reçu d'amélioration; en le prétendant, Celse nous calomnie. (...) Il suffit de citer ici le mot de Paul, de la Première aux Corinthiens: ›Mais, dira-t-on, comment les morts ressuscitent-ils? Avec quel corps reviennent-ils? – Insensé! Ce que tu sèmes, toi, ne reprend vie, s'il ne meurt. Et ce que tu sèmes, ce n'est pas le corps à venir, mais un simple grain, de blé par exemple ou d'une des autres plantes; et Dieu lui donne un corps à son gré, à chaque semence un corps qui lui est propre‹ (1 Cor. 15, 35–38). Vois donc comment il indique ici que ›ce n'est pas le corps à venir‹ qui est

---

[4] Origenis *Sententia De Resurr. ex Hieronymi Epistola* 38, alias 61, ad Pamachium (= *PG* 11, col. 95–97).

[5] Irénée *Ad. Haer.* I, 29 et Epiphane *Haer.* 31, 7; 41, 1; 42, 3 sont plus nuancés qu'Origène sur ce point.

[6] H. Chadwick »Origen, Celsus and the Resurrection of the Body«, *HThR* 41 (1948), 83–102 a montré qu'Origène usait contre les défenseurs de la résurrection de la chair du même type d'argumentation que l'Académie avait employé au 2e s. av. J-C contre le stoïcisme, en particulier contre l'idée, transposée par Origène, que si les dieux ont des corps, il est difficile de savoir l'usage qu'ils font de leurs différentes parties.

[7] *Ex libro primo Origenis De Resurr.* (= PG 11, col. 91 ss).

[8] On se rappelle que Léonide, le père d'Origène, est mort martyr pendant la persécution de Sévère en 202 (Eus. *H. E.* VI, 1) et que la passion du martyre s'empara de l'âme d'Origène encore tout enfant (*ibid.* VI, 2, 3), au point que sa mère dut user d'un subterfuge pour l'empêcher de suivre son père (*ibid.* VI, 2, 4–6).

semé, mais qu'il y a comme une résurrection de la semence jetée nue en terre, Dieu donnant ›à chaque semence un corps qui lui est propre‹: de la semence jetée en terre se lève tantôt un épi, tantôt un arbre comme pour le grain de moutarde, ou encore un arbre plus grand pour un noyau d'olive ou un des autres fruits« (C. Cels. V, 18 = SC 147 p. 59).

Pour expliquer ce passage du corps terrestre au corps de résurrection, Origène recourt à deux notions: une théorie de la matière et un emprunt au stoïcisme du ›principe séminal‹. Le corps est composé de quatre éléments, la terre, l'eau, l'air et le feu. Lorsque la mort survient, les éléments du corps retournent à leur origine première: la chair retourne à la terre, le souffle se mélange à l'air, l'élément liquide descend dans les profondeurs de la terre et le chaleur remonte dans l'air supérieur[9]. Ainsi, le corps est dissout, mais ses éléments subsistent, sans pour autant que l'on puisse les retrouver sous la forme qu'ils avaient lorsqu'ils composaient le corps. Origène prend une image pour expliquer ce phénomène: lorsqu'on verse du lait ou du vin dans la mer, il se produit un mélange dans lequel le vin ou le lait ne sont pas détruits. Mais il devient impossible de les retrouver tels qu'ils étaient avant d'être mélangés à l'eau de mer. Ainsi, lorsque le corps disparaît, les éléments qui le composaient ne sont pas détruits, mais existent sous d'autres formes. A la résurrection, ce sont ces mêmes éléments de base qui formeront le corps de résurrection, mais la forme qu'ils prendront sera différente de celle qu'ils donnaient au corps terrestre, car à la résurrection, ces quatre éléments pourront être combinés différemment de ce qu'ils étaient auparavant. D'ailleurs du vivant de l'homme, et bien que le corps reste toujours le même, c'est-à-dire que sa matière soit toujours composée des mêmes éléments de base, la forme du corps change continuellement: l'absorption de nourriture par exemple le transforme aussi bien extérieurement qu'intérieurement. Dans cette théorie du passage du corps terrestre au corps de résurrection, Origène fait encore intervenir la notion de ›principe vital‹[10]. Ce dernier a une double fonction: il est une force qui provoque les différents changements de la matière du corps. Il est en quelque sorte porteur de ce que le corps sera. Mais en même temps, il est l'élément qui demeure

[9] *Origenis Sententia De Resurr. et Hieronymi Epistola* 38, alias 61, ad Pamachium (= *PG* 11, col. 97): »Quatuor, inquit, elemente sunt philosophis quoque nota et medicis, de quibus omnes res et corpora humana compacta sunt, terra, aqua, aer et ignis. Terram in carnibus, aerem in halitu, aquam in humore, ignem in calore intellegi. Cum ergo anima caducum hoc frigidumque corpusculum Dei jussione dimiserit, paulatim omnia redire ad matrices suas substantias: carnes in terram relabi, halitum in aera misceri, humorem reverti ad abyssos, calorem and aethera subvolare.«

[10] Cf *C. Cels.* VII, 32 où ce principe est appelé le ›logos spermatos‹.

inchangé, à travers les modifications que subit la matière: il subsiste même au-delà de la mort, et par là, il devient l'agent de la résurrection.

Il en va donc des corps terrestres comme du grain de semence: ils sont mis en terre, comme le grain de semence est mis en terre. Mais, comme le grain qui, après avoir été dissout, devient une plante, les corps reviennent à la vie, parce qu'il y a en eux un principe vital qui suscite un corps nouveau, aussi différent du précédent que l'épi ou l'arbre est différent du grain de semence qui est à leur origine[11]. C'est pourquoi Origène peut conclure ainsi sur ce point: »Nous ne disons donc pas que le corps putréfié reviendra à sa nature originelle, pas plus que le grain de blé, une fois corrompu, ne revient à son état de grain de blé. Nous tenons que, comme du grain de blé se lève un épi, il y a aussi dans le corps un principe qui n'est pas soumis à la corruption, à partir duquel le corps surgit ›incorruptible‹. A l'inverse, les gens du Portique soutiennent que le corps complétement putréfié revient à sa nature originelle, en vertu de leur théorie sur le retour à chaque période des êtres tout semblables; ils disent donc qu'il retrouve cette même première constitution qu'il avait avant d'être dissout, croyant l'établir par des raisons contraignantes« (C. Cels. V, 23 = SC 147 pp. 69–71). Ce faisant, les philosophes auxquels Origène fait allusion ne peuvent rendre compte du fait que ›du grain de blé ou de quelqu'autre semence‹ ressuscite ›un épi ou un arbre‹. C'est le mérite d'Origène d'avoir saisi dans l'analogie employée par Paul la pointe de la comparaison: le contraste entre ce qui est semé et ce qui sort de terre. En comprenant ainsi le texte paulinien, Origène pouvait répondre à la

[11] *Origenis Sententia De Resurr. ex Hieronymi Epistola* 38, alias 61, ad Pamachium (= *PG* 11, col. 97–98): »Et quomodo tanta arboris magnitudo, truncus, rami, folia non videntur in semine, sunt tamen in ratione seminis, quam Graeci σπερματισμόν vocant; et in grano frumenti est intrinsecus, vel medulla, vel venula, quae cum in terra fuerit dissoluta, trahit ad se vicinas materias, et in stipulam, folia, aristasque consurgit; aliudque moritur, aliud resurgit; neque enim in grano tritici, radices, culmus, folia, aristae, paleae sunt dissolutae: sic et in ratione humanorum corporum manent quaedam surgendi antiqua principia, et quasi ἐντεριώνη, id est seminarium mortuorum, sinu terrae confovetur.« La même idée se trouve exprimée par Origène dans *De Princ.* II, 10, 3: »Ita namque etiam nostra corpora velut ›granum‹ cadere in terram putanda sunt; quibus insista ratio ea, quae substantiam continet corporalem, quamvis emortua fuerint corpora et corrupta atque dispersa, verbo tamen dei ratio illa ipsa, quae semper in substantia corporis salva est, erigat ea de terra et restituat ac reparet, sicut ea virtus, quae inest in grano frumenti, post corruptionem eius ac mortem reparat ac restituit granum in culmi corpus et spicae. Et ita his quidem, qui regni caelorum hereditatem consequi merebuntur, ratio illa reparandi corporis, quam supra diximus, dei iussu ex terreno et ›animali corpore‹ ›corpus‹ reparat ›spirituale‹, quod habitare possit in caelis.«

fois aux négateurs de la résurrection et aux défenseurs de la résurrection de la chair: aucune de ces deux positions ne peut trouver un appui dans le texte de l'apôtre.

b) *1 Cor. 15, 39–41.* – Les vv. 39–41 du texte paulinien vont permettre à Origène d'aller plus loin dans des développements sur la résurrection; le corps de résurrection diffère du corps terrestre, mais il faut ajouter encore que les corps de résurrection diffèrent entre eux, parce qu'ils reflètent les mérites que se sont acquis durant leur vie terrestre ceux qui en sont revêtus. Origène dit par exemple dans une homélie sur les Nombres:

»Si en effet nous avons bien compris, si tout le contenu de la Loi est ›la figure des biens à venir‹ et de l'ère dont nous espérons l'avénement à la résurrection, alors nous avons l'assurance, pourvu que dans la vie présente nous ayons ardemment désiré des biens meilleurs et que suivant l'exemple de l'Apôtre, ›nous ayons oublié ce qui est derrière nous, pour tendre vers ce qui est en avant‹ (Phil. 3, 13), de pouvoir, lors de la résurrection des morts, où ›il y aura autant de différence entre les mérites des hommes qu'une étoile diffère en éclat d'une autre étoile‹ (1 Cor. 15, 41), passer des signes inférieurs à des signes supérieurs et plus éclatants, jusqu'à égaler les plus brillants des astres. La nature humaine peut progresser en cette vie au point d'égaler à la résurrection des morts non seulement la gloire des étoiles, mais même la splendeur du soleil, puisqu'il est écrit: ›Les justes resplendiront comme le soleil dans le Royaume de Dieu‹ (Mt 13, 43)« (Hom. sur les Nombres II, 2 = SC 29 pp. 86–87).

Lorsqu'Origène parle d'égaler l'éclat des étoiles et de resplendir comme le soleil, il envisage plusieurs étapes dans le chemin vers la perfection, comme il l'explique dans son commentaire de Mt 13,43: »On se demandera donc pourquoi les uns parlent de la diversité de lumière chez les justes, et pourquoi le Sauveur dit au contraire: ›Comme un soleil unique ils brilleront‹. Je pense donc que, au début de la béatitude des hommes sauvés, parce que n'ont pas encore été purifiés ceux qui manquent de pureté, se manifeste la diversité de lumière des hommes sauvés; mais quand, comme nous l'avons expliqué, ›on aura rassemblé dans tout le royaume du Christ tous les scandales, que les raisonnements qui produisent l'impiété auront été jetés dans la fournaise de Feu‹, que le mal aura été consumé et que, pendant que se dérouleront ces opérations, ceux qui ont accueilli les pensées filles du méchant en viendront à prendre conscience, alors, devenus une unique lumière solaire, ›les justes brilleront dans le royaume de leur Père‹. Et pour qui brilleront-ils, sinon pour ceux qui leur sont inférieurs et qui tireront profit de leur lumière, tout comme, maintenant, le soleil brille pour les habitants de la terre?«

(*Commentaire sur l'Evangile selon saint Matthieu,* Livre X chap. 3 = SC 162 p. 150). Il est intéressant à ce propos de noter que pour Origène, les deux grands luminaires au firmament du ciel que sont le soleil et la lune représentent le Christ et l'Eglise, ainsi que l'auteur le dit à propos de Gen. 1,16—19 (Hom. sur la Gen. I, 7 = SC 7 p. 72). Dès lors, il n'est peut-être pas faux de penser que le but à atteindre pour les justes, c'est d'être entièrement habités par le Christ au point de lui être pour ainsi dire assimilés. Toutefois, Origène n'insiste pas sur ce point; quand il cite les vv. 39—41, c'est pour comparer les ›justes‹ aux étoiles du ciel[12] et les pécheurs aux créatures terrestres nommées par Paul: les oiseaux, les poissons, les reptiles (De Princ. II, 10, 2). Les uns et les autres sont promis à la résurrection, mais avec un corps dont la dignité et la gloire correspondent à la dignité de leur vie terrestre. Il semble d'ailleurs qu'après la résurrection, le processus de purification se poursuive, car, dans un passage que Rufin a omis, mais qui est conservé en grec, Origène affirme que lorsque le corps est puni, l'âme est graduellement purifiée et restaurée dans son état primitif; le châtiment aurait donc une valeur éducative, purificatrice, de sorte que les démons eux-mêmes seront finalement rétablis dans l'état dans lequel ils se trouvaient à l'origine (De Princ. II, 10, 3).

Une chose apparaît clairement en tout cas: la diversité qui existe dans la création et les différences de gloire qui sépareront entre eux les ressuscités n'ont pas leur source dans l'acte créateur de Dieu, mais dans la liberté que les hommes ont prise à l'égard du Créateur. Certains hérétiques, parmi lesquels Marcion, les Valentiniens, Basilide,

---

[12] Sur ce point, on peut citer de nombreux textes: *Homélie* XXV, 4 sur Josué (= SC 71 p. 489): »Car si Dieu a donné un rang aux étoiles du ciel et les a disposées suivant des lois admirables et ineffables; s'il a établi les unes dans les contrées du Nord, les autres du côté de l'Orient, d'autres encore dans la voûte australe du ciel et d'autres dans la région du couchant, je crois qu'à la résurrection des morts ceux qui seront ›semblables aux étoiles du ciel‹ (Dan. 12, 3; 1 Cor. 15, 41) par leur nombre et leur éclat et qui sortiront de la semence d'Abraham, Dieu leur donnera leur rang dans le royaume des cieux, selon la disposition des étoiles et des régions du ciel.« Dans le *C. Cels.* V, 10 (= SC 147 p. 37), Origène s'élève contre ceux qui adorent le soleil, la lune et les étoiles, et il cite quelques textes de l'Ecriture pour montrer ce que représentent ces astres dans l'économie divine: ainsi »il a été dit aux Juifs: ›Le Seigneur votre Dieu vous a multipliés et vous êtes aujourd'hui comme les étoiles de ciel‹ (Dt 1, 10). Voici encore, dans Daniel, une prophétie sur la résurrection: ›(...) Les sages resplendiront comme la splendeur du firmament, et du fait des justes en grand nombre, comme les étoiles pour toujours et à jamais‹ (Dan. 12,1—3)«. Origène cite ensuite 1 Cor. 15, 40—42. La thèse de l'auteur dans tout ce passage, c'est que »un peuple qui avait l'espérance de devenir comme les étoiles du ciel n'allait pas adorer celles à qui il allait devenir semblable« *(ibid.).* Cf encore *C. Cels.* IV, 30 (= SC 136 p. 256).

s'interrogent à ce sujet; si Dieu était juste et tout-puissant, toutes les créatures seraient égales. Comment se fait-il qu'»autre soit la gloire du soleil, autre celle de la lune, autre celle des étoiles, et qu'une étoile diffère en clarté d'une étoile« (1 Cor. 15, 41)? Origène répond ainsi: certains ont progressé dans l'imitation de Dieu, d'autres, par négligence, se sont éloignés de ce qu'ils étaient à l'origine. La diversité entre les hommes ne doit pas être imputée à Dieu; les hommes en sont les uniques responsables (De Princ. II, 8, 5–6). Ainsi se trouve exposée la théorie des mérites, qui explique la place que chacun occupe ici-bas et celle que chacun occupera lors de la résurrection. Cette théorie, Origène la justifie par deux textes scripturaires principalement[13]: le texte de Jean 14, 2 dans lequel il est dit qu'il y a plusieurs demeures dans la maison du Père; et le texte dans lequel Paul évoque la différence entre les corps terrestres et les corps célestes, en soulignant que ces derniers se distinguent encore les uns des autres par des degrés de gloire ou d'éclat que l'apôtre – à la différence d'Origène – n'explique pas.

c) *1 Cor. 15, 42–44.* – A première vue, dans l'exégèse d'Origène, ces versets confirment seulement ce que l'auteur a dit à propos de l'analogie du grain de semence; ils soulignent à leur tour le contraste entre le corps terrestre et le corps de résurrection: »›Dieu donne donc à chacun un corps à son gré‹: aux plantes ainsi semées, comme aux êtres qui sont pour ainsi dire semés dans la mort et qui reçoivent en temps opportun, de ce qui est semé, le corps assigné par Dieu à chacun selon son mérite. Nous entendons aussi l'Ecriture qui enseigne longuement la différence entre le corps pour ainsi dire semé et celui qui en est comme ressuscité. Elle dit: ›Semé dans la corruption, il ressuscite incorruptible; semé dans l'abjection, il ressuscite glorieux; semé dans la faiblesse, il ressuscite plein de force; semé corps psychique, il ressuscite corps spirituel‹« (C. Cels. V, 19 = SC 147 pp. 59–61)[14]. Ces versets de Paul montrent aussi à ceux qui le contesteraient que la résurrection est une résurrection corporelle, puisqu'on sème un corps animal et que c'est un corps spirituel qui ressuscite (De Princ. II, 10, 1).

Mais Origène n'en reste pas là dans son exégèse du texte paulinien; il précise les deux notions qui nous intéressent, celles de ›corps

---

[13] Les deux textes sont cités dans l'*Homélie* X, 1 sur Josué (= SC 71 p. 271).

[14] Cf aussi *C. Cels.* V,22 (= SC 147 pp. 67–69) et VI, 29 (*ibid.* p. 253): »Nous ne disons pas non plus que Dieu ressuscitera les hommes d'entre les morts avec la même chair et le même sang (...); nous disons que ce qui a été semé ›dans la corruption, dans l'abjection, dans la faiblesse, corps psychique‹ ne ressuscitera pas dans l'état où il a été semé.«

psychique‹ et celle de ›corps spirituel‹. Le premier se rattache à l'idée de l'âme, puisque le corps psychique n'est rien d'autre que le corps ›animal‹. L'âme, c'est d'abord toute existence capable de sensation et de mouvement. En ce sens, toutes les créatures, depuis les plus humbles jusqu'aux anges, ont ou plus exactement, sont des âmes (De Princ. II, 8, 1). Mais à cette première définition de l'âme, Origène en ajoute une seconde, qu'il emprunte à l'apôtre Paul; dans II Cor. 2,14, ce dernier dit en effet que l'homme ›animal‹, psychique, ne reçoit pas ce qui vient de l'Esprit de Dieu: c'est une folie pour lui et il ne peut pas le comprendre, parce que c'est spirituellement qu'on en juge; et dans 1 Cor. 15, 44 on lit: ›semé corps animal, il ressuscite corps spirituel‹. C'est dire, selon Origène, qu'à la résurrection des justes, il n'y aura plus rien d'animal, de psychique, dans ceux qui auront été jugés dignes de la vie éternelle (De Princ. II, 8, 2). Origène se pose alors la question de savoir si l'imperfection qui est attachée à ce qui est animal, psychique, provient d'une chute d'un état de perfection originelle, ou si cette imperfection remonte à la création de toutes choses par Dieu. Il faut noter ici qu'Origène est le premier auteur que nous rencontrons à poser la question aussi clairement; par ailleurs, cette question est, à notre avis, le vrai problème que posent les vv. 42 à 44. Pour y répondre, l'auteur fait appel à une vieille étymologie du terme grec ψυχή. D'après cette étymologie, déjà mentionnée par Aristote (De Anima I, 2, 405b) et Platon (Cratyle 399 D-E), le terme ψυχή vient du verbe ψύχεσθαι qui signifie: se refroidir. L'âme n'est alors rien d'autre que le νοῦς qui s'est refroidi de son ardeur pour la justice et de sa participation au feu divin, parce qu'il s'en est éloigné. L'âme désigne le νοῦς en tant qu'il est déchu de son état originel. Mais elle possède encore le pouvoir de revenir à l'état de ferveur dans lequel elle se trouvait à l'origine. L'âme est donc ce qu'elle est à la suite d'une chute, une chute qui d'ailleurs n'atteint pas le même degré pour tous, car certaines âmes sont encore très proches de leur état originel, d'autres au contraire s'en sont tellement éloignées qu'elles ont perdu complétement leur vigueur originelle (De Princ. II, 8, 4). En s'adonnant à la vertu, l'âme peut néanmoins redevenir le νοῦς qu'elle était à l'origine.

La position d'Origène est donc claire sur ce point: l'homme psychique, ce n'est pas celui qui a été créé par Dieu à l'origine, mais un homme ›déchu‹ de son état originel. Cela signifie que la fin et la consommation de toutes choses seront un retour au commencement: la fin renouvelle le commencement, le terme de toutes choses est ramené à leur début et par là se trouve restitué l'état primitif qu'avait reçu la nature raisonnable, lorsqu'elle n'avait pas besoin de manger de l'arbre de la science du bien et du mal (De Princ. III, 6, 3). Cette idée que la fin est un retour à la condition dans laquelle l'homme était à l'origine est encore clairement exprimée par Origène au § 8 du même chapitre. Il ne fait pas de doute que c'est bien là la pensée de l'auteur. Néanmoins, il y a un texte qu'il faut citer, parce qu'il laisse penser que le commencement auquel Origène fait allusion est peut-être un temps antérieur à la création au début du chapitre 6 du livre III du *De Principiis,* l'auteur traite de la consommation de toutes choses et mentionne l'opinion des philosophes, selon laquelle le bien suprême consiste à devenir autant que cela soit possible comme Dieu. Or, remarque Origène, ce n'est pas là une découverte des philosophes; c'est une doctrine qu'ils ont empruntée aux Ecritures, puisque Gen. 1, 26 dit que Dieu fit l'homme à son image et à sa ressemblance. Ce qui frappe Origène dans ce passage, c'est que Moïse – l'auteur supposé de ce récit – ajoute: Dieu fit l'homme; à l'image de Dieu il le fit; mâle et femelle, il le fit ... Moïse souligne l'image, mais ne parle plus de la ressemblance. Pour Origène, cela signifie que l'homme a reçu la dignité de l'image lors de la première création, mais que la perfection de la ressemblance avec Dieu lui a été réservée pour la fin: c'est par ses propres efforts que l'homme doit se l'acquérir[15]. Il doit donc s'efforcer d'imiter Dieu pour atteindre la perfection de la ressemblance et pour arriver à une union totale avec Dieu, car la fin de toutes choses, c'est, pour Origène comme pour saint Paul, lorsque Dieu sera tout en tous (1 Cor. 15, 28).

On voit le problème que pose ce passage: d'une part, Origène affirme que la fin sera un retour au commencement, l'homme retrouvant la condition qui était sa condition première; d'autre part, s'appuyant sur Gen. 1, 26, Origène montre que, créé à l'image de Dieu, l'homme doit encore progresser pour parvenir à la ressemblance de Dieu; ici, la fin est différente du commencement: l'homme créé à l'image devient un homme à la ressemblance de Dieu, uni entièrement à lui. La solution à ce problème est peut-être celle-ci: le commencement dont parle Origène n'est pas identique à la création. On sait que pour lui, Dieu n'a pas commencé à agir seulement lorsqu'il a créé

[15] Dans *C. Cels.* IV, 30 (= SC 136 p. 255), Origène affirme clairement la différence entre l'image et la ressemblance: »C'est, à mon sens, pour avoir mal compris encore la parole ›Faisons l'homme à notre image et ressemblance‹, que Celse a imaginé des vers disant: Créés par Dieu, nous sommes entièrement semblables à lui. Si pourtant il avait compris la différence entre créer un homme à l'image de Dieu, ou le créer à sa ressemblance, et vu d'après l'Ecriture que Dieu a dit ›Faisons l'homme à notre image et ressemblance‹, mais que Dieu a fait l'homme ›à l'image‹ de Dieu, et pas encore ›à sa ressemblance‹, il ne nous aurait pas fait dire que nous sommes entièrement semblables à Dieu.«

ce monde visible. Il y a eu d'autres mondes avant le nôtre et d'autres viendront après lui (De Princ. III, 5, 3). On se rappelle aussi que l'homme psychique est formé d'une âme enfermée dans un corps matériel et que cette âme se trouve là à la suite d'une chute, d'un ›refroidissement‹; les âmes se sont rendues coupables dans un monde antérieur; leurs différents degrés de culpabilité expliquent les différences qui existent entre les hommes ici-bas. Si l'on se souvient de ces théories, on pourra affirmer que le commencement, auquel Origène fait allusion lorsqu'il dit que la fin sera un retour à l'état primitif que la nature raisonnable a connu, est antérieur à la création de l'homme psychique. C'est cet état, antérieur à la création de l'homme par Dieu, que la fin retrouvera et c'est cette condition que l'homme, purifié de toute souillure, connaîtra lorsqu'il sera uni à Dieu de telle sorte que ›Dieu sera tout en tous‹.

Alors, les hommes ne seront plus revêtus d'un corps matériel, prison de l'âme déchue; ils ressusciteront, revêtus d'un corps spirituel dont Origène donne une description dans son *De principiis* (III, 6, 4–9), et dans une passage du *Contre Celse* (IV, 57). Dans ce dernier texte l'auteur établit la relation qui existe entre le corps terrestre et le corps spirituel, en montrant que c'est la ›qualité‹ de la matière qui les distingue. Il répond à une objection de Celse qui prétend que, si l'âme est l'œuvre de Dieu, le corps ne peut être son ouvrage, car rien de ce qui est corruptible ne peut être l'œuvre de Dieu. Origène se fonde sur 1 Cor. 15, 40–44:

»Nous savons, nous aussi, qu'il y a ›des corps célestes et des corps terrestres‹ et que, autre est ›l'éclat des corps célestes‹ et autre celui des ›terrestres‹; et que, même entre ›les corps célestes‹ il n'est pas identique, car ›autre est l'éclat du soleil, autre l'éclat des étoiles‹; et que, parmi les étoiles, ›une étoile diffère d'une étoile en éclat‹. Et c'est pourquoi, comme nous attendons la résurrection des morts, nous disons que les qualités inhérentes ›aux corps‹ changent; certains d'entre eux, semés ›dans la corruption, se lèvent dans l'incorruptibilité‹; semés ›dans l'ignominie, ils se lèvent dans la gloire‹; semés ›dans la faiblesse, ils se lèvent dans la puissance‹, semés corps psychiques, ils se lèvent spirituels. Que la matière fondamentale est capable de recevoir les qualités que veut le Créateur, nous tous qui avons admis la Providence, nous en sommes assurés: par la volonté de Dieu, quelle que soit la qualité actuelle de telle matière, elle sera dans la suite, disons-le, meilleure et supérieure« (C. Cels. IV, 57 = SC 136 p. 331).

Pour Origène, corps terrestre et corps de résurrection ne sont pas deux corps différents: le corps de résurrection est le corps terrestre transformé. Cela ne contredit en aucune façon son interprétation des vv. 35–38, dans lesquels, comme nous l'avons vu, il soulignait la nouveauté du corps de résurrection. Pour être précis, il faudrait dire:

corps terrestre et corps de résurrection sont différents, mais ne sont pas deux *corps* différents. Pour faire comprendre cette nuance, l'auteur donne l'exemple de la nature humaine: c'est la même nature humaine qui, pécheresse, est justifiée; l'homme justifié n'est pas un autre homme que celui qui était pécheur[16]. C'est donc notre corps terrestre qui sera purifié pour passer du stade psychique à un niveau d'être supérieur: semé dans la corruption, il ressuscite dans l'incorruption, semé dans la faiblesse, il ressuscite dans la force, semé misérable, il ressuscite glorieux, semé psychique, il ressuscite spirituel. Origène n'accepte donc pas la thèse de certains philosophes qui voudraient qu'il existe à côté des quatre éléments un cinquième élément ayant sa nature propre et qui pourrait ainsi constituer le corps spirituel — on sait que chez Aristote, ce cinquième élément est l'éther, dont les étoiles et les esprits sont constitués[17].

Origène, après avoir affirmé que c'est la qualité de la substance du corps qui change, tente de donner une description du corps spirituel: ce dernier formera une habitation adéquate non seulement pour tous les saints et les âmes rendues parfaites, mais aussi pour toute la création ›qui doit être délivrée de l'esclavage de la corruption‹ (Rom. 8, 21). C'est à ce corps que Paul fait allusion lorsqu'il dit aux Corinthiens que ›nous avons une demeure éternelle dans les cieux, qui n'est pas faite de main d'homme‹ (II Cor. 5, 1). Dès lors, poursuit Origène, nous pouvons imaginer quelle sera la pureté, la finesse extrême, la gloire immense de ce corps spirituel, si nous le comparons avec les corps qui, bien que célestes et splendides, sont néanmoins faits de main d'homme. A la résurrection, le corps terrestre deviendra donc, selon la volonté de Dieu qui l'a fait ce qu'il est, un corps pur, splendide, glorieux, spirituel, selon les mérites dont chacun aura fait preuve ici-bas.

Tout cela, Origène le résume dans le texte suivant:

»Les ignorants et les incroyants supposent enfin que notre chair connaîtra après la mort une destruction qui ne lui laissera plus rien de sa première substance. Quant à nous qui croyons à la résurrection, nous pensons que la mort ne lui apporte qu'un changement, mais il est certain que sa substance subsiste et qu'elle retournera à la vie au temps marqué, selon la volonté de son créateur. Un second changement se produira alors en elle: ce qui, au début, était chair terrestre, (formée) de la terre (1 Cor. 15, 47), et fut ensuite dissout par la mort, redevenant poussière et cendre, ressuscitera de la terre et accédera enfin, selon les mérites de l'âme qui l'habite,

---

[16] *De Princ.* III, 6, 6.

[17] Cicéron *Academica* I, 7, 26 parle de ce cinquième élément dont sont constitués, selon Aristote, les étoiles et les esprits. Origène s'oppose aussi à la thèse d'un cinquième élément dans *C. Cels.* IV, 60 (= SC 136 p. 337).

à la gloire d'un corps spirituel (1 Cor. 15, 44). Ainsi donc, nous devons penser que notre substance corporelle tout entière sera amenée à cet état, lorsque toutes choses seront rétablies dans l'unité et que Dieu sera tout en tous. Cependant, comprenons-le bien, tout cela ne se produit pas brusquement, mais peu à peu et par degrés, dans l'espace de siècles sans nombre ni mesure. L'amendement et la correction progresseront insensiblement, homme par homme. Certains prendront de l'avance et tendront vers la perfection d'une course plus rapide. D'autres les suivront de tout près, d'autres, enfin, loin derrière. Ainsi, selon les degrés innombrables des êtres en marche, qui partent d'un état d'intimité pour arriver à la réconciliation avec Dieu, viendra le tour du dernier ennemi, celui qu'on appelle la mort. Il sera détruit à son tour, c'est-à-dire: ne sera plus ennemi. Quand donc toutes les âmes raisonnables seront restaurées en cet état, la nature de notre corps se transformera dans la gloire d'un corps spirituel« (De Princ. III, 6, 5—6)[18].

Cette espérance en une transformation du corps terrestre, charnel en un corps spirituel, glorieux, Origène la fonde en Christ[19]. Car le Christ lui-même a passé par le même chemin et son corps a subi la même transformation que celle qui est promise pour le corps terrestre. Cela signifie que le Christ était revêtu du même corps dont nous sommes revêtus ici-bas. Origène s'oppose par là à ceux qui voulaient prétendre que le corps du Christ était spirituel, pure apparence. S'il en était ainsi, il faudrait admettre que ce corps spirituel était souillé, car il est dit dans Zacharie 3, 3 que Jésus était revêtu de vêtements souillés: »Pensée impie, surtout quand on sait qu'il est écrit: ›semé dans la corruption, le corps ressuscitera dans l'incorruption; semé dans l'ignominie, il ressuscitera dans la gloire; semé dans la faiblesse, il ressuscitera dans la force; semé corps animal, il ressuscitera corps spirituel‹« (Hom. sur Luc XIV, 4 = SC 87 p. 223). Mais il y a plus: si le corps du Christ sur terre avait été un corps spirituel, il faudrait admettre que notre corps, dont on nous dit qu'il ressuscitera aussi spirituel (1 Cor. 15, 44), pourra mourir à nouveau, puisque le Christ est mort, bien qu'ayant été revêtu d'un corps spirituel. Or cela est absurde, car Christ ressuscité ne meurt plus (Rom. 6, 8). Par ailleurs, ce qui est spirituel ne peut pas devenir insensible. Enfin, l'affirmation que le corps de Christ aurait été un corps spiri-

[18] Nous empruntons la traduction de ce passage à J. Quasten *Initiation aux Pères de l'Eglise* (traduction française de J. Laporte), volume II, Paris, 1958 pp. 108—109.

[19] Dans le commentaire qu'il donne de Luc 17, 33 (*Hom.* XXXVI, 1 sur Luc = SC 87 p. 433), Origène exhorte ainsi ses lecteurs: »Si donc ›celui qui s'unit au Seigneur‹, d'animal qu'il était, se trouve transformé par cette union en homme spirituel et ›est un seul esprit‹ avec le Seigneur, nous aussi, perdons notre âme pour adhérer au Seigneur et être transformés en un seul esprit avec lui.«

tuel est incompatible avec les détails matériels que rapportent les Evangiles: linceul, aromates, mise au tombeau[20]. Origène en déduit que, pendant son ministère terrestre, Christ était revêtu d'un corps terrestre, charnel — et l'auteur ajoute même, dans son Hom. XIV sur Luc: souillé et impur, car »toute âme, revêtue d'un corps humain, a ses souillures. (...) Jésus aussi a été souillé, de sa propre volonté, parce qu'il avait pris un corps humain pour notre salut« (SC 87 p. 221). Ainsi la résurrection du Christ est-elle celle d'un corps charnel et le Christ est bien le premier-né d'entre les morts, prémices de ceux qui sont morts. Et Origène conclut en disant que si la résurrection du Christ n'est pas celle d'un corps charnel, c'en est fait du dogme de le résurrection générale, puisque celle-ci n'a d'autre fondement et d'autre garantie que la résurrection du Christ.

d) *1 Cor. 15, 45–49.* — C'est pourquoi Christ est appelé »le nouvel Adam, devenu esprit vivifiant« (v. 45, cité par Origène dans l'Hom. sur Josué VIII, 6). Cette expression de Paul rend compte des deux aspects de la nature du Christ, comme le dit Origène dans son *Commentaire sur Jean*, livre, I, chap. 18, par. 107—108: »Par nature (...), le principe du Christ, c'est la divinité, mais pour nous, qui ne sommes pas capables d'aborder son être véritable sous l'aspect de sa grandeur, c'est l'humanité. (...) C'est peut-être pour cela qu'il n'est pas seulement le premier-né de toute créature, mais aussi ›Adam‹, ce qui veut dire ›homme‹. Car Paul dit qu'il est Adam: ›le dernier Adam, un esprit vivifiant‹« (SC 120 p. 117).

Parce que le Christ a été fait ›Esprit vivifiant‹, Dieu, à la fin des temps, ne considérera pas seulement les mérites de chacun mais il tiendra compte de l'action du dernier Adam sur ceux qui, par lui, auront été vivifiés (cf Hom. sur les Nombres XXVIII, 4 = SC 29 p. 565); car il y a pour l'homme qui appartient au Christ un passage du ›terrestre‹ au ›céleste‹: saint Paul dit en effet que »le premier homme, issu du sol, est terrestre; le second homme, lui, vient du ciel. Tel a été le terrestre, tels seront aussi les terrestres; tel le céleste, tels seront aussi les célestes. Et de même que nous avons revêtu l'image du terrestre, nous revêtirons aussi l'image du céleste«. Le commentaire qu'Origène donne de ces versets est intéressant. Il fait apparaître d'abord que le terrestre, ce n'est pas Adam, mais le Diable, »ὁ χοϊκὸς (ὁ πονηρὸς δηλαδή), τοιοῦτοι καὶ οἱ χοϊκοί, καὶ οἷος ὁ ἐπουράνιος (τουτέστιν ὁ Χριστός), τοιοῦτοι καὶ οἱ ἐπουπάνιοι« (Comm. sur Mt 19, 16—30 = GCS 40 p. 402). L'idée est exprimée clairement dans la première *Homélie sur l'Exode*, dans laquelle Origène compare le roi

[20] Ces arguments sont développés dans l'*Entretien avec Héraclite* V, 26 (= SC 67 pp. 67—69).

d'Egypte au diable, qui a groupé autour de lui ceux qu'il n'a pas engendrés et qui, par conséquent, vont le quitter pour suivre Jésus-Christ, leur Seigneur et créateur. Or »il (le diable) ne veut pas nous voir quitter son territoire; il veut que ›nous portions‹ toujours ›l'image de l'homme terrestre‹. Donc, si nous avons passé dans le camp de son ennemi, dans le camp de celui qui nous a préparé le royaume des cieux, il nous faut laisser l'image de l'homme terrestre et recevoir celle de l'homme céleste« (Hom. sur l'Exode I, 5 = SC 16 p. 90). Ailleurs, dans une *Homélie sur Luc*, Origène dit encore: »De même qu'une pièce de monnaie ou un denier porte l'effigie des empereurs du monde, ainsi, celui qui accomplit les œuvres du ›prince des ténèbres‹ porte l'image de ce prince« (Hom. sur Luc XXXIX, 6 = SC 87 p. 457)[21]. Cette exégèse implique que l'élément terrestre n'est pas le corps, mais la faute commise à la suite de la tentation. Origène se distingue ainsi nettement de l'interprétation philonienne des récits de création, d'après laquelle l'homme céleste est immatériel alors que l'homme terrestre est l'homme qui s'est uni à un corps à la suite de la chute. Pour Origène, l'homme n'est jamais dépourvu d'un corps; c'est pourquoi il peut dire que »notre espérance n'est pas celle des vers et notre âme ne regrette pas le corps putréfié; sans doute a-t-elle besoin d'un corps pour passer d'un lieu à un autre; mais, ayant médité la sagesse selon la parole: ›La bouche méditera la sagesse‹ (Ps. 36, 30), elle sait qu'il y a une différence entre l'habitation terrestre où se trouve la tente et qui est vouée à la destruction, et la tente où les justes gémissent accablés, non parce qu'ils veulent se dévêtir de la tente, mais ›par-dessus elle se revêtir‹ (d'une autre) afin que, ainsi revêtus, ›ce qu'il y a de mortel soit englouti par la vie‹ (II Cor. 5, 1—4). ›Il faut en effet‹, toute la nature corporelle étant corruptible, que cette tente ›corruptible revête l'incorruptibilité‹, et que d'autre part, ce qui est ›mortel‹ et destiné à la mort, conséquence immédiate du péché, ›revête l'immortalité‹« (C. Cels. V, 19 = SC 147 p. 61—63). Qu'il porte l'image du terrestre ou qu'il porte celle du céleste, l'homme est revêtu d'un corps qui est dans la situation d'ici-bas un corps corruptible et mortel et qui sera, après la résurrection, incorruptible et immortel. L'homme terrestre, ce n'est donc pas l'homme enfermé dans un corps, mais c'est l'homme pécheur.

Certes, il y a chez Origène un lien entre la qualité du corps et le

[21] L'image de César, c'est l'image du Diable, le prince de ce monde: cf à ce sujet *In Matth. com.* XVII, 28 (= GCS 10 p. 661) et *In Rom. com.* IX, 30 (= PG 14 col. 1230). Ailleurs, Origène montre que l'image de César, c'est la marque que la péché laisse sur les âmes: cf *In Matth. com.* XIII, 10 (= GCS 10 p. 207) et *In Ez. hom.* XIII, 2 (= GCS 8 p. 445).

degré de perfection que l'homme atteint: dans l'état de perfection qui a précédé sa création, l'homme était revêtu d'un corps spirituel. La transgression l'a entraîné dans le domaine du sensible et son âme est alors entré dans un corps ›psychique‹, sensible, mortel, en sorte que la tâche de l'homme consiste en une reconquête de l'état primitif par une incessante transformation du sensible au profit du spirituel[22]. C'est pourquoi, dans son explication allégorique de Gen. 1, 6—7, Origène peut exhorter ainsi ses lecteurs: »Que chacun de vous prenne donc à cœur la tâche de séparer ›l'eau qui est en haut de celle qui est en bas‹, afin de comprendre et de s'assimiler cette eau spirituelle ›qui est au-dessus du firmament‹ pour tirer de ›son sein des fleuves d'eau vive‹ ›jaillissant jusqu'à la vie éternelle‹, loin, bien loin de l'eau d'en-bas, c'est-à-dire de l'eau de l'abîme où l'Ecriture place les ténèbres et où habitent ›le prince de ce monde‹ et le ›dragon‹ ennemi ›avec ses anges‹ (...) En participant à l'eau supé-

[22] Dans l'*Homélie* XVI, 7 sur Luc, Origène explique la transgression et la rédemption opérée par le Christ en montrant que l'homme qui, à l'origine, voyait, a été rendu aveugle par la concupiscence, jusqu'à ce que le Christ intervienne pour rendre la vue aux aveugles: »Hommes, nous jouissons tous de la vue et en même temps, nous sommes aveugles. Adam jouissait de la vue et en même temps, il était aveugle. Eve aussi, avant que ses yeux fussent ouverts, jouissait de la vue, dit l'Ecriture. ›La femme vit que l'arbre était bon à manger et très agréable à voir, et prenant du fruit de l'arbre elle en mangea et en donna à son mari et ils en mangèrent‹ (Gen. 3, 6—7). Ils n'étaient donc pas aveugles, ils voyaient.« Et Origène poursuit au paragraphe suivant: »›Et leurs yeux s'ouvrirent.‹ Ils avaient donc été aveugles et ils ne voyaient pas, puisque leurs yeux (charnels) par la suite s'ouvrirent; par contre, leurs yeux (spirituels) qui auparavant voyaient bien, après qu'ils eurent transgressé le commandement du Seigneur, commencèrent à mal voir et, sous l'effet du péché de désobéissance, perdirent ensuite la vue« (= SC 87 pp. 245—47). Origène joue donc sur les deux sens du mot ›aveuglement‹ et il distingue deux sortes d'yeux, ou deux sortes de regards, comme il le dit à plusieurs reprises: par exemple dans l'*Homélie* XVII, 3 sur les Nombres (= SC 29 p. 343): »Il y a deux sortes d'yeux: les uns s'ouvrent par le péché, les autres servaient à Adam et Eve avant que ceux-ci s'ouvrissent«; ou encore dans l'*In Ez. hom.* II, 3 (= GCS 8 p. 345): »Alii quippe in nobis oculi sunt meliores his quos habemus in corpore. Qui oculit aut Jesum Dominum vident aut caeci sunt, si peccator sum, nihil video.« Dans l'*Homélie* sur Luc citée au début de cette note, Origène précise encore en disant: »Il y a l'œil du corps, que nous utilisons pour regarder ces pauvres réalités terrestres; c'est de cet œil, entendu selon l'intelligence de la chair, que l'Ecriture dit: ›C'est en vain qu'il s'avance, celui qui tire vanité de ses pensées charnelles‹ (Col. 2, 18). Nous avons aussi un autre œil, opposé au premier et meilleur que lui, capable de goûter les choses de Dieu. Et parce que cet œil était aveugle en nous, Jésus vint pour lui donner la vue, de sorte que les aveugles voient et que ceux qui voient deviennent aveugles« (SC 87 p. 247). Jésus est donc venu pour rendre aveugle et détruire le regard charnel de la concupiscence que l'homme pécheur jette sur le monde, et pour rendre la vue aux yeux fermés par la péché, à ces yeux spirituels qui voient Dieu.

rieure qui est au-dessus des cieux, le fidèle devient céleste: il s'applique aux choses supérieures et élevées, n'a aucune de ses pensées en la terre, mais toutes dans le ciel et ›cherche les choses d'en haut où le Christ se tient à la droite du Père‹« (Hom. sur la Gen. I, 2 = SC 7 pp. 66–67)[23]. Ce qu'il faut cependant remarquer, c'est qu'Origène ne conçoit pas que l'homme soit dépourvu d'un corps: il rejoint sur ce point la pensée de Clément d'Alexandrie et, avec lui, s'oppose aux courants spiritualistes gnostiques, comme l'apôtre Paul s'y était opposé en écrivant aux Corinthiens.

---

[23] La même idée est exprimée dans le *Commentaire sur Jean* au livre II, chapitre V, par. 47: »Je pense que le ciel est fermé aux impies qui portent l'image du terrestre et ouvert aux justes parés de l'image du céleste. En effet, pour les premiers, parce qu'ils demeurent en bas et vivent encore dans la chair, les réalités supérieures demeurent fermées: ils ne peuvent ni les comprendre, ni en saisir la beauté, car ils ne veulent pas réfléchir, étant repliés sur eux-mêmes sans se donner la peine de se redresser. Pour les hommes supérieurs, parce que leur cité est dans les cieux, les réalités célestes ont été mises à découvert et rendues visibles par la clef de David: c'est le Verbe de Dieu qui les découvre et qui les montre clairement« (= SC 120 p. 237). Ce thème du retour de l'homme à ce qu'il était à l'origine est pour Origène à l'arrière-fond de nombreux textes; ainsi dans l'*Homélie* I, 2 sur la Genèse, l'auteur dit: »Et de même que le ciel a été appelé firmament parce qu'il sépare les eaux qui sont au-dessus de lui de celles qui sont au-dessous, ainsi l'homme, établi dans un corps, s'il peut réaliser une séparation entre ›les eaux supérieures qui sont au-dessus du firmament et celles qui sont au-dessous‹, sera aussi appelé Ciel ou ›homme céleste‹, selon la parole de l'Apôtre Paul: ›Notre demeure est dans le ciel‹« (SC 7 p. 66). La même idée, Origène la retrouve dans une autre *Homélie* sur la Genèse, l'Hom. XIII, 3–4, à propos des puits que les serviteurs d'Abraham avaient creusés, que les Philistins ont bouchés et qu'Isaac a recreusés avec ses serviteurs: »Remarquez bien que chacune de nos âmes contient en quelque sorte un puits d'eau vive, il y a en elle un certain sens céleste, une image de Dieu enfouie; c'est ce puits que les Philistins, c'est-à-dire les puissances adverses, ont obstrué de terre. De quelle terre? Des comportements charnels, des pensées terrestres, et c'est pourquoi ›nous avons porté l'image de l'homme terrestre‹. C'est quand nous portions cette image de l'homme terrestre que les Philistins obstruèrent nos puits de terre. Mais maintenant qu'est venu notre Isaac, accueillons sa venue et creusons nos puits; rejetons-en la terre, purifions-les de toute ordure, de toute pensée fangeuse et terrestre: nous trouverons en eux l'eau vive, cette eau dont le Seigneur dit: ›Celui qui croit en moi, des fleuves d'eau vive sortiront de sa poitrine‹ (Jn 7, 38); (= SC 7 p. 222). Mais le but du chrétien n'est pas seulement de retrouver la condition qui était la sienne avant la création: sa démarche doit être exemplaire et servir aux autres. C'est pourquoi, dans la même *Homélie* sur les puits obstrués par les Philistins, Origène dit encore: »Creusons au point que les eaux du puits surabondent sur ›nos places publiques‹, creusons au point d'arriver à une science des Ecritures suffisante non seulement pour nous, mais pour enseigner les autres et les instruire, creusons pour que boivent les hommes, creusons pour que boivent aussi les troupeaux« (*ibid.* p. 226). Il était important de souligner cette dimension que l'on ne retrouve pas sous cette forme chez Clément d'Alexandrie, par exemple.

Cette remarque nous amène à résumer la position d'Origène sur les rapports entre le corps psychique et le corps spirituel. Les textes d'Origène que nous avons cités ne permettent pas de mettre en doute la foi de l'Alexandrin en la résurrection corporelle: il s'oppose en effet à la fois à ceux qui nient toute résurrection et à ceux qui conçoivent cette dernière à la manière juive comme résurrection de la chair. Pour Origène, c'est le corps qui ressuscite, en recevant des qualités différentes de celles qu'il a ici-bas: créé psychique, il devient spirituel; créé corruptible et mortel, il devient incorruptible et immortel; créé méprisable, il devient glorieux[24]. En cela, la position d'Origène est très semblable à celle de Clément et à celle de Paul. L'élément qui les distingue pourtant, c'est l'affirmation origéniste d'une préexistence des âmes et d'une chute des âmes antérieure à la création. De cette théorie découlent deux conséquences: 1) la création

---

[24] Il semble qu'Origène donne d'autres détails sur le corps de résurrection dans un texte que rapporte Jérôme: d'après ce fragment, l'auteur montre que le corps de résurrection devra être adapté aux conditions dans lesquelles il vivra, tout comme le corps terrestre est adapté aux nécessités de la vie terrestre. Le corps de résurrection n'aura plus besoin d'absorber de nourriture et de boissons; il ne demandera plus de soins particuliers: propreté, soin de la barbe et des cheveux. Les ressuscités seront comme des anges au ciel et il n'y aura entre eux ni différences d'âge, ni différences de sexe. Le corps de résurrection n'aura plus besoin de faire usage de ses membres et par conséquent, il en sera dépourvu. C'est ce qui ressort de ce passage cité par Jérôme: »Quo enim membra genitalia, si nuptiae non erunt? Quo dentes, si cibi non molendi sunt? Quo venter et cibi, si juxta Apostolum et hic et illi destruentur?« (*PG* 11, col. 97) et plus loin: »Nunc oculis videmus, auribus audimus, manibus agimus, pedibus ambulamus: in illo autem corpore spirituali toti videbimus, toti audiemus, toti operabimur, toti ambulabimus: et ›transfigurabit Dominus corpus humilitatis nostrae, conforme corpori suae gloriae‹ (Phil. 3, 21). Quando dixit, ›transfigurabit‹, id est μετασχηματίσει, membrorum quibus nunc utimur, diversitas denegatur. Aliud nobis spirituale et aethereum promittitur, quod nec tactui subjacet, nec oculis cernitur, nec pondere praegravatur, et pro locorum in quibus futurum est, varietate mutabitur. Alioqui si eaedem carnes erunt, et corpora quae fuerunt, rursum mares et feminae, rursum nuptiae; viris hirsutum supercilium, barba prolixa, mulieribus laeves genae et angusta pectora; ad concipiendos et pariendos fetus venter et femora dilatanda sunt. Resurgent etiam infantuli, resurgent et senes; illi nutriendi, hi baculis sustentandi. Nec vos, o simplices, resurrectio Domini decipiat, quod latus et manus monstraverit, in littore steterit, in itinere cum Cleopha ambulaverit, et carnes et ossa habere se dixerit. Illud corpus aliis pollet privilegiis, quod de viri semine et carnis voluptate non natum est. Comedit post resurrectionem suam et bibit, et vestitus apparuit, tangendum se praebuit, ut dubitantibus apostolis fidem facere resurrectionis. Sed tamen non dissimulat naturam aerii corporis et spiritualis. Clausis enim ingreditur ostiis, et in fractione panis ex oculis evanescit. Ergo et nobis post resurrectionem bibendum erit et comedendum, et post cibum stercora egerenda? Et ubi erit illa promissio: ›Oportet mortale hoc induere immortalitatem‹ (1 Cor. 15, 53)?« (*PG* 11, col. 98–99).

est déjà un stade ›inférieur‹ à la condition originelle de l'homme; le corps psychique dont l'homme est revêtu lors de la création ne lui permet plus d'avoir accès à la vision directe de Dieu dont il jouissait avant la création. Cet élément est original: nous le rencontrons pour la première fois dans ce travail. Chez les auteurs que nous avons étudiés jusqu'ici, le corps psychique était soit le corps créé par Dieu, soit le corps que l'homme avait reçu à la suite de la transgression. Origène montre qu'il est les deux à la fois, parce que la création du monde sensible est déjà un ›état second‹ par rapport au monde spirituel antérieur à la création. 2) la seconde conséquence de cette théorie d'un monde préexistant à la création, c'est l'affirmation selon laquelle l'homme doit faire effort pour retrouver ce monde-là, cet état originel, caractérisé par le corps spirituel. Cela signifie que le corps de résurrection n'est pas une grandeur nouvelle, donnée aux croyants à la fin des temps, mais c'est un corps que les hommes ont déjà connu avant la création et qu'il s'agit pour eux de retrouver en se débarrassant de l'image du terrestre, c'est-à-dire en chassant de leur esprit et de leurs pensées tout ce qui vient du diable. Il n'y a pas besoin d'insister pour montrer que cette idée est étrangère à l'apôtre Paul, pour lequel le corps spirituel est une grandeur entièrement nouvelle, rendue possible à la suite de l'incarnation, de la passion et de la résurrection de Jésus-Christ. Chez Origène, le Christ aide les hommes à retrouver leur condition originelle, à faire jaillir cette source d'eau vive qui a été obstruée par la luxure, l'avarice, la colère, l'orgueil et l'impiété[25].

Pour terminer ce chapitre, il faut encore mentionner un problème particulier, relatif à la *forme du corps de résurrection*[26]. Certains critiques[27] attribuent en effet à Origène l'idée que le corps de résurrection pourrait avoir une forme sphérique. Qu'en est-il? L'affirmation repose sur deux sources: un texte d'Origène et des textes provenant de la querelle origéniste du 6e siècle, reproduits par P. Koet-

[25] Cf *Homélie* XIII, 4 sur la Genèse (= SC 7 p. 224).

[26] Sur cette question, on lira l'article de A. J. Festugière »De la ›doctrine‹ origéniste des corps glorieux sphéroïdes«, *RSPhTh* 43 (1959), 81–86.

[27] Parmi ceux-ci, il faut citer P. Koetschau (cf la note suivante) et W. L. Knox »Origen's Conception of the Resurrection Body«, *JThS* 39 (1938), 247–48. Knox pense que la conception qu'Origène a du corps comme une sphère lui vient du *Timée* 33b où la sphère est considérée comme la forme parfaite; dans un autre passage du même ouvrage (*Timée* 44d), la forme sphérique de la tête atteste que c'est l'élément le plus divin en l'homme, élément qui en même temps contrôle les autres organes du corps. Le corps de résurrection, parfait, et donc sphérique, sera une extension de cet élément divin à la totalité du corps. Cf aussi J. N. D. Kelly *Early Christian Doctrines*, London, 1958 p. 472.

schau pour combler la lacune de *De Princ.* II, 10, 3[28]. Examinons ces documents:

1) Dans le *De Orat.* 31, 3 Origène aborde le problème de l'attitude de celui qui prie et il rappelle, à la suite de Paul (Eph. 4, 14—15), que tout genou doit fléchir devant Dieu. Dans Phil. 2, 10 l'apôtre dit aussi: »... afin qu'au nom de Jésus, tout genou fléchisse dans les cieux, sur la terre et sous la terre...« Or, ce dernier texte doit être compris au sens spirituel, selon Origène, car les corps dans le ciel ne peuvent pas fléchir les genoux comme les corps terrestres le peuvent: ceux qui ont étudié la chose de près affirment qu'ils ont une forme sphérique[29]. Comme, par ailleurs, Origène compare souvent les corps de résurrection aux astres (cf son exégèse de 1 Cor. 15, 41), on en a déduit qu'ils en avaient aussi la forme sphérique. Mais cette conclusion ne s'impose pas. Lorsqu'il explique 1. Cor. 15, 41, Origène ne dit pas que les corps des ressuscités sont des astres ou qu'ils sont comme des astres; il montre que les astres dont l'apôtre parle dans son texte représentent les corps de ressuscités. Les astres sont donc, pour Origène, une image qui désigne une autre réalité: celle des corps spirituels. Les astres du texte paulinien, d'après Origène, ne sont justement pas des astres! De plus, on trouve dans le *De Princ.* III, 6, 4—9 un exposé détaillé sur le corps de résurrection, dans lequel l'auteur ne mentionne jamais la forme sphéroïde de ce dernier.

2) Deux textes attribuent à Origène la doctrine du corps sphéroïde: il s'agit d'une part d'un passage d'une lettre au patriarche Ménas, reproduit par P. Koetschau pour combler la lacune de *De Princ.* II, 10, 3, et écrit par Justinien en 543[30]; d'autre part du 10e anathématisme de Concile de Constantinople (553), attaquant Origène sur le point qui nous occupe ici[31]. Mais, à l'égard de ces textes, quelques remarques s'imposent. D'abord, la place que donne Koetschau à la citation de Justinien dans le *De Principiis* rompt l'unité du texte

[28] A la page 176 de son édition du *De Princ.*, en note, P. Koetschau suppose que dans sa traduction, Rufin a sauté ce passage qui aurait choqué l'orthodoxie de son temps. Selon Koetschau, Origène lui-même aurait défendu l'idée du corps de résurrection sphéroïde.

[29] Voici le texte dont il s'agit: τὰ σώματα, ὡς καὶ γόνατα σωματικὰ ἔχειν αὐτα, ὑπολαμβάνειν οὐ πάνυ τι χρὴ, σφαιροειδῶν παρὰ ἀκριβῶς περὶ τούτων διειληφόσιν ἀποδεδειγμένων αὐτῶν τῆν σωμάτων.

[30] Justinien dit à Ménas, à propos d'Origène: λέγει γὰρ ὅτι ἐν τῇ ἀναστάσει σφαιροειδὴ ἐγείρονται τὰ σώματα τῶν ἀνθρώπων.

[31] Εἴ τις λέγει ὡς τὸ τοῦ κυρίου ἐξ ἀναστάσεως σῶμα αἰθέριόν τε καὶ σφαιροειδὲς τῷ σχήματι, καὶ ὅτι τοιαῦτα καὶ τὰ τῶν λοιπῶν ἐξ ἀναστάσεως ἔσται σώματα, καὶ ὅτι αὐτοῦ τοῦ κυρίου πρῶτον ἀποτιθεμένου τὸ ἴδιον αὐτοῦ σῶμα καὶ πάντων ὁμοίως, εἰς τὸ ἀνύπαρκτον χωρήσει ἡ τῶν σωμάτων φύσις, ἀνάθεμα ἔστω.

d'Origène et n'est pas justifiée par le contexte. Ensuite, ces deux documents sont tardifs et on peut se demander pourquoi, si l'idée d'un corps sphéroïde avait été défendue ou simplement suggérée par le *De Principiis*, l'opposition n'apparaît pas dans la controverse origéniste du 4e siècle déjà. A cette époque, Jérôme et Méthode, qui veulent mettre en garde l'Eglise contre les dangers de la théologie d'Origène, ne relèvent pas ce point dans leur défense, contre l'Alexandrin, de la résurrection de la chair[32]. Enfin, on a trouvé des anathématismes du Concile de Constantinople qui, bien qu'attribués à Origène, étaient d'Evagre le Pontique[33].

Le problème de la forme du corps de résurrection chez Origène révèle que le néo-platonisme a peut-être pénétré dans les monastères sous le nom d'Origène. C'est un aspect de la querelle origéniste du 6e siècle qu'il serait intéressant d'approfondir en étudiant en détail l'ensemble de la controverse.

Pour notre part, nous nous en tiendrons à ce qu'Origène dit du corps de résurrection dans le *De Principiis* III, 6, 4—9. Certes, les esprits avides de descriptions de l'au-delà resteront sur leur faim à la lecture de ce passage. On se félicitera cependant de ce qu'Origène n'ait pas laissé libre cours à son imagination; il est resté fidèle à l'apôtre Paul qui, lui non plus, ne décrit pas le corps de résurrection. Loin de vouloir satisfaire une vaine curiosité, les deux auteurs affirment avec force l'essentiel: la possibilité, offerte à chacun, d'une vie après la mort, d'une vie qui sera en communion parfaite avec Dieu, parce que rien ne viendra plus séparer les hommes de leur Créateur. Et pour Origène comme pour Paul, les croyants ne seront pas dépourvus d'un corps dans l'état de résurrection[34], mais ils seront revêtus

---

[32] Chadwick *HThR* 41 (1948), 83—102 relève justement que quand Méthode demande à Aglaophon quelle forme aura le corps de résurrection: sphère, polygone, cube, pyramide (cf Méthode *De Resurr.* 3, 15, 1), il ironise sur les corollaires possibles logiquement de la doctrine d'Origène, mais révèle par là en même temps qu'il n'a pas trouvé l'expression de corps sphéroïde chez Origène lui-même.

[33] Cf H. von Balthasar *Zeitschrift für kathol. Theol.* 63 (1939), 95 et H. Chadwick *JThS* 48 (1947), 43.

[34] La question est controversée. E. de Faye *Origène, sa vie, son œuvre, sa pensée* (3 vol.), Paris, 1923—28 affirme, en s'appuyant en particulier sur *In Johan.* I, 17: »Il (Origène) donne clairement à entendre que le moment viendra où tout corps disparaîtra« (III, p. 258); et plus loin: »le corps spirituel est provisoire et intermédiaire. Il constitue la dernière étappe de l'évolution salvatrice qui ramène l'être déchu à sa condition première« (III, p. 259). H. Cornélis, dans son étude fouillée sur »Les fondements cosmologiques de l'eschatologie d'Origène«, *RSPhTh* 43 (1959), 32—80 et 201—247 nous semble mieux rendre compte de la théologie d'Origène sur ce point. Il pose la question suivante, à propos des »logikoi« (= des êtres raisonnables créés par Dieu): »Finiront-ils par échapper absolument au domaine de la matière? Origène a certainement hésité à conclure. Il professe cette glorification progressive du substrat matériel, jusqu'à ce que ce

d'un corps glorieux, incorruptible et spirituel – corps dont les âmes étaient déjà revêtues avant la création, mais dont elles ont été dépouillées à la suite de la chute pour entrer dans un corps psychique, selon Origène; corps entièrement nouveau, que seul, Christ a revêtu avant les hommes, selon l'apôtre.

c) *Méthode*

Si les savants s'interrogent encore pour savoir quel siège épiscopal a occupé Méthode[1], ils sont par contre unanimes pour voir en lui

---

dernier ait revêtu la qualité divine de l'incorruptibilité. Cet état correspond à une purification parfaite de l'esprit, qui se trouve dégagé de toute attraction vers le bas, de toute adhérence à la matière, de toute ›viscosité‹ dans son mouvement à la poursuite du Logos. Néanmoins, selon nous, il était plus dans la logique des principes qu'il s'arrête finalement à un type de corporéité subtile, se réduisant à signifier l'état de créature, plutôt qu'à un dégagement total de toute relation des *logikoi* à la matière« (p. 247). Cornélis explique les passages dans lesquels Origène laisse entendre que le terme ultime sera atteint quand le ›noûs‹ sera débarrassé de toute matière en rappelant que »selon qu'un être est situé, dans la hiérarchie de la participation, au-dessus ou au-dessous de tel autre, il sera par rapport à cet autre un ›incorporel‹ ou un corps« (p. 58). C'est pourquoi il conclut que »le dégagement du *noûs* par rapport à la matière n'exige pas nécessairement un dépouillement physique, mais seulement une totale inadvertance à l'égard du monde visible« (p. 247). Cf aussi F. H. Kettler *Der ursprüngliche Sinn der Dogmatik des Origenes* (BZNW 31), Berlin, 1965.

[1] Théoriquement, il y a six villes possibles: Patara, Sidon, Tyr, Myra, Olympe et Philippe. Les critiques ne retiennent que les deux dernières (cf les arguments avancés contre les quatre premières par F. Diekamp »Über den Bischofssitz des hl. Märtyrers und Kirchenvaters Methodius«, *ThQ* 109 [1928], 286–92). Dans un excursus de ses »Studien zu Justinus Martyr«, *ZKG* 8 (1886), 15–20 consacré à cette question, Th. Zahn penchait en faveur d'Olympe. Mais ses arguments ont été réfutés de manière décisive par F. Diekamp *op. cit.* pp. 292–95. Ce dernier montre que les entêtes des mss, contrairement à ce que pensait Zahn, sont en faveur de Philippe (p. 298) et qu'à l'époque de Méthode, Olympe n'était peut-être pas encore une ville épiscopale. La ville avait été détruite en 85 av. J.-C. par P. Servilius et à l'époque de Pline (mort en 79 apr. J.-C.), elle n'était pas encore reconstruite. Jérôme est le premier qui, en 392 env., nomme Olympe comme siège épiscopal, en parlant de Méthode (*De Vir. ill.* 83). A partir de ce moment, on rencontre les évêques d'Olympe aux Conciles d'Ephèse (431) et de Chalcédoine (451). La thèse de Diekamp a rencontré l'approbation de Joseph Lebon *RHE* 25 (1929), 357–58. La question a été reprise dans une thèse par K. Quensell *Die wahre kirchliche Stellung und Tätigkeit des fälschlich so genannten Bischofs Methodius von Olympus*, Heidelberg, 1953 (dactyl.). L'auteur tente de prouver que non seulement aucun des six sièges épiscopaux proposés ne convient à Méthode, mais que ce dernier n'a même jamais été évêque. En effet, ce titre n'apparaît jamais dans les plus anciens témoignages à son sujet; il ne lui est donné qu'au début du 5e s. par ceux qui voulaient donner de l'importance à leur Eglise en mettant en avant le haut rang de leur représentant dans la hiérar-

un adversaire d'Origène[2]. Les écrits qui nous restent de lui sont peu nombreux et seul parmi eux, le *Banquet* nous est conservé en grec dans sa totalité, les autres étant accessibles dans »des traductions fragmentaires de l'ancienne Eglise slave«[3]. Parmi ces derniers, il faut noter surtout le *De autexusio* (Traité du Libre-Arbitre)[4] et le *De Resurrectione* (ou »Aglaophon«)[5]. Ce traité rapporte une discussion tenue dans la maison d'Aglaophon à Patara. Méthode, sous le nom d'Euboulios, arbitre le conflit qui oppose Aglaophon à Sistélius à propos de la résurrection de la chair. Proclus, Théophile, Auxence, Ménian et d'autres sont aussi présents et prennent part à la discussion. Le traité est dirigé contre les doctrines origénistes de la préexistence des âmes et de la nature spirituelle des corps de résurrection, défendues dans la discussion par Aglaophon et Proclus. C'est dans ce texte que nous rencontrons la plupart des citations de 1 Cor. 15, 35–49 chez Métho-

---

chie ecclésiastique. De même, selon l'auteur, la forme dans laquelle Méthode s'exprime – dialogues, lettres – et le contenu de ses écrits nous font voir un homme qui s'adresse à un groupe restreint de jeunes filles et d'ascètes, et dont la théologie est inspirée par son idéal de perfection et non par sa fonction, qu'il n'invoque d'ailleurs jamais pour se légitimer ou justifier ses vues. – Comme nous n'avons eu connaissance de ce travail que par le compte-rendu qu'en donne la *ThLZ* 79 (1954), 175–76, nous ne pouvons pas nous prononcer sur le détail de l'argumentation de l'auteur. Il nous semble cependant plus sage d'en rester, pour cette question qui est d'un intérêt mineur pour notre travail, à la thèse de F. Diekamp et de voir en Méthode l'évêque de Philippe. Notons que dans son introduction à l'édition du *Banquet* (SC 95), H. Musurillo en reste au scepticisme le plus absolu: »Le plus que l'on puisse dire, c'est que l'auteur du »Banquet« était certainement un maître chrétien, qui exerça son activité apostolique dans certaines localités de Lycie (comme Olympe, Patara, Termissus) durant la deuxième moitié du troisième siècle« (p. 11).

[2] Parmi les adversaires d'Origène, il faut citer aussi Pierre, évêque d'Alexandrie vers 300, mort martyr en 311, dont il reste six fragments syriaques d'un ouvrage sur la résurrection, dans lequel l'auteur souligne, contre Origène, l'identité du corps de résurrection avec le corps terrestre. Cf pour les écrits de Pierre d'Alexandrie: *PG* 18, 449–522.

[3] H. Musurillo, introd. à l'édition du *Banquet* (SC 95), p. 12. Bonwetsch parle à ce propos d'un »Corpus Methodianum«.

[4] Ce traité est accessible en français d'une part dans la traduction de J. Farges, trad. précédée d'une introduction sur les questions de l'origine du monde, du libre-arbitre et du problème du mal dans la pensée grecque, judaïque et chrétienne avant Méthode (BAPh), Paris, 1929; d'autre part dans la *Patrologia Orientalis* XXII/5 pp. 629–888, version slave et texte grec édités et traduits en français par A. Vaillant, Paris, 1930.

[5] G. N. Bonwetsch (GCS 27), 1917, pp. 217–424. Version slavonne donnée en traduction allemande. Cf aussi G. N. Bonwetsch *Methodius von Olympus*. I Schriften, Erlangen und Leipzig, 1891, pp. 70–283 (284 + 349). Certains passages du *De Resurrectione* sont accessibles en grec. On les trouve chez Epihane *Haer.* 64 ep. 12–62; Photius, et dans les mss que nomme Bonwetsch dans son ouvrage *Methodius von Olympus* pp. XXV–XXVIII.

de. Il est intéressant de voir comment l'auteur, en s'appuyant sur les mêmes textes scripturaires qu'Origène, réfute l'interprétation avancée par ce dernier.

a) *1 Cor. 15, 35–37.* – Photius, dans sa défense de la position d'Origène, cite un long extrait du »Commentaire sur le Psaume 1, 5« dans lequel l'Alexandrin, à la suite de Paul, dont il mentionne le v. 35, montre clairement que le corps de résurrection n'est pas identique au corps terrestre et que celui-ci n'est pas promis à la résurrection[6]. Les éléments dont le grain de semence est formé se dissolvent et retournent aux quatre éléments de base d'où ils viennent: la terre, l'eau, l'air et le feu[7]. L'épi qui sera ensuite formé aura une grandeur, une apparence et une forme supérieures à celles du grain que l'on avait au départ[8]. Cette théorie, Euboulios (= Méthode) la réfute, en citant lui aussi les vv. 35–36 du texte paulinien. La pointe de l'argumentation d'Origène, c'est cette affirmation que »autre est ce qui est semé, autre ce qui croît de ce qui est semé«[9]. Or, d'après Méthode, dire cela, c'est méconnaître les lois de la nature. Il serait plus juste de dire que du même grain semé, un autre grain renaît, identique en tout au premier. Car un épi n'est rien d'autre qu'un grain de froment qui n'est pas encore dépouillé de la cosse qui le revêt[10]. Méthode tire de cette constatation deux conséquences: il

[6] On sait qu'au début du traité, Aglaophon avait avancé en faveur de la thèse origéniste de la nature spirituelle du corps de résurrection des textes bibliques tels que Gen. 3, 21; Rom. 7, 9; 7, 14; Ps. 66, 10–12; Mt 22, 30 et qu'il avait rappelé les changements continuels que subit le corps, pour poser la question suivante: si la chair devait ressusciter, laquelle, parmi les différentes formes par lesquelles le corps a passé, sera privilégiée et pourquoi celle-ci sera-t-elle récompensée ou punie pour les actes des autres?

[7] *De Res.* I, 15, 4–5 (GCS p. 238). Une fois le mélange opéré, il est impossible de retrouver les éléments pour reformer exactement le même corps. A la résurrection, le corps que chacun recevra sera donc un corps spirituel, comme le dit l'apôtre au v. 44: c'est un corps psychique qui est semé et c'est un corps spirituel qui ressuscite (*De Res.* I, 17, 2 [GCS p. 240] où Photius cite le texte paulinien pour appuyer sa thèse sans en donner une exégèse de détail).

[8] Mais il faut préciser que pour l'auteur comme pour Origène – dont Photius cite un long extrait du *Commentaire* sur le Psaume 1 – il y a tout de même un lien entre le corps futur et le corps actuel. Certes, les ressuscités ne reçoivent pas à la résurrection leurs corps terrestres, mais leur identité subsiste: Pierre sera Pierre, Paul sera Paul (*De Res.* I, 20–24 [GCS pp. 242–250] conservé en grec).

[9] *De Res.* I, 23, 2 (GCS pp. 246–47). Pour Origène, cité ici par Photius, ce verset montre clairement qu'il n'y a pas indentité entre le corps terrestre et le corps de résurrection, même s'il y a identité de personne.

[10] Euboulios (= Méthode) reprend toute la question: »Erforschen wir aber das Gleichnis von dem Weizensamen, wie es gesät und ein Gras geworden wieder in die alte Gestalt gelangt« (*De Res.* III, 10, 1 = GCS p. 404). Contre Origène, dont il cite d'importants fragments, il en arrive à cette conclusion: »Mir nun

montre d'une part l'utilité première du grain par rapport à l'épi, d'autre part l'antériorité du grain sur l'épi. 1. Le grain est plus utile que l'épi, parce que c'est déjà du froment prêt à être placé dans la grange, tandis que l'épi est du froment encore mêlé aux cosses. 2. De plus, quoi que l'on pense de la beauté de l'épi, le grain semé l'a cependant précédé. Et ce grain a lui-même existé précédemment comme épi! Il ne saurait donc y avoir de différence entre ce qui est semé et ce qui pousse.

L'argumentation que Méthode oppose à Origène repose sur l'affirmation que ce qui est semé, c'est déjà du grain de froment qui, devenu épi, devra être dépouillé de sa cosse pour pouvoir être engrangé. L'observation et le bon-sens contesteront cette identité entre la semence mise en terre et le grain de froment tel qu'il apparaît dans l'épi, même dépouillé de sa cosse. D'ailleurs, dans d'autres passages de son traité, Méthode admet tout de même une certaine différence entre ce qui est semé et ce qui sort de terre. En effet, avant de réfuter Origène sur la question de l'identité du corps terrestre et du corps de résurrection, avant de montrer que le corps qui ressuscite est le même que celui que nous portons ici-bas, il convenait d'établir que c'est bien le corps qui ressuscite, et non l'âme seulement[11]. Pour ce faire, Méthode renvoie à Matthieu 17: dire que l'âme ressuscite, c'est présupposer qu'elle puisse mourir; or, d'après l'enseignement du Seigneur, l'âme est immortelle; c'est donc la chair qui ressuscite. Il en va ici comme du sommeil[12]. Celui qui dort ne reste pas toujours dans cet état: il arrive un moment où il se réveille. Il en sera de même pour ceux qui sont morts. Et pour étayer encore son argumentation, Méthode fait allusion à 1 Cor. 15, 37[13]. C'est à ce propos qu'il est amené à admettre une certaine différence entre ce qui est semé et ce qui sort de terre: les semences sont jetées en terre γυμνὰ καὶ ἄσαρκα et lorsqu'elles apparaissent, elle sont τελεσφορούμενα (= amenées à la perfection). Le terme γυμνός que Méthode a trouvé dans le texte paulinien l'a peut-être conduit plus loin qu'il ne le voulait: il implique en effet une différence qualitative entre ce qui est et ce qui sera, alors qu'en citant saint Paul, l'auteur voulait montrer seulement que le grain jeté en terre est appelé à »ressusciter« et donc qu'il y a une résurrection de la chair.

---

aber scheint richtiger, daß von demselben Korn ein ebensolches Korn geboren werde, indem es nach allem das gleiche ist, an Größe und allen Eigentümlichkeiten. Was anderes ist die Ähre als ein Weizenkorn, welches das Kleid der Hülse noch nicht abgeworfen?« (*De Res.* III, 10, 6 = GCS p. 406).

[11] *De Res.* I, 52, 2 (GCS p. 308).

[12] *De Res.* I, 53, 2 (GCS p. 309).

[13] L'auteur ne cite pas textuellement l'apôtre, mais lui emprunte son vocabulaire. Cf *De Res.* I, 53, 4 (GCS p. 310).

Pourtant, on retrouve la même tendance à admettre une différence entre le corps terrestre et le corps de résurrection dans l'exégèse que Méthode donne des vv. 41 et 42 du texte paulinien.

b) *1 Cor. 15, 41–42.* – Dans le *De Sanguisuga* IX, 2 Méthode donne à un certain Eustachius des éclaircissements sur Prov. 30, 15 s. et Ps. 19, 2 (LXX 18, 2)[14]. Il s'attache à décrire le véritable chrétien et rappelle les différents termes par lesquels les saints sont désignés dans l'Ecriture. Elle les désigne par les termes de »jour«, parce que les cieux racontent la gloire de Dieu et »le jour au jour en publie le récit« (Ps. 19, 2); d'»étoile«, parce qu'»une étoile diffère d'une autre étoile en éclat« (1 Cor. 15, 41); de »terre de délices«, car »vous serez une terre de délices« (Mal. 3, 12); d'»épi«, car »la moisson est grande« (Mt 9, 37); d'»arbre«, car »c'est au fruit qu'on reconnaît l'arbre« (Mt 12, 33); de »dieux« enfin, car »moi j'avais dit: vous, des dieux . . .« (Ps. 82, 6 = Jn 10, 34). Il s'agit donc dans ce passage de Méthode d'une simple mention des chrétiens désignés par Paul comme »étoiles«. Mais l'auteur nous en apprend davantage sur la manière dont il comprend le v. 41 dans un texte du *Banquet.* Nous lisons dans le 7e discours que les vierges ne seront pas les seules à bénéficier des promesses, à l'exclusion de la foule des fidèles, car il y a différents rangs, »selon la mesure de la foi de chacun«, comme l'indique Paul lorsqu'il dit qu'une étoile diffère d'une étoile en éclat et qu'autre est la gloire du soleil, autre celle de la lune et autre celle des étoiles[15].

L'idée des différents degrés de gloire entre les chrétiens, à la résurrection, n'est pas nouvelle dans l'histoire de l'exégèse de ce verset, puisqu'elle est déjà apparue chez Irénée. Méthode donne cependant une précision intéressante, lorsqu'il dit que la première place dans la hiérarchie sera accordée aux vierges, car elles auront soutenu jusqu'au bout la lutte pour la chasteté. On peut se demander si les vierges dont il est question ici désignent d'abord la communauté de femmes consacrées à qui le *Banquet* semble être destiné, ou si le terme doit être compris dans un sens plus large: la chasteté est en effet chez Méthode la marque des enfants de Dieu, rendus capables, par Christ, le parfaitement Vierge, de s'abstenir des plaisirs de la chair. L'Eglise elle-même est décrite par l'auteur comme la Vierge-Mère. Aussi H. Musurillo peut-il écrire dans son introduction au *Banquet* (SC 95): »Par sa volonté libre et sa lutte contre la concupiscence, il (l'homme) arrive à reconquérir un peu de cet équilibre qu'avait possédé Adam. Le sommet de ce calme contrôle, cette

[14] Cf GCS p. 487

[15] *Banquet* 7e discours III (SC 95 p. 184).

domination de soi, est la pratique de la chasteté; s'ils ne la possèdent pas au moins en un certain degré, les hommes ne peuvent entrer au ciel«[16]. Pourtant, il semble que dans le texte que nous étudions ici, le terme de »vierges« soit employé au sens spécifique, puisque les vierges sont distinguées du reste des fidèles. Elles forment une catégorie privilégiée au sein des fidèles et comme telles, seront introduites les premières auprès du Père »comme son cortège en la chambre nuptiale, dans le repos des âges nouveaux«[17].

Si ce passage du *Banquet* implique une différence entre le corps terrestre et le corps de résurrection, il en est un autre dans lequel l'auteur s'exprime tout à fait clairement à ce sujet: il s'agit d'un texte du *De Resurrectione* qui tente de cerner la notion de corps spirituel. S'appuyant sur 1 Cor. 15, 42 Méthode admet une différence entre le corps terrestre et le corps de résurrection, mais il précise que cette différence ne porte pas sur la constitution physique du corps[18]. Elle résulte de la perfection morale de ceux qui parviennent à hériter le Royaume et fait du corps corruptible un corps incorruptible, spirituel, sans âge et sans souffrance, capable de connaître complétement ce qu'il ne connaît que de manière voilée ici-bas[19]. Ainsi, Méthode parvient-il à maintenir sa position par rapport à Origène. Le corps spirituel n'est pas substantiellement différent du corps terrestre, comme le prétendait le théologien alexandrin[20].

[16] *Ibid.* p. 19. [17] *Ibid.* p. 187.

[18] *De Res.* III, 16, 5 (GCS p. 412).

[19] *De Res.* III, 16, 8 (GCS p. 413). Cf aussi *De Cibis* VIII, 7 (GCS p. 438). L'auteur explique la contradiction apparente qu'il y a entre la prescription de la Loi qui déclare impur tout animal qui n'a pas le sabot fourchu, fendu en deux ongles et qui ne rumine pas (Lév. 11, 3 = Dt 14, 6), et le Psaume 45, 9 dans lequel il est fait mention de palais d'ivoire. Comment se fait-il que la Loi ordonne de ne pas manger de la chair des animaux qui correspondent à la description donnée ci-dessus et de ne pas toucher à leurs cadavres, et que l'on utilise tout de même les ossements et les dents de l'éléphant? Méthode résout le problème en disant que l'ivoire symbolise les corps spirituels, à la vue desquels Dieu se réjouit lors de la résurrection: »Denn das Elfenbein sind die geistigen Leiber, deren er sich freut, ohne Sünde sie in der Auferstehung sehend. Daher er auch elfenbeinern unsere Leiber nannte, welche, glänzend geworden ähnlich dem Elfenbein durch gute Werke, das Reich Gottes empfangen werden, indem sich Gott ihrer freut, gemäß den zu den Propheten Redenden: ›Ich habe mich derer gefreut, die zu mir gesprochen: In das Haus des Herrn wollen wir gehen‹ (Ps. 121, 1).«

[20] *De Res.* III, 16, 9 (GCS p. 413): »σῶμα λέγεται πνευματικόν, οὐ τὸ λεπτομερὲς καὶ ἀερῶδες, καθὼς λέγουσί τινες ὅτι τοιοῦτον αἱ ψυχαὶ ἐν τῇ ἀναστάσει λήψονται σῶμα, ὧν ἐστιν εἷς καὶ Ὠριγένης, ἀλλὰ πνευματικὸν λέγεται τὸ χωροῦν πᾶσαν τοῦ ἁγίου πνεύματος τὴν ἐνέργειαν καὶ κοινωνίαν, ὥσπερ οἰνηρὸν καὶ ἐλαιηρὸν σκεῦος καλεῖται τὸ τούτων χωρητικόν. ἀναλόγως οὖν καὶ ψυχικὸν ἐκάλεσε τὸ τῇ ψυχῇ καὶ οὐ πνεύματι ἁγίῳ διοικούμενον.«

Pour Méthode, le corps de résurrection est spirituel en tant qu'il est soumis entièrement à l'Esprit, sans perdre toutefois sa corporalité charnelle. Car la chair n'est pas mauvaise en elle-même, comme le montre l'auteur dans un passage de son traité qu'il nous faut examiner ici, parce qu'il nous renseignera sur l'exégèse des vv. 47 et 49 du texte paulinien.

c) *1 Cor. 15, 47 et 49.* – Tout en concédant une différence qualitative entre le corps psychique et le corps spirituel, Méthode maintient son affirmation de la résurrection de la chair. Or, l'objection est connue, Paul a dit aux Corinthiens que »la chair et le sang ne peuvent hériter du Royaume de Dieu«. Méthode, pour répondre à cette objection, fait parler, dans le De Resurrectione, son auxiliaire Ménian[21]. D'entrée, il fait connaître son principe d'interprétation: on peut comprendre le terme »chair« au double sens de »chair« et de »comportement charnel« – vivre selon la chair. Paul est d'ailleurs familier de ces mots qui peuvent avoir une double signification. Lorsqu'il demande aux Colossiens de »mourir aux éléments du monde« (Col. 2, 20), il ne fait pas allusion aux quatre éléments par lesquels toute vie est constituée et maintenue, car il serait impossible de vivre sans eau, sans feu, sans terre et sans air. Les éléments du monde désignent ici le culte des idoles. De même aussi ce n'est pas la chair en tant que telle qui n'héritera pas le Royaume, mais celui qui pratique les œuvres de la chair, ces œuvres que Paul nomme dans I Cor. 6, 9–10 en disant: »Ne savez-vous pas que les injustes n'héritent point du Royaume de Dieu? Ne vous y trompez pas! Ni impudiques, ni idolâtres, ni adultères, ni dépravés, ni gens de mœurs infâmes, ni voleurs, ni cupides, pas plus qu'ivrognes, insulteurs ou rapaces, n'hériteront du Royaume de Dieu«. La chair elle-même n'est ni corruptible, ni incorruptible; elle est en quelque sorte à la frontière de l'incorruptibilité et de la corruptibilité[22], car elle a sombré dans la corruption, vaincue par le plaisir, mais Dieu ne l'a pas abandonnée pour toujours: ayant vaincu la mort, il a délivré la chair de la corruption et l'a livrée à l'incorruptibilité, afin que ce qui était corruptible revête l'immortalité et que ce qui était mortel revête l'immortalité (1 Cor. 15, 53). Ainsi, comme nous avons porté l'image du terrestre, portons aussi celle du céleste (v. 49). Ce verset doit permettre à Méthode de montrer que c'est bien la même chair qui passe de la corruption à

---

[21] *De Res.* II, 17 (GCS pp. 366–68).

[22] *De Res.* II, 18, 3 (GCS p. 368): »μεθόριος τῆς ἀφθαρσίας ἐγενήθη καὶ τῆς φθορᾶς ἡ σάρξ.« La même définition de la chair est exprimée dans le *De Sanguisuga* VIII, 5 (GCS p. 487). La chair désigne avant tout les passions charnelles.

l'incorruption et que, par conséquent, c'est le corps »charnel« qui ressuscite:

»L'image du terrestre que nous avons portée correspond à ces mots: ›Tu es poussière et tu retourneras à la poussière‹ (Gen. 3, 19). Mais l'image du céleste est la résurrection des morts et l'incorruption. Ainsi ›comme le Christ fut ressuscité des morts par la gloire du Père, nous devrions de même marcher en nouveauté de vie‹ (Rom. 6, 4). On pourrait penser que l'image terrestre est la chair elle-même et l'image céleste, au contraire, quelque autre corps spirituel étranger à la chair. Mais il faut considérer avant tout que le Christ, lorsqu'il apparut, porta la même configuration des membres et la même image de chair que la nôtre. Car c'est par celle-ci que, n'étant pas homme, il se fit homme, de sorte que, ›comme tous meurent en Adam, tous de même soient vivifiés dans le Christ‹ (1 Cor. 15, 22). S'il prit la chair sans vouloir l'affranchir et la ressusciter, pourquoi alors le fit-il en vain, puisqu'il ne se proposait pas de la sauver ou de la ressusciter? Mais le Fils de Dieu ne fait rien de superflu. Il ne prit pas la forme d'un esclave sans utilité, mais avec l'intention de la ressusciter et de la sauver. S'il se fit homme et mourut en vérité et non en pure apparence, ce fut afin de montrer qu'il était véritablement le premier-né d'entre les morts, transformant le terrestre en céleste et le mortel en immortel« (De Resurr. II, 18)[23].

Méthode tire donc de la référence au Christ deux arguments en faveur de sa thèse: 1. le Christ, bien que portant le qualificatif d'»homme céleste«, s'est fait chair. Le terme de »céleste« ne peut pas s'opposer à celui de »charnel«. Il n'est pas exclu par conséquent que les hommes célestes aient une constitution charnelle. 2. si le Christ a revêtu la chair, c'est pour la sauver. La chair est ainsi promise à la résurrection.

Pour intéressante que soit cette argumentation, on remarquera que le rappel de l'incarnation ne convient pas ici, car le corps du Christ a été transformé après la résurrection, comme les récits d'apparitions des Evangiles en témoignent, et cette transformation a porté précisément sur la constitution charnelle de son corps — puisque le ressuscité a pu se trouver dans une chambre sans avoir passé par la porte!

Quant à l'exégèse que l'auteur donne des vv. 47 et 49, elle n'apporte pas d'éléments essentiellement nouveaux. L'antithèse entre l'image du terrestre et l'image du céleste est interprétée au sens de l'opposition entre péché et vie nouvelle. Le renvoi à Gen. 3, 19 et la mention du jugement prononcé contre Adam après la désobéissance sont traditionnels. Méthode a expliqué clairement ailleurs que la chair

[23] *De Res.* II, 18, 6–8 (GCS pp. 369–70). Nous empruntons la traduction de ce passage à J. Quasten *Initiation aux Pères de l'Eglise* II, Paris, 1958, pp. 160–161.

était devenue corruptible parce qu'elle avait cédé au plaisir. Comme d'autres avant lui, l'auteur exhorte ses lecteurs à vivre la vie nouvelle reçue au baptême et il cite Rom. 6, 4.

Si donc l'exégèse de Méthode ne parvient pas à nous convaincre de la participation de la chair au Royaume, elle n'apporte pas non plus de lumières nouvelles sur le problème qui nous occupe dans ce travail. Pour l'auteur, la résurrection des croyants est un rétablissement de leur condition originelle et la résurrection du Christ est considérée comme réparation de l'œuvre de la création que le péché a faussée. Dans son opposition à Origène, Méthode a voulu souligner la valeur de la chair et de la matière dans le plan divin, en montrant que c'est la concupiscence, non la chair en elle-même, qui est mauvaise. Cette idée est bien caractéristique de la pensée néo-testamentaire, et avant elle, de l'Ancien Testament. Il faut cependant se demander si le terrain sur lequel l'adversaire d'Origène se place est adéquat. Il n'est pas certain en effet que ce soit par sa participation à la résurrection que la valeur de la chair doive être démontrée. Il y a une possibilité d'éviter le dualisme chair-Esprit, sans affirmer pour autant l'identité matérielle, charnelle, du corps de résurrection avec le corps terrestre: c'est la voie que saint Paul a choisie en disant que le corps corruptible et le corps de gloire sont tous deux l'œuvre du même Dieu créateur et sauveur. De même que la Loi n'était pas mauvaise en elle-même, mais qu'elle avait une durée limitée, comme une sorte de parenthèse dans le plan divin, ainsi le corps terrestre, sans être mauvais en lui-même, a été donné à l'homme pour une durée limitée; il doit être remplacé, à la résurrection, par le corps spirituel, achèvement de l'œuvre de la création et dernière étape de l'économie divine.

B) Les écrivains occidentaux du 3 e. s.

a) Tertullien

La résurrection est un des thèmes qui a préoccupé Tertullien. Il y a consacré un traité particulier, mais ne manque pas d'y faire allusion dans d'autres œuvres aussi. Dans cette question, le théologien africain se réfère constamment à l'apôtre Paul et, ce qui est pour nous d'un grand intérêt, il donne à deux reprises une exégèse suivie — la première que nous rencontrions — de 1 Cor. 15, 35—49.

a) *L'exégèse que Tertullien donne dans le De Res. 48—49 et 52—53*[1]. — Pour l'auteur, il s'agit de réfuter la thèse de ceux qui pré-

[1] Nous citons Tertullien d'après l'édition du CCL 1—2 *Tertulliani Opera*, 1954.

tendent que la chair ne participera pas à la résurrection et qui invoquent 1 Cor. 15, 50 en faveur de leur thèse. Avec le théologien africain, nous quittons donc le terrain sur lequel nous avaient entraînés les Alexandrins pour retrouver la préoccupation dont témoignaient les écrits d'Irénée au sujet de la résurrection corporelle.

D'entrée, Tertullien remarque que poser, comme le fait Paul au v. 35[2], la question de la nature ou de la qualité du corps de résurrection, c'est déjà admettre la réalité de la résurrection du corps. Mais la question est de savoir si la chair ressuscite. Pour répondre, l'auteur cite le v. 47 en introduisant quelques adjonctions[3]:

> »Primus, *inquit,* homo de terra, choicus, *id est limacius, id est Adam,* secundus homo de caelo, *id est sermo dei, id est Christus*« (*De Res*, 49, 2).

Mais le Christ, bien que céleste, est formé de chair et de sang comme Adam, et c'est pourquoi il peut être appelé »second Adam«[4]. C'est pourquoi aussi l'apôtre peut dire: »tel est le terrestre, tels sont aussi les terrestres, tel est le céleste, tels seront aussi les célestes«[5]. Tertullien s'interroge ensuite pour savoir ce qui distingue les terrestres des célestes: est-ce une question de substance ou de comportement et des mérites qui y sont rattachés? Les terrestres et les célestes ne diffèrent pas entre eux par la substance de leurs corps, puisque tous deux ont reçu de l'apôtre le nom d'hommes (49, 4). Christ, bien qu'appelé céleste – même céleste par excellence: »supercaelestis« – est pourtant aussi un homme, parce qu'il est constitué d'un corps et d'une âme et ne se distingue en rien des terrestres, sous le rapport de sa substance corporelle (49, 5). Par conséquent, ceux qui, sur le modèle du Christ, sont appelés célestes, sont ainsi désignés non

---

[2] Tertullien cite le v. 35 sous la forme suivante: »Quomodo resurgent (vulg. resurgunt) mortui? Quo autem (vulg. qualive) corpore venient?« (48, 14). On note que l'auteur traduit avec le grec par un futur: resurgent.

[3] Nous soulignons les adjonctions de Tertullien au texte de Paul.

[4] Tertullien aborde ce problème de la réalité charnelle du Christ dans deux passages du *De Carne Christi* en rapport avec le titre de »second Adam«. Le premier texte, XVII, 4 porte sur une comparaison des deux Adam et vise à montrer que le Christ a été formé de la terre, tout comme le premier Adam. Dans le second texte, XXII, 6 Tertullien invoque en faveur de la réalité de la chair du Christ sa filiation de Marie à David, de David à Abraham et d'Abraham à Adam. Si l'on veut attribuer au Christ une chair spirituelle, il faut aussi admettre que tous ses descendants ont eu une telle chair; ou alors, il faut admettre que la chair du Christ n'a pas été spirituelle.

[5] Tertullien ne suit pas la vulg. qui traduit »terrestre« par »terrenus«, mais il emploie le terme grec »choicus« dans la citation du v. 48 (49, 4), comme il l'avait d'ailleurs déjà fait pour le v. 47 cité en 49, 2.

pas à cause de la substance de leurs corps[6], mais en vertu de leur future transfiguration (»de futura claritate«). Paul en effet a montré qu'à cause de la différence des mérites, la gloire des célestes est autre que celle des terrestres, l'éclat du soleil autre que celui de la lune et que celui des étoiles – car, précise Tertullien, c'est en éclat qu'une étoile diffère d'une autre, non en substance. A cette idée des mérites traduits par un éclat correspondant lors de la résurrection, l'apôtre ajoute une exhortation morale: comme nous avons porté l'image du terrestre, portons aussi celle du céleste. Ce v. 49, Tertullien le comprend ainsi: nous avons porté l'image du terrestre en cela que nous avons tous participé à la transgression à la suite de laquelle Adam a été chassé du paradis; par contre nous porterons l'image du céleste quand nous changerons d'attitude et que nous marcherons sur les traces du Christ dans la sainteté, la justice et la vérité (49, 6–7). L'image du terrestre et l'image du céleste consistent donc dans deux manières de vivre, l'une à rejeter, l'autre à adopter.

Ainsi pour le théologien africain, la chair et le sang ne sont rien d'autre que ce que l'apôtre appelle ailleurs l'image du terrestre; et cette dernière désigne un comportement dont les fruits sont le boire et le manger (49, 13). Rien ne s'oppose à ce que le corps participe à la résurrection si l'on comprend ainsi 1 Cor. 15, 50. Mais Tertullien introduit une distinction entre la résurrection et le Royaume. C'est pourquoi il peut dire que si la chair et le sang participent à la résurrection en tant que substances, ils n'auront part au Royaume qu'après avoir été transformés par l'Esprit[7]. Tertullien aborde alors la question de la nature du corps de résurrection, et c'est à ce propos qu'il commente 1 Cor. 15, 35–49.

---

[6] Dans le *De Carne Christi* VIII, 5 Tertullien montre, contre Marcion et Apelles, que la chair du Christ était semblable à la nôtre. Pour ses adversaires, la chair est mauvaise et pécheresse; le Christ ne peut donc pas en être revêtu. Il est par contre formé d'une substance plus pure, ainsi que semble l'indiquer le v. 47: »primus homo de terrae limo, secundus homo de caelo«. Tertullien répond à cette thèse en expliquant précisément ce verset sur lequel ses adversaires paraissent s'appuyer. Pour lui, Paul veut opposer non pas deux substances, mais Adam et Christ, le premier étant le représentant de tout ce qui est terrestre, le second de ce qui est céleste. C'est pourquoi ceux qui sont en Christ sont appelés »célestes«, bien qu'ils demeurent dans la chair terrestre. Ils sont célestes par l'Esprit qui les habite. A cet argument, Tertullien en ajoute un autre en disant que si Christ était revêtu d'une chair céleste, ceux qui ne sont pas célestes dans leur chair, c'est-à-dire les hommes, ne pourraient pas lui être comparés. Or la comparaison est possible parce que Christ a été céleste tout en restant dans un corps charnel. Ainsi pour Tertullien, le v. 47 n'oppose pas deux substances, mais deux manières d'être.

[7] »Non enim resurrectio carni et sanguini directo negatur, sed dei regnum, quod obvenit resurrectioni – est autem et in judicium resurrectio – immo et confirmatur carnis resurrectio generalis, cum specialis excipitur« (50, 2).

Pour l'auteur, Paul répond à une question qui lui a été posée (52, 1) et il indique une différence entre ce qui est semé et ce qui sort de terre. Mais l'apôtre ne veut pas par là exclure le corps semé de la résurrection[8]; au contraire: Dieu donne un corps au grain qui a été semé nu et pourquoi agirait-il ainsi, sinon pour que le grain ne ressuscite pas nu? (52, 6–8). Il y a donc continuité corporelle entre la vie terrestre et la résurrection: le grain semé nu dans la terre est enrichi par le corps que Dieu lui donne. C'est ce qui permet à Paul de montrer que toute chair n'est pas la même chair: Dieu revêt ceux qui lui appartiennent de corps de qualités différentes, proportionnelles aux mérites de chacun (52, 11)[9], comme semblent l'indiquer les vv. 39–41, que Tertullien comprend de la façon suivante:

»In hoc et figurata subicit exempla animalium et elementorum: ›Alia caro hominis‹, id est serui dei, qui vere homo est, ›alia jumenti‹, id est ethnici, – de quo et propheta: ›Adsimilatus est‹, inquit, ›homo inrationabilibus jumentis‹[10], – ›alia caro volatilium‹, id est martyrum, qui ad superiora conantur, ›alia piscium‹, id est quibus aqua baptismatis sufficit. Sic et de supercaelestibus corporibus argumenta committit: ›alia gloria solis‹, id est Christi, ›et alia lunae‹, id est ecclesiae, ›et alia stellarum‹, id est seminis Abrahae[11]. Et ›stella enim a stella differt in gloria, et corpora terrena et caelestia‹, Judaeus scilicet et Christianus« (52, 12–13).

Cette interprétation allégorique semble à Tertullien justifiée par le fait que Paul a mélangé dans son énumération des corps d'animaux, les corps des lumières célestes et des corps humains, bien qu'il n'y ait entre eux aucun point de comparaison, aussi bien sous le rapport de la substance que sous celui de l'espérance de la résurrection. Ces exemples illustrent, non une différence qui porte sur la substance des corps, mais une différence de mérites ou de gloire.

---

[8] »Hoc ergo jam de exemplo seminis constat non aliam vivificari carnem quam ipsam, quae erit mortua, et ita sequentia relucebunt« (52, 2).

[9] Parmi ces mérites, le martyre joue un rôle important, ainsi qu'en témoigne un texte du *Scorpiace* dans lequel l'auteur cite 1 Cor. 15, 41 (VI, 7). Le *Scorpiace* est un traité »contre la piqûre du scorpion«, c'est-à-dire contre les gnostiques, que l'auteur compare à des scorpions. Les quinze premiers chapitres sont une défense du martyre. Tertullien montre que le martyre n'expose pas seulement la foi à une épreuve, mais qu'il aide la foi à croître. La foi aspire à quelque chose de meilleur et redouble de zèle pour obtenir ce qui est promis; d'où les diverses demeures dans la maison du Père (Jn 14, 2 ss); d'où aussi les différents degrés de gloire auxquels Paul fait allusion dans 1 Cor. 15, 41.

[10] Ps. 49, 21 = LXX 48, 21.

[11] Cf Gen. 15, 5 que Tertullien cite en relation avec 1 Cor. 15, 41 dans *Adv. Marc.* V, 20, 7: »Agnosco veterem ad Abraham promissionem creatoris: et faciam semen tuum tamquam stellas in caelo. Ideo et stella a stella differt in gloria« (vulg. in claritate).

C'est ainsi qu'il en ira lors de la résurrection (52, 15): le corps de résurrection sera de même substance que le corps terrestre[12].

Tertullien en arrive ainsi aux antithèses des vv. 42—44, à partir desquelles on pourrait d'ailleurs montrer que ce qui ressuscite est différent de ce qui a été semé. L'explication du théologien africain mérite donc toute notre attention. Tertullien commence par affirmer que ce qui sort de terre n'est pas autre chose que ce qui a été semé, et ce qu'on sème, ce n'est pas autre chose que ce qui se décompose en terre; enfin ce qui se décompose en terre, ce n'est pas autre chose que la chair, cette chair au sujet de laquelle Dieu a dit: »tu es poussière et tu retourneras à la poussière« (Gen. 3, 19). Ainsi se trouve déjà expliqué le verbe »semé«: il s'agit du retour à la terre, prédit au corps dans le texte de Gen. 3, 19; le corps retourne à la terre, comme le grain de semence est mis en terre lorsqu'il est semé. Mais que signifie ce corps qui ressuscite incorruptible, glorieux, spirituel? Tertullien l'explique dans le chap. 53 de son traité. Il réfute d'abord l'opinion de ceux qui pensent que le »corps animal« désigne l'âme — s'appuyant peut-être pour cela sur l'ambiguité de la terminologie paulinienne σῶμα ψυχικόν. S'il en était ainsi, il faudrait montrer qu'après la mort, l'âme meurt, elle aussi, qu'elle est enterrée (semée), détruite, dissoute dans la terre, pour ensuite ressusciter. Or cela n'est pas le cas. Il suffit de se rappeler l'exemple de Lazare pour s'en convaincre: Lazare est ressuscité dans sa chair et, lorsqu'il était dans le tombeau, c'est sa chair qui a exhalé l'odeur de la putréfaction, alors que son âme était restée intacte, car personne ne l'a entourée de bandelettes pour la mettre au tombeau et personne n'a constaté qu'elle sentait! Lorsqu'il emploie l'expression »corps psychique«, Paul désigne le corps de chair. Cela ressort aussi de la typologie adamique à laquelle Paul renvoie (v. 45 = Gen. 2, 7) qui permet à Tertullien de préciser que le »corps psychique«, c'est le corps ou, comme il dit, la chair, animée par le souffle de vie que Dieu a insufflé dans les narines du premier homme. Ainsi la chair, animée par l'âme, devient »corps psychique«, alors que l'âme ne peut pas être un »corps psychique«, parce que sa fonction n'est pas d'être animée, mais d'animer (53, 8) et que, de plus, l'âme n'est jamais désignée comme entité séparée.

Poursuivant son explication, Tertullien montre que si c'est le »corps psychique« qui est semé — et non l'âme, comme le prétendent à tort certains — c'est aussi le corps, et non l'âme qui ressuscite. En effet, Adam fut d'abord chair — et non âme — pour devenir ensuite

[12] »Postremo cum per haec differentiam gloriae, non substantiae, conclusisset, ›Sic‹, inquit, ›et resurrectio mortuorum‹. Quomodo? Non de alio aliquo, sed de sola gloria differens« (52, 15).

»âme vivante«. Et si Paul a pu appeler le Christ »second Adam«, c'est parce que, comme Adam, il était d'abord chair et non âme. C'est pourquoi l'apôtre peut énoncer ce principe que ce n'est pas ce qui est spirituel qui vient d'abord, mais ce qui est animal (53, 13). Ce principe est valable aussi bien pour le premier que pour le second Adam. S'il est possible et légitime de parler de premier et de second Adam, c'est donc bien parce que tous deux ont été chair; si l'un était chair et l'autre âme, on ne pourrait pas parler de premier et de second. En résumé, Paul peut argumenter à partir de la typologie adamique parce que tous deux, aussi bien Adam que le Christ, sont chair; ils se distinguent l'un de l'autre seulement par le fait que l'un vient »de la terre« et l'autre »du ciel« (53, 15), mais la différence ne porte pas sur la substance de leurs corps. Pour Tertullien, la conclusion s'impose: c'est bien la chair qui ressuscite, mais elle ressuscitera dans une condition qui correspondra aux mérites acquis ici-bas, d'où les antithèses que Paul énonce aux vv. 42–44. C'est bien le même corps qui meurt et qui ressuscite. La différence porte sur les qualités des deux corps[13].

Avant de faire quelques remarques sur cette exégèse, il faut encore suivre l'exposé de la même question, tel que Tertullien le présente dans l'*Adversus Marcionem*, pour voir dans quelle mesure

[13] En terminant son exposé sur le »corps psychique«, Tertullien prévoit encore une dernière objection. Par la foi en effet, l'Esprit prend possession de la chair des croyants. Comment peut-on dire que c'est encore un corps »psychique« qui est semé, enterré? L'auteur répond en montrant que la réalité du corps spirituel est une réalité future. L'Esprit donné ici-bas aux croyants l'est comme prémices: »Plane accepit et hic spiritum caro, sed arrabonem, animae autem non arrabonem sed plenitudinem« (53, 18). A ce propos, on peut d'ailleurs citer un passage de *De Anima* XI, 3 dans lequel Tertullien défend le récit biblique de la création contre des hérétiques qui affirment qu'une semense spirituelle a été introduite dans l'âme par la libéralité secrète de Sophia et à l'insu du Créateur. Or, l'Ecriture affirme seulement que Dieu a insufflé à l'homme un souffle de vie et que, de ce fait, l'homme devint une âme vivante. L'âme seule est une donnée créationnelle; l'Esprit n'est donné qu'à ceux qui triomphent des œuvres de la chair: il est de l'ordre de la rédemption. C'est pourquoi Paul précise au v. 46: »Non primum quod spirituale, sed quod animale, postea spirituale« et Tertullien commente ainsi: »Primo enim anima, id est flatus, populo in terra incedenti, id est in carne carnaliter agenti, postea spiritus eis qui terram calcant, id est opera carnis subiugunt.« L'auteur fait encore allusion au v. 46 dans *De Mon.* V, 5 où il montre que le commencement et la fin du monde sont dans la même relation que l'alpha et l'oméga: l'alpha tend vers l'oméga et ce dernier se réfère au premier. Or Christ résume cette relation en ramenant toutes choses comme elles étaient à l'origine: »et adeo in Christo omnia revocantur ad initium (...)« et plus loin: »Sed et si initium transmittit ad finem, ut α ad ω, quomodo finis remittit ad initium, ut ω ad α, atque ita census noster transfertur in Christum, animalis in spiritalem, quia non primo quod spirituale est, sed quod animale, dehinc quod spirituale (...).«

ce dernier confirme ou complète ce que l'auteur a dit dans les chapitres du *De Resurrectione* que nous venons de lire.

b) *L'exégèse que Tertullien donne dans l'Adv. Marc. V, 10.* – Si Tertullien a défendu la résurrection de la chair contre les hérétiques de toutes sortes dans son *De Resurrectione*, il y revient lorsqu'il réfute Marcion[14]. Il base son argumentation sur la pratique du baptême pour les morts, à laquelle Paul fait allusion dans 1 Cor. 15, 29. Pour lui, Paul mentionne cette pratique pour établir la réalité de la résurrection du corps; car il n'y a qu'un baptême (Eph. 4, 5) et être baptisé pour les morts signifie: être baptisé pour les corps – car c'est bien le corps qui meurt. La question, selon Tertullien, est alors celle-ci: que font ceux qui se font baptiser pour les morts (= pour des corps), si les corps ne ressuscitent pas? (10, 2). La pratique du baptême pour les morts suffit à établir la réalité de la résurrection corporelle. Mais, la question qui reste alors est de savoir quelle sorte de corps sera le corps de résurrection (cette question, Paul la pose au v. 35, comme le note Tertullien: 10, 3)[15]. A partir d'ici, il n'est plus possible de poursuivre le dialogue avec Marcion: en effet l'apôtre est interrogé sur la qualité du corps de résurrection, ce qui présuppose que ses interlocuteurs admettaient la résurrection du corps; c'est pourquoi tous les exemples que l'apôtre cite aux vv. 37–41 (le grain de semence, les différentes sortes de corps) impliquent la résurrection corporelle, voire même charnelle. Or Marcion, lui, n'admet pas la résurrection de la chair: il promet le salut à l'âme seulement. Tertullien ne peut que convaincre son adversaire d'erreur sur ce point en montrant d'abord que le corps est semé à la manière des plantes et qu'il ressuscite de la même manière: la plante est semée en tant que corps et elle ressuscite en tant que corps aussi. Or ce qui, pour le corps humain, correspond aux semailles, c'est la

[14] L'histoire de la rédaction de l'*Adv. Marc.* est assez compliquée. A en croire Tertullien lui-même (*Adv. Marc.* 1, 1) l'ouvrage a été rédigé une première fois. Mais l'auteur, reniant cette première version, »composée avec trop de hâte«, en a fait une seconde, qui lui a été volée! Le texte que nous avons est donc la 3e édition. Il semble que les livres IV et V, que l'auteur consacre au texte marcionite des Evangiles (IV) et des Epîtres pauliniennes (V) n'appartiennent qu'à cette rédaction finale du traité (cf G. Quispel *De bronnen van Tertullianus' Adversus Marcionem*, Leiden, 1943; et du même auteur: »Ad Tertulliani Adversus Marcionem librum observatio«, *VigChr.* 1 [1947], 42). Quoi qu'il en soit, si Tertullien rédigea le Livre I en 207, le Livre V est postérieur au *De Resurrectione* qu'il cite et qui date d'env. 210–212. C'est pourquoi nous faisons précéder notre étude du texte de l'*Ad. Marc.* de celle du *De Res.*

[15] Même texte que dans *De Res.* 48, 14: »Quomodo mortui resurgent? Quo autem corpore venient?« Il n'est d'ailleurs pas étonnant que le texte de Tertullien diffère dans le détail de celui de la Vulgate, puisqu'il utilise probablement la Vetus Latina (Itala).

dissolution dans la terre (10, 5). Mais si le corps est semé dans la corruption, Paul affirme aussi qu'il ressuscite glorieux, s'il est semé psychique, il ressuscite spirituel. On pourrait penser – et Tertullien reprend la thèse des adversaires qu'il avait déjà mentionnée dans le *De Resurrectione* – que l'âme et l'esprit ont chacun leur corps propre. Paul voudrait alors dire qu'à la résurrection, l'âme deviendra esprit. Telle n'est pas la pensée de l'apôtre. S'il parle de corps psychique, animal, c'est pour désigner le corps qui est maintenu en vie par ce souffle que Dieu a insufflé à l'homme pour faire de lui une »âme vivante«. C'est ce corps-là qui deviendra spirituel après la résurrection – car ce n'est pas ce qui est spirituel qui vient en premier (v. 46, cité par Tertullien en 10, 6).

Tertullien trouve la confirmation de son exégèse du texte paulinien dans la typologie adamique à laquelle l'apôtre recourt au v. 45 (10, 7). Marcion, il est vrai, change le texte ὁ ἔσχατος Ἀδάμ en ὁ ἔσχατος Κύριος parce qu'il craint qu'en désignant le Seigneur par l'expression »second Adam«, on ne doive conclure que le Christ est du même Dieu qui a formé le premier Adam. Mais, au dire de Tertullien, l'erreur de Marcion est manifeste: pourquoi parler d'un premier homme (Adam), si ce n'est parce qu'il y a un second Adam? Si on peut parler de premier et de second, c'est parce que les personnes ici désignées se ressemblent, ont un même nom, une même substance, une même origine (10, 8). Tertullien montre ensuite que Marcion donne raison à ses adversaires en maintenant le terme d'»homme« dans sa traduction de saint Paul. Il dit en effet pour le v. 47: »primus homo de humo terrenus, secundus de caelo« (10, 9). Si le premier était homme, comment parler de »second«, si ce second n'est pas un homme aussi? Ou si le second est Seigneur, le premier est-il Seigneur aussi? Enfin, le passage suivant est décisif, selon Tertullien: Paul, au v. 48, ne pouvait pas ne pas opposer aux hommes »terrestres« des hommes »célestes«, ces adjectifs servant à distinguer plus exactement la nature et les espérances de ceux qui sont désignés par le même terme d'»hommes«. C'est pourquoi Paul dit au v. 49: »Comme nous avons porté l'image du terrestre, portons aussi celle du céleste« (10, 10). Cet ordre (»portemus«) se rapporte au temps présent: il s'agit d'un précepte et non d'une promesse pour l'avenir. Paul veut dire par là que nous devons marcher comme lui-même l'a fait, en écartant les œuvres de la chair – car la chair et le sang n'hériteront pas du Royaume (v. 50). Tertullien précise, comme il l'avait fait dans le *De Resurrectione*, que par »chair«, Paul entend les œuvres de la chair, ainsi que l'indiquent Gal. 5, 19–21 et surtout Rom. 8, 8. C'est donc bien la chair qui ressuscite. Pour bien montrer que rien ne s'y oppose, Tertullien donne un exemple: celui d'un poison administré. Le bol dans lequel le poison est versé n'est pas coupable de la mort de la victime. Par conséquent le corps dans lequel l'âme pratique les œuvres de la chair ne doit pas être puni. Ce n'est donc pas la chair en tant que substance que l'apôtre exclut de la résurrection (10, 12)[16]. Toutefois le théologien africain rappelle ici la distinction qu'il a faite ailleurs: la chair aura part à la résurrection; mais pour obtenir le Royaume, il faudra qu'ensuite, elle se transforme (10, 13–14)[17].

Les deux textes dans lesquels Tertullien fait l'exégèse de 1 Cor. 15, 35–49 se recoupent. On y retrouve exactement les mêmes éléments et les mêmes nuances dans l'interprétation. L'affirmation centrale de l'auteur reste sa thèse de la résurrection de la chair en vue du jugement. On retrouve là d'une certaine manière la théologie d'Irénée; mais chez l'évêque de Lyon, la chair ressuscitait transformée sous l'action de l'Esprit. La résurrection paraissait donc réservée aux croyants. Chez Tertullien, il y a résurrection générale. Ce n'est qu'ensuite que les corps sont transfigurés selon les mérites de chacun pour avoir part au Royaume. L'auteur pense ainsi pouvoir concilier les deux textes pauliniens de 1 Cor. 15, 50 – la chair et le sang, en tant que substances, ont part à la résurrection, selon Tertullien – et 1 Cor, 15, 35–49, qui laisse apparaître une différence entre ce qui est semé et ce qui sort de terre. A vrai dire, même si l'interprétation que donne l'auteur de 1 Cor. 15, 50 nous paraît justifiable, il nous semble difficile de défendre la thèse de la résurrection de la chair à l'aide de textes pauliniens[18]. Il faut admettre que sur ce point, Tertullien, comme Irénée, se séparent de l'apôtre, embarassés qu'ils ont été tous deux pour saisir la signification du corps »spirituel«.

---

[16] »Quodsi in nomine carnis opera, non substantiam carnis jubemur exponere, operibus ergo carnis, non substantiae carnis in nomine carnis denegatur dei regnum« (V, 10, 12).

[17] »Ceterum aliud resurrectio aliud regnum. Primo enim resurrectio, dehinc regnum. Resurgere itaque dicimus carnem, sed mutatam consequi regnum« (V, 10, 14).

[18] L'interprétation que Tertullien donne de 1 Cor. 15, 50 est d'ailleurs très ambiguë. Il semble que l'auteur pourrait être d'accord avec Paul et comprendre la chair et le sang au sens de substances, puisqu'il affirme que la chair n'aura part au *Royaume* que transformée; donc en tant que tels, selon Tertullien, la chair et le sang ne participent pas au Royaume – mais ils participent à la résurrection. Cependant, l'auteur veut comprendre »chair et sang« comme symboles d'un *comportement* selon la chair et le sang. Cela veut dire que ceux qui vivent selon la chair n'auront pas part au Royaume. Ils ressusciteront – ce qui permet à Tertullien de défendre la résurrection générale de tous les hommes – et seront jugés indignes de participer au Royaume de Dieu.

Il y a dans l'exégèse de Tertullien beaucoup d'éléments qui sont traditionnels: la thèse que la fin est un retour à l'origine ou l'idée que les degrés de gloire des corps à la résurrection reflètent les mérites acquis ici-bas; ce qui est nouveau par contre, c'est sa manière de mettre les vv. 47 ss. en rapport avec la nature du Christ. Il y a là une amorce de ce que seront les querelles christologiques au 4e s. et nous verrons que ces querelles se reflètent dans l'interprétation de 1 Cor. 15, 35–49, parce que plusieurs auteurs s'appuient sur ce texte pour répondre aux défenseurs de l'arianisme. Historiquement, l'exégèse de Tertullien est donc là au point de départ d'une ligne d'interprétation que nous n'avons pas encore rencontrée et qui sera développée largement au 4e siècle.

b) Hippolyte de Rome

Parmi les écrits perdus d'Hippolyte figure un Traité sur la Résurrection portant le titre: »Sur Dieu et la résurrection de la chair«[1]. De très courts fragments nous en sont conservés, en grec par Théodoret de Cyr et Anastase le Sinaïte, en syraque sous le nom de »Sermon sur la résurrection à l'impératrice Mamea«[2]. Ces textes n'apportent pourtant aucun élément à notre histoire de l'exégèse. Pour rencontrer des citations du texte paulinien qui nous occupe, il faut nous tourner vers d'autres ouvrages d'Hippolyte. Nous n'y trouverons d'ailleurs pas une exégèse suivie comme celle que nous a donnée Tertullien. On peut même dire qu'Hippolyte renvoie à saint Paul pour appuyer certaines affirmations christologiques, sans se préoccuper du problème de la résurrection et surtout sans aborder la question des rapports entre le corps psychique et le corps spirituel. De la péricope qui nous intéresse, il ne mentionne que les vv. 45–48. Néanmoins, il vaut la peine de consacrer quelques lignes à ce que dit Hippolyte de ces versets, parce que cela confirme la remarque que nous avons faite à propos de Tertullien et de son interprétation de ces mêmes versets – interprétation qui annonce celle des auteurs du 4e siècle.

Au livre VI de l'*Elenchos*, dans la réfutation qu'il donne du système gnostique de Marc le Mage, Hippolyte fait allusion à 1 Cor. 15, 45 et exprime au moyen de la terminologie paulinienne

[1] Ce traité est mentionné par Jérôme *De vir. ill.* 61 et par la liste des œuvres d'Hippolyte qui figure sur la statue de leur auteur, statute élevée probablement par la communauté d'Hippolyte dans la chambre sépulcrale où ses restes furent déposés, et retrouvée en 1551.

[2] Cf GCS 1, 2 (1897), ed. H. Achelis.

l'idée que le »dernier homme« est apparu pour racheter le »premier homme«[3]. Christ rachète l'humanité adamique; il l'a régénère. C'est la doctrine irénéenne de la récapitulation que nous retrouvons ici, comme ailleurs chez Hippolyte. On lit par exemple dans le *Commentaire sur Daniel:* »Le Père, en soumettant à son propre fils tout ce qui est dans les cieux, ›sur la terre et sous la terre‹ a pleinement démontré en tout qu'il est le premier né ›entre tous‹: (...) premier-né d'une Vierge, pour qu'il soit évident qu'il recrée en lui le protoplasme Adam; ›premier-né des morts‹ pour être ›les prémices‹ de notre résurrection«[4]. Mais le texte le plus explicite à ce sujet est ce fragment, cité par Théodoret, et dans lequel la terminologie de l'apôtre est employée de façon intéressante:

»Celui par qui le premier homme, pétri de la terre, étant perdu et enchaîné dans la mort, fut arraché du fond de l'Hadès, celui qui descendit d'en haut et releva ce qui était en bas, l'évangéliste des morts, le rédempteur des âmes, la résurrection des corps au tombeau, était le même qui, pour secourir l'homme vaincu, a pris sa nature; Verbe premier-né, il visite dans (le sein de) la Vierge Adam, premier-homme; spirituel, il va chercher l'homme matériel dans le sein d'une mère; éternellement vivant, il va chercher l'homme qu'une désobéissance a tué; céleste, il appelle en haut l'homme terrestre; noble, il veut affranchir l'esclave par sa propre obéissance (...).«[5]

Cette citation nous amène à mentionner un autre passage de l'*Elenchos*[6]. L'auteur y combat l'hérésie d'un certain Justin – un nom qu'on ne sait à qui rattacher, mais qui désigne le représentant d'un système gnostique. La discussion porte sur la nature charnelle du Christ sur la Croix et le texte dit que sur la Croix, Jésus a remis à Edem son corps terrestre (cf Jn 19, 26: »Femme, voici ton Fils«), alors que son Esprit est retourné au Père. Or ici, l'auteur s'exprime en termes pauliniens: ce qui a été remis à Edem, c'est l'homme psychique. Ce texte vise à montrer que sur la Croix, le Christ était pleinement homme, puisqu'il était revêtu d'un corps terrestre.

Nous sommes ainsi conduits à examiner un dernier passage, extrait de l'*Homélie sur la Pâque:*

»Comme il (le Christ) revêtit complétement en lui-même toute l'›image‹

---

[3] *Elenchos* VI, 47, 3 = GCS 26 (Hippolyte III) 179, 10.

[4] Hippolyte *Commentaire sur Daniel.* Introd. de G. Bardy. Texte établi et traduit par M. Lefèvre (SC 14), Paris, 1947 pp. 175–76.

[5] *PG* 83 col. 173. Nous empruntons la traduction française à A. d'Alès *La théologie de saint Hippolyte* (Bibl. de théol. hist.), Paris, 1906 p. 181. Il faut souligner particulièrement dans ce texte les phrases suivantes: »ὁ πνευματικὸς τὸν χοϊκὸν ἐν τῇ μήτρα ἐπιζητῶν« – »ὁ οὐράνιος τὸν ἐπίγειον εἰς τὰ ἄνω καλῶν«.

[6] *Elenchos* V, 26, 32 = GCS 26 (Hippolyte III) 132, 1.

(de Dieu) et que, dépouillant ›l'homme ancien‹, il le changea en ›l'homme céleste‹, alors cette image mélangée à lui monta avec lui dans les cieux.«[7]

Il s'agit d'un texte relatif à l'Ascension. L'auteur veut montrer que le corps est digne de ressusciter et de monter aux cieux, car le corps terrestre revêtu par le Christ est l'image de Dieu et le Christ a transformé le vieil homme en homme céleste. Si le texte de l'*Elenchos* que nous avons cité insistait sur l'humanité du Christ, le fragment sur l'Ascension atteste un souci quelque peu différent: il s'agit de montrer que la divinité du Christ n'a été diminuée en rien par l'incarnation; cette dernière ne compromet pas la divinité du Christ. Cette préoccupation peut-elle être encore celle d'Hippolyte, ou est-elle celle d'un auteur postérieur? P. Nautin[8] penche pour la seconde solution: l'auteur écrit après l'arianisme et cherche à ne pas donner prise à celui-ci. Mais il écrit avant que l'apollinarisme ne soit condamné. Pour P. Nautin, l'auteur de l'*Homélie* est un homme du 4e siècle qui a utilisé comme source de son écrit le *Traité sur la Pâque* d'Hippolyte.

Pour notre part, nous ne voyons pas de raisons majeures de ne pas adopter cette hypothèse, d'autant plus que les textes cités attestent déjà une préoccupation différente chez l'auteur de l'*Elenchos* et chez celui de l'*Homélie*. Il nous suffisait d'ailleurs de mentionner ces textes qui montrent que certaines expressions pauliniennes de 1 Cor. 15, 35—49 ont été utilisées pour parler du Christ, du mystère de son incarnation et de la régénération de l'humanité adamique qu'il a opérée.

c) Cyprien

On sait que deux ouvrages de l'évêque de Carthage sont »de simples tissus de textes scripturaires«[1]. Il s'agit de l'*Ad Fortunatum de exhortatione Martyrii* et des *Testimoniorum libri III* rédigés à la demande de Quirinus (d'où leur titre »Ad Quirinum«). Dans les deux textes, les citations scripturaires sont groupées sous des titres qui permettent de suivre l'auteur dans sa démonstration; si l'*Ad Fortunatum* ne comprend que 13 titres, l'*Ad Quirinum* par contre est plus étendu. Cyprien en composa d'abord deux livres, le premier

---

[7] *Homélies Pascales.* I Une Homélie inspirée du Traité sur la Pâque d'Hippolyte. Etude, édition et traduction par P. Nautin (SC 27), Paris, 1950. Le texte cité se trouve dans *Hom.* 61, 4.

[8] P. Nautin traite de cette question dans l'introduction de son édition de l'*Homélie*, pp. 46—48 (SC 27).

[1] A. d'Alès *La théologie de saint Cyprien*, Paris, 1922, p. 46.

(24 titres) montrant comment les Juifs, s'étant éloignés progressivement de Dieu, ont été remplacés aux yeux de Dieu par les chrétiens, le second réunissant sous 30 titres les textes relatifs au Christ, accomplissement des promesses. Dans le troisième livre, composé ultérieurement, l'auteur énumère 120 vertus chrétiennes, chacune appuyée par un texte scripturaire.

Ces collections de citations sont, on s'en doute, d'un grand intérêt pour l'histoire des premières versions latines de la Bible. Par contre, elles ne permettent pas de donner une idée précise de l'exégèse que Cyprien faisait des textes qu'il cite.

Notons que 1 Cor. 15, 36. 41—44 est cité, avec les vv. 53—55, à côté de Gen. 3, 17—19; 5, 24; Is. 40, 6. 8; Ez. 37, 11—14; Sag. 4, 11. 14; Ps. 83, 2—3; I Thes. 4,12—13; Jn 17, 24; Lc 2, 29—30 et Jn 14, 28 pour montrer que personne ne doit s'attrister de la mort, puiqu'en vivant, on a peines et dangers alors qu'en mourant, on a paix et certitude de résurrection[2].

Les vv. 47—49 sont cités deux fois dans l'*Ad Quirinum*. Au livre II, ils sont utilisés avec Jér. 17, 9; Nb 24, 17. 7—9; Is. 61, 1—2 et Lc 1, 35 pour attester que Christ est homme et Dieu, participant aux deux natures, afin de pouvoir être médiateur entre les hommes et Dieu le Père[3]. Au livre III, le même passage est encore cité avec Is. 55, 6—7; Eccl. 1, 14; Ex. 12, 11; Mt 6, 31—34; Lc 9, 62; Mt 6, 26; Lc 12, 35—37; Mt 8, 20; Lc 14, 33; I Cor. 6, 19—20; 7, 29—31; Phil. 2, 21; 3, 19—21; Gal. 6,14; II Tim. 2, 4—5; Col. 2, 20; 3, 1—4; Eph. 4, 22—24; I Pi. 2, 11—12; I Jn 2, 6. 15—17; I Cor. 5, 7—8. Tous ces textes doivent montrer que celui qui a embrassé la foi, ayant chassé l'homme ancien, ne doit désormais diriger ses pensées que vers des choses célestes et spirituelles, et ne pas prêter attention au monde auquel il a enfin renoncé[4].

Les seuls versets dont Cyprien donne une interprétation, dans la péricope que nous étudions, sont les vv. 47—49. Il y revient à trois reprises. D'abord dans le *De habitu virginum*, après avoir cité saint Paul, l'auteur commente ainsi les vv. 47—49:

»Hanc imaginem virginitas portat (il s'agit de l'image du céleste), portat integritas, sanctitas portat et veritas, portant disciplinae Dei memores, justitiam cum religione retinentes, stabiles in fide, humiles in timore, ad omnem tolerantiam fortes, ad sustinendam injuriam mites, ad faciendam misericordiam faciles, fraterna pace unanimes atque concordes.«[5]

Bien que son exhortation s'adresse à des vierges, Cyprien ne réserve pas l'expression »image du céleste« à ces dernières seulement. Certes, après avoir montré que la virginité n'est pas imposée, il laisse

---

[2] *Test.* III, 58. (CSEL III/1 p. 159).
[3] *Test.* II, 10. (CSEL III/1 p. 75).
[4] *Test.* III, 11, (CSEL III/1 pp. 123—24).
[5] *De habitu virginum* 23. (CSEL III/1 p. 204).

entendre que celles qui s'y soumettent s'assurent un plus grand degré de gloire dans les cieux que celui qui est réservé aux autres baptisés. Cependant l'opposition entre »image du terrestre« et »image du céleste« est plus générale: ceux qui portent cette dernière sont les chrétiens, ceux qui, par le baptême, sont devenus des hommes nouveaux – qu'ils se marient ou qu'ils s'abstiennent de tout désir charnel. Ainsi l'invitation que l'auteur adresse aux vierges en faveur de la continence n'a pas de portée essentielle relativement au salut, même si les vierges sont appelées à bénéficier d'une demeure meilleure dans les cieux[6].

Cette exégèse est confirmée par un second passage, que nous lisons dans le *De zelo et livore:* la jalousie et l'envie, dit l'auteur, sont des maux qui entraînent loin de la communion avec leurs semblables et loin de la lumière du Christ ceux qui en sont atteints. Ceux qui s'y livrent vivent »selon la chair« et non »selon l'Esprit«. Or la vie nouvelle, reçue en Christ, doit engager à suivre le Christ et à porter son image. S'adonner à la jalousie et à l'envie, c'est donc porter l'image du terrestre; s'abstenir de la jalousie et de l'envie, c'est porter l'image du céleste, du Christ avec lequel, au baptême, nous sommes morts au péché et ressuscités à la vie nouvelle[7].

Enfin Cyprien mentionne encore les vv. 47–49 dans son explication de l'oraison dominicale. Il propose en effet deux manières de comprendre la troisième demande: »Fiat voluntas tua in coelo et in terra«. Les cieux et la terre peuvent signifier l'Esprit et le corps. La troisième demande revient alors à dire: que notre personne entière, l'Esprit et le corps, permette à la volonté de Dieu de trouver son accomplissement[8]. Cyprien s'appuie en particulier sur Gal. 5, 17–23. Prier »fiat voluntas tua«, c'est demander que notre vie manifeste les fruits de l'Esprit de préférence aux fruits de la chair. Mais les cieux et la terre peuvent aussi désigner deux catégories d'hommes: les célestes d'une part, les terrestres de l'autre[9]. C'est ici que Cyprien a recourt aux expressions des vv. 47–49 dont il donne le commentaire suivant:

»Cum (...) apostolus primum hominem vocet de terrae limo, secundum vero de caelo, merito et nos, qui esse debemus patri Deo similes, qui solem suum oriri facit super bonos et malos et pluit super justos et injustos, sic Christo momente oramus et petimus, ut precem pro omnium salute faciamus, ut quomodo in caelo id est in nobis per fidem nostram voluntas

[6] *Ibid.:* »Habitacula ista meliora vos petitis, carnis desideria castrantes maioris gratiae praemium in caelestibus obtinetis.«
[7] *De zelo et livore* 14. (CSEL III/1 p. 429).
[8] *De dominica oratione* 16. (CSEL III/1 p. 278 s.).
[9] *Ibid.* 17. (CSEL III/1 p. 279).

Dei facta est ut essemus e caelo, ita et in terra, hoc est in illis credere nolentibus fiat voluntas Dei, ut qui adhuc sunt prima nativitate terreni incipiant esse caelestes ex aqua et spiritu nati.«[10]

Dans ce texte, comme dans les passages que nous avons relevés précédemment, les »célestes« sont les chrétiens, ceux qui sont nés d'eau et d'Esprit. Les »terrestres« sont en fait les païens, pour la conversion desquels les chrétiens doivent prier, afin qu'ils soient amenés au baptême, qu'ils deviennent à leur tour »célestes« et qu'ainsi, la volonté de Dieu soit faite.

L'interprétation des vv. 47—49 que nous rencontrons chez Cyprien n'a donc rien d'original. Elle est traditionnelle depuis Irénée. Comme Hippolyte, Cyprien ne s'est pas attaché à expliquer l'antithèse des deux corps. Pourtant, nous savons qu'il croyait à la résurrection de la chair et à la transformation du corps terrestre en corps glorieux[11]. Si l'eschatologie occupe cependant une place restreinte dans ses écrits, c'est peut-être parce que ce sujet n'avait pas pour lui l'actualité qu'il avait pour saint Paul et pour d'autres; c'est aussi parce que, soucieux de lier étroitement son œuvre littéraire avec son activité pastorale, Cyprien a jugé plus opportun de traiter les problèmes de discipline ecclésiastique que des sujets moins immédiats, tels la résurrection et ses modalités. On ne saurait d'ailleurs le lui reprocher!

3. La littérature patristique de Nicée à Chalcédoine

A) Alexandrins et Egyptiens

a) Athanase

L'œuvre d'Athanase est très fortement déterminée par la lutte que l'auteur a menée contre l'arianisme, d'abord comme secrétaire de l'évêque d'Alexandrie, puis comme successeur de ce dernier sur le

[10] *Ibid.* (CSEL III/1 pp. 279—80). Certains ont »non credentibus« au lieu de »credere nolentibus«, (cf apparat critique au bas de la p. 279).

[11] Saint Cyprien *Correspondance.* Texte établi et traduit par le chanoine Bayard (coll. Budé), 2 vol., Paris, 1925. Dans l'*Ep.* LXXIII, 5 l'auteur dit à propos de Marcion: »Reconnaît-il le même Fils, le Christ (...) qui a inauguré en lui-même la résurrection de la chair, et a montré à ses disciples qu'il était ressuscité dans la même chair où il avait vécu?« (*op. cit.* II p. 265). Et dans une lettre adressée à Nemesianus et aux autres confesseurs enfermés dans les mines, Cyprien cherche à apporter du réconfort en disant: »En échange de cette peine temporelle et brève, quel éclat éternel de gloire, quand le Seigneur, selon la parole du bienheureux apôtre, aura reformé notre misérable corps sur le modèle de son corps glorieux!« (Ep. LXXVI, 2 = *op. cit.* II p. 312).

siège d'Alexandrie. Aussi les citations qu'il donne de 1 Cor. 15, 35—49 sont-elles à comprendre dans ce contexte particulier. Elles sont d'ailleurs très peu nombreuses dans les œuvres considérées comme authentiques. Plusieurs mentions du texte paulinien se rencontrent cependant dans des écrits d'authenticité douteuse, attribués à Athanase ou mis sous son nom. Nous les passerons aussi en revue, car elles sont le reflet de la lutte christologique qu'Athanase a menée contre l'arianisme et ses partisans.

a) *Œuvres d'Athanase.* — Les trois discours contre Arius et les ariens — le 4e étant inauthentique — sont une réfutation de l'arianisme en deux temps: le premier discours résume et réfute la *Thalie* d'Arius; les deuxième et troisième discours donnent la base scripturaire sur laquelle l'auteur se fonde dans son premier discours — ce qui ne l'empêche pas de citer l'Ecriture et de la commenter dans le premier discours aussi.

Dans le second discours[1], Athanase examine la »Confession de foi« des Ariens, envoyée à Alexandre, évêque d'Alexandrie et retient cette phrase: »Il (le Christ) est une créature, mais pas comme une des créatures«. Cette affirmation est pleine de malice, car les Ariens affirment que le Fils est une créature, tout en corrigeant ce qu'ils confessent d'abord, pour paraître »orthodoxes«. Mais Athanase n'est pas dupe du procédé et il montre que ce correctif n'en est pas un, car toutes les créatures diffèrent entre elles — comme le dit Paul au v. 41: un astre diffère d'un astre en éclat. Ce n'est donc pas en disant que le Fils est une créature différente des autres créatures que l'on dit qu'il n'est pas une créature! Ici, le texte paulinien est allégué comme un simple exemple et c'est bien dans cette intention que l'apôtre affirmait qu'un astre diffère d'un autre astre en éclat — même si chez Athanase, le contexte, n'est pas celui des corps de résurrection.

Du texte de Paul, Athanase cite encore à deux reprises les vv. 47—49. Dans le premier discours contre Arius[2], aux chapitres 40—45, l'auteur donne une exégèse de Phil. 2, 5—11 dans laquelle il s'oppose aux thèses d'Arius en montrant que l'élévation du Christ qui fait suite à son abaissement ne place pas le Christ au-dessus de ce qu'il était avant son abaissement, puisqu'avant celui-ci, il était déjà Dieu et Seigneur, comme le dit l'apôtre. Athanase oppose donc aux Ariens l'idée que l'exaltation ne se rapporte pas au Fils en tant que Dieu, mais au Fils en tant qu'homme. C'est à ce propos qu'il cite le v. 47, duquel il déduit que le Christ est céleste et qu'il est descendu du ciel pour s'incarner. C'est cette origine céleste du Christ qui a rendu

[1] *Orat. c. Arianos* II, 20 (PG 26, 189).
[2] *Orat. c. Arianos* I, 44 (PG 26, 104).

impossible qu'il reste prisonnier de la mort, comme le sont les hommes qui sont les descendants du premier Adam. Mais dans l'affirmation paulinienne que le Christ est »du ciel«, Athanase voit davantage encore qu'une idée d'origine: l'origine céleste du Christ implique aussi sa nature céleste, c'est-à-dire divine – et c'est là le point que l'auteur oppose aux Ariens. Le Christ est Dieu dès l'origine. La preuve qu'il en est ainsi, c'est qu'il est descendu du ciel pour que la Parole soit faite chair, comme dit l'Ecriture. Ainsi Athanase a-t-il trouvé chez Paul et chez Jean les expressions adéquates pour réfuter la thèse de ses adversaires.

Une autre citation des vv. 47–49 se trouve chez Athanase, dans son commentaire du Psaume 72 v. 20 (LXX)[3]. Le Psalmiste s'étonne du bonheur des impies, mais brusquement, il comprend le mystère de l'économie divine (v. 17): les impies, s'ils sont heureux maintenant, vont être châtiés – le Psaume est sous-titré dans certaines traductions françaises: la justice finale. Athanase commente ainsi le v. 20: ceux qui portent l'image du terrestre et non celle du céleste sont exclus de la Jérusalem céleste, de la Cité de Dieu. Or, ceux qui portent l'image du terrestre, ce sont les impies. Certes, ils sont heureux maintenant, mais leur punition sera d'être rejetés loin de la Jérusalem céleste. Pour l'auteur, image du céleste et image du terrestre désignent donc les chrétiens d'une part, les impies de l'autre. C'est d'ailleurs l'interprétation que nous avons rencontrée le plus fréquemment jusqu'ici, alors que Paul voulait opposer la première création – l'homme créé »âme vivante« – à la seconde – la résurrection lors de laquelle l'homme sera recréé »corps spirituel«. Nous serions cependant injustes à l'égard d'Athanase si nous ne mentionnions pas d'autres passages de son œuvre, dans lesquels il souligne la dimension eschatologique de l'image du céleste. Cela apparaît particulièrement dans le *De Incarnatione*. Dans cet ouvrage, l'œuvre du Christ a comme résultat la restitution de l'immortalité aux hommes (*De Incarn.* V, 2; VI, 2; VII, 4 par exemple); celle-ci était promise aux hommes à condition qu'ils obéissent à la volonté, de Dieu. Elle leur est à nouveau offerte en Christ. Commentant le passage central pour cette question de *De Incarn.* XLIV, 1–8, dans lequel Athanase compare la création et la recréation, J. Roldanus note: »Par l'incarnation du Christ a été produit un nouveau genre humain qui, bien que constitué des mêmes créatures qu'avant, ne peut plus perdre, cependant, en tant que tel, l'incorruptibilité. Chaque individu qui y participe peut maintenant la perdre pour lui-même, mais jamais pour les autres. Sans devenir une possession naturelle, *physique* (au sens d'Athanase), l'ἀφθαρσία est devenue inhérente aux

[3] *Expositio Psalmorum* Ps. 72, 20 (PG 27, 332).

hommes, par le fait que le Christ s'est rendu semblable à eux«[4]. Par l'incarnation, l'humanité dans son ensemble est rachetée de la corruption qui l'avait atteinte à la suite de la transgression d'Adam. Désormais, c'est à chaque individu à se mettre au bénéfice de l'œuvre rédemptrice du Christ par son union à lui, pour avoir part, après la mort, à l'incorruptibilité.

Il faut donc aller au-delà des textes qui citent 1 Cor. 15, 35–49 pour découvrir chez Athanase deux traits qui sont au centre du texte de l'apôtre: la dimension eschatologique de l'expression »image du céleste«, et la distinction entre création et nouvelle création. Sur ce dernier point. Athanase dit exactement ce que diront Cyrille d'Alexandrie et saint Augustin, à savoir que l'homme avait à l'origine la possibilité de ne pas mourir. Sa désobéissance a été rachetée par l'obéissance »jusqu'à la mort« du Christ, en sorte que celui qui est en Christ ne peut plus mourir: il est passé de la mort à la vie.

b) *Œuvres apocryphes ou pseudépigraphes.* — Plusieurs écrits attribués à Athanase ou mis sous son nom rapportent une citation du texte paulinien qui nous occupe ici; tous le font dans le sens que nous avons rencontré chez Athanase. Nous les mentionnerons donc à titre documentaire. Mais auparavant, il nous faut nous arrêter au seul texte qui mentionne le v. 44 et qui, par conséquent, touche de près notre sujet. En effet, Migne publie sous le nom d'Athanase trois ouvrages *Ad Antiochum ducem:* la »Doctrina«, un sermon et des »Quaestiones« (un ensemble de 36 questions et réponses). La question 16 concerne les âmes[5]. L'auteur, après avoir réfuté l'opinion des origénistes qui veulent que l'âme ait été un ange, et celle des Manichéens, qui prétendent que les âmes ont existé avant les corps, explique ainsi la naissance de l'âme: comme le feu naît de la rencontre de la pierre et du fer, ainsi l'âme prend naissance, avec le corps, de la rencontre de l'homme et de la femme — selon la volonté de Dieu. Pour s'en convaincre, il n'y a qu'à écouter l'apôtre: c'est un corps psychique qui est semé; c'est un corps spirituel qui ressuscite[6]. Ce qui est particulièrement intéressant, c'est d'une part l'explication que donne l'auteur du corps psychique comme le corps donné à la naissance — l'union du corps et de l'âme — sans que le péché n'intervienne; c'est d'autre part le sens donné implicitement au verbe

---

[4] J. Roldanus *Le Christ et l'homme dans la théologie d'Athanase*, Leiden, 1968, p. 112.

[5] PG 28, 608.

[6] *Ibid.:* »ἀλλ' ὥσπερ τοῦ λίθου καὶ τοῦ σιδήρου συγκρουομένων, ἐκ τῶν ἀμφοτέρων τίκτεται τὸ πῦρ. οὕτω καὶ ἐπὶ τῆς τοῦ ἀνδρὸς καὶ γυναικὸς συμπλοκῆς συνίσταται θεοῦ κελεύσει σῶμα καὶ ψυχή. καὶ πειθέτω σε ὁ ἅγιος Ἀπόστολος λέγων: »σπείρεται σῶμα ψυχικόν. ἐγείρεται σῶμα πνευματικὸν«, δηλονότι ἐν τῇ ἀναστάσει.«

»semer«: ce verbe désigne la création et non la mise en terre du corps.

Ce texte est bien sûr trop isolé pour que l'on puisse déduire quoi que ce soit sur l'antithèse des deux corps chez Athanase ou chez l'auteur du passage cité. Il fallait cependant le mentionner, parce que c'est une exégèse que nous avons rencontrée rarement.

Dans le groupe d'écrits que nous examinons, nous trouvons encore quelques citations des vv. 46—49. Passons-les rapidement en revue. Le v. 46 est mentionné dans le premier Livre contre Apollinaire attribué à Athanase[7]. L'auteur veut réfuter l'opinion de ceux qui prétendent que le corps du Christ est incréé (chap. 6) et ceux qui prétendent que ce même corps du Christ est céleste (chap. 7). Or l'apôtre affirme que ce qui est psychique vient d'abord, ensuite seulement, ce qui est spirituel. Selon l'auteur, Paul veut dire par là que le corps est d'abord psychique, avant d'être spirituel. Appliquer cette affirmation au corps du Christ, c'est montrer que ce dernier n'était pas incréé et céleste, mais qu'avant d'être spirituel, il a été, lui aussi, psychique.

Les vv. 46—47 pouvaient pourtant prêter à confusion; si, comme le pensaient certains, la divinité était affaire d'ordre et d'énumération, les vv. 46 et 47 auraient pu laisser penser que le spirituel était inférieur au terrestre, puisque l'apôtre dit: ce qui est terrestre vient d'abord, ensuite ce qui est spirituel. Or c'est un non-sens: le spirituel ne peut être inférieur au terrestre. Donc, en conséquence, la divinité n'est pas affaire d'ordre et d'énumération[8].

Sous le titre »Confutationes quarumdam propositum«, Migne donne encore un texte qui, selon toute vraisemblance, n'est pas d'Athanase, mais dans lequel l'auteur vise toute une série d'hérésies[9]. Au chap. 6, il s'en prend à ceux qui prétendent que c'est mettre son espoir en l'homme que de connaître le Christ en tant qu'homme. Il avance des textes de l'Ecriture qui parlent du Christ comme d'un homme, et parmi ces textes, il cite le v. 47 qui présente le Christ comme »second Adam«.

Sur le même sujet et dans le même sens, on mentionnera aussi le 5e Dialogue »De sancta Trinitate«, dans lequel un apollinariste prétend que si tout homme est terrestre, le Christ, étant céleste et non

---

[7] *Contra Apollinarem* I, 8 (PG 26, 1106).

[8] Ce raisonnement se trouve dans le traité *De communi essentia Patris et Filii et Spirit. sanct.* (PG 28, 52).

[9] *PG* 28, 1352. Cf aussi *PG* 26, 1224: il s'agit d'une œuvre d'authenticité douteuse, extraite du Cod. Colb. 4097 Panoplia Euthymii Zygabeni, cod. dans lequel se trouvent plusieurs œuvres d'Athanase. Dans le passage auquel nous renvoyons, l'auteur cite le v. 47 et insiste sur le fait que le Christ est appelé »second Adam«. Il pourrait s'agir d'un traité *Contra Valentinum* (?).

terrestre, ne peut avoir été homme[10]. L'auteur du Dialogue montre que son interlocuteur se trompe, parce que tout homme n'est pas terrestre: en effet, il y a des hommes célestes, comme le dit l'apôtre au v. 48 (tel est le céleste, tels sont les célestes); du moins, s'ils ne le sont pas par nature, le sont-ils par leur participation à la sainteté[11]. D'ailleurs, de même que le terme d'»être vivant« s'applique aux hommes et à des êtres qui ne sont pas tous des êtres raisonnables, le terme d'homme peut très bien s'appliquer au Christ qui est à la fois homme et Dieu.

Il nous reste enfin à mentionner un dernier texte, extrait du même »De sancta Trinitate«, que A. Günthör attribue à Didyme l'Aveugle[12]. Dans le passage qui nous occupe, l'auteur fait intervenir un orthodoxe et un macédonien qui traitent du rapport entre l'image de Dieu et la divinité du Saint-Esprit. Si tous les hommes sont à l'image de Dieu, cela veut dire que tous ont le Saint-Esprit. Or, demande le macédonien, comment se fait-il que Paul exhorte ses lexteurs à porter l'image du céleste? Cela veut-il signifier que tous ne la portent pas, donc que tous ne sont pas à l'image de Dieu? L'orthodoxe lui répond qu'effectivement, les pécheurs ne portent pas l'image du céleste. Tous les hommes ne sont plus à l'image de Dieu, parce qu'il y a eu la transgression qui fait écran entre ce qu'ils étaient à l'origine et ce qu'ils sont devenus. C'est pourquoi l'apôtre appelle ses lecteurs à redevenir ce qu'ils étaient, en s'éloignant des désirs de la chair pour vivre d'une vie nouvelle. L'image du céleste, c'est donc cette image de Dieu que les hommes ont perdue à la suite de la transgression et qu'ils sont appelés à retrouver en redevenant ce qu'était Adam avant la faute.

Après ce survol de textes de provenances diverses, une conclusion s'impose: le texte de l'apôtre est assez riche pour permettre à chacun de défendre sa thèse dans la querelle christologique qui domine le début du 4e siècle. Veut-on démontrer que le Christ est d'origine et de nature céleste (contre Arius), on souligne alors ἐξ οὐρανοῦ. Veut-on au contraire prouver qu'il était homme, on retient les expressions ὁ δεύτρος ἄνθρωπος et ὁ ἔσχατος Ἀδάμ.

---

[10] *De sancta Trinitate Dialogus* V, 4 (PG 28, 1268).

[11] Cf à ce sujet le *Contra Apollinarem* II, 16 (PG 26, 1160): »Διὸ καὶ οἷος ἐπουράνιος, τοιοῦτοι καὶ οἱ ἐπουράνιοι κατὰ τὴν αὐτοῦ μετοχὴν ἁγιότητος.«

[12] *De sancta Trinitate Dialogus* III, 16 (PG 28, 1228). Cf A. Günthör *Die Sieben Pseudo-athanasianischen Dialoge, ein Werk Didymus des Blinden von Alexandrien*, Rome, 1941.

b) Didyme l'Aveugle

Didyme, le chef de l'Ecole catéchétique d'Alexandrie au 4e siècle, est le premier auteur dont nous puissions lire un *Commentaire* sur le chapitre 15 de la Première Epître aux Corinthiens. De ce *Commentaire* dont l'existence est attestée par Jérôme, un seul fragment était accessible, en latin[1], jusqu'à ce que K. Staab publie les premiers commentaires des Pères[2]. Son édition nous permet donc d'avoir accès à un document de toute première importance pour notre sujet.

L'exégèse que Didyme donne dans ce *Commentaire* est complétée par les allusions que l'auteur fait à 1 Cor. 15 dans l'autres de ses œuvres, et en particulier dans les *Commentaires* sur les Psaumes et sur Zacharie, découverts dans les Papyri de Toura.

a) *1 Cor. 15, 35–41.* – L'exégèse de ces versets n'est donnée que par le *Commentaire* sur la Première Epître aux Corinthiens. Nulle part ailleurs, Didyme n'y fait allusion, du moins à notre connaissance. Nous suivons donc ici le texte de K. Staab[3].

A propos des vv. 35–40, Didyme reprend les trois problèmes auxquels, selon lui, Paul veut répondre; le premier concerne l'affirmation qu'il y a une résurrection des morts. Cela est démontré, dit l'auteur, par le fait qu'une semence n'est transformée en plante qu'après avoir été jetée en terre et avoir passé par une sorte de mort. La mort du corps et sa mise en terre ne sont par conséquent pas des obstacles à la résurrection. Le deuxième problème est de savoir comment les morts ressuscitent. Ici encore, c'est l'exemple des semailles qui illustre la réponse à donner. Cet exemple nous apprend que le corps qui sort de terre est différent du grain qui a été jeté en terre. On jette une graine; Dieu fait sortir un épi. Didyme précisera ailleurs, à propos des vv. 42 ss., ce que cela signifie pour le corps. Enfin, troisième probleème: avec quel corps les morts ressuscitent-ils? Paul répond: il y a des corps terrestres et des corps célestes. Les corps de résurrection seront revêtus de l'éclat du soleil, de la lune et des astres dans le ciel.

Dans son exégèse, Didyme distingue donc les deux questions du v. 35, en disant que la question du »comment« est expliquée par le passage de ce qui est semé à ce qui sort de terre, et en voyant dans la seconde question une interrogation sur la nature du corps de résurrection. De plus, l'auteur souligne qu'il y a une étroite relation

---

[1] Jérôme *Ep. 119 ad Minervium et Alexandrum*, paragr. 5 (PL 22, 968–70). L'existence de ce commentaire est encore attestée dans l'*Ep. 49 ad Pam.*, paragr. 3 (PL 22, 511).

[2] K. Staab *Pauluskommentare aus der griechischen Kirche* (NTA 15), Münster, 1933.

[3] *Op. cit.* p. 9.

entre cette dernière question et la mention des corps célestes: ceux-ci donnent un point de comparaison pour illustrer la nature des corps de résurrection – alors que chez Paul, les vv. 40 ss. ne visent qu'à rendre vraisemblable l'existence de corps différents les uns des autres – et donc d'un corps de résurrection différent du corps terrestre.

Didyme poursuit son interprétation en introduisant, à propos du v. 41, une nuance intéressante: tous les corps de résurrection ne sont pas semblables à l'éclat des astres, mais seulement les corps de ceux qui ont »bien« vécu, de ceux qui ont vécu d'une manière sensée[4]. En conséquence, si les corps des méchants peuvent avoir part à la résurrection, ils sont néanmoins privés de l'éclat des corps célestes. Pourtant, l'auteur précise que l'éclat des corps de résurrection appartient à leur essence (οὐσιώδης) comme l'éclat des luminaires appartient aussi à leur essence. On peut se demander s'il n'y a pas contradiction à dire d'une part que tous les corps de résurrection ne seront pas revêtus de l'éclat dont sont revêtus les corps célestes, et d'autre part que l'éclat appartient par essence aux corps de résurrection; car de quel éclat peuvent briller les corps des »méchants«? Didyme ne paraît pas s'être posé la question. Retenons donc que pour lui, tous les corps auront part à l'immortalité, mais que leur éclat dépendra de la manière dont auront vécu ceux qui les porteront.

b) *1 Cor. 15, 42–46.* – Didyme s'exprime largement et à plusieurs reprises sur ces versets. Dans son *Commentaire* de la Première Epître aux Corinthiens, il montre avant tout que l'incorruptibilité n'est pas une qualité inhérente à l'essence du corps – au contraire de l'immortalité de l'âme chez Platon –, mais qu'elle est un don de Dieu. Il dit en effet: »ἄφθαρτον λέγομεν τὸ ἐκ φθαρτοῦ γεγονὸς ἄφθαρτον χάριτι θεοῦ« (K. Staab p. 10). C'est pourquoi aussi il souligne le fait que le corps n'est pas semé corruptible pour ressusciter incorruptible, mais qu'il est semé *dans* la corruption pour ressusciter *dans* l'incorruptibilité (K. Staab *ibid.*).

L'auteur donne ensuite une explication des expressions »déshonneur« et »faiblesse« par lesquelles l'apôtre désigne le corps[5]. Ces qualificatifs s'expliquent par le genre de naissance qui donne au corps son existence: puisque le corps naît – littéralement: »est semé«

---

[4] *Ibid.:* »(...) ἀλλ' ἢ μόνον τῶν εὖ βεβιωκότων καὶ σωφρονισάντων.« Dans son *Commentaire* sur Jude vv. 12–13, Didyme exprime la même idée, en parlant cette fois des »saints«: »propterea namque sancti resurgentes a mortuis cum incorruptibili et spirituali corpore solis et lunae et siderum gloriae conparantur« (F. Zoepfl *Didymi Alexandrini in epistulas canonicas brevis enarratio* (NTA 4, 1), Münster, 1914 p. 96, lignes 26–28 = PG 39, 1818).

[5] Staab p. 10: »'Επειδὴ σπείρεται τὸ σῶμα ἐκ τῆς περιπλοκῆς τοῦ ἄρρενος πρὸς τὸ θῆλυ. εὐλόγως καὶ ἀτιμία καὶ ἀσθένεια περὶ αὐτὸ ἔσται (...).«

– de l'union de l'homme et de la femme, il sera nécessairement méprisable et faible. Cette explication est fort intéressante sur deux points: le premier concerne le sens du verbe »semer«. Sans aucun doute possible, Didyme donne à ce verbe le sens de »naître«, »être créé«, »venir à la vie«. Il ne songe pas à la mise en terre du corps, comme le pensaient la plupart des exégètes avant lui et comme l'affirment encore bon nombre de théologiens modernes. Le second point qui mérite d'être souligné, c'est l'interprétation des termes »sans honneur« et »faible« avec lesquels saint Paul décrit le corps »semé«. Ces qualificatifs s'expliquent par le mode de création du corps, et non par la transgression commise par le premier Adam.

Dans la suite de son *Commentaire*, Didyme explique brièvement ce que signifie »corps psychique« et ce que veut dire »corps spirituel«[6]. Le corps dont l'âme est encore soumise à l'expérience ou à la sensation de la souffrance est un corps psychique. Le corps dont l'âme a surmonté cette sensation et est ainsi devenue spirituelle est appelé par conséquent un corps spirituel. Il y a donc une transformation de l'âme et c'est pourquoi Paul peut dire que ce qui vient d'abord, c'est le psychique; ensuite seulement vient ce qui est spirituel. L'âme est appelée à progresser pour parvenir à la perfection dans la connaissance de la Vérité et pour amener l'homme à la perfection dans son existence devant Dieu. Le corps spirituel reste cependant une réalité eschatologique, ainsi que Didyme le dit dans son *Commentaire* de Zacharie à propos du chap. 9, verset 12 »pour un jour de ton exil, je te rendrai le double«[7]. Ce texte peut être compris à l'aide de l'exemple de Job, qui se vit rendre le double de tout ce qui lui avait été enlevé. Ainsi »ceux qui se sont dépouillés de tout par piété ›ont la promesse de la vie en ce monde et en l'autre‹ (1 Tim. 4, 8), non pas d'une vie périssable (...)«[8], mais de la vie éternelle. Mais, ajoute l'auteur, on peut aussi comprendre ce même texte de Zacharie d'une autre façon, inspirée cette fois de 1 Cor. 15, 42–44 et dire que la mort sépare l'âme du corps et la met dans une situation d'exil. Mais cet exil est doublement compensé: à la résurrection, l'âme retrouve le corps auquel elle était liée, et de plus, elle le retrouve transformé: au lieu d'un corps corruptible, méprisable,

---

[6] *Ibid.*: »'Επειδὴ δὲ ἡ τοῖς πάθεσιν ἐμμένουσα ψυχή, εἰκότως καὶ τὸ τοιαύτης ψυχῆς σῶμα ψυχικὸν καλεῖται. ἐὰν δὲ ὑπεραναβῇ παθητικὴν ἕξιν ἡ ψμχή, γίνεται πνευματική, καὶ λέγεται τὸ σῶμα τῆς τοιαύτης ψυχῆς τῆς συμπλεκομένης αὐτὸ πνευματικόν.«

[7] Nous citons en général les Papyri de Toura en donnant l'abréviation du livre biblique suivie de la lettre T (Toura), avec si possible l'indication de la page et de la ligne du Papyrus. Pour le Commentaire de Zacharie, nous citons l'éd. des SC 83–85. Ainsi pour Zach. 9, 12: *ZaT* III, 183 (SC 84 p. 706).

[8] *Ibid.* p. 707.

faible et vivant d'une vie animale, elle reçoit un corps incorruptible, plein de force et glorieux: le corps spirituel. Didyme voit une image du corps de résurrection dans les »tentes de Juda« qui seront sauvées (Zacharie 12, 6–7)[9] et pour lui, la résurrection est préfigurée par cette fête des Tentes et les réjouissances qui l'accompagnent dans Zach. 14, 16[10].

Jusqu'ici, l'auteur ne s'est pas prononcé sur les rapports exacts qu'il y a entre le corps terrestre et le corps de résurrection. Il n'a pas non plus précisé la nature exacte de ce dernier. Il s'explique pourtant là-dessus avec force détails dans deux textes extraits de son *Commentaire* des Psaumes, découvert dans les papyri de Toura.

Selon Didyme[11], l'homme ne reçoit pas à la résurrection quelque chose d'autre en lieu et place du corps corruptible, mais il reçoit le corps corruptible qu'il avait précédemment, devenu incorruptible, le corps psychique qu'il portait pendant son existence terrestre, devenu spirituel. En effet, tout ce que l'homme pourrait recevoir de différent du corps serait incorporel; or Paul dit bien: »on sème un *corps* corruptible, il ressuscite un *corps* incorruptible . . .«. Ces vv. 42–44 nous apprennent donc deux choses: d'abord que le corps de résurrection est à la fois différent du corps terrestre et identique à ce dernier. Ensuite que Paul est logique lorsqu'il poursuit: »ce n'est pas le spirituel qui vient d'abord, mais le psychique, ensuite le spirituel« (v. 46). Ce qui vient »d'abord« et ce qui vient »ensuite« semblent être deux choses différentes. En fait, dit l'auteur, il en va des deux corps comme d'un homme qui passe par le stade du nourrisson, de l'enfant et de l'adulte avant de devenir un vieillard. Il s'agit toujours du même homme, à des âges différents.

Cette explication sommaire du rapport entre les deux corps, Didyme la reprend et la précise encore longuement dans ce même *Commentaire* des Psaumes, à propos du Ps. 44, 1 (LXX)[12]. L'auteur analyse le concept de changement et toute son explication de la relation entre le corps terrestre et le corps de résurrection repose sur la différence entre »changement« et »transformation«[13]. Certains,

[9] *ZaT* IV, 224 (SC 85 p. 918): »On peut nommer tentes sauvées comme aux temps anciens les corps dont nous sommes revêtus. Et le salut aura lieu quand notre corps corruptible, humilié et faible, aura revêtu l'incorruptibilité, la gloire et la puissance, en passant de l'état de corps animal à celui de corps spirituel« (pp. 917–19 de la traduction).

[10] *ZaT* V, 175 (SC 85 p. 1068). Didyme parle aussi de la transformation du corps corruptible en corps incorruptible pour désigner la résurrection dans *EcclT* 348, 5–6 (vol. VI p. 164) et *EcclT* 353, 7–8 (vol. VI p. 188).

[11] *PsT* 259, 4 ss. (vol. IV pp. 130 ss.). [12] *PsT* 328, 23 ss. (vol. V pp. 192 ss.).

[13] Didyme distingue entre ἀλλοίωσις et ἀλλαγή. Il définit le premier terme ainsi: »ἡ ἀλλοίωσις κίνησις καὶ μεταβολή (τ)ίς ἐστιν κατὰ ποιότητα« (*PsT* 326, 6 = vol. V p. 184).

en effet, veulent parler de changement à propos de la résurrection. Ils s'appuient sur le texte de Paul: ceux qui ressuscitent auront un corps incorruptible à la place du corps corruptible, un corps plein de force au lieu d'un corps faible, un corps glorieux au lieu d'un corps misérable, un corps spirituel au lieu d'un corps psychique. Or Paul n'a pas dit: »Tous nous serons changés«, mais »tous, nous serons transformés« (15, 51–52) – car le corps ressuscitera substantiellement. Le corps n'est donc pas remplacé à la résurrection par quelque chose qui n'a pas de corps; le corps sera seulement l'objet d'une transformation. Si l'on considère celle-ci du point de vue qualitatif uniquement, on peut dire qu'elle est un changement. Mais si le corruptible devient incorruptible, il s'agit d'autre chose qu'un changement. S'il s'agissait d'un changement, alors la chair resterait chair, ce qui est corruptible resterait corruptible. Or la chair et ce qui est corruptible ne sont pas des qualités seulement. A la résurrection, il s'agit donc d'une transformation[14].

Pour expliquer plus clairement ce qu'il veut dire, Didyme donne une série d'exemples. Si l'on change la couleur d'un récipient en le repeignant ou par quelque autre moyen, le récipient se trouve »changé« – car il reste le même. Si par contre on prend de l'argile pour faire un pot et que l'on met ce pot cuire au four, il ne s'agit plus d'un changement, mais d'une transformation, parce que l'argile est devenu un vase. Il en va de même du sable et de la soude, réunis pour former du verre. Ni le sable, ni la soude ne disparaissent, et pourtant ils sont devenus ensemble du verre. Là aussi, il s'agit d'une transformation: la soude était d'abord soude; elle se dissolvait quand on la mettait dans un liquide. Le verre qui a été fait à partir d'elle ne se dissout plus dans du liquide. Il en va de même pour le sable. La soude et le sable disparaissent et c'est du verre qui apparaît. Pourtant, ni la soude ni le sable ne disparaissent complétement – car sinon, on ne saurait pas d'où vient le verre! Ils sont donc toujours là, mais transformés.

A ces exemples, Didyme en ajoute encore trois: l'œuf se transforme en oiseau, qui n'est plus un œuf, puisqu'il vole et éprouve des sensations, mais qui vient néanmoins d'un œuf. La semence, dont Paul lui-même tire une comparaison en disant que le corps est semé dans la corruption et qu'il ressuscite dans l'incorruption, se transforme elle aussi en être vivant. Elle ne disparaît pas, mais elle passe par l'embryon pour parvenir au stade d'être vivant. Il y a là des transformations et non des changements, car il n'y a pas seulement

[14] *Ibid.* 329, 7–8 (vol. V p. 194): »ἐὰν οὖν κατὰ ἀλλοίωσιν ἀνάστασις γένηται, ἡ σὰρξ πάλιν σάρξ ἐστιν, τὸ φ(θαρ) τὸν πάλιν φθαρτόν ἐστιν. οὐ γὰρ ποιότητα λέγω τὸ φθαρτὸν ἢ τὴν σάρκα. κατὰ ἀλλαγὴν οὖν γίνετ(αι).«

une question de qualité qui entre en jeu: le grain de blé, avant les semailles, est un grain. Quand il a été semé et cultivé, il devient un épi. Certes, on dira que c'est toujours du blé ... mais il s'agit d'un exemple! Enfin, dernière comparaison que Didyme avait déjà esquissée ailleurs: le nourrisson devient un enfant. Il peut apparaître que ce sont deux choses différentes et pourtant c'est toujours le même être humain qui passe d'un âge à l'autre.

Ainsi en va-t-il du corps: à la résurrection, il est transformé, mais c'est toujours le même corps qu'avant la transformation. C'est pourquoi Paul doit employer un vocabulaire qui laisse apparaître à la fois l'identité des corps et la transformation subie: il dit que l'un est le corps psychique, l'autre le corps spirituel. Il ajoute que le psychique vient d'abord, que le spirituel n'apparaît qu'ensuite. Ce »d'abord« et cet »ensuite«, il faut les comprendre non comme une transformation de substances[15], mais comme la transformation que subit un seul et même corps, puisque c'est un corps corruptible qui est semé, un corps incorruptible qui ressuscite. Il y a transformation d'un corps psychique en un corps spirituel.

En conclusion, »transformation« et »changement« sont deux choses différentes et en ce sens, ce qui se passe pour le corps n'est pas comparable à ce qui se passe pour l'âme. En effet, celle-ci subit un changement: elle peut être bonne ou mauvaise, elle peut passer du bien au pire, comme il est écrit dans les Lamentations: »Quoi! il s'est terni le vieil or, l'or si fin« (4, 1) ou encore: »Les fils de Sion, précieux autant que l'or fin, quoi! ils sont comptés pour des vases d'argile, œuvre des mains d'un potier!« (4, 2). Le corps, lui, ne subit pas un changement qualitatif, mais une transformation[16].

c) *1 Cor. 15, 47–49.* – Le *Commentaire* publié par K. Staab s'arrête avec l'explication du v. 46. Pour les vv. 47–49, nous devons avoir recours à des passages d'autres ouvrages de l'évêque d'Alexandrie. Parmi ceux-ci, c'est le *Commentaire* sur Zacharie qui fournit le texte le plus explicite: il s'agit du commentaire de Zacharie 13, 8–9[17]. Didyme distingue trois catégories d'hommes qui se retrouvent à la fois dans le peuple hébreu pendant sa captivité, dans l'Eglise et par rapport à la vertu. En effet, dans le peuple hébreu en captivité, il y avait des idolâtres qui s'étaient détachés de Dieu pour adorer les idoles; ceux qui étaient fidèles au judaïsme tout en transgressant les

---

[15] *PsT* 330, 17 (vol. V p. 198): »οὐκ ἐπὶ ἐξαλλαγῆς οὐσιῶν.«

[16] Il faut ajouter que dans son *Commentaire* sur la Première Epître aux Corinthiens, Didyme précise encore que le corps de résurrection sera semblable au corps spirituel dont le Christ a été revêtu après sa résurrection. Paul n'a pas employé cette comparaison, mais elle s'imposait.

[17] *ZaT* V, 4 ss. (SC 85 pp. 969 ss.).

commandements; enfin ceux qui étaient restés fidèles à Dieu. Dans l'Eglise, il y a ceux qui versent dans la superstition, ceux qui versent dans le judaïsme (les Ebionites) et ceux qui servent Dieu authentiquement. Enfin par rapport à la vertu, Didyme distingue les pécheurs par excès: les téméraires, les superstitieux, les prodigues; les pécheurs par défaut: les impies, les lâches, les avares; les vertueux. Les deux premières catégories de chaque groupe représentent ceux qui portent l'image du terrestre. L'auteur dit en effet:

»›Ceux qui portent l'image du terrestre‹ participant à une volonté de nature matérielle, sont impurs et ressemblent à ce que certains appellent la dyade indéfinie.« Et plus loin: »Et puisque ceux qui portent l'image du terrestre sont une dyade, leur qualité périt et disparaît, pour laisser apparaître la troisième catégorie, sortie de l'épreuve, la race de ›ceux qui portent l'image du céleste‹.«[18]

Chaque homme porte une image — comme le dit le Ps. 38,7 (LXX) que Didyme a commenté; cette image peut être bonne ou mauvaise, cela dépend de la manière dont on vit. Cela signifie que l'homme a une volonté libre, et qu'il est placé devant un choix. Si l'homme était bon par nature, il porterait toujours l'image du céleste[19]. Mais l'homme tombe dans le péché: il porte alors l'image du terrestre. C'est pourquoi le Rédempteur est venu: pour révéler la Vérité après avoir anéanti l'erreur et le mensonge, et pour que l'on se dépouille de l'image du terrestre[20]. Ceux qui portent encore cette image sont ceux dont Zacharie dit qu'ils ne montent pas à Jérusalem, parce que leurs pensées sont terrestres[21]. C'est aussi ceux que le même prophète associe, selon Didyme, aux anges pécheurs et aux démons terrestres[22]. Et de même que »Tyr subira le feu«, parce que ses habitants se sont bâtis des remparts, ont amassé de l'argent et entassé de l'or, ceux qui portent l'image du terrestre seront détruits et leurs richesses s'envoleront comme la poussière[23], s'ils n'adhèrent pas à la doctrine de l'Evangile, car affirme Didyme à propos de Zach. 11, 17 »l'épée de Dieu« peut être un instrument de condamnation, telle la parole vengeresse d'Is. 1, 19—20 ou de Jérémie 6, 12, mais elle peut être aussi »la parole qui arrache au mal ceux qui sont retenus dans ses liens«; et l'auteur poursuit: »Car la doctrine de l'Evangile ne prépare pas à vivre en paix à l'endroit des choses ter-

[18] *ZaT* V, 18 (SC 85 p. 977), Si Didyme parle de dyade, c'est parce que celle-ci était chez les Pythagoriciens le principe matériel, la monade étant le principe formel de la constitution de l'être, comme le note L. Doutreleau p. 976 n. 2.

[19] *PsT* 276, 15 (vol. IV p. 232).

[20] *PsT* 136, 1 ss. (vol. III p. 34).

[21] *ZaT* V, 179 (SC 85 p. 1070) à propos de Zach. 14, 17.

[22] *ZaT* I, 398 (SC 83 p. 404) à propos de Zach. 5, 9—11.

[23] *ZaT* III, 95 (SC 84 p. 666) à propos de Zach. 9, 2b—4.

restres et de la terre, mais elle arrache à la terre ceux qui ne pensent qu'aux choses terrestres et qui portent l'image de l'homme terrestre«[24].

Quant à l'image du céleste, elle est évoquée par Didyme lorsqu'il commente Zach. 8, 11–12. La promesse de Dieu »la vigne donnera son fruit, la terre ses produits et le ciel donnera sa rosée« doit être comprise au sens spirituel. Qu'est-ce que la rosée, demande Didyme? Et il répond: nous saurons ce qu'est la rosée »quand nous saurons quel est le ciel qui la donne. Or ce ciel n'est sans doute pas autre chose que ›l'homme qui porte l'image de l'homme céleste‹ et dont ›la patrie est dans le ciel‹«. C'est pourquoi l'auteur cite et commente Dt 32, 43: »›Cieux, réjouissez-vous avec lui‹, c'est-à-dire avec le Sauveur. Comment donc ne se réjouiraient-ils pas et ne seraient-ils pas dans l'allégresse avec lui les hommes formés à son image; selon l'enseignement du saint apôtre Paul, écrivant, d'abord, de ceux qui aiment Dieu avec foi et générosité: ›ceux qu'il a connus d'avance, il les a aussi prédestinés à devenir conformes à l'image de son Fils‹ et encore: ›Portons l'image de l'homme céleste‹«[25].

Ce qui frappe dans l'exégèse de Didyme, c'est le contraste entre l'originalité de son interprétation des vv. 42–46 et l'aspect très traditionnel de son explication des vv. 47–49. Comme chez la plupart des commentateurs que nous avons étudiés, ces derniers versets visent pour Didyme deux attitudes religieuses susceptibles d'être adoptées l'une et l'autre par l'homme pendant son existence terrestre. De ce fait, l'image du terrestre est associée étroitement à la transgression et à la désobéissance[26], celle du céleste ne caractérise plus comme chez Paul les ressuscités, mais elle désigne ceux qui »aiment Dieu avec foi et générosité« – pour employer le langage de Didyme. L'image du céleste est donc, ou du moins peut être, une réalité de ce monde-ci, alors que chez saint Paul, elle est, comme le corps spirituel, une réalité réservée au monde de la résurrection.

Il faut revenir encore aux vv. 42–46 dont nous avons, grâce aux découvertes des papyri de Toura surtout, une exégèse détaillée et précieuse. Elle nous aide à situer l'auteur par rapport aux interprétations que nous avons pu déceler chez ses prédécesseurs. Une chose appararaît d'emblée clairement: si Didyme comprend l'image du terrestre comme désignant l'homme pécheur, il interprète la notion

[24] *ZaT* IV, 166 (SC 85 p. 887) à propos de Zach. 11, 17.

[25] *ZaT* II, 339–40 (SC 84 pp. 595–597). Cf aussi *Com. Act. Apost.* 2, 17 (PG 39, 1656).

[26] L'auteur appelle les pécheurs: »ceux qui portent l'image du terrestre« dans son *Commentaire* du Ps. 37, 7 (PsT 264, 10 = vol. IV p. 160).

paulinienne de corps psychique indépendamment de toute référence au péché[27]. Par là, il se distance de la plupart des commentateurs rencontrés jusqu'à présent. Cela permet à l'évêque d'Alexandrie de retrouver l'opposition entre création et résurrection que nous avons décelée chez l'apôtre. Mais le commentateur va plus loin que son modèle, en ce sens que Didyme essaie de comprendre de façon précise la nature de la relation entre le corps psychique et le corps spirituel. Sur ce point, on lui saura gré d'avoir donné des exemples. Celui qui nous paraît être le plus éclairant est l'exemple du vase d'argile. Pour Didyme, le corps spirituel ne sera pas simplement identique au corps terrestre. L'auteur ne défend pas la thèse de la résurrection de la chair. Mais ce corps de résurrection ne sera pas non plus quelque chose qui n'a rien à voir avec le corps psychique. Le vase, après avoir passé au four, n'est plus de l'argile; mais il n'est pas non plus un objet qui n'a rien à voir avec l'argile. En fait, tout l'argile se trouve former le vase. Le corps de résurrection sera par conséquent un corps différent du corps psychique, mais formé à partir de celui-ci, à partir de sa chair. On peut dire que le corps psychique, la chair du corps terrestre, sera la »matière première«, à partir de laquelle Dieu formera le corps de résurrection, comme l'argile est la matière première à partir de laquelle le potier fait le vase. Le vase n'est plus de l'argile, mais il a été façonné à partir de l'argile. De même aussi le corps de résurrection n'est plus le corps psychique, mais Dieu le façonnera à partir de celui-ci.

Cette explication est fort intéressante. Elle tente de concilier des positions extrêmes, comme d'un côté celle de ceux qui défendent la résurrection de la chair, de l'autre côté celle de ceux qui affirment que le corps de résurrection ne sera qu'une réalité spirituelle. Elle y parvient peut-être mieux que ceux qui défendaient l'idée d'une chair spiritualisée, glorifiée, parce qu'elle est plus explicite sur la nature de la transformation que subira la chair; par ailleurs elle fait apparaître très clairement Dieu dans son rôle de créateur et présente ainsi la résurrection comme une nouvelle création.

La question qui reste est de savoir si Dieu utilisera pour recréer l'humanité dans la gloire cet argile que sont nos corps psychiques ou s'il fera quelque chose de tout à fait neuf. Cette question se heurte au silence du NT en général et de Paul en particulier. Aussi reste-t-elle pour nous sans réponse.

---

[27] Cf le *Commentaire* de I Pi. 1, 23: »Est enim prima nativitas secundum Adam mortalis et ideo corruptibilis posterior autem ex spiritu et verbo semper vivente dei« (Zoepfl *op. cit.* p. 17, lignes 30 ss. = PG 39, 1761).

c) Cyrille d'Alexandrie

Cyrille d'Alexandrie est, lui aussi, auteur d'un *Commentaire* sur la Première Epître de Paul aux Corinthiens. Il nous en reste de larges fragments et ce sont eux qui vont nous guider dans notre étude[1]. Comme on le sait, Cyrille a été préoccupé avant tout par les controverses christologiques; on ne s'étonnera donc pas qu'il attache une attention particulière aux vv. 45–49 du texte de l'apôtre[2]. Il ne néglige pas cependant les versets qui précèdent et son interprétation de l'antithèse des deux corps mérite toute notre attention.

L'auteur donne, à propos des vv. 35 ss., un résumé de sa position sur les problèmes qui nous occupent. Il rappelle quelques textes sur la résurrection, tels que Is. 26, 19; Ps. 103 (LXX), 28–30; il explique qu'Adam, à cause de sa transgression de la volonté divine, a été rejeté et qu'il a été voué à la mort. Cependant, le Fils unique, le Verbe de Dieu est venu parmi les hommes; il les a fait participer au Saint-Esprit (Hébr. 6, 4). Par là, les hommes ont été comme créés à nouveau, appelés à une vie nouvelle et délivrés de la domination de la mort (cf Rom. 8, 11). Le Christ est ainsi devenu le premier-né d'entre les morts, prémices de ceux qui sont morts. Par sa victoire, il a rendu la résurrection de tous les hommes possible.

Après ce rappel du fondement christologique de la résurrection, Cyrille commence l'explication du texte paulinien et aborde le problème du corps de résurrection. Selon l'apôtre, le corps tombe dans la terre comme le grain; il ressuscite ensuite vêtu et non pas nu, orné de branches et de feuilles, et non pas tel qu'il a été semé; car Dieu donne à chacun – à chaque semence – un corps qui lui est propre.

Mais si l'auteur admet que tous les morts ressusciteront incorruptibles, il note aussi que tous ne seront pas parés de gloire, car il ne convient pas que les impies et ceux qui font de mauvaises œuvres soient couronnés de la splendeur divine. C'est pourquoi Paul rappelle à juste titre, selon Cyrille, la diversité des corps que Dieu attribue aux semences, afin que l'une se distingue de l'autre par son aspect.

---

[1] *PG* 74, 901–912 = Pusey III pp. 307–315.

[2] A ce sujet, R. L. Wilken note très justement: »In the fourth century, however, the more significant discussions of Adam-Christ occur in connection with christological matters and questions concerning the redemptive work of Christ. The Adam-Christ typology became one of the chief biblical bases for the solidarity of Christ and mankind. If Christ were not truly one with man his redemptive work would have no consequences for mankind. Therefore if he is truly second *Adam*, then his redemptive work does indeed bring the redemption of other *men*« (*Judaism and the early Christian Mind.* A Study of Cyril of Alexandria's Exegesis and Theology, New Haven and London, 1971, p. 102).

Il utilise pour ce faire une comparaison empruntée à la nature (v. 40).

Cyrille en arrive ensuite aux vv. 42 ss. Comme le grain est jeté nu dans la terre et meurt, puis suscite notre admiration lorsqu'il en sort »vêtu« d'un corps et d'un surplus de splendeur, ainsi aussi le corps humain, semé corruptible, faible, sans gloire, ressuscitera incorruptible, plein de force et rempli de gloire. Ce renouvellement est rendu possible par l'amour de Dieu, manifesté en Christ, car en lui, »les choses vieilles sont passées ...« Or, demande Cyrille, que signifient les »choses vieilles«? Ce sont la corruption, la faiblesse, le déshonneur, les sentiments »psychiques«. Ces choses-là sont inhérentes au corps que nous appelons charnel ou terrestre. Certes, à l'origine, la nature du corps était différente; ce n'est qu'après la transgression que les passions ont habité en l'homme et l'ont dominé au point qu'il a été condamné à une peine de mort. Mais, comme annoncé par le prophète Sophonie (3, 16—17), il y a un renouveau et ces choses nouvelles auxquelles l'homme participe par le Christ, ce sont la gloire, l'immortalité, la force, les sentiments »spirituels«.

On notera ici l'idée de renouvellement que Cyrille trouve dans les deux textes vétérotestamentaires qu'il cite, le Psaume 103 et le prophète Sophonie. La résurrection est une nouvelle création. C'est d'ailleurs ainsi que l'auteur la présente dans une *Homélie* sur Luc 20, 27—28 qui traite de la question posée à Jésus par les pharisiens au sujet de la résurrection[3]. Et ce qu'il y a de remarquable, c'est que Cyrille cite ici aussi le Ps. 103 à côté de 1 Cor. 15, 42. De ce Psaume, il retient surtout le v. 30 dans lequel le Psalmiste affirme: »Tu renouvelles la face de la terre«. Cyrille commente ainsi ce verset: par sa face, il (le Psalmiste) entend sa beauté; et la beauté de la race humaine, c'est l'incorruptibilité. Car on sème dans la corruption, on ressuscite dans l'incorruptibilité; on sème dans la faiblesse, on ressuscite dans la force; on sème dans le deshonneur, on ressuscite dans la gloire.

Si la résurrection est une nouvelle création, quel est alors le rapport entre le corps psychique et le corps spirituel, entre ce corps qui fait partie des »choses anciennes« et celui qui appartient à ce qui est »devenu nouveau«? Dans le *Commentaire* sur la Première Epître aux Corinthiens, Cyrille montre à propos des vv. 44—45 que le corps psychique n'a rien à faire avec l'idée d'âme. L'expression »corps psychique« se rapporte à l'état charnel, animal de l'homme. L'auteur distingue ainsi ce qui est soumis aux passions et ce qui est, au contraire, en rapport avec l'Esprit de Dieu; cette distinction revient dans

---

[3] *Homélies sur Luc.* Sermon 136, traduit du syriaque en anglais par R. Payne Smith, vol. II p. 637—38.

l'*Homélie* sur Luc 24, 38 à propos d'une apparition du Christ aux disciples[4]. Alors que ces derniers sont effrayés parce qu'ils croient voir un esprit, Jésus leur montre ses mains et ses pieds — car un esprit n'a ni chair ni os. Cyrille introduit ici une citation du v. 44, parce que Paul parle là aussi du corps de résurrection. Le corps psychique est soumis aux passions charnelles; le corps spirituel obéit aux volontés de l'Esprit-Saint. Après la résurrection, il ne sera plus temps de s'adonner aux plaisirs de la chair. Le péché sera anéanti et le corps revêtira l'incorruptibilité. Cyrille affirme donc qu'il y a un temps où le péché domine et asservit les hommes, mais qu'après la résurrection, ce temps sera passé. Par cette citation du texte de Paul, Cyrille pense avoir éclairci un peu le mystère qui plane sur le corps de résurrection du Christ pour les disciples. Mais on admettra qu'il n'a pas expliqué grand chose et que cette application du v. 44 au corps du Christ ne convient qu'à demi, puisque le corps du Christ, avant d'être transformé en corps spirituel, n'a pas été asservi aux désirs charnels — ce que Cyrille affirme au sujet du corps psychique.

Quant au corps spirituel, Cyrille le définit comme le corps qui échappe à l'asservissement des passions charnelles, comme le corps qui est entièrement soumis à l'Esprit. Mais en même temps, il met en garde ses lecteurs contre une compréhension »origéniste« de ce corps: le corps spirituel ne sera pas un esprit, pur et éthéré[5]. La meilleure »représentation« de ce corps pour Cyrille, c'est la trans-

[4] Cf R. P. Smith II p. 729 (= PG 72, 948): »Ὥσπερ γὰρ ψυχικόν ἐστι τὸ ταῖς ψυχικαῖς ἤγουν σαρκικαῖς ἐπιθυμίαις ἀκολουθοῦν καὶ ὑπεζευγμένον, οὕτω καὶ πνευματικὸν τὸ τοῖς τοῦ ἁγίου πνεύματος θελήμασιν ὑποκείμενον. Μετὰ γὰρ τὴν ἐκ νεκρῶν ἀνάστασιν, οὐκ ἔστιν ἔτι φιλοσαρκίας καιρὸς, ἀλλ' ἀπρακτήσει παντελῶς τῆς ἁμαρτίας τὸ κέντρον. Αὐτὸ μέν τοι τὸ κατενεχθὲν εἰς τὴν γῆν, τὴν ἀφθαρσίαν ἐνδύσεται.«

[5] Dans le *Commentaire* sur la Première Epître aux Corinthiens, il dit en effet: »Φαίην δ' ἂν εἶναι πνευματικὸν, οὐ τὸ ἐν εἴδει σκιᾶς, ἤγουν ἀσωμάτου πνεύματος, τὸ ἀφεστηκὸς δὲ μᾶλλον καὶ μὴν καὶ εἰς ἅπαν ἀπηλλαγμένον τοῦ σαρκικοῦ καὶ γεωδεστέρου φρονήματος.« On trouvera deux autres textes qui vont dans le même sens, d'abord dans le *Commentaire sur l'Evangile de Jean* 20, 28 (Pusey III pp. 150–151): »οὐκοῦν ἵνα μὴ πνεῦμα λεπτὸν οἴωνταί τινες ἐγηγέρθαι τὸν Κύριον, μήτε μὴν ἀνέπαφον σῶμα, σκιοειδές τε καὶ ἀέριον, ὅπερ ἔθος τισὶν ὀνομάζειν πνευματικὸν, ἀλλ' αὐτὸ δὴ τοῦτο τὸ ἐσπαρμένον ἐν φθορᾷ κατὰ τὴν τοῦ Παύλου φωνὴν διαναστὰν πιστεύηται, τὰ σώματι πρέποντα τῷ παχεῖ δέδρακέ τε καὶ δέδειχεν.« Ensuite *Comm. in Rom.* 8, 23 (Pusey III, 217 s.): »Ἔσεσθαι δὲ προσδοκῶμεν τὸ σῶμα πνευματικὸν, τουτέστιν ἀποβεβληκὸς εἰσάπαν φρόνημα τὸ σαρκικὸν καὶ γεῶδες, καὶ τῆς ἁμαρτίας τὸ κέντρον. Τοῦτο εἶναι φαμεν τὸ σῶμα τὸ πνευματικόν. Εἰ δὲ υἱοφεσίας ἡ χάρις τὴν τοῦ σώματος ἡμῶν ἀπολύτρωσιν ἔχει, μὴ δή τινες ὅλως συκοφαντείτωσαν ἡμῖν τὴν ἀνάστασιν. Μήτε μὴν εἰς τοῦτο ἡκόντων ἀσυνεσίας, ὡς ἀπόβλητον μὲν ποιεῖσθαι τὴν σάρκα, καὶ ἀφανισθήσεσθαι λέγειν εἰς ἅπαν αὐτὴν πεσοῦσαν εἰς γῆν, ἀντανίστασθαι δὲ ὥσπερ ἕτερόν τι πνευματικὸν, ἰσχνόν φημι καὶ ἀερῶδες. Νοοῦσι γὰρ ὧδε τὸ πνευματικὸν αὐτοί.«

figuration du Christ: »pendant que Jésus priait, l'aspect de son visage changea, et ses vêtements devinrent d'une blancheur fulgurante« (Lc 9, 29)[6]. Ce récit a deux buts: il doit renforcer notre espérance de la résurrection; mais il doit aussi permettre de préciser les conditions de la transformation que subira le corps lors de celle-ci. La transfiguration du Christ montre en particulier que la forme du corps ne disparaît pas. Ce n'est que l'aspect qui change. Et Cyrille de citer saint Paul: le corps est semé dans le déshonneur, il ressuscite dans la gloire.

Pour connaître le sens que l'auteur donne à l'opposition des deux corps, il faut poursuivre son exégèse et rendre compte de son interprétation de la typologie adamique. Parmi les très nombreux textes dans lesquels Cyrille en parle, nous citons un passage particulièrement explicite du dialogue christologique *Quod unus sit Christus*[7]. L'auteur cite le v. 45 pour appuyer l'affirmation selon laquelle la réalité de l'incarnation du Christ implique aussi la réalité de sa passion. Son interlocuteur lui demande alors si c'est bien le Verbe de Dieu qui est désigné par l'expression »dernier Adam«. Cyrille répond:

»Non pas à nu, je l'ai déjà dit, mais une fois devenu semblable à nous. C'est lui-même, disons-nous, puisqu'aussi bien il sied non à un homme, mais à un Dieu d'être esprit qui donne la vie. D'autre part, il a été également appelé ›dernier Adam‹ parce que né d'Adam selon la chair et deuxième départ des êtres de la terre: en lui en effet la nature de l'homme est ramenée à une vie nouvelle dans la sanctification et l'incorruptibilité par la résurrection d'entre les morts.«[8]

Ce texte est intéressant parce qu'il donne les deux aspects de la typologie adamique chez Cyrille: l'aspect »technique« en rapport avec les querelles christologiques et les essais de définir la nature du Christ, et l'aspect »théologique« qui débouche sur une vision de l'économie divine. On peut suivre les deux lignes à travers quelques textes.

On se rappelle qu'Athanase a utilisé les. vv. 45—49 du texte de Paul pour montrer, contre Arius, que le Christ avait été capable de

---

[6] *Comm. in Lucam* 9, 29 (PG 72, 656). J. Sickenberger *Fragmente der Homelien des Cyrill von Alexandrien zum Lukas-Evangelium* (TU 34, 1), Leipzig, 1909 p. 80 déclare ce fragment inauthentique.

[7] *Quod unus sit Christus* 772 (PG 75, 1352 = SC 97 p. 496).

[8] *Ibid.* SC 97 p. 497. L'expression »second Adam« s'applique au Verbe de Dieu incarné d'une part parce qu'il est né d'Adam selon la chair, d'autre part parce qu'il inaugure une nouvelle création. Cette idée d'un second départ de l'humanité est aussi exprimée dans le même ouvrage au paragraphe 757 (PG 75, 1325 = SC 97 p. 444) à propos du même texte de 1 Cor. 15, 45.

vaincre la mort parce qu'il était un homme céleste. Quelle va être la position de Cyrille à ce sujet? Elle apparaît nettement dans le *Quod unus sit Christus*[9]. Certains prétendent que le Christ est devenu chair de la même façon qu'il est devenu malédiction et péché, c'est-à-dire que, de même qu'il est devenu malédiction et péché pour supprimer la malédiction et le péché, il est devenu chair pour supprimer la chair. Cyrille qualifie ce raisonnement de »contre-sens choquant« et il demande: »Alors, comment la fait-il (le Christ) apparaître, cette chair, incorruptible et impérissable, à commencer par celle qu'il s'était appropriée? En effet, il ne laissa pas cette dernière continuer d'être mortelle et soumise à la corruption – par transmission jusqu'à nous de la peine infligée à la prévarication d'Adam –, mais, puisqu'elle était la chair du Dieu incorruptible – c'est-à-dire sa propre chair à lui – il l'établit au-delà de la mort et de la corruption«[10]. Ce passage, en même temps qu'il affirme la résurrection corporelle, est une réponse à ceux qui nient la réalité humaine du Christ. Le Christ s'est fait chair, et non seulement il s'est fait chair, mais encore il a fait cette chair incorruptible et impérissable[11] – c'est d'ailleurs une des raison, nous le verrons, pour lesquelles il s'est incarné. Mais Cyrille n'en reste pas à cette position unilatérale; il précise dans d'autres textes que si l'incarnation a bien été réelle pour le Christ, elle ne l'a pas été au détriment de sa divinité: le Christ est toujours demeuré Dieu. Les hérétiques font donc erreur en »couplant un autre fils, le descendant de David, avec le véritable, par nature, le Monogène. Pourtant, l'Ecriture sacrée clame nettement: ›Le premier homme est de la terre, terrestre, le second céleste‹«[12]. Et à ce texte de l'apôtre, Cyrille en joint un autre dans

---

[9] *Quod unus sit Christus* 720 (PG 75, 1265 = SC 97 p. 322).

[10] *Ibid.* p. 323.

[11] Dire que le Christ s'est fait chair, c'est dire qu'il a revêtu notre chair pour la soustraire à la corruption, mais c'est dire aussi qu'il a revêtu notre âme (ce que Paul appelle l'homme intérieur) pour la rendre plus forte que le péché. Cf *De Incarn. Unigeniti* 691 (PG 75, 1213 = SC 97 p. 231): »De même donc que la chair, parce que devenue celle du Verbe qui vivifie tous les êtres, surmonte l'empire de la mort et de la corruption, de la même façon, je pense, l'âme devenue celle du Verbe qui ignore la faute, possède désormais à titre ferme un établissement immuable en toute sorte de biens; elle est incomparablement plus forte que le péché, jusque là notre tyran.«

[12] *Quod unus sit Christus* 771 (PG 75, 1349 = SC 97 p. 491). Dans l'*Adv. Nestorium* I, 1 (PG 76, 24 = Pusey p. 64), Cyrille souligne la divinité du Christ, sans laquelle notre nature humaine n'aurait pas été »enrichie« et il s'appuie sur le vocabulaire paulinien qui parle du »céleste«. Mais cela ne doit pas nous induire en erreur et nous faire penser que Cyrille adopte une position apollinariste. En effet, dans le *Quod unus sit Christus* 723 (PG 75, 1269 = SC 97 pp. 331–33), il montre que seule, une incarnation réelle du Christ peut garantir la transformation de notre corps et notre libération de la corruption et

l'Evangile de Jean: »car je suis descendu du ciel ...« (Jn. 6, 38–39) avec cette question: »Qui donc est-il, selon eux, celui qui est descendu du ciel? car pour le corps, il est né d'une femme«[13].

On le voit, l'interprétation de Cyrille est plus nuancée que celle de ses prédécesseurs. Tantôt il oppose le v. 47 à ceux qui nient la réalité de l'incarnation, tantôt il l'oppose à ceux qui veulent »coupler« un autre fils, le descendant de David, avec le Fils Monogène. Ce qui est pourtant certain, c'est que le qualificatif de »céleste« indique toujours pour lui l'origine du Christ, sa provenance. Il n'est jamais là pour exprimer le qualité de son corps ou de sa chair. Au contraire, dans son *Commentaire* de la Première Epître aux Corinthiens, Cyrille s'attaque à ceux qui prétendent que le corps du Christ est céleste. Or Paul, dit-il, affirme que tous deux, aussi bien Christ que l'homme, sont dans des corps terrestres et qu'ils se distinguent non par la nature du corps, mais par la volonté, le jugement, et leur manière de vivre[14].

Si l'auteur comprend ainsi la typologie adamique[15], c'est parce que cette dernière n'a pas seulement un intérêt christologique, mais qu'elle débouche sur la compréhension de l'économie divine tout entière. Car si le Christ avait été n'importe quel homme, il n'aurait pas pu vaincre la mort et par conséquent il n'aurait pas pu sauver le monde. Or Christ est homme, mais il est l'homme céleste, c'est-à-dire qu'il vient de Dieu et qu'il est son Fils. C'est pourquoi il peut

du péché. Il cite alors le v. 49 et il précise: »Homme céleste s'entend du Christ, non qu'il nous ait apporté sa chair d'en-haut, du ciel, mais parce qu'étant Dieu, le Verbe est descendu du ciel et s'est revêtu de notre ressemblance, c'est-à-dire s'est assujetti à la génération par une femme selon la chair, tout en restant ce qu'il était: d'en-Haut, des cieux, supérieur à tout en qualité de Dieu même avec la chair.«

[13] *Ibid.* SC 97 p. 491.

[14] *Comm. 1 Cor.* (Pusey III p. 315).

[15] R. L. Wilken relève à plusieurs reprises ce sens de la typologie adamique pour Cyrille dans l'ouvrage que nous avons cité. Cf par ex. à la p. 118: »Thus the Adam imagery is a way of speaking of Christ as man, for he is one with other men, but it is also a way of speaking of him as God, for he is sent from heaven and is God's son«; de même à la p. 141: »The Adam-Christ typology allows Cyril to accent the unique element in Christ, namely that he is *unlike* other men because he is God's son and has come ›from heaven‹«; enfin à la p. 142 l'auteur conclut: »(...) the Adam-Christ typology, following traditional practice, is used by Cyril to affirm the solidarity of Christ with mankind and to assert that Christ is truly a man among men. On the other hand, in the tradition of Apollinaris and Athanasius, Cyril also uses the typology to assert the uniqueness of Christ. He is like other men but also unlike them; he is not an ordinary man.« Cf aussi R. L. Wilken »Exegesis and the History of Theology: Reflections on the Adam-Christ Typology in Cyril of Alexandria«, *ChH* 25 (1966), 139–56.

faire de nous des fils adoptifs en nous transmettant la grâce de la filiation divine[16]. Il est ainsi celui qui renouvelle l'humanité, corrompue par la désobéissance d'Adam. Il est un second Adam[17]. »Tel est le terrestre, tels sont les terrestres. Tel est le céleste, tels les célestes«. Cyrille commente ainsi ce verset dans un des *Dialogues christologiques:*

»Nous sommes terrestres, en effet, en ce que la malédiction de la corruption est passée de l'Adam terrestre jusqu'en nous, moyennant quoi la loi du péché s'y est glissée également, celle qui est dans les membres de la chair. Célestes, nous le sommes devenus pour en avoir reçu le don dans le Christ. Lui qui était Dieu par nature et issu de Dieu et d'en-Haut est descendu s'établir en notre condition de manière insolite et surprenante, il s'est fait engendrer de l'Esprit selon la chair afin que nous demeurions nous aussi saints et incorruptibles à sa mode, la grâce se transmettant de lui à nous comme à partir d'un second commencement et d'une deuxième racine.«[18]

Ainsi en arrive-t-on tout naturellement au verset 49, que Cyrille a expliqué très clairement: »le terrestre« dont nous avons porté l'image, c'est Adam, le premier homme créé par Dieu[19]; le »céleste« dont nous porterons l'image, c'est la Parole, venue de Dieu et faite semblable à nous[20]. L'image du terrestre, c'est »la propension au péché, et la mort qui, de ce fait a été lancée contre nous«[21], alors

---

[16] *In Johan.* 1, 9 (Pusey I p. 133).

[17] *Quod unus sit Christus* 757 (PG 75, 1325 = SC 97 p. 445) où Cyrille, après avoir dit que le premier homme a péché et est tombé dans la désobéissance en transgressant le commandement, fait parler ainsi le Christ: »Mais Tu m'as fait croître comme une deuxième origine des êtres de la terre, j'ai le nom second Adam.«

[18] *Quod unus sit Christus* 725 (PG 75, 1273 = SC 97 p. 339).

[19] On peut préciser que c'est Adam, une fois la transgression commise. Il est ainsi devenu l'archétype de la mort physique (*In Johan.* 19, 40–41 = Pusey III p. 106), de l'asservissement aux passions et à la corruption (*In Johan.* 9, 1 = Pusey II p. 483 et *In Johan.* 11, 11 = Pusey II p. 730), de la faiblesse en face du péché (*In Johan.* 11, 2 = Pusey II, p. 657).

[20] *Hom. sur Luc* 10, 23 (Sermon 67) cf PG 72, 673 = trad. angl. du syriaque par R. P. Smith I p. 308.

[21] *De Incarn. Unigeniti* 692 (PG 75, 1213 = SC 97 p. 233). On rencontre la même définition dans le *De recta fide* 20: »Il (Paul) appelle image du terrestre le penchant au péché et la condamnation à mort encourue de la sorte; mais image du céleste, c'est-à-dire du Christ, la stabilité dans la sainteté, l'évasion de la mort et de la corruption, et le renouvellement à l'incorruption de la vie« (trad. par H. M. Diepen *Aux origines de l'anthropologie de saint Cyrille d'Alexandrie*, Bruges, 1957 p. 101). Cf aussi dans le même sens l'*Adv. Nestorium* II, 2 (PG 76, 128 = Pusey p. 146): »Χοϊκοῦ μὲν λέγων εἰκόνα, τὴν τοῦ προπάτορος 'Αδάμ. 'Επουρανίου γε μὴν, τὴν τοῦ Χριστοῦ. Τίς οὖν πρώτη τοῦ προπάτορος εἰκών; τὸ εὐπόριστον εἰς ἁμαρτίαν, τὸ ὑπὸ θάνατον γενέσθαι καὶ

que l'image du céleste, c'est »la fermeté dans la sanctification et le renouveau qui nous fait revenir de la mort et de la corruption à l'incorruptibilité et à la vie«[22].

On notera que Cyrille a lu au v. 49 un futur pour le verbe »porter« et qu'il en a tenu compte dans son interprétation, puisque porter l'image du céleste, c'est »revenir de la mort et de la corruption«.

Ce qui frappe dans l'exégèse de Cyrille, c'est l'unité qu'il donne à son interprétation du texte paulinien. Les Pères que nous avons étudiés jusqu'ici nous avaient habitués à distinguer deux niveaux, l'un se rapportant à l'eschatologie (les vv. 35—44), l'autre à la vie chrétienne ici-bas (les vv. 45—49). Pour Cyrille au contraire, l'antithèse entre le corps psychique et le corps spirituel recouvre l'opposition entre l'image d'Adam que nous avons portée et l'image du céleste, le Christ, que nous porterons. L'auteur accorde une grande importance à la christologie, mais celle-ci n'est pas envisagée pour ellemême: elle est orientée vers la sotériologie. Si Cyrille est tellement soucieux de définir la nature du Christ, homme comme nous, mais différent de nous, parce que Fils de Dieu, c'est parce qu'il est soucieux de défendre l'idée d'un renouvellement de toutes choses par le Christ, d'un nouveau départ donné par le Christ à toute la création[23]. Ainsi trouve-t-on clairement exprimée chez lui la thèse d'une économie divine en deux étapes. Cependant Cyrille s'écarte de l'apôtre lorsqu'il définit la »première étape«.

On se souvient que pour Paul, le péché est une parenthèse dans l'économie divine et que par conséquent, les deux grands moments sont pour lui la création de l'homme psychique, fait âme vivante,

---

φθοράν. Ποία δὲ πάλιν ἡ τοῦ ἐπουρανίου; τὸ κατ' οὐδένα τρόπον ἡττᾶσθαι παθῶν. τὸ μὴ εἰδέναι κλημμελεῖν. Τὸ μὴ ὑποκεῖσθαι θανάτῳ καὶ φθορᾷ. Ὁ ἁγιασμὸς, ἡ δικαιοσύνη. Καὶ ὅσα τούτοις ἀδελφά τε καὶ παραπλήσια.«

[22] Cf note 21.

[23] Dans le *De recta fide* 19, Cyrille traite du problème des motifs de l'incarnation. Il cite plusieurs textes de l'Ecriture, tels que Hébr. 2, 14—15; Rom. 8, 3—4 et poursuit: »Dès lors, n'est-il pas tout à fait évident, absolument indéniable et indiscutable, que le Fils unique est devenu comme nous, c'est-à-dire Homme parfait, afin d'infuser à ce corps terrestre, grâce au mystère de l'union, sa propre vie et de le délivrer ainsi de la corruption encourue? Mais il s'est alors approprié de même l'âme humaine afin de lui permettre de maîtriser le péché« (trad. dans H. M. Diepen *op. cit.* p. 99). Le renouvellement que le Christ apporte s'étend sur deux plans: il renouvelle l'âme humaine en la rendant plus forte que le péché; il renouvelle le corps en le rendant incorruptible. Cf aussi *In Johan.* 12, 1 (Pusey III pp. 146—47) où Cyrille affirme qu'à la résurrection, le corps ne sera plus sujet à la corruption; il abandonnera toute la faiblesse et le déshonneur qui lui viennent de sa soumission aux passions pour retourner à son état originel, car le corps n'était pas fait pour la mort et la corruption.

et la résurrection, inaugurée par le Christ et achevée à l'avènement du corps spirituel. Or ce qui étonne chez Cyrille, c'est sa définition du corps psychique. Nous l'avons vu, dans son *Commentaire* de la Première Epître aux Corinthiens, il met en garde ses lecteurs pour qu'ils n'identifient pas le corps psychique avec l'âme et il affirme que l'expression »corps psychique« se rapporte à l'état charnel, à ce qui ne vient pas de l'Esprit de Dieu, à ce qui est soumis aux passions. Cette interprétation, on la retrouve de façon plus précise dans d'autres textes. Cyrille dit par exemple dans son *Commentaire de l'Evangile de Jean:* »Il n'est personne de sensé qui identifiera l'âme du vivant et le souffle qui procède de Dieu. Ce souffle, c'est bien plutôt, une fois que le vivant a reçu la perfection de sa nature par l'union de l'âme et du corps, c'est le sceau du Créateur sur sa créature, la marque de l'Esprit-Saint, ou Esprit de vie«[24]. La création de l'homme s'est donc faite en deux temps: au commencement, l'homme a été créé corruptible, car »tout ce qui a commencé est soumis à la corruption«[25]. Aussitôt après l'avoir créé, Dieu a insufflé à l'homme ce souffle de vie qui était son Esprit, et ce geste a conféré à l'homme l'incorruptibilité. Mais cette dernière était, comme le dit G. Langevin, »à la merci d'un vouloir faillible«[26]. Aussi Adam l'a-t-il perdu en se détournant de la volonté divine.

H. du Manoir de Juaye[27] voit les choses de la même manière, mais il parle de similitudes et distingue deux ordres: l'ordre de la nature créée, »nécessairement sujette à la corruption«[28] et au retour à son origine qui est le néant[29]; une participation de la nature créée à la nature incréée, incorruptible par essence[30]. La première similitude fut donnée à Adam avec sa nature raisonnable et libre. La seconde était due à la présence du Saint-Esprit[31]. Adam usa de sa li-

---

[24] Cité par G. Langevin »Le thème de l'incorruptibilité dans le commentaire de saint Cyrille d'Alexandrie sur l'Evangile selon saint Jean«, *Sc. eccl.* 8 (1956) p. 299. L'auteur traduit le passage qui se trouve dans PG 74, 276D–277D.

[25] PG 73, 865C.

[26] G. Langevin *op. cit.* p. 298.

[27] H. du Manoir de Juaye *Dogme et spiritualité chez Cyrille d'Alexandrie*, Paris, 1944, pp. 94 ss.

[28] Cf *Hom. pascales* XV = PG 77, 744A.

[29] Cf *In Johan.* 1, 4 (PG 73, 888) et 14, 20 (PG 73, 277A).

[30] Cf *In Johan.* 1, 14 (PG 73, 160B) où Cyrille montre que Jean parle aussi du Christ comme d'un homme; c'est pourquoi il peut nous sauver. Cyrille défend l'idée que Christ est homme, mais qu'il a su, lui, garder l'Esprit; d'où son caractère unique en comparaison des hommes; d'où aussi la possibilité pour lui de sauver l'humanité. Cf aussi le dialogue *Sur la Trinité Dial.* VII (PG 75, 1081D).

[31] A propos de la première similitude, H. du Manoir de Juaye cite le traité *Contre les anthropomorphytes,* ép. à Calosyr. (PG 76, 1069–1072) et *In Johan.*

berté en désobéissant au commandement de Dieu, ce qui entraîna pour lui la perte de la seconde similitude. Le Saint-Esprit le quitta et avec lui, les privilèges et les vertus gracieusement accordées par le Créateur. La mort et la corruption envahirent le monde: les instincts rebelles, la concupiscence asservirent l'homme. A la suite de la transgression d'Adam, toute l'humanité naîtra mortelle, privée de la similitude qui la rendait incorruptible. H. du Manoir de Juaye résume tout cela dans le texte suivant:

»A l'origine, Dieu avait tout créé et donc aussi l'homme dans l'incorruptibilité. Toutefois, cette incorruptibilité, cette immortalité, l'homme ne la tenait pas de sa nature propre mais du Dieu incorruptible et indestructible par essence qui l'avait rendu participant de sa propre nature: ›En effet, il souffla sur son visage un souffle de vie, c'est-à-dire l'Esprit de son Fils. Car c'est lui, la vie, avec le Père, contenant toutes choses dans l'existence‹. Ce souffle divin n'était donc point l'âme, mais l'Esprit-Saint que le Créateur a imprimé ›comme un sceau de sa propre nature‹, à l'homme (...). La présence du Saint-Esprit donnait à l'homme une ressemblance divine supérieure à celle qu'il avait déjà par sa nature raisonnable et libre; cette similitude au second degré le rendait incorruptible. Mais voici qu'Adam par suite de sa désobéissance ›fut rejeté et tomba hors de Dieu et de l'union avec le Fils opérée par l'Esprit‹ et par le fait même perdit sa ressemblance divine supérieure, son incorruptibilité, tout ce qu'il ne possédait pas de son propre fond ou par essence. Issus d'Adam, devenus corruptibles, les hommes abandonnés à eux-mêmes n'auraient pu récupérer l'immortalité perdue; mais Dieu le Père les releva et les appela à une nouvelle vie par son Fils. De la même manière que l'homme a été façonné au début, il sera reformé.«[32]

On ne saurait être plus clair: le corps psychique n'est pas cet homme dans lequel Dieu a insufflé son souffle de vie. C'est au contraire celui qui a perdu ce souffle qui, selon Cyrille, conférait à l'homme l'incorruptibilité – ce souffle qui, pour l'auteur, représente le Saint-Esprit. Dès lors, l'opposition corps psychique – corps spirituel recouvre cette autre opposition entre l'éon présent, marqué par le péché et les conséquences de la transgression d'une part, la résurrection et le rétablissement du corps spirituel de l'autre. Le Christ est donc venu pour rétablir l'homme dans l'incorruptibilité. On peut alors se demander si cet état dans lequel le Christ fait parvenir les hommes est identique à l'état dans lequel ils se trouvaient après que

---

14, 20 (PG 74, 277D). Pour la seconde, il mentionne ce dernier texte du commentaire de Jean et *In Matth.* 24, 51 (PG 72, 445C): »Il a été formé à l'exemple de la beauté archétype et perfectionné à l'image du Créateur, soutenu en vue de toute espèce de vertus par la force de l'Esprit qui habitait en lui« (*op. cit.* p. 94).

[32] *Op. cit.* pp. 232–33.

Dieu leur eût insufflé un souffle de vie, ou si le Christ les élève au contraire à une condition qu'ils n'ont jamais connue auparavant. La question est légitime, parce que Cyrille l'a envisagée aussi. Dans certains textes, il semble dire que le motif de l'incarnation, c'était de ramener la nature humaine à ce qu'elle était au commencement[33]. Mais l'auteur va parfois plus loin et montre que le Christ apporte plus aux hommes que ce qu'ils avaient avant la transgression d'Adam; et ce plus, Cyrille l'attribue à la résurrection du Christ: grâce à la médiation du Christ, la filiation divine des chrétiens est supérieure à celle d'Adam. H. du Manoir de Juaye[34] cite à ce sujet trois textes qu'il vaut la peine de mentionner ici. Dans la Sixième *Homélie pascale*[35], Cyrille affirme que le Verbe, par son union à notre chair, a transformé notre condition en un état meilleur que l'ancien. Dans le *De adoratione* 1, 17[36] l'auteur compare les deux époques de l'humanité et affirme qu'au commencement, le temps de la vie humaine était saint »en Adam«, car celui-ci n'avait pas encore violé le commandement de Dieu, ni méprisé les principes divins. Toutefois le second temps est »encore plus saint«, c'est-à-dire le temps dans le Christ, le second Adam, car l'humanité a été alors délivrée du péché et restaurée en vue d'une nouvelle vie dans l'Esprit. Enfin dans le *Commentaire* sur Joël[37], Cyrille précise la comparaison entre le premier et le second Adam. Il dit que l'Esprit donné à Adam n'est pas resté dans la nature humaine, à la suite de la chute. Mais quand le Verbe s'est incarné, il a reçu, en tant qu'homme, son propre Esprit, qui est resté en lui comme second principe du genre humain. Nous sommes donc rétablis dans une condition incomparablement meilleure et nous obtenons, d'une façon parfaite, le régénération de l'Esprit.

Ce qui permet donc de différencier la première économie de la seconde, c'est le caractère de stabilité de l'Esprit: la nature humaine est plus intimement unie à la divinité par le mystère de l'Incarnation que par la création. Par le Fils, les hommes ont été faits des fils adoptifs de Dieu. G. Langevin a, lui aussi, vu cette distinction entre les deux économies et il rappelle à ce sujet la distinction augustinienne entre l'impossibilité de mourir et la possibilité de ne pas mourir[38]. Le premier Adam avait la possibilité de ne pas mourir. En Christ, les hommes reçoivent l'incorruptibilité comme impossibilité de mourir. C'est pourquoi G. Langevin, qui parlait à propos d'Adam

---

[33] *In Lucam* 23, 32–42 (cf aussi l'Homélie 42 sur Lc 8, 19–21). Pour le premier texte cité, cf Smith *Commentary on St.-Luke*, Oxford, 1859 pp. 718–19.

[34] *Op. cit.* p. 177.

[35] PG 77, 765C.

[36] PG 68, 1076D.

[37] PG 71, 380AB.

[38] G. Langevin *op. cit.* p. 305.

d'»incorruptibilité à la merci d'un vouloir faillible«, parle à propos de la nouvelle humanité régénérée en Christ d'»incorruptibilité sous la protection du Verbe incarné«[39]. On peut ainsi dire que chez Cyrille, la rédemption n'est pas exactement le parallèle de la création. La fin n'est pas un retour à l'origine. En passant de l'une à l'autre, il y a une transformation: l'incorruptibilité est acquise à l'humanité désormais comme une propriété stable, inamovible. Elle n'est plus à la merci d'un vouloir fragile, toujours prêt à laisser fuir le don divin. C'est pourquoi Cyrille affirme que tous les hommes ressusciteront dans leurs corps: la nature humaine est libérée de la corruption. De même qu'en Adam tous sont morts, en Christ, tous ressusciteront. Mais ceux qui auront fait le bien ressusciteront pour vivre, les autres pour subir une peine éternelle, selon Mt 25, 46.

L'exégèse de Cyrille est donc fort intéressante pour le sujet qui nous occupe. L'auteur, malgré une différence d'interprétation de la notion de corps psychique, a retrouvé dans ses grandes lignes l'idée paulinienne d'une économie divine en deux étapes, situées l'une et l'autre à deux niveaux d'être différents. Chez l'apôtre, ces deux étapes sont caractérisées, l'une par la notion de corps psychique, l'autre par celle de corps spirituel. Chez Cyrille, le corps psychique est une sorte de parenthèse dans l'économie divine qui, indépendamment de cette parenthèse, devait amener l'homme de la »possibilité de ne pas mourir« à l'»impossibilité de mourir«, de l'»incorruptibilité à la merci d'un vouloir faillible« à l'»incorruptibilité sous la protection du Verbe incarné«.

B) Les Cappadociens et les écrits attribués à Macaire

a) Basile de Césarée

On s'étonnerait si Basile n'était pas mentionné dans ce travail. Et pourtant, il faut reconnaître que pour le sujet qui nous occupe, ses œuvres offrent un intérêt assez restreint. Nous ne nous y attarderons donc pas plus qu'il n'est nécessaire.

Basile mentionne 1 Cor. 15, 41 dans le *Traité du Saint-Esprit* contre ceux qui refusent toute gloire à l'Esprit[1]. Il rappelle tous les êtres auxquels l'Ecriture confère une gloire et, à cette occasion, cite le texte de Paul: »Il y a une gloire du soleil, de la lune et des étoiles«. Si donc le soleil, la lune et les étoiles participent à la gloire divine,

[39] *Ibid.*

[1] *Traité du Saint-Esprit* 169c (SC 17 p. 215). Cf les articles consacrés à la doctrine du Saint-Esprit chez Basile dans *Verbum Caro* vol. 88 et 89 (1968/69).

d'autant plus le Saint-Esprit y a-t-il part. Ici, le v. 41 n'est mentionné qu'à titre d'exemple. C'est dans un contexte tout à fait semblable que Basile le cite dans l'*Adv. Eunomium*, livre III[2]. Il s'agit de montrer que ce n'est pas parce que le Saint-Esprit est mentionné après le Père et le Fils qu'il a une nature différente de la leur. Basile en appelle au témoignage de l'apôtre pour dire: bien qu'une étoile diffère d'une étoile en gloire, la nature de toutes les étoiles est unique (φύσις δὲ πάντων ἀστέρων μία), c'est-à-dire que la nature des étoiles reste la même, quel que soit l'éclat dont brille tel ou tel astre. Au texte de Paul, il joint, comme c'est souvent le cas, le texte de Jean 14, 2 relatif aux demeures nombreuses qui sont auprès du Père; là aussi, il y a diversité de dignité, mais la nature de tous ceux qui sont glorifiés est la même; le Saint-Esprit est donc de même nature que le Père et le Fils. Dans le *Commentaire sur le Prophète Isaïe*[3] enfin, l'auteur se rallie à l'interprétation traditionnelle du v. 41. Il explique Is. 11, 10: »sa demeure sera glorieuse«. Il s'agit de la gloire du Christ, mais aussi, selon Basile, de la gloire de ceux qui glorifient le Christ et qui l'aiment. Cette demeure glorieuse, c'est donc la gloire qui, après le jugement de Dieu, récompensera les mérites dus aux bonnes œuvres: certains auront une plus grande gloire que d'autres, comme une étoile se distingue d'une autre étoile par son éclat. D'ailleurs, conclut l'auteur du commentaire, »il y a plusieurs demeures dans la maison de mon Père« (Jn 14, 2).

Basile ne s'attache pas à chercher quelles seront les modalités de la résurrection. Il se contente de citer et de paraphraser saint Paul: le corps est semé, mis en terre et il se décompose. Mais grâce à Dieu, il est appelé à ressusciter incorruptible, parce que recréé par le Saint-Esprit[4]. A la résurrection, nous serons donc changés en quelque

---

[2] *Adv. Eunomium* III (PG 29, 657).

[3] *Comm. in Isaiam Proph.* XI (PG 30, 556). Il faut signaler toutefois que la majorité des critiques penche pour refuser à Basile l'authenticité de ce *Commentaire*. Pourtant à la même citation du v. 41, Basile joint celle de Jn 14, 2 dans un passage du *Traité du Saint-Esprit* — mais nous savons que cela ne saurait être une preuve de l'authenticité du *Commentaire* —: l'auteur montre que l'Esprit est inséparable du Père et du Fils; il affirme qu'il en a été ainsi dès la création du monde et qu'il en sera de même au jour du jugement. Et il poursuit: »qui peut être assez ignorant des biens préparés par Dieu à ceux qui en sont dignes, pour ne pas voir dans la couronne des justes la grâce de l'Esprit, offerte alors plus abondante et plus parfaite, quand la gloire spirituelle sera distribuée à chacun en proportion de ses actes de vertu? Dans les splendeurs des saints il existe en effet de nombreuses demeures chez le Père, c'est-à-dire diversité d'honneurs: comme une étoile diffère d'une étoile en éclat, ainsi en est-il de la résurrection des morts« (par. 141b = SC 17 p. 182).

[4] Cf *Homelia in Gratiarum Actione* (PG 31, 232) et *De consolatione in Adversis* (PG 31, 1701). A noter dans ce texte une citation du Ps. 103, 30.

chose de mieux, de spirituel[5]. On ne doit pas s'attendre à retrouver, après la résurrection, les particularités de cette vie, mais on doit savoir que dans le monde futur, la vie sera »angélique« et »sans besoin«. En effet, Jésus dit dans Luc 20, 34–36 que dans le monde à venir, on ne prendra ni femme ni mari, on ne mourra plus, parce qu'on sera comme des anges. Pour appuyer ce point de vue, Basile mentionne 1 Cor. 15, 35–36 et 42–44 sans y ajouter de commentaire[6].

Quant aux vv. 46–47, ils sont cités à deux reprises pour affirmer la divinité du Saint-Esprit; dans un passage du *Traité du Saint-Esprit*[7], l'auteur fait un raisonnement logique que l'on a déjà rencontré une fois chez Didyme à propos de la divinité du Christ. Ici, les adversaires tiennent le Saint-Esprit pour inférieur au Père et au Fils parce que l'énumération des trois place l'Esprit en dernier lieu. Or, dit Basile, »la communauté de nature n'est aucunement atteinte, comme ils le pensent à tort, par cette manière de ›subnumération‹«[8]. Si le second était inférieur à ce qui est nommé en premier, il serait difficile de comprendre ces versets de l'apôtre: le premier homme, fait de terre, est terrestre; le second, c'est le Seigneur, qui vient du ciel. Ce n'est pas le spirituel qui est premier, mais le psychique; le spirituel vient ensuite. Basile poursuit: »Si donc il faut ›subnumérer‹ le second au premier et si l'être subnuméré est moins honorable que celui auquel il est subnuméré, le ›spirituel‹ est donc, d'après vous, moins honorable que le ›psychique‹, et l'homme ›céleste‹ que l'homme ›terrestre‹!«[9]. On retrouve donc ici ce que l'auteur disait dans l'*Adv. Eunomium* III, où il citait à cet effet le v. 41. Mais le même texte de Paul peut aussi être utilisé dans un raisonnement grammatical que fait Basile à propos d'une formule doxologique[10]. En effet, au lieu de la formule »Gloire au Père *par* le Fils et *dans* le Saint-Esprit«, Basile a prononcé la formule »Gloire au Père *avec* le Fils et le Saint-Esprit«. Cette formule choque les anoméens, dont la doctrine repose sur 1 Cor. 8, 6: »Un seul Dieu le Père, *de qui* viennent toutes choses et un seul Seigneur Jésus-Christ, *par qui* sont toutes choses«. Pour les anoméens, l'expression ›de qui‹ désigne l'artisan: elle est réservée à Dieu le Père; l'expression ›par qui‹ désigne l'aide ou l'instrument: elle est réservée au Fils; l'expression

[5] *Homilia in Psalmum* 44 (PG 29, 389): »ἀλλοίωσις δὲ ἐπὶ τὸ βέλτιον καὶ πνευματικόν.«

[6] Cf ici les *Moralia* 68, 1 (PG 31, 805). Les *Moralia* sont des régles ou instructions morales. Chacune s'appuie sur une citation d'un texte scripturaire. Il ne faut donc pas s'attendre à y trouver une exégèse »technique«.

[7] *Traité du Saint-Esprit* 153d (SC 17 p. 198).

[8] *Ibid.* [9] *Ibid.*

[10] *Traité du Saint-Esprit* 77b (SC 17 p. 116).

›en qui‹ désigne le moment ou le lieu: elle est réservée au Saint-Esprit. »Les natures signifiées par les mots sont dans le même rapport que les mots entre eux«[11]. Le Père, le Fils et le Saint-Esprit ne sont donc pas de même nature et »le Saint-Esprit n'a fourni rien de plus, comme contribution à (la constitution des) êtres que les conditions d'espace ou de temps«[12]. Basile va réfuter cette théorie en analysant les expressions ›de qui‹, ›par qui‹ et ›en qui‹ et en montrant que l'expression ›par qui‹ se dit aussi du Père et que la locution ›de qui‹ peut aussi se rapporter au Fils; qu'enfin toutes deux se disent du Saint-Esprit. C'est dans ce contexte que Basile mentionne le v. 47: le premier homme, *de* terre, est terrestre. Il cite aussi Gen. 6, 14; Ex. 25, 31 et Job 33, 6: *de* boue tu es façonné tout comme moi. L'expression ›de qui‹ n'est donc pas réservée au Père; l'Ecriture l'emploie aussi pour signifier la matière.

Basile cite enfin le v. 49 dans le sens que nous connaissons bien pour l'avoir rencontré souvent. Contre ceux qui s'en réfèrent à Moïse pour refuser à l'Esprit la divinité, il montre que Moïse était un »type«, une préfiguration de ce qui devait venir, mais que les baptêmes en Moïse et en Christ (c'est-à-dire en Esprit) ne sont pas sur le même plan. Car »quel pardon des fautes, quel renouvellement de la vie y a-t-il dans la mer? Quel charisme ›spirituel‹ reçoit-on par Moïse? Quelle mort aux péchés y a-t-il là? Ces gens-là ne moururent pas avec le Christ et c'est pourquoi ils ne ressuscitèrent pas non plus avec lui. Ils ne portèrent pas en eux l'Image du Céleste ni en tout leur corps la mortification de Jésus; ils ne se dépouillèrent pas du vieil homme et ne se revêtirent point du nouveau, renouvelé dans la connaissance à l'image de son créateur. Pourquoi donc comparer entre eux des baptêmes dont le nom seul est commun et qui diffèrent dans leur réalité autant qu'un rêve de la vérité et qu'une ombre ou des images de la substantielle réalité?«[13]. Porter l'image du céleste, qui est le Christ, c'est donc vivre de la vie du Christ, renouvelé par le Saint-Esprit. Ceux qui portent l'image du céleste, dit encore Basile dans son *Commentaire sur le prophète Isaïe* en expliquant Is. 8, 16–17, c'est ceux qui acceptent la Parole qui est semée; ceux qui améliorent leurs cœurs et deviennent un terrain fertile dans lequel la Parole peut prendre racine et résister contre les ronces et les épines. Mais il y en a qui refusent de recevoir la Parole et qui la scellent pour qu'elle ne puisse pas les atteindre. Ceux-là, dit l'auteur, sont ceux qui ont faussé l'image du céleste et qui ne trouvent leur plaisir qu'à suivre l'image du terrestre[14].

[11] *Ibid.* p. 111. [12] *Ibid.* p. 112.
[13] *Traité du Saint-Esprit* 125a (SC 17 p. 165).
[14] *Comm. in Isaiam Proph.* VIII (PG 30, 492).

Ce thème de l'image nous amène à préciser que pour Basile, image et ressemblance sont distinguées l'une de l'autre. Il dit en effet: »Nous possédons l'un (l'image) par la création, nous acquérons l'autre par la volonté«[15] et plus loin: »En effet, par l'image je possède l'être raisonnable, et je deviens à la ressemblance en devenant chrétien«[16]. Devenir chrétien, c'est donc ressembler à Dieu »autant qu'il est possible à la nature de l'homme«[17]; et ressembler à Dieu (on pourrait dire ici: porter l'image du céleste), c'est imiter sa bonté, sa patience, pratiquer l'entente, l'amour des autres, détester le mal et dominer les passions du péché[18]; en d'autres termes, c'est revêtir le Christ et en porter le sceau par le baptême, que Basile appelle un »vêtement d'incorruptibilité«[19]. Car, il faut le dire aussi, pour l'auteur, le corps n'est pas créé incorruptible. Il le montre avec clarté dans une *Homélie sur l'Hexaéméron:* »Apprenons les choses de Dieu et comprenons, en ce qui nous concerne, que nous ne possédons pas ce qui est à l'image de Dieu, sous forme corporelle. La forme du corps est celle d'un corruptible. Ce n'est pas par le corruptible que l'incorruptible se figure. Le corruptible n'est pas image de l'incorruptible. Le corps croît, décroît, vieillit, s'altère«[20]; et encore: »notre chair est plus faible que celle de beaucoup d'animaux«[21]. Ce qui par contre est à l'image de Dieu, c'est la raison, par laquelle Dieu donne à l'homme la supériorité sur le reste de la création. L'homme dont il est question dans Gen. 1, 26, l'homme créé à l'image de Dieu, c'est donc la raison[22]. Quant au corps, sa création est rapportée dans le second récit de la création, car si le premier récit de la Genèse rapporte que Dieu créa l'homme, le second dit qu'il le modela. Basile explique ainsi: »Dieu a créé l'Homme intérieur et modelé l'Homme extérieur«[23] ou en d'autres termes: »la chair a été modelée, mais l'âme a été créée«[24]. Cette distinction entre la raison et le corps repose par ailleurs sur II Cor. 4, 16; cela permet à Basile de dire:

---

[15] *Hom. sur l'Hexaéméron* X, 16 (SC 160 p. 207). A propos de l'exégèse que Basile a donnée de l'Héxaéméron, on lira l'ouvrage d'Y. Courtonne *Saint Basile et l'hellénisme.* Etude de la rencontre de la pensée chrétienne avec la sagesse antique dans l'Héxaéméron de Basile le Grand, Paris, 1934.

[16] *Ibid.* p. 209.

[17] *Hom.* X, 17 (SC 160 p. 211).

[18] *Hom.* X, 18.

[19] *Hom.* X, 17 (SC 160 p. 213). On se rappelle ici la formule d'Ignace appelant l'eucharistie un »remède d'immortalité«. Pour Basile, c'est le baptême qui est un »vêtement d'incorruptibilité«.

[20] *Hom.* X, 6 (SC 160 p. 179).

[21] *Ibid.* p. 181.

[22] »Il a dit que l'Homme est à l'image de Dieu, et la raison c'est l'homme« (*Ibid.* p. 183).

[23] *Hom.* XI, 3 (SC 160 p. 233).

[24] *Ibid.*

»Je distingue deux hommes, l'un qui apparaît, et l'autre, caché sous celui qui apparaît, invisible: l'homme intérieur. Nous avons un homme intérieur et nous sommes doubles en quelque sorte, mais à vrai dire, nous sommes l'être intérieur. Le moi se dit de l'homme intérieur: ce qui est extérieur n'est pas moi, mais mien. La main, ce n'est pas moi, mais le moi, c'est le principe raisonnable de l'âme. La main, elle, est une partie de l'homme. Ainsi le corps est l'instrument de l'homme, l'instrument de l'âme; mais l'homme se dit principalement de l'âme elle-même«[25].

C'est pourquoi toute l'attention de l'auteur se porte sur l'âme qui, créée à l'image de Dieu, doit devenir à sa ressemblance en accueillant l'Esprit et en se laissant illuminer par lui[26]. Quant au corps, il sera transformé à la résurrection pour devenir incorruptible et glorieux, comme l'enseigne l'apôtre.

Ces quelques brèves remarques sur le corps permettent de comprendre, mieux encore que l'exégèse sommaire du texte paulinien donnée par Basile, les relations entre corps terrestre et corps spirituel: pour l'auteur comme pour saint Paul, le corps terrestre est corruptible dès sa création et ce n'est qu'à la résurrection que, par la puissance de l'Esprit reçu au baptême, il sera transformé pour devenir incorruptible[27].

---

[25] *Hom.* X, 7 (SC 160 p. 183).

[26] Sur le rôle illuminateur de l'Esprit, on citera le texte suivant: »Participant à la lumière de l'Esprit, délivrée du poids du corps et des affections charnelles, elle (l'âme) ›fixe ses yeux clairs sur l'Esprit‹ et, ›de même que les êtres placés près de vives couleurs en prennent la teinte sous l'éclat qui s'en échappe‹ (*Traité du Saint-Esprit* 21, 165 bc), elle devient ›spirituelle‹, pneumatique, comme l'Esprit (pneuma) (chap. 9, 109 c) et, sous l'éclat de la lumière qui l'habite, elle contemple, dans le Fils, comme en une Image, le Père (*Lettre* 226, 3 PG 32, 849 a)« (B. Pruche, »L'originalité du Traité de saint Basile sur le Saint-Esprit«, *RSPhTh* 32 (1948), 220). Dans la Lettre 226, 3 on lit en effet: »(...) notre intelligence, éclairée par l'Esprit, considère le Fils, et en lui comme dans une image contemple le Père« (trad. Y. Courtonne *Lettres* III [Budé], Paris, 1966 p. 27).

[27] Expliquant le repos du septième jour, Basile dit que ce jour-là, le Seigneur vient des cieux, et les cieux se déchirent, la puissance se révèle, toute la création frémit« (*Hom.* XI, 11 = SC 160 p. 257). Il décrit ainsi le sort des hommes: »Alors les justes sont emportés, alors le véhicule des justes, ce sont les nuées, alors le cortège des justes, ce sont les anges, alors les justes, comme des étoiles, montent de la terre vers le ciel. Mais les pécheurs, enchaînés, entravés par le poids même des péchés, tomberont vers le bas avec leur mauvaise conscience« (*ibid.* pp. 258–59). Le jugement entre justes et pécheurs s'opérera selon le critère suivant: on regardera »ceux qui ont su conserver intègres et pures les prémices de l'Esprit qu'ils ont reçues«, et »ceux qui« au contraire »ont chagriné l'Esprit-Saint par la perversité de leurs mœurs ou qui n'ont pas fait fructifier le don reçu« (*Traité du Saint-Esprit* 141b = SC 17 p. 182). Cf J. Gribomont »Le paulinisme de Saint Basile«, in: *Studiorum Paulinorum Congressus Internationalis Catholicus 1961* (AnBibl. 17–18), Rome, 1963, pp. 481–90.

b) Grégoire de Naziance

Dans un article sur les »Perspectives eschatologiques de saint Grégoire de Naziance«[1], J. Mossay affirme en concluant sa recherche que »la réponse pratique au problème de la destinée prend ici le pas sur les explications théologiques«[2]. La lecture des discours, des lettres et des poèmes de Grégoire confirme ce jugement. L'auteur n'a pas fait œuvre d'exégète. Aussi une enquête sur 1 Cor. 15, 35–49 aboutit-elle à un maigre résultat.

Dans le *Discours* »sur la modération dans les discussions«[3], Grégoire fait une apologie de l'ordre (τάξις) et montre les différents domaines dans lesquels l'ordre règne dans la création. Il règne dans le ciel et sur la terre, dans les choses qui sont rationnelles, dans celles qui sont perçues par les sens, parmi les anges, dans les mouvements des astres, leurs grandeurs, leurs relations mutuelles, leur splendeur. Pour appuyer cet exemple, l'auteur cite saint Paul: »Autre est l'éclat du soleil, autre celui de la lune, autre celui des étoiles; une étoile diffère d'une autre en éclat« (v. 41). Le même verset est sousjacent à la description que Grégoire donne des merveilles naturelles de la terre, de la mer et du ciel, dans le *Deuxième Discours théologique*[4], description qui doit montrer que le soleil éclairant la nature n'est qu'une image de ce qu'est la transcendance divine par rapport à la création.

Les autres mentions que nous trouvons chez Grégoire du texte paulinien sont toutes en rapport avec la christologie. Dans le *Quatrième Discours théologique*, l'auteur dit: »De même que le Christ déclaré ›maudit‹ à cause de moi, lui qui met fin à ma malédiction; de même qu'il a été appelé péché, lui qui enlève le péché du monde; de même qu'il devient le nouvel Adam à la place du premier; — de même aussi, me voyant insoumis, il prend ce défaut sur lui en tant qu'il est la tête du corps que nous formons«[5]. Il y a là une allusion au v. 45 qui oppose les deux Adam. Le contexte montre que le premier Adam est vu sous l'angle de la transgression, que le Christ est venu réparer.

---

[1] J. Mossay »Perspectives eschatologiques de saint Grégoire de Naziance«, *Les Questions Liturgiques et Paroissiales* 45 (1964), 320–339.

[2] *Ibid.* p. 339.

[3] *Orat.* 32: De Moderatione in disputando VIII (PG 36, 181).

[4] *Orat.* 28: Discours théologique II, 30 (PG 36, 70). A propos des étoiles, dont Dieu connaît tous les noms, puisqu'il les compte en les appelant par leurs noms, l'auteur cite Job 38, 31 et Ps. 147 (146), 4.

[5] *Orat.* 30: Discours théologique IV, 5 (PG 36, 108). Nous empruntons la traduction à J. Plagnieux *Saint Grégoire de Naziance théologien* (EScR VII), Paris, 1952 p. 188 n. 63.

Quant aux vv. 47 et 49, Grégoire les cite pour réfuter la christologie des apollinaristes qui prétendent que le Christ ne s'est pas uni à une âme humaine[6]. C'est à tort, remarque l'auteur, qu'ils s'appuient sur Jn 3, 13 et 1 Cor. 15, 47. Ces textes doivent être compris comme l'expression de l'union avec le céleste[7] et non comme preuve que la chair que le Fils a assumée dans l'incarnation n'a pas été acquise par lui à ce moment, mais était unie à lui dès le commencement[8]. De même aussi, c'est à tort que les apollinaristes se réclament de 1 Cor. 2, 16 – »et nous l'avons, nous, la pensée (noûs) du Christ« pour dire que la pensée du Christ, c'est sa divinité; car, selon Grégoire, ceux qui ont la pensée du Christ, ce sont ceux qui ont purifié leur pensée et l'ont rendue autant que possible conforme avec celle du Christ – de même d'ailleurs que ceux qui mortifient leur chair peuvent être considérés comme ayant la chair du Christ, partageant le même corps que lui. C'est ce que dit Paul: »De même que nous avons porté l'image du terrestre, ainsi nous porterons aussi celle du céleste.«[9]

Ainsi on le voit, Grégoire n'a pas retenu les versets du texte paulinien qui traitent de la résurrection du corps. Pourtant, le corps n'est pas exclu des promesses relatives à l'au-delà. Il est uni à l'âme, car l'homme est créé matière et esprit, »terrestre et céleste, momentané et immortel, appartenant au monde visible et au monde intelligible, à mi-chemin entre la grandeur et la bassesse, à la fois esprit et chair«[10]. Cette union de l'âme et du corps a un double but: d'une part, elle doit donner à l'homme l'occasion d'acquérir des mérites, car l'âme doit combattre ce qui est mauvais et terrestre[11]; d'autre part, elle doit permettre au corps d'être »spiritualisé« et d'atteindre

[6] Cf E. Mühlenberg *Apollinaris von Laodicea* (FKDG 23), Göttingen, 1969.

[7] *Epist.* 101 (PG 37, 181).

[8] *Epist.* 202 (PG 37, 332).

[9] *Epist.* 102 (PG 37, 197). B. Altaner définit brièvement la position d'Apollinaire sur ce point central dans les termes suivants: »il refusa toujours de reconnaître au Christ un principe d'animation non divin. D'après lui, l'union de la divinité avec une âme humaine capable d'animation aurait constitué deux *parfaits* et empêché le Christ non seulement d'être un, mais également d'être exempt du péché, vu la versatilité et la peccabilité de la volonté libre; c'est donc le Verbe lui-même, estimait-il, qui s'est uni directement à la chair pour constituer un tout indivisible sans l'intermédiaire de l'âme humaine« (*Précis de patrologie* adapté par H. Chirat, Mulhouse, 1961 p. 452).

[10] *Orat.* 65, 7 (PG 36, 632). Traduction de J. Mossay dans *La mort et l'au-delà dans saint Grégoire de Naziance*, Louvain, 1966 p. 166.

[11] Cf F. X. Portmann *Die göttliche Paidagogia bei Greg. von Naz.*, St-Ottilien, 1954 p. 71: »Gott verband die Seele mit dem weniger guten Leib wegen des daraus entstehenden Kampfes gegen das Irdische, des Kampfes um die Gewinnung himmlischer Herrlichkeit. Mit diesem Irdischen soll die Seele geprüft werden wie Gold im Feuer.«

le bien suprême. Elle joue pour lui le rôle que Dieu joue pour elle[12]. Ainsi c'est l'homme entier, corps et âme, qui est destiné à la félicité future. Si la mort rompt le lien entre les deux, le corps ne cesse pas cependant d'appartenir à l'homme. Dieu les unit à nouveau, de manière supérieure et plus heureuse, pour que le corps participe à la récompense éternelle; car c'est avec le corps que l'âme a vécu, c'est avec lui qu'elle doit participer aux récompenses ou aux châtiments de l'au-delà[13]; J. Mossay cite à ce propos un texte fort explicite:

»Et peu de temps après, ayant repris la chair qui lui est apparentée et avec laquelle elle réfléchit sur l'au-delà, à la terre qui l'avait donnée et à qui on l'avait confiée, d'une manière que connaît Dieu qui lia et délia ces éléments, elle (l'âme) obtient avec elle l'héritage de gloire de l'au-delà; et, de même qu'elle partagea ses peines avec elle à cause de leur commune origine, ainsi aussi elle lui donne part à ses jouissances, se l'étant assimilée tout entière et étant devenue avec elle unité, esprit, intelligence et dieu, ce qui est mortel et qui passe ayant été absorbé par la vie«[14].

Quant à savoir comment Grégoire se représente le corps de résurrection, il faudrait y renoncer si nous n'avions pas deux indications à ce sujet, l'une empruntée à l'éloge funèbre de Césaire, l'autre à *l'Epître* 101 adressée à Clédonios. Dans le premier texte, l'auteur nous dit: »Alors, je verrai Césaire en personne ... brillant, élevé, tel qu'en songe aussi, tu te montras fréquemment à ma vue, ô très cher, ... soit que mon désir, soit que la réalité produise cette image«. Ce qui nous intéresse dans ce court fragment, ce sont les adjectifs »brillant, glorieux et élevé«[15]. J. Mossay dit à leur sujet: »Ces adjectifs expriment les qualités transcendantes résultant de l'union avec la divinité et de la résurrection. En fait, loin de nous éclairer sur des réalités positives les trois mots situent en plein mystère l'état du mort ressuscité«[16]. Ce jugement est pessimiste, car le texte cité nous en dit autant que l'apôtre Paul sur l'état du corps de résurrection. De plus, Grégoire, dans une des lettres adressée à Clédonios, donne le corps du Christ transfiguré en exemple du corps de résur-

---

[12] *Ibid.* p. 72: »Die Seele soll den geringeren Leib zu sich hinziehen und emporbringen, ihn allmählich von seiner Stofflichkeit lösend, damit, was Gott der Seele ist, die Seele dem Leibe sei, wenn sie mit ihrem geistigen Wesen den Leib erzogen, den ihr untergegebenen Stoff vergeistigt und den mitdienenden Leib Gott angeglichen hat.«

[13] Cf *Orat.* 38, 11 (PG 36, 324).

[14] *Orat.* 7, 21 (PG 35, 781 ss.) cité et traduit par J. Mossay *La mort et l'au-delà* ... p. 175.

[15] *Orat.* 7, 21 (PG 35, 784) trad. par J. Mossay op.cit. pp. 194–95. H. Althaus *Die Heilslehre des heiligen Gregor von Nazianz*, Münster, 1972 souligne ce rapport entre corps du Christ et corps des croyants (p. 208).

[16] *Ibid.* p. 197.

rection. Il dit en effet: »Si quelqu'un disait que la divinité a déposé actuellement la chair sainte et se trouve dénudée de corps ... qu'il ne voie pas la gloire de la parousie! En effet, où le corps (du Christ) se trouve-t-il actuellement s'il n'est pas avec celui qui l'a assumé? En effet, le corps n'a certes pas été relégué dans le soleil, comme le prétendent les radotages des Manichéens, pour être honoré grâce au déshonneur; et il ne s'est pas écoulé ni dissout dans l'air comme cela se produit pour le bruit ou pour une bouffée d'odeur ou pour la course d'un éclair fugace ... Mais selon mon idée, il viendra avec son corps et tel qu'il apparut à la vue des disciples sur la montagne ou qu'il (leur) fut montré, la divinité dominant l'élément charnel«[17].

Bien sûr qu'en exégète, on regrettera que Grégoire n'ait pas cité et commenté 1 Cor. 15, 42–44. Les quelques passages que nous avons mentionnés nous indiquent cependant la ligne dans laquelle l'interprétation de ces versets se serait située, même si l'on ne peut pas savoir au juste ce que représentait pour l'auteur le corps psychique. Il faut se rappeler que l'âme est unie au corps dès la création et qu'elle le sera à nouveau, mais de manière supérieure et plus heureuse, à la résurrection.

c) Grégoire de Nysse

La résurrection du corps occupe une place centrale dans les écrits de Grégoire de Nysse. Il a consacré à cette question un *Dialogue sur l'âme et la résurrection*, un traité *Sur la Pâque*, une partie importante de son ouvrage *Sur la création de l'homme* et quelques paragraphes de son *Grand catéchisme*. De plus, Grégoire aborde le problème de la résurrection dans un Traité intitulé *De mortuis* et, bien sûr, dans les oraisons funèbres qu'il a été appelé à prononcer pour Basile, pour Mélèce, pour Pulchérie et pour Flacilla. Enfin, dans ses *Commentaires* sur le Cantique des Cantiques ou sur l'Ecclésiaste, il n'est pas rare qu'il fasse une allusion à la résurrection, quand le texte l'y invite.

Ce qui frappe l'exégète à la lecture des ouvrages cités, c'est le nombre restreint de citations textuelles de 1 Cor. 15, 35–49. Il y en a moins de dix. Pourtant, le texte paulinien est sous-jacent partout. C'est pourquoi, on ne peut pas ne retenir que les passages qui offrent une citation textuelle; il faut aller au-delà.

a) *1 Cor. 15, 35–38.* – Grégoire s'appuie sur ces versets de l'apôtre

---

[17] *Epist.* 101 (PG 37, 181) trad. par J. Mossay *op. cit.* p. 197. A propos du corps spirituel, H. Althaus (*op. cit.* p. 207) dit: »Mit der Vergeistigung des Leibes ist der Zweck erreicht, den Gott bei der Schöpfung des Menschen als eines Leib-Seelewesens verfolgt hatte.«

pour »démontrer«, comme l'ont fait beaucoup d'auteurs avant lui, la possibilité de la résurrection. Dieu, qui a créé l'homme au commencement, sera aussi capable de le recréer après que le corps aura été dissout dans la terre[1]. Car, comme l'auteur le précise dans le *Sermon sur la Pâque*[2], la mise en terre du grain, c'est la mise en terre du corps après la mort. Lorsque Dieu le ressuscite, l'homme ne reçoit pas autre chose que ce qu'il avait auparavant; il reçoit le corps qu'il avait avant de mourir – et l'auteur remarque malicieusement qu'ainsi, la résurrection du corps est plus facile à opérer que la transformation du grain en épi![3] C'est là un argument apologétique qui révèle un aspect de la théologie de la résurrection du corps chez Grégoire: l'identité parfaite du corps de résurrection avec le corps terrestre. D'autres textes font apparaître l'autre aspect du problème: la différence entre les deux corps. En effet, faisant allusion à l'analogie du grain de semence, Grégoire affirme dans le *Dialogue sur l'âme et la résurrection* que non seulement, Dieu fait sortir un corps de ce qui a été déposé en terre et dissout, mais que ce corps a gagné en grandeur et en beauté – ce que confirment aussi les vv. 42–44 montrant la différence entre les deux corps[4]. Et Grégoire explique

---

[1] *In illud, Quando sibi subjecerit omnia* (PG 44, 1309). Il s'agit d'une Homélie sur 1 Cor. 15, 28.

[2] PG 46, 669 = Jaeger IX p. 259. Dans ce passage, Grégoire fait »rapidement« (τάχα), mais »d'une manière précise« (ἀκριβῶς) l'exégèse de 1 Cor. 15, 35–38.

[3] *Ibid.*: »῎Ανθρωπος δὲ οὐδὲν προσλαμβάνει πλέον. ὃ δέ εἶχεν ἀπολαμβάνει, καὶ διὰ τοῦτο τῆς γεωργίας τοῦ σίτου, ὁ ἡμέτερος ἀνακαινισμὸς εὐκολώτερος ἀναφαίνεται.«

[4] *De Anima et resurrectione* (PG 46, 153): »οὕτω, φησὶ, καὶ τὸ μυστήριον τῆς ἀναστάσεως ἤδη σοι διὰ τῶν ἐν τοῖς σπέρμασι θαυματοποιουμένων προερμηνεύεται, ὡς τῆς θείας δυνάμεως ἐν τῷ περιόντι τῆς ἐξουσίας, οὐ μόνον ἐκεῖνο τὸ διλυθέν σοι πάλιν ἀποδιδούσης, ἀλλὰ μεγάλα τε καὶ καλὰ προστιθείσης, δι' ὧν σοι πρὸς τὸ μεγαλοπρεπέστερον ἡ φύσις κατασκευάζεται.« Grégoire commente ce passage de Paul, parce qu'il est la réponse de l'apôtre à ceux qui niaient la résurrection. Ces derniers, d'après Grégoire, refusaient d'accorder à Dieu un pouvoir qui dépassait leur entendement. Pour eux, Dieu ne pouvait pas reconstituer un corps dont les parties avaient été dissoutes et par ailleurs, pensaient-ils, il ne pouvait exister d'autre corps que celui qui est formé par la réunion des éléments qui à l'origine constituaient ce corps. D'où leur double question: comment ressuscite-t-on? Avec quel corps ressuscite-t-on? Leur raisonnement semble infaillible et pourtant Paul les traite d'insensés! Insensés, ils l'étaient, dit Grégoire, parce qu'ils refusaient de voir la surabondance de la puissance de Dieu dans la nature. C'est pourquoi Paul leur rappelle le processus de la croissance des semences pour illustrer cette puissance de Dieu. Cet exemple révèle deux choses: d'abord que du grain, Dieu fait sortir un épi; ensuite que ce dernier n'est ni semblable au grain, ni tout à fait différent de lui. C'est une allégorie de la résurrection: Dieu par sa puissance peut reconstituer le corps après sa dissolution. La résurrection sera donc *corporelle;* ce

ainsi cette transformation: la nature humaine, quand elle est dissoute par la mort, abandonne les particularités qu'elle s'était attirées par le péché: déshonneur, corruption, faiblesse. Elle est changée, à la résurrection, et Dieu lui confère l'incorruptibilité, la gloire, la force, la plénitude de tous côtés. Le corps n'a plus de besoin: il est transformé en un corps spirituel, exempt de souffrances et de passions. Ainsi la résurrection n'est pas autre chose que le rétablissement de la nature humaine dans son état originel. La mort doit dissoudre le corps et la terre doit le recevoir, mais bientôt, cette pauvre semence du corps deviendra, avec le printemps de la résurrection, un épi parfait, revêtu de gloire et des propriétés qui appartiennent à la nature divine. Et si, à la résurrection, il y aura une différence entre ceux qui auront pratiqué la vertu pendant leur vie terrestre et ceux qui se seront laissés gagner par le péché[5], cette différence ne portera pas sur le corps: elle sera du type de celle qui existe ici-bas entre un esclave et un homme libre. En apparence, rien ne les distingue l'un de l'autre; mais intérieurement, l'un est triste, l'autre est joyeux.

Après avoir indiqué cette différence entre corps terrestre et corps de résurrection, Grégoire donne, dans le *Sermon sur la Pâque* cité plus haut[6], d'autres exemples tirés de la nature en faveur de la résurrection, prolongeant ainsi le texte de l'apôtre. Il mentionne le printemps qui succède à l'hiver, le réveil qui suit le sommeil, et cet exemple tiré de la vie des serpents: »Ceux-ci en hiver sont comme morts et vivent pendant six mois dans les trous des rochers. Mais quand vient le temps fixé et que les premiers coups de tonnerre se font entendre, ils sautent en un moment et reprennent leur vie accoutumée. Pourquoi admettrait-on que les serpents morts sont ressuscités par le vacarme du tonnerre et que les hommes ne soient

---

nouveau corps ne sera pas identique au corps qui a été dissout, mais il aura gagné en grandeur et en beauté. Paul, comme le relève Grégoire, indique d'ailleurs cette différence dans les antithèses des vv. 42–44.

[5] Cf J. Daniélou »Grégoire de Nysse ›Sur les enfants morts prématurément‹«, *VigChr* 20 (1966) p. 171: »Dans le ›De Anima et resurrectione‹ Grégoire pose la question de l'état dans lequel les hommes ressusciteront. Il écarte la question des différences corporelles dues à l'âge ou à la santé. Tous les hommes ressusciteront à l'état adulte, comme était Adam au Paradis (PG 46, 534 B). Par contre le jugement de Dieu tiendra compte de l'état moral, en relation avec les conditions qui auront été celles de la vie: ›On considérera comment quelqu'un ayant été dans chacun de ces états a parcouru bien ou mal la vie qui a été son lot, s'il a été capable de beaucoup de biens ou de maux pendant un long temps ou s'il n'a pas même affleuré le commencement de chacun de ces états, ayant cessé de vivre avant que son esprit soit informé (ἀτελής)‹ (149 C-D). Ceci touche le sort des enfants.«

[6] Cf note 2.

pas vivifiés par les trompettes du jugement?«[7] On se souvient qu'à la suite de Paul, Clément de Rome avait donné l'exemple de la succession du jour et de la nuit et celui du phénix qui renaît de ses cendres.

Enfin, selon Grégoire, la résurrection s'impose logiquement dès que l'on admet que Christ est ressuscité. Si une chose est valable pour l'un, elle l'est pour tous. A l'inverse, si une proposition universelle (la résurrection des morts) est déclarée fausse, les cas particuliers qu'elle renferme (la résurrection du Christ) doivent aussi être déclarés faux. C'est pourquoi saint Paul dit aux Corinthiens (v. 12): s'il n'y a pas de résurrection des morts, Christ non plus n'est pas ressuscité. Mais puisque Christ est ressuscité, les morts ressusciteront aussi; cette certitude est sous-jacente aux vv. 46 ss lorsque l'apôtre déclare que le premier homme, de la terre, est terrestre, le second, lui, vient du ciel. Tel est le terrestre, tels les terrestres; tel est le céleste, tels les célestes. Et comme nous avons porté l'image du terrestre, portons aussi celle du céleste[8]. Cet impératif étonne dans un contexte où il est question de résurrection à la fin des temps. Il s'explique pourtant si on lit l'explication que Grégoire donne du *Cantique des Cantiques*, chapitre 5 verset 5, et dans laquelle il fait une allusion à l'analogie du grain de semence[9]. Le texte dit: »Je me suis levée (c'est la fiancée qui parle) pour ouvrir à mon bien-aimé, et de mes mains a dégoutté la myrrhe, de mes doigts la myrrhe vierge, sur la poignée du verrou«. De même que le grain passe par la mort pour devenir un épi, il faut que nous aussi, nous passions par une sorte de mort, pour parvenir à la vraie vie. La myrrhe qui dégoutte est alors le symbole du vieil homme qu'il faut faire mourir en nous pour laisser entrer l'époux, le bien-aimé. Le texte paulinien est donc susceptible d'être expliqué dans un sens eschatologique et dans un sens parénétique.

b) *1 Cor. 15, 41.* — Le rôle que Grégoire fait jouer à ce verset, qu'il cite une seule fois dans le *Contra Eunomium* est assez surpenant[10]. L'auteur est préoccupé de montrer l'unité qu'il y a entre le Père et le Fils et il cite plusieurs textes scripturaires, dont Mc 8, 38, qui annonce qu'au jour du jugement, le Fils reviendra dans la gloire de son Père. Cette »unité de gloire« implique pour Grégoire une unité de nature entre le Père et le Fils; car si saint Paul peut dire qu'il y a

[7] *Ibid.* Nous empruntons la traduction à J. Daniélou *L'être et le temps chez Grégoire de Nysse,* Leiden, 1970 pp. 212—13. L'auteur reprend dans les pp. 205—221 de cet ouvrage l'article qu'il avait publié dans *VigChr* 7 (1953), 154—70 sous le titre »La résurrection des corps chez Grégoire de Nysse«.

[8] Cf note 1.

[9] *In Cant. cant.* 5, 5 Hom. XII (PG 44, 1017 = Jaeger VI p. 345).

[10] *Contra Eunomium* (PG 45, 484—85 = Jaeger II p. 329).

une gloire du soleil et une gloire de la lune, en d'autres termes, si l'éclat du soleil est différent de celui de la lune, c'est parce que la nature de l'un et l'autre astre est différente. Si le soleil et la lune étaient de même nature, ils auraient le même éclat. Donc si le Fils apparaît dans la gloire du Père, c'est qu'il est de même nature que lui.

c) *1 Cor. 15, 42–44.* – Là où il cite ces versets, Grégoire ne fait guère que paraphraser l'apôtre pour montrer la différence entre l'état présent du corps et la condition meilleure du corps de résurrection: le corps, devenu incorruptible par la grâce et la puissance de Dieu, sera alors uni à nouveau à l'âme et les ressuscités pourront vivre une vie exempte de toute passion, de toute querelle, de tout mauvais désir[11]. Le thème a sa place toute naturelle dans les oraisons funèbres et Grégoire ne s'est pas fait faute de montrer que la mort était le chemin qui conduisait à un état meilleur[12] et que si la vie présente était semblable à un grain de semence, la vie future aurait la beauté de l'épi[13].

d) *1 Cor. 15, 45–49.* – Ces versets, comme on peut le penser, entrent en jeu dans la polémique avec Apollinaire. D'une part, ce dernier invoque au profit de sa christologie l'expression »du ciel« qui désigne le second Adam chez l'apôtre; d'autre part, il s'appuie sur le qualificatif de »terrestre« pour refuser à l'homme sa participation au πνεῦμα divin: »Lorsque Apollinaire afin de frayer la voie à son étrange christologie intime qu'Adam, au témoignage de saint Paul, ne fut qu'un corps terrestre, pris du limon et animé d'un souffle ›vital‹ mais dépourvu de πνεῦμα ou – les mots sont équivalents pour l'hérétique – de νοῦς, Grégoire le réfute au nom de l'image: ›Si l'esprit (νοῦς) n'a pas été uni à la matière (πλάσματι) d'Adam en quoi réside donc sa similitude avec Dieu? Qu'est-ce qui a pu s'écouler du souffle divin si on ne croit que c'est l'esprit?‹ (*Adv. Apol.* PG 45,1145)«[14].

Dans un autre contexte, Grégoire rappelle qu'Adam signifie: ce qui a été formé de terre. C'est pourquoi Paul appelle l'homme formé de la glaise du sol le »terreux«; il traduit simplement en grec le

[11] *In Cant. cant.* 1, 2 Hom. I (PG 44, 776–77 = Jaeger VI p. 30). Cf aussi le passage déjà cité du *Dialogue sur l'âme et la résurrection* (PG 46, 152–53).

[12] *Oratio consolatoria in Pulcheriam* (PG 46, 876–77 = Jaeger IX pp. 471–72).

[13] *Ibid.* Cet état est pour Grégoire la condition originelle de l'homme. C'est pourquoi il peut dire dans son *Commentaire sur l'Ecclésiaste, Hom.* I: »οὐδὲ γὰρ ἄλλο τι ἐστιν ἡ ἀνάστασις, εἰ μὴ πάντως ἡ εἰς τὸ ἀρχαῖον ἀποκατάστασις« (PG 44, 633 = Jaeger V p. 296).

[14] R. Leys *L'image de Dieu chez saint Grégoire de Nysse.* Esquisse d'une doctrine (Museum Lessianum. Section théologique No 49), Paris, 1951 pp. 67–68. Cf aussi *Adv. Apol.* (PG 45, 1144–45 = Jaeger III, 1 pp. 144–46).

mot hébreu »Adam«. Cela signifie qu'Adam appartient, comme nous allons le voir, à la seconde création, celle de l'individu, formé à partir de la terre. En effet, Dieu a d'abord fait l'homme à son image. »Cette image de Dieu, qui réside en la nature humaine prise dans son ensemble, a atteint sa perfection. Adam, à ce moment, n'existait pas encore.«[15] Il faut remarquer qu'en s'appuyant sur l'éthymologie donnée par Paul, Grégoire arrive à une conclusion opposée à celle qui est généralement admise aujourd'hui et qui veut qu'Adam soit un terme général désignant l'humanité, et non un individu. Pour comprendre sa pensée sur ce point, il faut examiner son explication de la création; cet examen va d'ailleurs nous ramener au problème de la résurrection des corps, et à la question particulière de l'antithèse du corps psychique et du corps de résurrection.

Dans son ouvrage sur la création de l'homme, Grégoire dit que »l'image n'est vraiment image que dans la mesure où elle possède tous les attributs de son modèle«[16]. Dès lors, la question qui se pose est la suivante: »Comment donc l'homme, cet être mortel, soumis aux passions, et qui passe si vite, est-il image de la nature incorruptible, pure et éternelle?«[17] Grégoire va répondre en distinguant deux créations. Il relève que Dieu a créé par bonté et qu'il ne prive sa créature d'aucun bien, ce que l'Ecriture résume en disant qu'il crée l'homme à son image. La seule différence entre Dieu et l'homme, c'est que l'un est »sans création, l'autre reçoit l'existence par une création.«[18] Mais ce qui est ici créé, c'est toute l'humanité, ou pour le dire autrement, c'est la nature humaine. Grégoire déclare: »Quand l'Ecriture dit: ›Dieu créa l'homme‹, par l'indétermination de cette formule, elle désigne toute l'humanité. En effet, dans cette création Adam n'est pas nommé.«[19] Puis il ajoute: »La distinction de l'humanité en homme et femme, à mon avis, a été, pour la cause que je vais dire, surajoutée après coup au modelage primitif«[20]. Ainsi donc, si la création de l'humanité relève de la formule: »Dieu fit l'homme, il le fit à l'image de Dieu«, celle de l'individu correspond au texte qui dit que »Dieu les fit mâle et femelle«. C'est là qu'Adam apparaît. Grégoire explique la raison de cette création de l'homme en mâle et femelle: »Comme Dieu vit dans l'ouvrage que nous étions notre inclination vers le mal et comme il vit que, par notre déchéance spontanée de la dignité que nous partagions avec

---

[15] *De hom. opif.* chap. 22 (PG 44, 204 = SC 6 p. 184).

[16] *Ibid.* chap. 11 (SC 6 p. 122). Ailleurs, il dit aussi: »L'image ne mérite parfaitement son nom que si elle ressemble au modèle« (chap. 16 = SC 6 p. 152).

[17] *Ibid.* p. 153.

[18] *Ibid.* p. 157.

[19] *Ibid.* p. 159.

[20] *Ibid.* p. 161.

les anges, nous chercherions à nous unir avec ce qui était au-dessous de nous, pour ce motif, il mêla à sa propre image quelque chose de l'irrationnel. Car ce n'est pas à la nature divine et bienheureuse que peut appartenir la division en mâle et femelle. Dieu applique à l'homme un caractère du règne animal, refusant à notre race le mode de propagation en rapport avec la grandeur de notre création. Ce n'est pas en effet lorsqu'il créa l'homme à son image qu'il y adjoignit le pouvoir de se développer et de se multiplier, mais lorsqu'il divisa l'homme en mâle et femelle«[21]. Dieu a donc opéré la division des sexes, parce qu'il avait prévu d'avance l'attirance de l'homme vers la matière et son glissement vers le péché. Mais la chute n'est pas irrémédiable: l'obligation de se nourrir et de procréer prendra fin. En effet, »la résurrection fera paraître en nous une vie semblable à celle des anges«[22]. Cela signifie que la vie avant que la transgression ait été commise était en quelque sorte angélique[23].

Grégoire souligne cependant que l'homme a été créé âme et corps. Ce dernier n'est ni la cause, ni la conséquence de la transgression. Aussi l'auteur peut-il dire dans son *Commentaire de l'Ecclésiaste:* »L'âme était à l'origine ce qu'elle sera après sa purification, et le corps était fait par les mains de Dieu tel qu'il paraîtra lorsque le temps de la résurrection sera venu. Car on deviendra après la résurrection ce qu'on était à l'origine, puisque la résurrection n'est que la restauration dans l'état primitif«[24]. Et dans le *De mortuis*[25] Grégoire est encore plus explicite en ce qui concerne le corps: »Ce n'est pas le corps, dit-il, qui est la cause du mal, mais la volonté et la liberté. Il ne faut donc pas le mépriser. La mort d'ailleurs le purifiera de ses souillures, et le rendra participant à la béatitude«[26].

---

[21] *Ibid.* p. 185.

[22] *Ibid.* p. 172. Cf aussi au chap. 17 (p. 163): »La grâce de la Résurrection ne nous est pas présentée autrement que comme le rétablissement dans le premier état de ceux qui sont tombés.«

[23] *Ibid.:* »Si, une fois rétablie dans l'ordre, notre vie va de pair avec celle des anges, c'est que la vie avant la faute était en quelque sorte angélique« (p. 164).

[24] *In Eccl. Hom.* I (PG 44, 633 = Jaeger V p. 294 ss.). Nous empruntons la traduction à J. Gaïth *La conception de la liberté chez Grégoire de Nysse* (EPhM 43), Paris 1953 p. 183.

[25] Cf PG 46, 529 = Jaeger IX p. 59 ss.

[26] J. Gaïth *op. cit.* p. 184. Dans son ouvrage sur l'image de Dieu chez Grégoire de Nysse, R. Leys discute longtemps la question de savoir si le corps est à l'image de Dieu. Si la création de l'homme mâle et femelle est distinguée de la création à l'image de Dieu, il est certain que le corps n'est pas à l'image de Dieu. Pourtant, les appréciations de Grégoire au sujet du corps sont tellement positives qu'on ne peut que nuancer tout jugement sur cette question. Aussi R. Leys conclut: »Le corps n'est pas compris dans l'image. Il ne lui est cependant pas étranger non plus: suspendu à l'âme comme elle-même l'est à Dieu il est

Ainsi, la résurrection est décrite comme une réunion de l'âme et du corps, après qu'ils aient été séparés l'un de l'autre par la mort[27]. Et ce qui est intéressant à relever, c'est que pour Grégoire, cette union de l'âme et du corps est rendue possible, parce qu'elle a été réalisée en Christ le premier, après sa mort. »Dans l'humanité qu'il avait revêtue, en effet, l'âme est retournée au corps après décomposition. Là est le point de départ d'un mouvement qui étend en puissance à toute la nature humaine également la réunion de ce qui avait été séparé«[28]. La question qui peut se poser est de savoir comment l'âme peut retrouver le corps auquel elle a été attachée, après que celui-ci se soit dissout. Grégoire répond à cette question — qui, dans la bouche des adversaires de la résurrection, est une objection[29] — dans le traité sur la création de l'homme:

»(...) dans l'âme, même après sa séparation, demeurent des marques distinctives du composé que nous étions: alors que les corps sont déposés dans le tombeau, les âmes conservent quelque signe corporel, qui permet de reconnaître Lazare et ne permet pas au riche de rester inconnu. Il n'est donc pas invraisemblable de croire que les corps qui ressuscitent laissent la masse commune pour retourner aux êtres particuliers. (...) Notre être, en effet, n'est pas tout entier dans l'écoulement et la transformation«[30]. Et plus

---

miroir de miroir, image d'image« (*op. cit.* p. 50); et plus loin, le même auteur précise encore: »L'âme seule est donc en propriété de termes à l'image de Dieu, mais cette noblesse rejaillit sur le corps en tant qu'instrument de l'âme et ce rejaillissement se manifeste moins dans la beauté physique des traits (μορφή) que dans la dignité de l'attitude (σχῆμα)« (*ibid.* p. 65).

[27] L'idée est exprimée souvent dans l'œuvre de Grégoire. Dans le *Discours catéchétique* 16 (PG 45, 52), il dit par exemple: »Voici ce qu'est la résurrection: après la dissociation, le regroupement, en une union indissoluble, des éléments primitivement assemblés. De la sorte, la grâce première attachée au genre humain peut être rappelée, et nous pouvons revenir à la vie éternelle, une fois écoulé dans la décomposition le vice uni à notre nature, tel un liquide qui se répand et disparaît quand on a brisé le vase qui le renferme« (trad. J. Gaïth *op. cit.* pp. 183—84). Dans le *De hom. opif.* 27, Grégoire dit que l'âme retrouve son corps comme chaque brebis d'un troupeau retrouve son propriétaire. Cf aussi *De Anima et resurrectione* 7 et 10.

[28] *Discours catéchétique* 16 (PG 45, 51) trad. par J. Gaïth *op. cit.* p. 184.

[29] J. Daniélou reproduit en détail les objections à la résurrection des corps faites par les philosophes païens et par les chrétiens origénistes; il note aussi les arguments que Grégoire leur oppose. Cf *L'être et le temps* pp. 213—19. Nous y renvoyons le lecteur.

[30] *De hom. opif.* 27 (PG 44, 225 = SC 6 p. 211). La dernière affirmation permet de répondre à ceux qui objectaient à la résurrection du corps les formes diverses par lesquelles le corps terrestre avait passé et qui demandaient laquelle de ces formes le corps de résurrection revêtirait. Pour Grégoire, il y a un élément qui demeure toujours inchangé: c'est l'εἶδος propre à chacun. — L'idée exprimée au début de la citation se retrouve dans le *Dialogue sur l'âme et la résurrection:* »L'âme demeure présente aux éléments auxquels elle a été unie

loin, Grégoire poursuit son explication: »Dans le composé que nous sommes, la partie de l'âme semblable à Dieu reste naturellement attachée, non à ce qui s'écoule dans l'altération et le changement, mais à ce qui reste permanent et identique à lui-même«[31]. (...) En conséquence, comme ›l'aspect extérieur‹ du corps reste dans l'âme qui est comme l'empreinte par rapport au sceau, les matériaux qui ont servi à former la figure sur le cachet ne demeurent pas ignorés de l'âme, mais, dans l'instant de la Résurrection, elle reçoit de nouveau en elle tout ce qui s'harmonise avec l'empreinte laissée en elle par ›l'aspect extérieur‹ (εἶδος) du corps. Or s'harmonisent entièrement avec elle ces éléments qui dès l'origine ont formé cet ›aspect extérieur‹. Donc il n'est pas du tout invraisemblable que de la masse commune ce qui lui est propre retourne à chacun«[32].

Le principe qui permet à l'âme de retrouver le corps auquel elle a appartenu est donc le suivant: l'âme est comme un sceau qui marque le corps de son empreinte. Les éléments du corps, où qu'ils soient après leur dissolution, gardent l'empreinte de l'âme. C'est ainsi que celle-ci peut reconstituer le corps.

Ce raisonnement permet à Grégoire d'affirmer l'identité du corps de résurrection avec le corps psychique. Mais cette identité doit néanmoins permettre au corps de résurrection de surpasser le corps terrestre, en grandeur et en beauté – comme le dit l'auteur dans le *Dialogue sur l'âme et la résurrection*[33]. Ce corps sera adapté aux conditions de vie des ressuscités. En effet, »le corps se présente chez Grégoire comme un ›medium quid‹, c'est-à-dire comme l'organe de l'âme et son instrument de choix dans un monde donné. Ainsi, le corps ressuscité peut-il dépasser le corps vulgaire dans la mesure où le monde intelligible dépasse le monde sensible«[34].

La position de Grégoire sur la question du corps de résurrection peut ainsi être considérée comme une position médiane: contre Origène, pour qui corps psychique et corps spirituel sont deux corps différents, Grégoire montre qu'il ne s'agit que de deux états différents du même corps[35]; contre Méthode, qui affirmait l'identité charnelle des deux corps, il montre la supériorité du corps de résur-

---

dès le commencement, même après leur dissolution. Elle demeure toujours en eux, où qu'ils soient et dans quelque état que la nature les mette« (PG 46, 77 trad. par J. Daniélou *op. cit.* pp. 216–17).

[31] *De hom. opif.* 27 (PG 44, 228 = SC 6 p. 212).

[32] *Ibid.* SC 6 p. 213.

[33] J. Daniélou (*op. cit.* p. 220) mentionne différents passages du *De mortuis* qui attestent que le corps de résurrection ne sera pas absolument identique au corps terrestre. Il relève que l'auteur reprend à son compte »les arguments d'Origène contre l'identité du corps terrestre et du corps ressuscité, qu'il combat ailleurs« et qu'il s'en sert »pour prouver la différence d'état de l'un et l'autre corps«.

[34] J. Gaïth *op. cit.* p. 187.

[35] J. Daniélou *op. cit.* p. 221.

rection sur le corps terrestre en situant l'identité des deux corps davantage au niveau de la personne qu'à celui de la matière[36]. On peut toutefois se demander si son opposition déclarée à Origène n'a pas empêché Grégoire de concevoir le corps de résurrection comme une nouvelle création et si la théorie de l'empreinte de l'âme sur les éléments ne porte pas ombrage à la liberté et à la toute-puissance du Dieu Créateur.

d) Les écrits attribués à Macaire

Macaire représente une des figures les plus importantes du monachisme égyptien au 4e siècle. Pourtant, un mystère difficile à pénétrer plane sur ses écrits. En effet, après les travaux de L. Villecourt[1], on a cru pouvoir mettre les *Homélies spirituelles* sur le compte des Messaliens, ces »hommes de prière« condamnés en 431 à Ephèse. H. Dörries, suivant les traces de L. Villecourt, va même jusqu'à voir dans ces *Homélies* l'œuvre la plus représentative des Messaliens, le *Livre ascétique* ou *Asketikon*, mis sous le nom de Macaire dès 534 peut-être (date du Ms syriaque, les Ms add. 12175 Brit. Mus.). Quant à l'auteur de ces écrits, personne ne le connaît avec certitude. On ne peut que mentionner l'hypothèse de H. Dörries qui attribue les écrits macariens à Syméon — un des chefs des Messaliens[2] — et qui place leur composition entre 390 et 431. Le dernier mot n'est cependant

---

[36] On retrouve d'ailleurs cette position intermédiaire de Grégoire à propos de l'âme. D'une part, il critique la thèse origéniste de la préexistence de l'âme, qu'il résume ainsi: »Tant que l'âme demeure dans le bien, elle reste sans l'expérience de liaison corporelle, mais si elle déchoit de la participation qu'elle a avec le bien, elle glisse vers la vie d'ici-bas et ainsi se trouve dans un corps« (*De hom. opif.* SC 6 p. 216); d'autre part, il réfute la thèse de Méthode selon laquelle l'âme a été créée après le corps et en vue de ce dernier; elle lui est donc inférieure (*ibid.* p. 217). Grégoire affirme pour sa part: »Il est donc vrai que ni l'âme n'existe avant le corps ni le corps n'existe à part de l'âme, mais pour tous les deux, il n'y a qu'une seule origine: à considérer les choses sur un plan supérieur, cette origine se fonde sur le premier vouloir de Dieu; d'un point de vue moins élevé, elle a lieu dans les premiers moments de notre venue au monde« (*ibid.* p. 223) Grégoire défend donc la création simultanée de l'âme et du corps. Cf le volume *Ecriture et culture philosophique dans la pensée de Grégoire de Nysse.* Actes du Colloque de Chevetogne (22—26 septembre 1969), éd. par M. Harl, Leiden, 1971.

[1] Cf par exemple L. Villecourt »Homélies spirituelles de Macaire en arabe sous le nom de Siméon Stylite«, ROC 21 (1918/19), 337—44; et du même auteur: »La date et l'origine des ›homélies spirituelles‹ attribuées à Macaire« dans les *Comptes-rendus de l'Académie d'Inscriptions et de Belles-Lettres* (1920), pp. 250—58.

[2] Il est cité par Théodoret dans son *Hist. eccl.* 4, 11, 2 (PG 82, 1144 A) avec Dadoes, Sabbas, Adelphios, Humès et »beaucoup d'autres«.

pas dit sur cette affaire, car on possède aussi une série de lettres attribuées à Macaire, et parmi celles-ci la *Grande Lettre*. Or, il semble que cet écrit important reproduise dans sa première partie la 40e. des *Homélies spirituelles* attribuées à Macaire, et dans sa seconde partie, la deuxième partie du traité *De Instituto Christiano* de Grégoire de Nysse[3]. On est donc amené à reconsidérer toute la question et, en particulier, à s'interroger sur ce Syméon, à qui les versions arabes attribuent à la fois les *Homélies* et la *Lettre*. Si ce Syméon n'est pas un des chefs des Messaliens, qui est-il? Personne aujourd'hui ne peut donner une réponse définitive à cette question et il ne nous appartient pas de formuler une hypothèse à ce sujet. Quel que soit leur auteur, les écrits que nous examinons ici sont une étape dans l'histoire de l'exégèse de 1 Cor. 15, 35—49 et comme tels, nous ne pouvons pas les passer sous silence, bien qu'ils n'apportent pas de grande nouveauté dans l'interprétation du texte paulinien[4]. L'intérêt de l'auteur porte avant tout sur les vv. 47—49. Il ne dit rien par contre de l'antithèse du corps psychique et du corps spirituel[5].

Macaire — faute de mieux, nous l'appellerons ainsi — mentionne à deux reprises le v. 41. Dans le *Liber de patientia et discretione*[6], il reprend une exégèse que nous avons rencontrée souvent et qui voit

[3] Les auteurs ont hésité ici pour savoir dans quel sens allait la dépendance. J. Stiglmayr pensait que l'auteur de la *Grande Lettre* avait puisé chez Grégoire, alors que Villecourt affirmait que le traité avait emprunté à la *Lettre*, mais que ce *Traité* n'était pas l'œuvre de Grégoire. W. Jaeger cependant a établi l'authenticité du *De Inst. Christ.*, pour lui, la *Lettre* dépend du *Traité* (cf Quasten *op. cit.* III pp. 240—41). R. Staats *Gregor von Nyssa und die Messalianer* (PTS 8), Berlin, 1968 défend par contre la priorité de la *Lettre* sur le *De Instituto Christiano*.

[4] Nous emprunterons les textes macariens à trois sources: 1) *Neue Homelien des Makarius/Symeon* I. Aus Typus III, hrg. von E. Klostermann und H. Berthold (TU 72), Berlin, 1961 (Abrégé: TU 72, suivi du no de page); 2) *Die 50 geistlichen Homelien des Makarios,* hrg. und erläutert von H. Dörries, E. Klostermann, M. Kroeger (PTS 4), Berlin, 1964 (Abrégé: DKK suivi du no de page); 3) PG 34.

[5] On notera seulement une allusion au v. 43 dans l'*Hom.* 15 (PG 34, 601 = DKK p. 150). L'auteur pose cette question: comment les chrétiens deviendront-ils supérieurs au premier Adam, puisqu'ils meurent, alors que la premier Adam était immortel? Macaire répond en montrant d'abord que la vraie mort n'est pas celle du corps, mais la mort intérieure. Et, paradoxalement, celui qui est mort de cette mort-là ne meurt plus, mais il est passé de la mort à la vie, comme le dit Jn 5, 24. Si pourtant les corps doivent passer par la mort physique, ce n'est que temporairement: »ἀλλ' εἰ τὰ σώματα τῶν τοιούτων λύεται πρὸς καιρόν, ἐγείρεται αὖθις ἐν δόξῃ« (1 Cor. 15, 43). C'est pourquoi la mort est comparée à un sommeil. Les chrétiens ne sont donc pas désavantagés par rapport au premier Adam. D'ailleurs, si les corps des chrétiens étaient immortels, il n'y aurait pas de liberté: les chrétiens seraient contraints de faire le bien.

[6] Traité ascétique II: *Liber de patientia et discretione* X (PG 34, 873).

dans la différence entre les astres, mentionnée par l'apôtre, une image de la différence de gloire entre les ressuscités, différence qui a sa source dans les œuvres que les hommes accomplissent pendant leur vie terrestre. Dans un second texte par contre, l'auteur fait porter l'image non plus sur la condition des ressuscités, mais sur la condition actuelle des croyants[7]. En effet, après avoir affirmé que, si la résurrection des âmes mortes est déjà réalisée, celle des corps ne le sera qu'à un jour fixé, Macaire dit qu'ici-bas déjà, il y a une différence entre les hommes, suivant le degré de foi que chacun atteint. Certains sont plus avancés dans la foi que d'autres. Deux textes scripturaires appuient la thèse ainsi présentée: 1 Cor. 15, 41 et 1 Cor. 14, 2 ss. D'après ce dernier passage, il y a une différence entre celui qui parle en langue et celui qui prophétise. Ce dernier est supérieur au premier, parce qu'il édifie la communauté, alors que celui qui parle en langue n'édifie que lui-même. Ainsi l'un diffère de l'autre, comme un astre diffère d'un autre astre en éclat[8]. Il faut noter que nous n'avons encore jamais rencontré cette application-là du v. 41, d'où l'intérêt de la relever, même si elle porte sur un point secondaire du texte de l'apôtre.

L'interprétation des vv. 45. 47—49 par contre nous ramène sur un terrain connu. Dans l'*Homélie* 28[9], l'auteur compare la période qui va d'Adam à Christ aux trois jours de ténèbres que le peuple d'Israël a vécus en Egypte (Ex. 10, 22); en effet, de même que pendant ces trois jours, le fils n'a plus vu son père, le frère son frère et l'ami son ami le plus fidèle, de même aussi les hommes n'ont plus vu leur Père céleste, après qu'ils eussent transgressé le commandement et qu'ils fussent déchus de la gloire dont ils avaient été revêtus à l'origine. Ils ont été alors soumis aux esprits de ce monde, qui ont enveloppé leurs âmes de ténèbres, et cela, dit l'auteur, jusqu'au dernier Adam, Christ. Et il ajoute: »et non seulement jusqu'au dernier Adam, mais encore maintenant aussi«, ceux qui demeurent dans les ténèbres sont soumis à la punition et ne voient plus le Père. Avant que le Christ ne vienne dans le monde, le péché régnait depuis Adam; mais le Christ est venu comme l'aneau de Dieu pour délivrer les hommes de l'esclavage du péché[10]. Dans une *Homélie*[11],

---

[7] *Hom.* 36 (PG 34,749 = DKK p. 264).

[8] *Ibid.*: L'auteur donne encore l'exemple du grain de semence: »τοῦτο ἐστιν ὥσπερ κόκκος σίτου σπειρόμενος ἐν τῇ γῇ, καὶ ὁ αὐτὸς ἐκ τῆς καρδίας πολλοὺς καὶ διαφόρους κόκκους ἐκφέρει.« Cf aussi l'allusion à 1 Cor. 15, 38 dans l'*Hom.* 32 (PG 34, 733 = DKK pp. 251—52).

[9] *Hom.* 28 (PG 34, 712 = DKK pp. 232—33).

[10] *Epistola II* (PG 34, 414—416).

[11] Aus Typus III. *Hom.* VIII (TU 72 p. 39. Le passage qui nous intéresse ici est aussi le premier paragraphe de l'*Hom.* 23 dans PG 34, 660 = DKK p. 195).

Macaire le compare à une perle de grand prix que seul, le roi peut porter. Si donc quelqu'un n'est pas né de l'Esprit royal et divin, si quelqu'un n'est pas céleste et royal, si quelqu'un n'est pas enfant de Dieu, il ne peut porter cette perle céleste, image de la lumière véritable qui est le Seigneur. Le Christ est cette perle, dont la connaissance, d'ailleurs toute intérieure, n'est réservée qu'à certains initiés. Seuls, ceux-là peuvent porter l'image du céleste, c'est-à-dire avoir le Christ en eux. C'est pourquoi l'auteur exhorte ses lecteurs à aspirer à cette paix intérieure que donne l'Esprit; il les exhorte à quitter ce qui est mauvais, honteux, vil pour laisser agir en eux l'Esprit-Saint[12]. »Image du terrestre« et »image du céleste« correspondent ainsi à deux types d'existence, l'un dominé par le péché, l'autre par l'Esprit. Si l'âme veut entrer dans le Royaume de Dieu, elle doit porter l'image du céleste, qui est le signe, le sceau du Seigneur, caché dans les âmes, l'Esprit de la lumière indiscible[13]. Elle doit se dépouiller de son vêtement de ténèbres pour revêtir ce vêtement royal que sont la lumière, la foi, l'espérance, l'amour, la joie, la paix, la beauté, la vie . . .[14] Mais, de même que le péché est caché dans l'âme jusqu'au jour de la résurrection, de même aussi, l'image du céleste, le Christ, n'éclaire le croyant que de manière toute intérieure. Jusqu'à la résurrection, le Christ est donc caché aux yeux des hommes: il n'est visible que par les seuls yeux de l'âme[15]. Ce n'est qu'à la résurrection que l'image du céleste apparaîtra de manière à être vue extérieurement, parce qu'alors, le corps sera lui aussi »éclairé«, glorifié[16].

---

[12] Aus Typus III. *Hom.* XXVIII (TU 72 p. 162). Dans ce texte, l'auteur fait un double parallèle pour exprimer l'état ancien et l'état nouveau de l'humanité: dans le premier, il oppose la tristesse d'Eve à la joie de Marie; dans le second, il emprunte la terminologie de 1 Cor. 15, 49 et compare Adam à Christ. Ce dernier est appelé »second Adam« encore dans l'*Hom.* XIX (TU 72 p. 100) alors qu'il est désigné par l'expression »l'homme céleste« dans l'*Hom.* III (TU 72 p. 14).

[13] *Hom.* 30 (PG 34, 724 = DKK pp. 242–43). Macaire appelle aussi l'image du céleste l'habit de noce (allusion à Mt 22, 11–13). De même qu'une pièce d'argent est sans valeur si elle ne porte pas l'effigie royale, l'âme est sans valeur si elle ne porte pas l'image du céleste.

[14] *Hom.* 2 (PG 34, 465 = DKK p. 18). Dans l'*Hom.* 25 (PG 34, 669 = DKK p. 201), Macaire montre que c'est par sa propre faute que l'homme est déchu de la gloire dont il était revêtu à l'origine. C'est par sa faute qu'il a perdu l'image du céleste qu'il doit s'efforcer de retrouver en se libérant des passions et des désirs de la chair.

[15] *Hom.* 2 (PG 34, 465 = DKK p. 18): »ἡ βασιλεία τοῦ φωτὸς καὶ ἡ ἐπουράνιος εἰκών, Ἰησοῦς Χριστός, μυστικῶς νῦν τὴν ψυχὴν φωτίζει καὶ βασιλεύει εἰς τὴν ψυχὴν τῶν ἁγίων.«

[16] *Ibid.:* »Αὐτὸ τὸ σῶμα καλυφθήσεται καὶ δοξασθήσεται τῷ τοῦ κυρίου φωτὶ τῷ ὄντι ἀπὸ τοῦ νῦν ἐν τῷ ἀνθρώπῳ εἰς τὴν ψυχήν, ἵνα καὶ αὐτὸ τὸ σῶμα

Toute cette exégèse ne nécessite pas de longs commentaires. Elle n'est pas nouvelle. Ce qui en fait l'intérêt, c'est la terminologie au moyen de laquelle elle est exprimée, terminologie qui atteste une sorte de »mystique« de la connaissance du Christ.

C) Antiochiens et Syriens

a) Jean Chrysostome

Jean Chrysostome a commenté les vv. 35–49 de la Première Epître aux Corinthiens dans deux *Homélies*[1]. C'est dire que son exégèse va dans le détail. L'auteur en effet apporte un soin particulier à expliquer chaque expression de l'apôtre et à mettre en évidence la logique du raisonnement de Paul dans ce passage. Mais Chrysostome ne fait pas seulement œuvre d'exégète: il s'adresse à des auditeurs pour lesquels le texte paulinien doit être actualisé. Aussi l'exégète se double-t-il d'un prédicateur soucieux de montrer la portée de ce que dit saint Paul pour la vie quotidienne des chrétiens[2]. Ce côté parénétique n'est d'ailleurs pas le moins intéressant chez lui et, puisque cela est nouveau par rapport aux auteurs étudiés jusqu'ici, nous nous y arrêterons aussi. De plus, Chrysostome cite saint Paul dans ses différents traités et ces passages complètent ou confirment l'exégèse des *Homélies*.

a) *1 Cor. 15, 35–46*[3]. – Chrysostome pense que l'apôtre s'adresse à des païens, qui s'interrogent sur la manière dont s'opérera la résurrection et sur la nature du corps de résurrection. Ils ne croient d'ailleurs ni à la possibilité d'une résurrection, ni à la réalité d'un corps de résurrection. Que ces questions soient posées par des païens, l'auteur en voit la preuve dans le fait que Paul ne leur répond pas en faisant simplement appel à la toute-puissance de Dieu pour justifier la résurrection – comme il le fait par exemple lorsqu'il s'adresse aux Philippiens (3, 21). Paul utilise ici un raisonnement basé sur les faits de la nature. Il suit en cela l'exemple du Christ lui-même, comme le précise Chrysostome dans une *Homélie* sur la parabole du

συμβασιλεύσῃ τῇ ψυχῇ τῇ ἀπὸ τοῦ νῦν λαμβανούσῃ τὴν βασιλείαν τοῦ Χριστοῦ, ἀναπαυομένῃ καὶ φωτιζομένῃ φωτὶ αἰωνίῳ.«

[1] *Hom.* XLI (PG 61, 355–62) et *Hom.* XLII (PG 61, 361 ss.).

[2] Cf E. Hoffmann-Aleith »Das Paulusverständnis des Johannes Chrysostomus«, *ZNW* 38 (1939), p. 181: »Die Homelien des Bischofs Johannes, den die Nachwelt durch den Beinamen Chrysostomus auszeichnete, schließen sich meistens eng an einen Text an und sind exegetisch und paränetisch fein und treffend.«

[3] Nous suivons de près l'exposé de l'*Hom.* XLI, en complétant ses données par d'autres textes de Chrysostome, lorsque cela s'impose.

figuier[4]: »L'emploi de ces comparaisons prises de l'ordre naturel, inévitable et régulier des substances sensibles est fréquent dans la bouche de Jésus-Christ pour établir la certitude inévitable des événements qu'il annonce. Le bienheureux Paul a suivi également en ce point l'exemple de son maître. Ecoutez-le expliquer le dogme de la résurrection des morts. Jésus-Christ a dit: si le grain de froment ne se dissout et ne périt après qu'il est jeté dans la terre, il demeure seul; s'il meurt et s'altère il produira des fruits en abondance; or Paul dira: Insensés, ce que vous semez reprend-il la vie s'il ne meurt pas?« Par ce moyen, Paul pense convaincre ses auditeurs, car eux qui nient la résurrection voient se dérouler quotidiennement un processus semblable à cette dernière: ce qu'ils sèment ne reprend vie qu'après avoir passé par la mort et la dissolution. Paul peut donc à juste titre les traiter d'insensés: ils contestent à Dieu le pouvoir de faire ce qui se passe pourtant tous les jours sous leurs yeux[5].

Chrysostome souligne la portée de l'argument de Paul qui, utilisant pour la semence des expressions qui s'adaptent plutôt à la chair, affirme que le grain ne revient à la vie que parce qu'il passe par la mort. Les adversaires disaient: le corps ne peut pas ressusciter, parce qu'il meurt et pourrit. Paul leur répond: si le corps ne passait pas par là, il ne pourrait justement pas ressusciter. Ainsi l'apôtre a-t-il répondu à la première question des Corinthiens. Il s'attache ensuite à montrer dans quel corps on ressuscite en disant: »lorsque vous semez, vous ne semez pas le corps qui doit naître, mais un corps nu...«. Ici, Chrysostome prévoit une objection: quelqu'un dira peut-être que s'il en est ainsi, on ne peut pas vraiment parler de résurrection, parce qu'un corps tombe en poussière et c'est un autre corps qui prend vie. Or sur ce point, il se trompe. La substance qui ressuscite n'est pas différente de celle qui a été ensevelie: c'est la même substance, mais qui apparaît sous une forme différente, plus belle, meilleure[6]. La preuve, selon Chrysostome, c'est Jésus lui-

[4] *Hom.* LXXVII in Matth. (PG 58, 701). La traduction de Joly *Oeuvres complètes de saint Jean Chrysostome* (8 vol.), Paris-Nancy, 1864 que nous citons ici date du siècle passé. Elle n'est pas d'une fidélité exemplaire. Nous la donnons, parce qu'elle rend service et qu'elle reste agréable à lire, malgré sa tendance à »amplifier« le texte original. Pour le passage en question cf Joly VII, 125/1 (c'est-à-dire vol. VII, page 125 première colonne).

[5] Cf aussi le *Deuxième discours sur la consolation de la mort* (PG 56, 300): »Pour toi, Dieu a la puissance de faire revivre un grain de froment, et pour lui, pour sa gloire, il ne pourrait te ressusciter?« Après avoir cité l'exemple du retour du jour et du soleil, ainsi que celui des saisons, l'auteur conclut: »O mon frère, n'appréciez pas la souveraine puissance de Dieu d'après la faiblesse de la vôtre« (trad. Joly VIII, 463/1).

[6] PG 61, 356: »οὐ γὰρ ἄλλη μὲν οὐσία σπείρεται, ἄλλη δὲ ἐγείρεται, ἀλλ' ἡ αὐτὴ βελτίων.«

même: il s'est dépouillé d'un corps qui venait d'une Vierge: d'où a-t-il tiré son corps de résurrection? Pourquoi a-t-il montré les plaies de ses pieds et de ses mains, sinon pour établir que le corps de résurrection est bien le même corps que celui qui a été enseveli? On peut rappeler aussi l'exemple de Jonas: le corps que le cétacé a rendu était le même que celui qu'il avait englouti. Enfin dans la parole de Jésus sur le Temple, c'est le Temple que Jésus avait demandé de détruire qu'il se proposait de reconstruire en trois jours. C'est donc la même substance qui est mise en terre et qui ressuscite. La différence qu'il y a entre elles, c'est la différence qu'il y a entre une semence et une plante: l'apparence est nouvelle; le corps de résurrection ne sera plus soumis à la mort et à la corruption.

L'apôtre Paul mentionne l'existence de corps terrestres et de corps célestes. Pour Chrysostome, il s'agit là de différentes catégories de corps de résurrection, car si tous les épis se ressemblent, il y en a tout de même qui sont plus beaux, plus fournis que d'autres! Les corps terrestres, dans le texte paulinien, sont les corps des pécheurs; les corps célestes désignent les corps des justes. De plus, il y aura encore des différences entre les corps des justes entre eux et les corps des pécheurs entre eux. C'est pourquoi, parmi les corps terrestres, l'apôtre distingue la chair des hommes, celle des animaux, celle des oiseaux; et parmi les corps célestes, il distingue la gloire du soleil de celle de la lune et des étoiles. Et Chrysostome conclut ainsi: »Bien que tous les justes soient admis au Royaume céleste, tous, néanmoins, n'auront pas le même gloire et ne jouiront pas du même degré de félicité. Et quoique tous les pécheurs soient condamnés à l'enfer, tous n'endureront pas le même degré de souffrance«[7]. Par cette interprétation de Paul, l'auteur se montre défenseur de la résurrection universelle, résurrection des justes pour le salut, des pécheurs pour la perdition. Il justifie d'ailleurs sa position: »ne pas croire à la résurrection des corps constituerait une incrédulité fatale au zèle pour le bien. Croire à un degré uniforme de gloire pour tous les hommes ressuscités ne rendrait pas les hommes moins lâches et moins insouciants dans la voie de la perfection«[8].

Il est curieux de constater que le v. 41 est celui qui revient le plus souvent lorsque Chrysostome cite la péricope qui nous intéresse ici; l'idée est toujours la même: différence entre justes et pécheurs qui correspond à la distinction paulinienne entre corps célestes et corps terrestres, différences parmi les justes eux-mêmes et entre les pécheurs les uns par rapport aux autres. Citons quelques textes. Dans

[7] PG 61, 358: »ὅτι εἰ καὶ ἐν βασιλείᾳ πάντες, οὐ πάντες τῶν αὐτῶν ἀπολαύσονται. Καὶ εἰ πάντες ἐν γεέννῃ οἱ ἁμαρτωλοὶ, οὐ πάντες τὰ αὐτὰ ὑπομενοῦσι.«

[8] *Ibid.*

le traité *A Théodote,* l'auteur exhorte son interlocuteur à ne pas se décourager, si un péché vient porter ombrage à des actions par ailleurs vertueuses. Car celles-ci peuvent compenser en partie celui-là. Il y aura au jugement une balance entre les actions mauvaises et les bonnes actions. »Si ces dernières font pencher le fléau, elles sauvent amplement leur auteur, et le tort causé par la pratique des mauvaises actions n'a de poids que pour nous entraîner loin de la première place, mais si les premières l'emportent, elles nous conduisent au feu de la Géhenne«[9]. Après avoir cité Rom. 2,6 et Jn 14,2 (les demeures auprès du Père), l'auteur mentionne le v. 41 et exhorte ainsi ses lecteurs: »Puis donc que nous savons tout cela, ne nous éloignons jamais de la pratique des bonnes œuvres et si nous ne pouvons prétendre au rang du soleil et de la lune, ne méprisons pas celui des étoiles. Tant que nous déploierons une telle vertu, nous pourrons aussi être au Ciel«[10]. Certain que Dieu tient compte des plus petites choses, Chrysostome appelle son interlocuteur à visiter les malades. La même idée est développée dans le *Sixième discours sur Lazare*[11]: »Sur terre, les hommes sont ou justes ou pécheurs. Entre les justes, nulle différence que celle qui tient du degré de leur perfection. Celui-ci est plus parfait qu'un autre, celui-là plus vertueux, plus sage; absolument comme les astres qui tous brillent, mais avec une nuance dans leur éclat. En effet, dit saint Paul, autre est la splendeur du soleil, la lumière de la lune, l'éclat des étoiles. Comme il est des corps dans le firmament, il en est aussi sur la terre, et parmi ceux-ci de différentes sortes; ainsi, le cerf, le dogue, le lion, le serpent n'offrent pas une uniformité de volume. Même différence parmi les péchés de l'âme. Les hommes sont justes ou pécheurs. Or parmi les justes, il y a des différences dans la valeur de leurs mérites, comme parmi les pécheurs, il y a nuance dans le degré de souillure«. Evoquant ensuite la différence entre Lazare et l'homme riche, Chrysostome poursuit: »quelque soit le degré de perfection du juste, difficilement il est exempt de quelque tache. Pour être un grand saint, on est toujours homme. Saint Paul lui-même disait que si sa conscience ne lui reprochait rien, il n'en était pas justifié pour autant«. Mais cette comparaison des justes avec le soleil, la lune et les étoiles ne signifie pas qu'il y aura pour eux trois degrés de gloire seulement. La comparaison exprime seulement une variété infinie dans le degré de mérites des élus – comme aussi la variété des degrés de lumière

[9] Jean Chrysostome *A Théodote.* Introduction, texte critique, traduction et notes par J. Dumortier (SC 117), Paris, 1966, p. 213 s.

[10] *Ibid.*

[11] PG 48, 1041 (= Joly II, 511/2).

dans les astres est infinie, puisqu'une étoile diffère d'une autre en éclat[12].

Chrysostome en arrive ainsi aux antithèses des vv. 42 ss. Il commence par préciser le sens du verbe ›semer‹:

»Et quand saint Paul avance que notre corps est maintenant semé dans la corruption, il ne veut point caractériser la formation de nos corps dans le sein de nos mères, mais leur sépulture dans la terre, où ils se transformeront en cendre et en poussière«[13].

L'ignominie sera par conséquent l'aspect difforme et odieux du cadavre en dissolution. L'infirmité sera la facilité avec laquelle le corps se décompose: »trente jours sont à peine écoulés que tout le corps n'est plus que néant, poussière; bien plus, dès que la vie s'en est échappée, les membres tendent à la dissolution; au bout d'un jour, on ne le connait plus«[14].

Chrysostome s'interroge ensuite sur le sens des expressions »corps psychique« et »corps spirituel«. Il note que le corps psychique peut aussi être spirituel, si l'Esprit qui habite en lui l'anime. Néanmoins, il faut reconnaître qu'ici-bas, nos fautes éloignent encore souvent l'Esprit de Dieu de nos âmes. Et si le corps est séparé de l'âme par la mort, c'est le signe que l'Esprit ne se manifeste pas encore de

---

[12] Cette précision, Chrysostome l'apporte dans l'*Apologie des religieux* au Livre III (Joly IV, 214/2) où il montre que le salut n'est pas réservé aux seuls religieux, mais que l'homme de la ville, avec les embarras d'une maison et les soins d'une famille, pourra aussi être sauvé — puisqu'il y a plusieurs demeures dans la maison du Père et plusieurs degrés de gloire dans les corps célestes. Chrysostome voit cette différence entre justes exprimée par Paul dans les salutations de l'Epître aux Romains. Il donne de Rom. 16, 5—16 le commentaire suivant: »Tous étaient chrétiens, mais tous n'étaient pas au même degré de vertu: leurs mérites étaient divers. Or Paul qui veut les pousser à une plus haute perfection, ne dissimule les mérites de personne. Si les plus zélés et les plus parfaits ne devaient pas recevoir une plus grande récompense, qu'il serait grand, le nombre des indolents! Aussi dans le Royaume de Dieu, la gloire n'est pas égale pour chacun, comme nous voyons qu'il n'y a pas égalité d'honneur parmi les apôtres. Trois sont l'objet d'une préférence marquée, et même parmi ces trois apôtres on voit encore une différence fort tranchée. L'œil de Dieu peut discerner jusqu'aux dernières nuances du mérite. Une étoile, dit Paul, diffère d'une autre en clarté« (PG 60, 672 = Joly IV, 418/2 s.). L'auteur prend quelques exemples dans l'histoire sainte: Loth était juste, mais moins qu'Abraham; Ezéchias de même, mais moins que David; il en est de même des prophètes par rapport au précurseur. Cf aussi pour les différents degrés de gloire des justes *Hom. sur le Ps. 110* (PG 55, 275 = Joly VIII, 286/2) et pour la différence entre justes et pécheurs l'*Hom. X sur II Cor. 5, 1 ss.* (PG 61, 467 = Joly V, 153/1).

[13] PG 61, 358: »Σπορὰν δὲ ἐνταῦθα, οὐ τὴν γένεσιν ἡμῶν λέγει τὴν ἐν μήτρᾳ, ἀλλὰ τὴν ταφὴν τὴν ἐν τῇ γῇ τῶν τετελευτηκότων σωμάτων, τὴν διάλυσιν, τὴν τέφραν.«

[14] PG 61, 359.

façon toute-puissante dans l'âme des élus et dans leur chair. C'est pourquoi Paul désigne nos corps terrestres par l'expression »corps psychique«, réservant le terme de »corps spirituel« pour le corps de résurrection, lorsque l'Esprit-Saint sera définitivement uni à la chair ressuscitée des justes. Et Chrysostome d'ajouter: »à moins qu'il (Paul) n'ait voulu marquer un corps léger, subtil, voyageur rapide à travers les airs«[15]. L'auteur mentionne ainsi une possibilité d'interprétation sans toutefois la retenir. On se souvient que Cyrille d'Alexandrie refusait de comprendre ainsi le corps de résurrection. Chrysostome laisse la question ouverte.

Au sujet du »corps psychique«, l'auteur ne le définit pas de façon précise. L'idée que ce corps caractérise l'état présent de l'homme, soumis par les passions de la chair, est peut-être sous-jacente, mais elle ne domine pas l'exposé. Chrysostome semble plutôt penser que le corps psychique, c'est celui que chacun de ses auditeurs et lui-même possède dans la réalité de ce monde; c'est le corps qui n'est pas encore entièrement soumis à l'Esprit. L'auteur ne s'interroge pas sur son origine ou sa raison d'être. Il a compris que dans le texte de Paul, l'expression qui fait problème, c'est celle de »corps spirituel«. Dans le *Premier Discours sur la consolation de la mort*, il apporte à ce propos un élément qui n'apparaît pas dans l'*Homélie*. Il parle de la physiognomie des ressuscités et cite la parole du Christ qui dit que les justes resplendiront comme le soleil, dans le Royaume de leur Père (Mt 13, 43). Chrysostome ajoute à ce témoignage celui de Phil. 3, 20 et déclare: »Donc, et il faut le croire, notre chair mortelle revêtira l'immortalité de Jésus-Christ, et prendra la splendeur de son corps; car, dit saint Paul, ›ce qui fut semé dans la fragilité, se relèvera promptement dans la puissance et la force‹. La chair n'aura plus à redouter la corruption, elle n'éprouvera plus ni la faim, ni la soif, ni les maladies, ni les accidents. Une paix assurée, une sécurité inaltérable peuvent encore se trouver en ce monde; mais bien différente est cette gloire céleste où la joie sera sans nuage«[16]. L'élément nouveau, par rapport à l'*Homélie*, est la comparaison avec le corps de résurrection du Christ, préfiguration du corps spirituel dont les ressuscités seront revêtus à la fin des temps.

Arrivant au v. 45, Chrysostome, en technicien de l'exégèse, s'interroge pour savoir où il est écrit que le Christ, second Adam, a été rempli d'un Esprit vivifiant. Il n'y a en effet aucun texte de l'Ecriture que l'on puisse ici invoquer. Mais, dit-il, peu importe: Paul parle de ce qu'il sait et connaît. D'autres ont fait de même avant lui:

[15] *Ibid.*

[16] *Premier Discours sur la consolation de la mort* (PG 56, 298 = Joly VIII, 435/1).

Zacharie (8, 3) et Isaïe, lorsqu'il dit que le Messie s'appellera Emmanuel. L'essentiel est de comprendre ce que veut dire l'apôtre en opposant les deux Adam. Selon Chrysostome, ils sont les signes, et comme les gages du bonheur commencé en ce monde et achevé dans l'autre[17]. Que veut-il dire par là? Son interprétation du v. 46 va nous éclairer. Pourquoi Paul précise-t-il que c'est le corps psychique qui vient d'abord, le corps spirituel ensuite? L'auteur répond:

»L'apôtre ne se met point en peine de justifier cette disposition. La volonté de Dieu lui suffit, il voit dans cette succession la place d'une sage économie divine et il ne creuse pas plus avant, montrant par là que notre nature suit une transformation de perfection, de bien en mieux; et par ce principe donne du crédit à ce qu'il nous annonce pour l'avenir, car si l'état d'imperfection a eu lieu pour les hommes, à plus forte raison les hommes doivent-ils croire à une transformation plus avantageuse et doivent-ils l'attendre avec confiance«[18].

Chrysostome semble donc admettre le schéma d'une économie divine en deux étapes, voulues par Dieu dès l'origine et indépendamment du péché. L'état que Paul qualifie de »psychique« n'est pas lié au péché par une relation de cause à effet. Pas plus que l'apôtre, son commentateur ne fait intervenir ici la notion de transgression pour expliquer la condition psychique de l'humanité. L'homme est psychique, dans la mesure où l'Esprit ne domine pas son âme et sa chair. La prise en charge de l'âme et de la chair par l'Esprit ne s'opérera qu'à la résurrection.

Ici se termine la partie purement exégétique de cette *Homélie XLI.* Chrysostome »actualise« ensuite ce qu'il vient de dire et introduit cette partie de son discours par ces mots: »Puisqu'un jour, nous devons entrer en possession d'un bonheur si délicieux, songeons moins à pleurer le départ de nos frères d'ici-bas, qu'à gémir sur le malheur de ceux qui abandonnent la terre dans l'état du péché«[19]. Et, reprenant à son compte l'exemple de Paul, il montre que le laboureur ne s'afflige pas de voir que le grain semé en terre se décompose et pourrit, car il sait que cette opération est nécessaire, s'il veut faire une bonne récolte. L'action de la mort, c'est de permettre au juste de passer de cette vie à une vie glorieuse et immortelle. Ainsi,

---

[17] PG 61, 359: »Ταῦτα δέ εἶπεν, ἵνα μάθῃς ὅτι καὶ τῆς παρούσης ζωῆς καὶ τῆς μελλούσης τὰ σύμβολα ἤδη καὶ τὰ ἐνέχυρα ἔφθασε, τῆς μὲν παρούσης ὁ Ἀδάμ, τῆς δὲ μελλούσης ὁ Χριστός.«

[18] PG 61, 360: »Καὶ οὐ λέγει, διὰ τί, ἀλλ' ἀρκεῖται τῇ τοῦ Θεοῦ διατάξει, τὴν ἀπὸ τῶν πραγμάτων ψῆφον ἔχων μαρτυροῦσαν τῇ ἀρίστῃ τοῦ Θεοῦ οἰκονομίᾳ, καὶ δεικνὺς ὅτι ἐπὶ τὸ βέλτιον ἀεὶ τὰ ἡμέτερα πρόεισιν, ἅμα κἀντεῦθεν πιστούμνος τὸν λόγον. Εἰ γὰρ ἐλάττονα ἐξέβη, πολλῷ μᾶλλον τὰ βελτίω προσδοκᾷν χρή.«

[19] *Ibid.*

le prédicateur exhorte-t-il ses fidèles à remettre à Dieu le chagrin que peut leur causer la mort d'un des leurs. Il leur cite en exemple Abraham et Job. Mais peut-être pourra-t-on trouver de bonnes raisons de pleurer un défunt? Chrysostome énumère trois cas: le décès d'un pécheur; le décès d'un enfant; enfin celui d'un conjoint. En ce qui concerne le premier cas, il se montre extrêmement dur: »Comment, votre amour le pleure maintenant qu'il est mort, et quand il vivait, votre charité ne songeait pas à le ramener à des mœurs plus régulières et plus chrétiennes? Ah! dites plutôt que votre douleur n'a de raison que dans vos intérêts personnels et nullement dans les siens«. Et il ajoute: »Affligez-vous, à la bonne heure, de ce qu'il a quitté le monde étant pécheur; mais que ce ne soit pas non plus une médiocre consolation de penser que le terme de la vie a été celui de ses péchés. S'il eût vécu plus longtemps, il eût été plus longtemps criminel«[20].

Aux parents qui ont perdu un enfant, Chrysostome propose trois raisons de ne pas se désoler. D'abord, il rappelle que la mort n'est qu'un sommeil, un changement de demeure, un passage d'un lieu de misères à un séjour glorieux. Ensuite, il demande de penser à ceux qui n'ont pas eu le bonheur d'être pères et mères. Que ceux qui ont pu l'être louent Dieu pour ce qu'il a donné – et pour ce qu'il a repris –, suivant en cela l'exemple de Job (1, 21). Enfin, troisième raison, qui paraîtra un peu étrange: l'auteur rappelle le nombre d'enfants qui rendent la vie de leurs parents insupportable. Bien sûr qu'il y a aussi des enfants dévoués et reconnaissants. Mais pour les parents, même ceux-là sont un souci pour l'avenir, car l'enfant peut changer. Aussi Chrysostome dit-il aux parents qui ont perdu leur enfant qu'ils n'ont plus à se préoccuper de l'avenir de ce dernier: il repose entre les mains de Dieu.

Dernière consolation apportée par l'auteur: celle qu'il adresse aux veufs. »Oui, rendez grâces de tous les accidents qui vous attristent, lors même que vous viendriez à perdre votre femme. Qui sait? Il était peut-être dans les desseins de Dieu de vous offrir le mérite de la continence, de vous appeler à la pratique d'une plus haute vertu, de vous affranchir d'une entrave qui s'y présentait comme obstacle. Si vous entrez dans l'esprit de ces pensées pieuses, vous jouirez des biens de la paix en ce monde et de la gloire des récompenses en l'autre«[21].

Il était intéressant de résumer la partie non exégétique de cette *Homélie*, parce qu'elle montre comment l'auteur passe de l'interprétation du texte de l'Ecriture à la situation concrète de ses auditeurs. Tous les détails de l'exégèse n'ont pas leur place dans l'appli-

---

[20] PG 61, 361.

[21] PG 61, 362.

cation pratique. Ils sont cependant la condition indispensable d'une compréhension sérieuse du texte de l'apôtre et donnent à la partie parénétique un fondement solide. On s'étonnera peut-être de ce que Chrysostome ait inclu son exégèse dans l'*Homélie*. On lui saura gré cependant de nous présenter ainsi le travail que tout prédicateur consciencieux devrait faire et de nous montrer en même temps une application homilétique du texte ainsi étudié.

b) *1 Cor. 15, 47–49*. – Chrysostome consacre à l'explication de ces versets une autre homélie, l'*Homélie XLII*. Il remarque d'abord que Paul reprend l'opposition entre le psychique et le spirituel en l'exprimant par les termes de »terrestre« et »céleste«. Pour l'auteur, ces deux couples de mots expriment la même chose, vue de deux points de vue différents: l'antithèse pschique-spirituel caractérise l'homme au regard de la vie présente et de la vie future; le couple terrestre-céleste représente l'homme avant la grâce et l'homme après la grâce. Lorsque Paul dit ensuite que, de même que nous avons porté l'image du terrestre, nous devons aussi porter celle du céleste, il veut exhorter ses lecteurs à pratiquer la vertu. En effet, tel est le terrestre, tels sont aussi les terrestres; cela signifie que les terrestres succombent et meurent comme Adam. Tel est le céleste, tels les célestes; cela veut dire que, comme Christ, les célestes seront immortels et glorieux. Il s'agit de deux genres de vie, dont l'un a le Christ comme source et modèle, l'autre trouve son origine dans le comportement d'Adam. Cette interprétation est confirmée, selon Chrysostome, par le vocabulaire employé par l'apôtre. Il dit »terrestre« et non »de terre«, parce qu'il veut précisément faire allusion à ce qui est attaché à la terre[22]. Il ne veut pas décrire la qualité du corps d'Adam. Et pour le Christ, il dit qu'il est venu du ciel, parce qu'il pense que le Christ a introduit sur la terre la vie divine. Ici aussi, Paul ne décrit pas le corps du Christ. On aurait donc tort de s'appuyer sur ce passage pour dire que le Christ n'avait pas un corps réel, humain. Paul veut exhorter ses lecteurs à mener une vie sainte et à renoncer désormais au péché et au mal.

Chrysostome examine tout de même une autre manière de comprendre ces versets, et en particulier l'antithèse »terrestre-céleste«. Il se demande si ces termes pourraient caractériser la nature d'Adam et la nature du Christ. On sait que c'est l'interprétation que l'on rencontre dans le contexte des querelles christologiques, les uns insistant sur l'épithète »céleste« pour refuser d'attribuer au Christ une nature humaine identique à la nôtre, les autres mettant en avant le fait que Paul a parlé d'un second »Adam«. Pour Chrysostome, cette exégèse

[22] PG 61, 363: »Καὶ γὰρ διὰ τοῦτο ἐγενόμεθα χοϊκοί, ἐπειδὴ πονηρὰ ἐπράξαμεν. Οὐκ ἐπειδὴ ἐξ ἀρχῆς χοϊκοὶ διεπλάσθημεν, ἀλλ' ἐπειδὴ ἡμάρτομεν.«

est exclue. D'abord Adam n'était pas fait que de terre; il était aussi d'une autre substance qui tient de la nature des esprits que l'on appelle l'âme. Ensuite le Christ lui non plus n'avait pas seulement une substance spirituelle; il a revêtu la chair, la nature humaine. Chrysostome en reste donc à son interprétation, comme l'indique le texte suivant:

»Voyons le sens des paroles de saint Paul: ›Comme nous avons porté l'image de l'homme terrestre en faisant le mal, portons maintenant l'image de l'homme céleste en faisant le bien‹, en menant une vie digne du ciel. Supposez que saint Paul n'ait voulu parler ici que de la nature même de Jésus-Christ, qu'était-il besoin alors de donner à sa phrase la tournure d'une exhortation et d'un conseil? Ainsi, rien de plus clair, l'apôtre ne veut par ces paroles qu'exhorter à mener une vie régulière et sainte. Si nous sommes appelés ›terrestres‹, c'est parce que nous avons péché, et non point parce qu'à l'origine, notre corps a été formé de la terre (...) Nous sommes terrestres, quand épris d'affections viles et dégradantes, nous faisons des œuvres de terre et de mort, c'est-à-dire, le péché; comme, au contraire, l'homme est appelé céleste quand les œuvres de sa vie sont pures, saintes et dignes d'une intelligence céleste«[23].

Tout cela trouve une confirmation, selon Chrysostome, dans le v. 50: la chair, c'est le péché; et Paul veut dire que les actions mauvaises ferment l'accès au Royaume céleste.

L'exégèse que Chrysostome propose pour les vv. 35—49 n'a pas la cohérence qu'aura celle de Théodore de Mopsueste. Les différentes antithèses du texte paulinien ne sont jamais parallèles pour lui: les corps terrestres et les corps célestes désignent les corps de résurrection (respectivement des pécheurs et des justes); l'antithèse entre le corps psychique et le corps spirituel oppose l'état présent du corps à son état futur; enfin image du terrestre et image du céleste sont deux expressions qui désignent la vie ici-bas (respectivement la vie sous le signe du péché et la vie sous le signe de la grâce). Ce résumé permet de comprendre un peu mieux l'opposition entre le corps psychique et le corps spirituel. Le premier, c'est le corps dont l'homme est revêtu pendant sa vie terrestre, que cette vie soit pécheresse ou qu'elle soit vertueuse. Ce corps est mortel, parce que, même dans le cas d'un croyant, l'Esprit ne le domine pas entièrement — Chrysostome le dit: on a beau être un saint, on n'en reste pas moins un homme. Il semble qu'à la création, ce corps était incorruptible. Si l'auteur ne lie pas, dans son exégèse de saint Paul, le péché et la mortalité, c'est certainement parce que, dans le texte qu'il explique,

---

[23] *Ibid.*

Paul lui-même ne fait pas intervenir le péché. Ailleurs, Chrysostome dit clairement que c'est à la suite de la transgression que l'homme est devenu mortel. Il dit par ailleurs clairement que les hommes ont été créés incorruptibles et immortels[24]. Aussi J. Gross déclare-t-il avec raison: »On le voit, en ce qui concerne l'état d'innocence, notre docteur ne s'écarte guère du courant traditionnel. Tout en se tenant plus près de l'Ecriture et tout en étant moins intellectualiste, son optimisme le cède à peine à celui des Alexandrins«[25]. Quant au corps spirituel, c'est le corps de chair, transformé sous l'action de l'Esprit. Chrysostome se montre par là défenseur de la chair. Cela encore, c'est la tradition. Ce qui étonne cependant, c'est son affirmation de la résurrection universelle. Comment concevoir une résurrection des pécheurs, si la résurrection est la prise en charge du corps par l'Esprit, de façon à ce que ce corps ne meure plus? Sur ce point, comme beaucoup de ses prédécesseurs, Chrysostome se sépare de l'apôtre.

Malgré les résultats »traditionnels« auxquels elle aboutit, l'exégèse de Jean Chrysostome se distingue néanmoins de celle de ses devanciers par son souci de précision et son attachement à la lettre de l'Ecriture. L'auteur a su allier dans ses deux *Homélies* sur 1 Cor. 15, 35—49 une solide technique de l'exégèse et une préoccupation pastorale. En ce sens, son travail est original.

b) Théodore de Mopsueste

Les théologiens contemporains ne sont pas unanimes dans le jugement qu'ils portent sur Théodore de Mopsueste, condamné par le 5e Concile Oecuménique de Constantinople (553) en même temps que le nestorianisme. Tous cependant reconnaissent dans l'évêque de Mopsueste un des grands représentants de l'Ecole exégétique d'Antioche[1].

Du *Commentaire* qu'il a rédigé sur la Première Epître aux Corinthiens, il nous reste des fragments qui, pour ce qui concerne les vv. 35—49 du chapitre 15, se révèlent fort intéressants[2]. Théodore

[24] *In Gen. 1 Hom.* XV, 4 (PG 53, 123); *Ad populum Antiochenum* Hom. XI, 2 (PG 49, 121).

[25] J. Gross *La divinisation du chrétien d'après les Pères grecs,* Paris, 1938 p. 255. Cf aussi l'article déjà ancien d'E. Michaud »La sotériologie de saint Jean Chrysostome«, *RITh* 18 (1910), 35—49.

[1] B. Altaner dit de lui: »Avec une finesse critique tout à fait extraordinaire dans l'Eglise ancienne, cet exégète, le plus grand de l'école d'Antioche, commenta presque toute la Bible. L'Eglise nestorienne se réfère à lui comme ›le commentateur‹ par excellence« (*Précis de Patrologie,* Mulhouse, 1961, p. 462).

[2] Ils sont publiés par K. Staab *Pauluskommentare aus der griechischen Kirche* (NTA 15), Münster, 1933 pp. 194—95.

résume l'argument de Paul, exprimé dans les vv. 35–38, en disant que la source de la vie appartient à un autre: c'est la puissance de Dieu qui est en œuvre dans le grain qui meurt et est rendu à la vie après avoir été dissout dans la terre. Celui qui reconnaît ce fait ne peut pas nier la résurrection. Et Théodore complète l'exemple donné par l'apôtre par un autre exemple que nous avons rencontré une seule fois, chez Didyme: de même que la pierre transparente et précieuse provient du sable, mais n'est plus du sable – elle est quelque chose d'autre en comparaison de la matière dont elle a été tirée – de même que l'épi n'est plus du grain, mais un épi – donc quelque chose d'autre que du grain – ainsi aussi lors de la résurrection, le corps est transformé, en sorte qu'il n'est plus »chair et sang«, mais qu'il est devenu, à partir de la chair et du sang, quelque chose d'immortel et d'incorruptible.

Théodore explique cette transformation du corps, réservée pour le jour de la résurrection, en faisant appel au baptême. Le texte le plus explicite est ici ce passage des *Homélies catéchétiques* que nous devons à la version syriaque, publiée et traduite d'après le Ms Mingara syr. 561 par R. Tonneau en collaboration avec R. Devreesse:

»Et de même que celui qui naît d'une femme a la puissance de parler, d'entendre, de marcher et de travailler de ses mains, mais qu'il est absolument trop faible pour toutes les (actions) de ce genre, tandis qu'après un temps, selon le décret divin, il reçoit ces choses; de même maintenant aussi, celui qui naît dans le baptême possède en soi-même toute la puissance de la nature immortelle et incorruptible et il en possède toutes (les facultés); incapable maintenant de les mettre en œuvre, de les faire agir, de les montrer jusqu'à ce moment que Dieu nous a fixé, où nous ressusciterons d'entre les morts et où nous sera accordé l'exercice complet et parfait de l'incorruptibilité, de l'immortalité, de l'impassibilité et de l'immutabilité. En effet, ce dont il prend ici la puissance par le baptême, il en prendra l'exercice effectif lorsqu'il ne sera absolument plus psychique, mais spirituel, que l'opération de l'Esprit aura fait le corps incorruptible et l'âme immuable, les tiendra tous deux par sa propre vertu et les gardera, comme dit le bienheureux Paul: ›Semé dans la corruption, il ressuscitera sans corruption; semé dans la faiblesse, il ressuscitera dans la vigueur; semé dans l'opprobre, il ressuscitera dans la gloire; semé psychique, il ressuscitera corps spirituel‹ (1 Cor. 15, 44). Il montre que l'incorruptibilité, la gloire et la vigueur, c'est par l'opération de l'Esprit-Saint que les aura alors l'homme, dont cette (opération) saisit l'âme et le corps, (fixant) l'un dans l'immortalité et l'autre dans l'immutabilité. Et il sera spirituel et non plus psychique, ce corps qui ressuscitera d'entre les morts et que (l'homme) prendra«[3].

---

[3] *Les Homélies catéchétiques de Théodore de Mopsueste.* Reproduction phototypique du Ms Mingara syr. 561. Traduction, introduction, index par R. Tonneau

Le baptême donne donc »en puissance« l'immortalité par la vertu du Saint-Esprit. Cette immortalité est réservée pour l'avenir, comme la parole pour le nourrisson. Cela signifie qu'elle n'est pas donnée à la naissance: elle est liée au don de l'Esprit. Le corps naît animal, c'est-à-dire corruptible, faible, dans l'opprobre; il ressuscite incorruptible, dans la vigueur, dans la gloire. Il semble donc bien que Théodore mette un soin particulier à comprendre ces antithèses comme l'expression de deux périodes: la première allant de la naissance (ou de la création) au baptême; la seconde commençant à la résurrection. Le temps qui sépare le baptême de la résurrection est un temps intermédiaire pendant lequel les hommes ont reçu les arrhes des biens à venir grâce à l'effusion de l'Esprit-Saint, mais ne sont pas encore transformés[4]. La transformation du corps psychique en corps spirituel n'aura lieu qu'à la fin des temps, comme Théodore le précise dans son explication du »Symbole«:

»Alors véritablement, après que nous serons devenus immuables, aura lieu l'anéantissement complet du péché, et nous deviendrons une seule ›Eglise, catholique (καθολική‹, parce que nous aurons reçu une sainteté ineffable et que nous serons immortels et immuables, et obtiendrons d'être toujours avec le Christ (l'auteur cite ici 1 Cor. 15, 54—56 et poursuit:) car alors ce sera vraiment l'anéantissement de tout ceci à la fois, la mort, le péché, la corruption; et avec cela s'évanouira aussi la Loi (νόμος), car nous n'aurons plus dès lors besoin de loi, puisque saints nous serons devenus, immortels et incorruptibles«[5].

Cette transformation du corps psychique en corps spirituel s'est aussi opérée pour le Christ. En effet au v. 45 l'apôtre déclare qu'Adam le premier homme fut fait une âme vivante et que le second Adam devint un Esprit vivifiant; et Théodore commente ainsi ce verset: »il indique en sa parole que le Christ Notre-Seigneur, eut,

---

en collaboration avec R. Devreesse (Studi e Testi 145), Cité du Vatican, 1949 pp. 423—425 (*Hom.* XIV, 10).

[4] Dans l'*Hom.* VI, 14 de ses *Homélies catéchétiques*, Théodore précise que le Christ nous a donné l'Esprit-Saint comme arrhes des biens à venir, »puisque ces choses à venir, c'est par la vertu de l'Esprit-Saint qu'elles subsistent en nous, comme a dit le bienheureux Paul qu' ›est semé un corps animal et il ressuscitera un corps spirituel‹« (*op. cit.* pp. 157—59). On retrouve la même idée dans le *Commentaire de l'Ep. aux Romains* à propos de Rom. 8, 2 (PG 66, 817 = Staab *op. cit.* p. 133): selon l'apôtre, la résurrection s'opère grâce à la participation de l'Esprit afin que, celui-ci dominant, nous soyons constitués dans l'incorruptibilité et l'immortalité. Paul appelle cet Esprit ›l'Esprit de vie‹ parce qu'il est l'auteur de la vie que nous recevrons alors: »τῇ τοῦ πνεύματος μετουσίᾳ τὴν ἀνάστασιν γίγνεσθαι ὁ ἀπόστολός φησιν: σπείρεται γάρ, φησί, σῶμα ψυχικόν, ἐγείρεται σῶμα πνευματικόν, ὡς ἂν αὐτοῦ τότε κρατοῦτος μηᾶς ἐν ἀφθαρσίᾳ τε καὶ ἀτρεπτότητι.«

[5] *Hom. catéchétique* X, 21 (*op. cit.* pp. 277—79).

du fait de sa résurrection d'entre les morts, le corps transformé en l'immortalité par la vertu de l'Esprit-Saint«[6]. C'est dire qu'à l'encontre des Apollinaristes, Théodore ne craint pas d'attribuer au Fils une humanité semblable à la nôtre au point d'oser dire qu'avant sa résurrection, son corps était psychique, donc mortel. Dans la perspective de l'auteur, cette affirmation n'a rien de choquant; elle s'impose, puisque la condition mortelle de l'homme n'est pas la conséquence de sa transgression du commandement de Dieu.

Le commentaire des vv. 45—47 précise ce point avec toute la clarté désirable[7]: puisque le premier homme a été fait âme vivante, il mourut et ne pouvait pas ressusciter; mais le second, parce qu'il avait un Esprit vivifiant et une âme — le premier n'avait qu'une âme; il n'avait pas encore reçu l'Esprit — est ressuscité[8]. Puisque c'est le psychique qui est venu d'abord et que le spirituel n'est venu qu'ensuite, la mort devait nécessairement précéder la résurrection. Car ce qui vient en second lieu fait suite à ce qui vient d'abord[9]. C'est pourquoi aussi nous mourons, nous qui sommes psychiques, et, lorsque nous sommes devenus spirituels (c'est-à-dire lorsque nous avons reçu l'Esprit au baptême), nous ressuscitons. L'homme[10] ne devait pas être d'abord spirituel, car alors, il n'aurait pas été possible pour lui de déposer son péché, sur la base de sa nouvelle naissance (cette dernière étant une mort au péché et une résurrection avec Christ, comme l'enseigne saint Paul dans Rom. 6). Mais Dieu fait tout avec prévision.

Ce texte révèle plusieurs particularités de la pensée de Théodore. Si en effet, l'économie divine comprend pour la plupart des Pères trois étapes, à savoir un état idéal, paradisiaque, un état marqué par la chute et le péché, enfin une restauration, à la fin des temps, de l'état paradisiaque, cette économie divine est divisée par Théodore en deux grandes périodes, qu'il appelle »éons« ou »catastases«, marquées l'une par la condition mortelle que l'homme a reçue, l'autre par le don de l'Esprit et l'élévation à une condition supérieure, spirituelle, qui sera pleinement réalisée à la fin des temps, quand le corps

---

[6] *Hom. catéchétique* X, 11 (*ibid.* p. 263).

[7] K. Staab *op. cit.* p. 195.

[8] U. Wickert *Studien zu den Pauluskommentaren Theodors von Mopsuestia.* Ein Beitrag zum Verständnis der antiochenischen Theologie (BZNW 27), Berlin, 1962 p. 205 propose ici de lire ἀνέστη au lieu de ἀνέστησεν que donne Staab (*op. cit.* p. 195 ligne 13).

[9] U. Wickert *op. cit.* p. 205: lire ἕπεται γὰρ τῷ πρώτῳ τὸ δεύτερον au lieu de τῷ δευτέρῳ τὸ πρῶτον (Staab p. 195 ligne 16).

[10] Le texte que donne K. Staab est ici incompréhensible. Aussi c'est avec raison que U. Wickert propose de lire ἄνθρωπον à la place de θάνατον (Staab p. 195 ligne 18).

psychique sera changé en corps spirituel[11]. J. Gross cite à ce sujet un texte qu'il emprunte au *Commentaire du livre de Jonas* et qui oppose ces deux moments de l'économie divine:

»Il n'y a qu'un seul Dieu, tant de l'Ancien que du Nouveau Testament, le Seigneur et créateur de toutes choses, qui, en vue d'une fin unique, a disposé l'autre (catastase) aussi bien que celle-ci. Ayant depuis toujours décidé de réaliser la catastase future — dont il a manifesté le commencement dans l'économie selon le Seigneur Christ — il jugea néanmoins nécessaire de nous placer d'abord dans celle-ci, la présente, dis-je, pour nous transférer ensuite, plus tard, dans l'autre par la résurrection des morts; afin que, par la comparaison, nous puissions mieux saisir la grandeur des biens promis«[12].

Cette conception implique très clairement que l'homme n'a pas été créé immortel. Il a été créé psychique, donc mortel et cette condition est la sienne indépendamment du péché ou d'une quelconque faute. Théodore le dit d'ailleurs explicitement dans son *Commentaire* de Gal. 2, 15—16[13]. Pourtant, ce point gêne des commentateurs, tels R. Devreesse et W. de Vries[14] qui veulent voir dans la faute d'Adam la cause du caractère mortel de l'homme. Les textes qu'ils allèguent ne nous convainquent cependant pas[15]. A notre sens,

[11] Cf W. de Vries »Das eschatologische Heil bei Theodor von Mopsuestia«, *OrChrP* 24 (1958) p. 309: »Die Grundlage der Heilslehre Theodors von Mopsuestia ist seine Auffassung von den beiden Zuständen (κατάστασις) oder den beiden Weltzeiten (αἰών), die in schärfstem Gegensatz zueinander stehen: Auf der einen Seite: der Zustand oder die Weltzeit der Sterblichkeit (...); auf der anderen Seite: der Zustand oder die Weltzeit der Unsterblichkeit (...).« L'auteur cite, sans en donner la référence exacte, ce texte: »Quod quidem placuit Deo, hoc erat, in duos status dividere creaturam: unum quidem, qui praesens est, in quo mutabilia omnia fecit; alterum autem, qui futurus est, cum renovans omnia ad immutabilitatem transferet« (*ibid.* p. 310).

[12] *In Jonam* (PG 66, 517) cité par J. Gross *op. cit.* p. 263.

[13] *In Ep. ad Gal.* 2, 15—16 (*Swete Theodori episcopi Mopsuesti in epist. B. Pauli commentarii,* Cambridge, 1880 vol. I pp. 25—26): »Dominus Deus mortales quidem nos secundum praesentem vitam instituit. Resuscitans vero, iterum inmortales nos facere promisit et faciet. Nec enim illud contra suam veniens sententiam, ob solum Adae peccatum ira commotus, fecisse videtur — indecens enim id erga Deum existimare.« Cf aussi *In Gen.* 3, 7 (PG 66, 640—41). U. Wickert *op. cit.* p. 106 déclare: »Man findet bei ihm (Th. de M.) den Gedanken, der Tod sei überhaupt eine Bedingung der menschlichen Natur ohne Beziehung auf Sünde und Schuld«; et à la p. 107: »Die Plskommentare würden für sich genügen, um die Behauptung, Theodor lehre eine ursprüngliche Unsterblichkeit des Menschen, zu widerlegen.«

[14] Cf W. de Vries *op. cit.* pp. 310—11.

[15] U. Wickert note à propos des textes allégués par R. Devreesse à ce sujet: »In diesen Sätzen (...) wird allerdings festgestellt, Adam habe sich die Sterblichkeit durch seine Sünde, und zwar infolge eines Urteils Gottes, zugezogen. Was fehlt, ist jegliche Aussage darüber, daß er unsterblich geschaffen sei. Der-

Théodore a raison, quand il inverse la proposition traditionnelle qui prétend que l'homme est mortel parce qu'il est pécheur, pour affirmer au contraire que »par suite de sa mortalité, l'homme a un penchant très fort pour le péché«[16].

La question qui peut alors se poser est celle-ci: pourquoi Dieu a-t-il créé l'homme mortel? Théodore a donné une réponse à cette question: dans l'explication des vv. 45 ss., il dit que l'homme ne devait pas être d'abord spirituel, parce qu'il n'aurait pas eu alors la possibilité d'une nouvelle naissance, et, qu'étant privé du baptême, il n'aurait pas eu la possibilité de déposer son péché en mourant avec le Christ. De plus, si l'homme avait été créé spirituel, l'immortalité lui aurait alors été imposée de l'extérieur. Il n'y aurait pas eu de choix et de véritable engagement; sa liberté et son jugement n'auraient pas pu s'exercer. Dieu a donc créé l'homme mortel pour lui permettre de s'exercer à la vertu et à tout ce qu'il convenait qu'il fît[17]. Le Créateur avait donc tout prévu; et surtout la possibilité pour l'homme de voir son corps, et avec lui son péché, dissout par la mort. C'est pourquoi Dieu a fait l'homme d'abord psychique[18]: il lui laissait ainsi la possibilité de juger et de décider.

Pour élever l'homme à un niveau d'être supérieur, pour le faire passer de la condition psychique à l'état d'homme spirituel, il fallait que l'Esprit lui fût donné. C'est pourquoi Dieu envoya son Fils, le Logos, qui reçut l'Esprit et devint un Esprit vivifiant. Dieu rendit ainsi son corps capable de ressusciter. Ayant partagé la condition des hommes, en assumant leur humanité et en devenant »impitoyablement« homme, le Christ, devenu Esprit vivifiant, est apparu comme le chef d'une nouvelle humanité – un second Adam.

---

gleichen Bemerkungen finden sich auch sonst nirgends in den Plskommentaren, und hätte Devreesse in anderen Schriften Th.s eine einzige derartige gefunden, so hätte er sie ohne Zweifel namhaft gemacht« (p. 101–102).

[16] *In Ep. ad Rom.* 7, 14 (PG 66, 813).

[17] *In Ep. ad Gal.* 2, 15 ss. (Swete op. cit. p. 26): »dedit autem nobis praesentem hanc vitam mortalem, ut dici, ad exercitationem virtutem et doctrinam illorum quae nos conveniunt facere« et plus loin: »sic autem vitam mortalem et multis passionibus subditam, ad discendam virtutem opportunam fecisse visus est.«

[18] Commentant cette phrase de Théodore: »ὁ δὲ θεὸς πάντα ἐν προγνώσει ποιεῖ« (1 Cor. 15, 45–47 Staab p. 195), U. Wickert remarque: »(sie) ist, zumal in ihrem Zusammenhang, keine beschwichtigende Konzession an den Menschen. Sie respektiert die menschliche Eigenständigkeit und ist doch zugleich ein überwältigendes Lob des Gottes, der souverän über allem Geschehen waltet« (*op. cit.* pp. 88–89). Et plus loin, à propos de la même phrase: »das ist die geheime Maxime, die den Antiochener beschwingt, die Widersprüche des Lebens, im Individuum wie im Ganzen der Geschichte, zu höherer Einheit aufzuheben, ohne den Boden der Wirklichkeit zu verlassen.«

Théodore s'appuie ici sur l'enseignement de saint Paul[19]. Lorsque ce dernier, dans 1 Cor. 15, 48–49, attribue au Christ l'expression ἐξ οὐρανοῦ, il veut dire, selon Théodore, que le Logos est devenu homme ἀτρέπτως. Et en qualifiant les hommes de »célestes«, l'apôtre ne veut pas dire qu'ils sont semblables au second Adam par la sainteté, mais qu'ils ressusciteront dans l'incorruptibilité. Aussi les »terrestres« et les »célestes« désignent-ils chez Paul les mêmes hommes: terrestres, ils le sont avant la résurrection; célestes, ils le seront après cette dernière, lorsqu'ils auront passé de l'état d'êtres corruptibles à celui d'êtres incorruptibles. Le Christ, dans cette perspective, a pour fonction essentielle de donner l'Esprit et d'inaugurer par là la nouvelle création. Mais, Théodore précise ici à juste titre que ceux qui reçoivent cet Esprit au baptême ne sont pas immédiatement transplantés dans la création nouvelle[20]: bien que possédant les arrhes du monde futur, ils sont encore soumis à leur condition mortelle – comme les enfants à leur naissance ont la puissance de parler, d'entendre, de marcher et de travailler de leurs mains, mais sont encore trop faibles pour exercer tous ces dons[21]. Ainsi ce n'est qu'au retour du Christ que la nouvelle création sera vraiment réalisée, quand les hommes auront dépouillé le corps psychique qu'ils ont reçu lors de la création pour revêtir un corps spirituel.

En Théodore de Mopsueste, nous avons donc un théologien soucieux de sauvegarder le libre-arbitre – dans la ligne de saint Augustin – et un exégète averti, évitant d'aller au-delà du texte de l'apôtre et de tomber dans des spéculations sur la nature du corps de résurrection, mais assez perspicace pour mettre en évidence ces deux grands moments de l'économie divine que sont la création et la résurrection. Chez lui, le passage de saint Paul retrouve son unité et sa cohérence. L'antithèse du corps psychique et du corps spirituel illustre bien l'intention divine qui consiste à élever l'homme, grâce à l'intervention du Christ, d'un niveau d'être qui implique la corruption, la faiblesse, le déshonneur, à un niveau d'être supérieur qui donne à l'homme immortalité, force et gloire.

c) Sévérien de Gabala

Connu comme ami, puis comme adversaire de Chrysostome, Sévérien de Gabala est un représentant de l'Ecole d'Antioche. Son exé-

[19] 1 Cor. 15, 48–49; K. Staab *op. cit.* p. 195.

[20] *In Ep. ad Gal.* 2, 15–16 (Swete *op. cit.* p. 30): »omnes qui in praesenti hac vita credimus Christo, quasi medii quidam sumus praesentis quoque vitae et futurae, secundum illud quidem quod mortales sumus natura, et supervenientes nobis suscipimus vertibilitates.«

[21] *Hom. catéchétique* XIV, 10 *(op. cit.* p. 423).

gèse de 1 Cor. 15, 35—49 nous est connue grâce aux chaînes exégétiques et à la publication des *Commentaires* grecs des Pères par K. Staab[1].

Commentant les vv. 35—38, l'auteur rapporte une objection formulée par les Grecs, selon laquelle une semence divisée en deux ne peut plus germer. Par conséquent, disent-ils, l'homme à qui on a coupé un pied ou dont un membre du corps a été amputé ne peut pas ressusciter. Sévérien répond à l'objection en disant que la nature ne dispose pas d'elle-même, mais que c'est la puissance de Celui qui l'a faite qui en dispose. Qui a donné au grain le pouvoir de germer? Qui lui a donné cette puissance créatrice? Qui le fait mourir pour le faire ensuite lever? N'est-ce pas Dieu? Celui qui peut faire germer un grain mis en terre et dissout peut aussi faire en sorte que nos corps ressuscitent.

Sévérien de Gabala semble donc rédiger son *Commentaire* en tenant compte d'objections précises formulées d'un point de vue philosophique. A-t-il connu lui-même ces adversaires ou a-t-il lu leurs théories? Nous ne savons pas. Son interprétation n'apporte d'ailleurs aucun élément nouveau par rapport à ses prédécesseurs.

L'exégète se révèle bien appartenir à l'Ecole d'Antioche lorsqu'il en arrive aux vv. 40—42. Il précise que les »corps célestes« sont le soleil, la lune ... et non les saints. C'est peut-être une pointe directe contre Chrysostome, dont on a vu qu'il citait souvent le v. 41 pour appuyer sa théorie des mérites et des différences de gloire qu'ils impliquent dans l'au-delà. Pour Chrysostome, les »corps célestes« étaient les corps ressuscités des justes. Sévérien au contraire précise que la mention de ces corps n'est donnée par Paul qu'à titre d'exemple. Le fait que l'apôtre appelle le soleil et la lune »corps célestes« et qu'il dise ensuite »ainsi en est-il de la résurrection des morts« suffit à montrer que pour lui, les corps célestes servent d'illustration et visent à rendre vraisemblable l'existence des corps de résurrection.

Sévérien s'arrête ensuite au v. 44. Il explique que le corps psychique, c'est le corps condamné à mort par le péché de l'âme, alors que le corps spirituel est le corps ressuscité par la puissance de l'Esprit[2]. A la résurrection, le corps ne vivra donc plus selon la faiblesse de l'âme, incapable de maintenir l'organisation du corps, mais il vivra selon la puissance de l'Esprit, puissance capable de rendre le corps incorruptible et immortel.

---

[1] K. Staab *Pauluskommentare aus der griechischen Kirche* (NTA 15), Münster, 1933, pp. 275—76.

[2] K. Staab *op. cit.* p. 275: »Σῶμα ψυχικὸν λέγει τὸ τῇ ἁμαρτίᾳ τῆς ψυχῆς θανατωθέν, πνευματικὸν δὲ τὸ τῇ δυνάμει τοῦ πνεύματος ἐγειρόμενον (...).«

Cette explication très brève ne permet pas de comprendre avec toute la précision voulue ce que l'auteur entend par »corps psychique«. Pour cela, il faut recourir à un texte dans lequel il s'explique plus longuement sur la création de l'homme et sur les rapports du corps et de l'âme. Ce texte, c'est l'*Homélie* V de son explication de la Création. Dieu a formé l'homme à partir de la poussière de la terre. Or s'il l'a fait, c'était en vue de la résurrection. Il savait en effet que l'homme mourrait et retournerait à la poussière. Il a créé l'homme à partir de la poussière pour que l'on sache, devant un cadavre retournant en poussière dans la tombe, que Dieu peut le recréer comme il l'a créé au commencement[3]. Cela montre d'une part que le corps est voulu par Dieu et que Dieu le ressuscitera, d'autre part, que la résurrection est une nouvelle création. Le corps n'a pas été créé immortel. Il a été fait à partir de la poussière du sol et en le faisant, Dieu savait qu'il devrait répéter cette opération avec la poussière issue de la décomposition de ce même corps dans la tombe. Mais si le corps est mortel, l'âme de l'homme est par contre immortelle. Sévérien le dit en comparant l'homme aux animaux. Ces derniers sont créés corps et âme. Ils mourront corps et âme, selon le principe Οἵα ἡ πλάσις, τοιαύτη καὶ ἡ λύσις. L'homme, lui, a été formé d'un corps; mais son âme lui a été insufflée spécialement par le Créateur. Elle ne disparaîtra donc pas avec le corps[4]. Elle attendra que Dieu le ressuscite pour se joindre à nouveau à lui.

Que sera l'état de résurrection? A certains égards, il sera un retour au Paradis. C'est ce que semble indiquer une exégèse pittoresque que nous n'hésitons pas à rapporter ici[5]. Elle concerne les chérubins que Dieu a placés devant la porte du Paradis pour en garder l'entrée après avoir chassé l'homme. Ces chérubins portent des glaives enflammés qui, selon l'interprétation que Sévérien donne du texte de la LXX, tournoient. Seul un objet intervenant dans ce tournoiement peut les arrêter. Mais aucun homme n'est capable de le faire. C'est donc le Christ qui s'est présenté lui-même sur la trajectoire des épées et les a ainsi arrêtées. En effet, les Evangiles parlent de la lance qui a transpercé son côté. Ce faisant, le Christ a rendu à nouveau possible pour les hommes l'accès au Paradis. La résurrection sera un retour au Paradis, dont l'homme avait été chassé. Mais le corps, qui

---

[3] *De mundi Creatione Orat.* V, 4 (PG 56, 476): »Ὁ θεὸς προεῖδε τὰ μέλλοντα ὡς ὄντα. Ἐπειδὲ προῄδει, ὅτι μέλλει τελευτᾷν τὸ ζῷον, καὶ εἰς χοῦν μεταβάλλεσθαι, προλαβὼν ἐν τῇ δημιουργία ἔδειξε τὴν ἐλπίδα τῆς ἀναστάσεως. Λαμβάνει χοῦν ὁ ἀπὸ τῆς γῆς, ἵν' ὅταν ἴδῃς ἐν τάφῳ χοῦν, γνῷς, ὅτι ὁ ἐκεῖνα πλάσας καὶ τοῦτο ἀνίστησιν.«

[4] *Ibid.*

[5] Cf J. Zellinger *Die Genesishomilien des Bischofs Severian von Gabala* (ATA VII/1), Münster, 1916 pp. 120—121.

alors était mortel, vivra par la puissance de l'Esprit qui le rendra incorruptible. La résurrection représentera donc un état supérieur à la condition adamique, selon Sévérien.

L'auteur ne s'arrête pas longtemps au v. 45. Il relève que la citation est de Moïse, mais ne mentionne pas l'adjonction paulinienne. Il cite Mt 1, 20: »ce qui a été engendré en elle (Marie) vient de l'Esprit-Saint«.

Puis il passe aux vv. 47–49, à propos desquels il engage une polémique vigoureuse contre les cercles valentiniens et marcionites, contre les adeptes de Photius et les Apollinaristes. Tous se jettent sur ce texte, qui pourtant les accuse tous, dit l'auteur! Car d'une part on ne peut pas nier que le terrestre, celui qui vient de la terre, a une âme. Et on ne peut pas nier d'autre part que le Seigneur, celui qui vient »du ciel«, avait un corps provenant de la terre. Ce n'est d'ailleurs pas sans raison que Paul dit que le premier homme est terrestre, de la terre, et que le second est »du ciel«; et qu'ensuite, il ne dit plus que l'homme est de la terre, mais il dit: tel est le terrestre, tels sont les terrestres. Il désigne par là, en les accusant, ceux qui vivent mal. C'est pourquoi il ne mentionne plus la nature de l'homme; il ne dit plus qu'il vient de la terre. C'est pourquoi aussi il ne parle plus du Seigneur comme venant »du ciel«, mais il le désigne comme le céleste. L'homme est donc »de la terre« selon sa nature; il est »terrestre« selon son choix et selon la manière dont il se comporte. Ainsi les »célestes« sont aussi de la terre, mais ils ne sont plus terrestres; comme le Christ qui a pris chair et est donc aussi de la terre, sans pour autant être terrestre. Mais le Seigneur, lui, est aussi appelé »du ciel« selon sa nature. Les célestes ne sont pas »du ciel«, mais »de la terre«. L'image du terrestre, c'est donc le genre de vie issu de la désobéissance d'Adam; un comportement terrestre caractérise celui qui porte l'image du terrestre. L'image du céleste par contre, c'est le genre de vie qui fait place à l'action de l'Esprit et qui imite l'obéissance du Fils de Dieu – que Sévérien recommande à ses lecteurs de suivre.

Cette exégèse, si elle ne nous apprend rien de nouveau, fait néanmoins le point sur ces notions qui avaient été utilisées par les uns et les autres dans les sens les plus divers. On regrettera toutefois que Sévérien reprenne à propos du v. 49 l'exégèse de Chrysostome et de ses prédécesseurs. Théodoret de Cyr apportera du neuf à ce sujet.

d) Théodoret de Cyr

»Après Théodore de Mopsueste, Théodoret peut être désigné comme le premier exégète de l'école d'Antioche et le commentateur grec de la S. Ecriture dans l'antiquité chrétienne.«[1] L'examen de son *Commentaire* de 1 Cor. 15, 35–49[2], complété par les indications que fournissent d'autres ouvrages de l'auteur, termine notre enquête sur l'interprétation de ce passage chez les pères orientaux.

Théodoret note à propos des vv. 35 ss. que l'apôtre est interrogé sur deux points: le mode de la résurrection et la qualité du corps de résurrection. Il va répondre à l'une et l'autre question en prenant des exemples familiers à l'homme et en traitant d'insensé celui qui ne peut pas les comprendre! Ainsi les semailles sont-elles un bon exemple pour comprendre la résurrection (vv. 36–38): la semence jetée en terre dans les sillons illustre le sort réservé aux corps mis dans les tombeaux. On ne sème pas l'épi, mais un grain nu qui, après avoir été décomposé dans la terre, germe et donne un épi; de même aussi ce n'est pas le corps futur qui est mis en terre, mais un corps qui, lui aussi, doit passer par la décomposition pour ressusciter ensuite incorruptible. Théodoret remarque que Paul parle des semences en utilisant une terminologie qui est anthropologique et ne convient guère aux plantes: il indique par là que les semences sont un exemple destiné à faire comprendre à la fois le mode de résurrection et la qualité des corps ressuscités. Mais si c'est un grain qui est semé et un épi qui ressuscite, il ne faut pas oublier que le grain de blé donne un épi de blé. Cette précision est importante pour la résurrection des corps: l'apparence change, mais l'identité demeure à travers la transformation du corps corruptible en corps incorruptible. Il ne peut d'ailleurs pas en être autrement pour Théodoret, qui présente aussi la résurrection comme le moment où l'âme retrouve le corps dont elle avait été séparée par la mort[3]. Par ailleurs, la nature

---

[1] B. Altaner *op. cit.* pp. 489–90. [2] PG 82, 361–68.

[3] Dans le 9e *Discours sur la Providence*, Théodoret traite de la résurrection (par. 725 D – 740 B) et il justifie ainsi la résurrection du corps: d'une part, l'âme seule ne doit pas être récompensée alors qu'elle a lutté avec le corps; elle ne doit pas non plus être seule châtiée alors qu'elle a été liée au corps pour transgresser les lois (729 A–D); d'autre part le corps peut revendiquer le fait qu'il a toujours été lié à l'âme dont il fut le parfait serviteur (729 D – 732 C). Il est donc normal que Dieu réunisse à la fin des temps le corps et l'âme. La même idée se retrouve dans le paragraphe sur la résurrection de l'*Haer. Fabular. Compendium* Lib. V, 19: Théodoret affirme que la résurrection est un retour à l'état originel ('Ανάστασις γὰρ ἡ ἄνωθεν στάσις = PG 83, 512), et le moment où l'âme retrouve le corps (Τῆς γὰρ δὴ ἀθανάτου ψυχῆς οὐκ ἀνάστασις, ἀλλ' ἐπάνοδος γίγνεται πρὸς τὸ σῶμα = *ibid.*). Dans ce même texte, contre ceux qui nient la résurrection du corps, Marcion, Cerdon, Mani, l'auteur donne un long catalogue de passages scripturaires en faveur de la résurrection corporelle et, après avoir cité 1 Cor. 15, 42–44 et 35–38, il précise, à propos de Phil. 3, 20–21 la nature de la transformation que subit le corps de résurrection. Cette définition vise à montrer qu'il ne s'agit pas d'un autre corps, mais du même corps qui,

de la chair est unique, puisqu'elle provient des quatre éléments: terre, eau, air, feu. Théodoret admet donc que tous les corps seront changés à la résurrection; le changement consistera pour le corps à revêtir l'incorruptibilité. Cela n'empêchera cependant pas les ressuscités d'être différents les uns des autres. Il y aura d'abord la distinction paulinienne entre célestes et terrestres: les premiers seront entourés d'une gloire que les seconds, parce qu'ils se sont attachés aux pensées terrestres, ne connaîtront pas. Mais ensuite, les célestes, c'est-à-dire les justes, ne seront pas tous récompensés de façon identique: certains resplendiront comme le soleil, d'autres comme la lune, d'autres comme les étoiles les plus brillantes, d'autres enfin comme les astres les plus obscurs[4]. L'idée n'est pas nouvelle. Aussi l'auteur n'insiste-t-il pas. Il revient à la question de la résurrection générale en commentant les antithèses des vv. 42–44.

Les remarques de Théodoret à propos de ces versets, dans le *Commentaire,* sont sobres et précises. La corruption, c'est le fait pour le corps de se dissoudre deux ou trois jours après la mort. L'ignominie, c'est l'aspect que revêt le cadavre: quoi de plus ignominieux qu'un corps mort, demande l'auteur' Quant à la faiblesse, elle tient à la constitution du corps terrestre. L'auteur note que partout, Paul emploie l'expression »semé« pour garder la comparaison avec l'exemple qu'il a donné des semences qui se décomposent en terre pour renaître sous la forme d'un épi. Théodoret n'est pas plus explicite sur les notions de »corps psychique« et »corps spirituel«. Le corps psychique est gouverné par l'âme, le corps spirituel sera régi par l'Esprit[5]. L'Esprit donné ici-bas représente les arrhes de la grâce qui sera faite, lorsque le corps psychique, à la résurrection, sera transformé en corps spirituel.

Si le *Commentaire* est bref, c'est parce que l'essentiel sur la relation du corps terrestre et du corps de résurrection a déjà été dit dans l'explication de l'analogie du grain de semence. Théodoret y revient cependant dans deux textes, dans lesquels il cite les vv. 42–44 en précisant les rapports des deux corps. Le premier passage, nous le lisons dans le deuxième dialogue de l'*Eraniste*[6]. L'orthodoxe défend face au »mendiant« (l'Eraniste) l'idée que les corps de résurrection

---

de corruptible, devient incorruptible: Μετασχηματισμὸν δὲ κέκληκεν, οὐ τὴν εἰς ἕτερον εἶδος ἐναλλαγήν, ἀλλὰ τὴν ἐκ φθορᾶς εἰς ἀφθαρσίας μεταβολήν (PG 83, 516).

[4] Théodoret cite encore 1 Cor. 15, 41 dans son *Commentaire du Cantique des Cantiques*, livre IV (PG 81, 177) à propos de Cant. 6, 9–10 et dans son *Commentaire de Daniel* (PG 81, 1537) à propos de Dan. 12, 3.

[5] »Ψυχικὸν δὲ καλεῖ, τὸ ὑπὸ τῆς ψυχῆν κυβερνώμενον. Πνευματικὸν δὲ, ὑπὸ τοῦ Πνεύματος οἰκονομούμενον« (PG 82, 365).

[6] PG 83, 161.

seront incorruptibles et immortels, ce que son interlocuteur admet en citant les vv. 42–44. Mais l'orthodoxe précise sa pensée: le Seigneur ressuscitera les corps de tous les hommes et il les ressuscitera intègres, c'est-à-dire qu'aucun membre ne sera »défectueux«, qu'aucune infirmité ne marquera ceux qui ressusciteront. Cependant, le Seigneur a laissé dans son propre corps les marques des clous et sa blessure au flanc. Cela montre bien qu'après la résurrection, le Christ n'a pas été revêtu d'une chair spirituelle; la nature du corps est restée la même. Le corps n'a pas revêtu une autre substance[7]. Ce qui a changé et ce qui changera pour les corps des ressuscités, c'est que l'incorruption remplacera la corruption, l'immortalité remplacera la mortalité[8]. Or, cela n'implique pas un changement de nature ou de substance pour le corps. En effet, on appelle corps aussi bien le corps malade que celui qui est en santé, parce que, bien qu'ils soient très différents l'un de l'autre, ils sont pourtant tous deux de même substance. La maladie et la santé sont donc ce que Théodoret appelle »des accidents«[9]. Ce sont des phénomènes qui marquent le corps de façon temporaire, puis repartent. Il en est de même, selon l'auteur, pour la mort et la corruption[10]. Par conséquent, les ressuscités seront libérés de la mort, comme on est libéré de la maladie, mais leur nature propre ne disparaîtra pas pour autant[11].

Le second texte dans lequel Théodoret exprime les rapports entre le corps psychique et le corps spirituel, c'est la *Lettre* 146 (145) adressée aux moines de Constantinople[12]. L'auteur se justifie, car il est accusé d'affirmer l'existence de deux Fils parce qu'il défend les deux natures du Christ. Tout le monde sait que chaque homme possède une âme éternelle et un corps mortel. Or personne ne voit en Paul deux Paul! Il en va de même pour le Christ; on peut l'appeler à la fois Fils de Dieu et Fils de l'homme, sans reconnaître par là qu'il y a deux Fils. Le Christ prit un corps et une âme pour les rendre immortels et immuables – car, précise Théodoret, si l'âme est immortelle, elle n'est pas immuable ici-bas: elle subit de

---

[7] »Μεμένηκεν ἄρα καὶ μετὰ τὴν ἀνάστασιν ἡ τοῦ σώματος φύσις, καὶ εἰς ἑτέραν οὐσίαν οὐ μετεβλήθη« *(ibid.)*.

[8] »Οὐκοῦν μένει φύσις, μεταβάλλεται δὲ αὐτῆς τὸ φθαρτὸν εἰς ἀφθαρσίαν, καὶ τὸ θνητὸν εἰς ἀθανασίαν« *(ibid.)*.

[9] »Οὐκοῦν τὸ σῶμα οὐσίαν κλητέον, καὶ τὴν νόσον καὶ τὴν ὑγείαν συμβεβηκὸς« *(ibid.)*.

[10] »Τοιγάρτοι καὶ τὴν φθορὰν, καὶ τὸν θάνατον συμβεβηκὸς, οὐκ οὐσίας ὀνομαστέον. Συμβαίνουσι γὰρ, καὶ ἀποσυμβαίνουσι« (PG 83, 164).

[11] »Οὐκοῦν καὶ τὰ τῶν ἀνθρώπων σώματα, τῆς μὲν φθορᾶς ἀνιστάμενα καὶ τῆς θνητότητος ἀπαλλάττεται, τὴν δὲ γε οἰκείαν οὐκ ἀπολύει φύσιν« *(ibid.)*.

[12] PG 83, 1388 = SC 111 p. 194.

nombreux changements qui expliquent les fautes que nous commettons[13]. »Après la résurrection, les corps jouissent de l'immortalité et de l'incorruptibilité, et les âmes, elles, jouissent de l'impassiblité et de l'immutabilité«[14]. Le Christ a donc assumé l'âme humaine pour la sauver, car c'est elle qui, la première, est cause du péché. Mais il a aussi assumé notre corps, comme le montrent les traces des clous et de la lance[15].

Pour Théodoret, le corps de résurrection sera donc de même nature que le corps psychique: le Christ a pu montrer dans son corps de résurrection les traces des clous et la marque de la lance. Et pourtant, ce corps sera différent de celui dont nous sommes revêtus actuellement: il sera incorruptible et immortel. De plus, ajoute encore l'auteur dans sa *Lettre* aux moines de Constantinople, ce corps sera *léger et aérien*. Car si le Christ ressuscité a pu montrer aux disciples que son corps était bien le corps crucifié, il a pu aussi leur apparaître en défiant toutes les lois de la physique; aussi Théodoret peut-il dire:

»Il convient de savoir (...) qu'après la résurrection nos corps, eux, aussi, seront incorruptibles et immortels, et que, délivrés du poids de la terre, ils seront légers et aériens. Cela le divin Paul nous l'a enseigné clairement et expressément, car il dit: ›semé dans la corruption, le corps ressuscite incorruptible; semé dans la faiblesse, il ressuscite plein de force; semé dans l'ignominie, il ressuscite glorieux; semé corps animal, il ressuscite spirituel‹. Et ailleurs: ›Nous serons emportés sur les nuées à la rencontre du Seigneur dans les airs‹ (1 Thess. 4, 17). Or, si les corps des saints deviennent légers et échappent à la pesanteur, et s'ils traversent l'air facilement, il ne faut point s'étonner que le corps du Maître qui, lui, ne fait qu'un avec la divinité du Monogène, devenu après la résurrection immortel, soit entré quoique les portes fussent fermées«[16].

La référence au texte de 1 Thessaloniciens est nouvelle. Elle permet de préciser de façon intéressante la différence entre corps terrestre et corps de résurrection. Pour un lecteur moderne, elle posera cependant la question de la nature de ce corps. Un corps de chair — Théodoret insiste sur ce point — peut-il être en même temps léger et aérien? La solution de Théodoret est un compromis: d'une part, l'auteur veut maintenir l'identité de nature entre les deux corps;

[13] SC 111 p. 184. [14] *Ibid.* p. 165.

[15] »C'est pour ceux qui nient ouvertement que la chair ait été assumée et pour tous ceux aussi qui prétendent qu'après la résurrection la nature corporelle s'est transformée en nature divine, c'est pour tous ceux-là qu'il conserva intactes les traces des clous et de la lance« (SC 111 p. 193).

[16] *Ibid.* pp. 195—97; le texte intéressant est celui-ci: »Καὶ ἀθάνατα, καὶ τοῦ γεώδους ἀπαλλαττόμενα κοῦφα γίνεται καὶ μετάρσια« (p. 194).

d'autre part il essaie de rendre compte des particularités propres au corps de résurrection, particularités que révèle le comportement de Jésus après sa résurrection. Cet essai montre la difficulté qu'il y a à vouloir définir ou à vouloir se représenter le corps de résurrection. Théodoret n'a pas donné à cette question une réponse plus satisfaisante que toutes celles de ses prédécesseurs. Cela doit nous amener à réfléchir sur l'utilité et la légitimité d'une telle recherche.

Poursuivant son commentaire des vv. 35—39, Théodoret en arrive à l'opposition des deux Adam. Le premier, c'est celui dont nous parle l'Ecriture; le second, dit l'auteur, nous l'avons connu par ses actions – Théodoret parle comme si le premier Adam était un personnage de légende, le second par contre une personalité qui fait partie de sa réalité et qui est beaucoup plus proche de lui.

Si le psychique précède le spirituel, c'est à cause de la faiblesse de la créature; ainsi le spirituel apparaît comme un remède à la condition de créature[17].

Arrivant aux vv. 47—49 l'exégète nous réserve quelques surprises, parce qu'il s'écarte de la tradition d'interprétation rencontrée jusqu'ici. Tout d'abord l'expression »du ciel« pour le Christ signifie que le Christ reviendra du ciel: c'est de là qu'il apparaîtra. C'est la première fois parmi les auteurs étudiés dans ce travail que nous rencontrons cette exégèse qui voit une allusion à la seconde venue du Christ dans les mots »du ciel«[18]. Ensuite à propos de l'image du terrestre et de celle du céleste, Théodoret prend résolument parti pour l'interprétation eschatologique du v. 49, que nous avons vue souvent supplantée par une exhortation à porter l'image du céleste. L'auteur montre qu'il connaît aussi cette manière de comprendre ce verset, mais qu'elle n'est pas fidèle au texte de Paul qui dit: »nous porterons« et non pas »portons«[19]. Car Paul prêche; il n'exhorte pas. Ainsi comme nous avons participé à la malédiction de notre premier parent terrestre et que nous participons à la mort, nous prendrons part à la gloire du Seigneur céleste.

---

[17] »Διὰ γὰρ τὴν ἀσθένειαν τοῦ ψυχικοῦ, τὸ πνευματικὸν κατεσκευάσθη φάρμακον« (PG 82, 365).

[18] Pourtant dans le *Libellus contra Nestorium*, Théodoret comprend cette même expression comme beaucoup d'auteurs de 4e siècle. Il montre que le v. 47 s'oppose à Nestorius. »›Dominus de coelo‹, divinam per id quod *de coelis* dixerat interpretans substantiam« (PG 83, 1161). On peut aussi signaler que dans le Premier Discours de l'»Eraniste«, Théodoret cite un grand nombre de témoignages de ceux qui ont transmis la doctrine apostolique et il mentionne ce texte de Grégoire de Naziance: »Si quis dicat carnem de coelo descendisse, et non hinc et ex nobis esse, anathema sit. Illud enim: ›Secundus homo de coelo‹ et ›Qualis coelestis, tales et coelestes‹« (PG 83, 96).

[19] »Τὸ γὰρ φορέσομεν προῤῥητικῶς, οὐ παραινετικῶς εἴρηκε« (PG 82, 365).

Si ces deux points distinguent l'exégèse de Théodoret de celle des commentateurs qui l'ont précédé, le reste de son interprétation des vv. 35–49 ne nous apprend rien qui n'ait déjà été dit. L'auteur partage avec ses prédécesseurs la thèse des différences de gloire récompensant les mérites acquis par chacun ici-bas. Il est comme eux préoccupé de décrire le corps de résurrection, sans toutefois y parvenir de façon satisfaisante. Enfin il comprend l'antithèse du corps terrestre et du corps de résurrection sans faire intervenir l'opposition entre création et rédemption – puisque chez lui aussi, les premiers membres des antithèses désignent le cadavre mis en terre. Il faudrait peut-être examiner l'ensemble des écrits de Théodoret pour pouvoir se prononcer sur la manière dont il envisage la création de l'homme. J. Gross cite à ce sujet un texte des *Questions sur la Genèse*[20] qui affirme que »formé de terre, l'homme a été ›élevé à une nature de beaucoup meilleure‹ et que, pour ne pas avoir gardé le commandement divin, il est retourné ›à sa nature antérieure‹«[21]. Mais ce texte reste assez vague. »Théodoret ne précise pas en quoi consistait cette élévation. Sans doute, ailleurs, il affirme que, sans le péché, les premiers hommes ›n'auraient pas reçu la mort en punition de leur faute et que, n'étant pas mortels, ils auraient été exempts de la corruption‹ (*In Ps.* 50, 7 = PG 80, 1244 C–1245 A). Mais veut-il dire par là qu'Adam et Eve étaient déjà en possession de l'immortalité, ou simplement – à la suite de son maître Théodore – qu'ils l'auraient reçue s'ils avaient obéi? Les textes ne permettent pas de trancher cette question«[22].

D) L'occident

a) L'Ambrosiaster

L'exégèse du 4e siècle en Occident est marquée par deux grands *Commentaires* des Epîtres de Paul, l'Ambrosiaster d'une part, le *Commentaire* de Pélage de l'autre.

L'Ambrosiaster, ainsi nommé parce qu'il a été longtemps transmis sous le nom d'Ambroise, a été rédigé à Rome entre 366 et 384[1]. La question de savoir qui en est l'auteur véritable n'a pas encore

---

[20] *Quaest. in Gen.* Interrog. 37 (PG 80, 137 A). Cf R. Bardy »La littérature patristique des »Quaestiones et responsiones« sur l'Ecriture Sainte«, *RB* 42 (1933) 219–25 et R. Devreesse »Anciens commentateurs grecs de l'Octateuque«, *RB* 44 (1935), 167–170.

[21] J. Gross *op. cit.* p. 274.

[22] *Ibid.*

[1] Sous le Pape Damase.

trouvé de solution, malgré les nombreuses hypothèses qui ont été faites à ce sujet[2]. Les historiens du christianisme s'accordent néanmoins pour reconnaître dans ce *Commentaire* une œuvre de valeur[3].

L'auteur souligne, à propos de 1 Cor. 15, 35–39, l'intérêt des exemples que Paul emprunte à la nature pour convaincre ceux qui lui demandent comment les morts ressusciteront et avec quels corps ils ressusciteront. Si Dieu peut faire du grain une plante, pourquoi ne pourrait-il pas ressusciter les morts?

Les vv. 40–41 rappellent que les corps terrestres et les corps célestes sont les mêmes corps: terrestres, ils le sont parce que Adam a été

[2] Cf surtout à ce sujet les travaux de G. Morin qui a proposé d'abord comme auteur le Juif Isaac (*RHLR* 4 [1899], 97–121), puis Decimius Hilarianus Hilarius (*RBén* 20 [1903], 113–31), Evagre d'Antioche (*RBén.* 31 [1914], 1–34), enfin N. Aem. Dexter (*RBén.* 45 [1928], 251–55). En ce qui concerne 1 Cor. 15, 35–49, il n'y a pas à s'y tromper: l'œuvre ne peut pas être d'*Ambroise.* L'exégèse de ce dernier est proche de celle d'Origène. L'auteur est préoccupé de montrer que le corps de résurrection n'est pas un pur Esprit, quand bien même il est un corps spirituel; les disciples ont pu toucher le corps du Christ ressuscité et c'est avec son corps marqué par les traces de la crucifixion que le Christ s'est présenté à Dieu, afin de lui montrer le prix de notre libération. Ambroise peut donc dire: »... c'est corporellement que nous ressuscitons: car ›la semence est un corps de chair, d'où lève un corps spirituel‹ (1 Cor. 15, 44); l'un est subtil, l'autre grossier, étant encore épaissi par les conditions de son infirmité terrestre« (*Traité sur l'Evangile de saint Luc* Livre X/169 = SC 52 p. 212). Cette préoccupation est étrangère à l'Ambrosiaster. De même aussi l'expression »âme vivante« qui caractérise le premier Adam ne signifie pas pour Ambroise que l'homme est animé par le souffle de vie – ce que dit l'Ambrosiaster –, mais qu'il est pécheur (»Ainsi ceux qui ont cueilli sur le figuier les feuilles, et non les fruits, ont été exclus du Royaume de Dieu; ils étaient ›âme vivante‹« *ibid.* Livre VII/165 = SC 52 p. 69; cf aussi l'*Apologia Prophetae David* V = PL 14 col. 860). Ailleurs, l'auteur précise qu'Adam était céleste aussi longtemps qu'il était au paradis; il n'est devenu terrestre qu'après la désobéissance qui a provoqué son renvoi du jardin (*In Ps. CXVIII Expositio* = PL 15 col. 1422). On peut encore mentionner que dans l'oraison funèbre de son frère Satyre, Ambroise, préoccupé de rendre vraisemblable la résurrection, cite l'apôtre (1 Cor. 15, 36 ss.) et – ce qui n'apparaît pas dans l'Ambrosiaster – rappelle à ses auditeurs l'exemple de l'oiseau phénix (*De Excessu Fratris sui Satyri* Livre II/57 ss. = PL 16 col. 1330 ss.).

[3] A. Souter *A Study of Ambrosiaster* (TSt VII/4), Cambridge, 1905 p. 1: »The commentary is clear and generally brief; it shows considerable mental acuteness and even historical insight.« Pour le texte du commentaire, cf PL 17, 267–70; *Ambrosiastri qui dicitur commentarius in Epistulas Paulinas,* recensuit H. J. Vogels. Pars secunda: in Epistulas ad Corinthos (CSEL 81), Vienne, 1968. C'est cet ouvrage que nous citons. Pour le texte biblique employé par l'Ambrosiaster, cf *Das Corpus Paulinum des Ambrosiaster*, hrgg. von H. J. Vogels (BBB 13), Bonn, 1957 et H. J. Vogels *Untersuchungen zum Text Paulinischer Briefe bei Rufin und Ambrosiaster* (BBB 9), Bonn, 1955. Cet ouvrage donne pour 1 Corinthiens le Ms Amiens 87 – et en note le Gent. 455 – où, pour 1 Cor. 15, 37 le scribe, fatigué de recopier le texte paulinien, a écrit: »et quod seminas non corpus quod futurum est seminas. Sed nudum granum et reliqua usque seminum« (p. 62)!

terrestre; une fois morts et ressuscités, ces corps sont appelés célestes, parce que le Christ est céleste. Mais ces corps célestes, tout comme les astres, seront différents les uns des autres, selon les mérites que chacun se sera acquis. Pour illustrer cette différence, l'auteur s'appuie sur Mt 13, 23: parmi les hommes qui portent des fruits, les uns en portent cent, les autres soixante, d'autres enfin trente. Ceux qui en portent cent sont comparés à la clarté du soleil. C'est à leur sujet qu'il est dit: alors les justes resplendiront comme le soleil dans le Royaume de leur Père (Mt 13, 43). Ceux qui en portent soixante sont comparés à la clarté de la lune; ceux qui en portent trente sont illustrés par la clarté des étoiles les plus brillantes. Les pécheurs, eux, sont désignés par les étoiles dont l'éclat oscille entre la clarté et l'obscurité: en effet, ceux qui marchent dans l'erreur doivent être comparés aux étoiles qui induisent en erreur, comme on peut le lire dans l'Epître de Jude, »astre errants, auxquels l'obscurité des ténèbres est réservée pour l'éternité« (Jude 13). Les pécheurs ne peuvent pas avoir une résurrection brillante, parce qu'ils sont comme le charbon lorsqu'il est recouvert de cendres: il ne brille plus. Leur perfidie empêche les pécheurs de briller.

Notons que si l'explication n'est pas nouvelle, les textes scripturaires auxquels l'auteur fait appel pour illustrer la pensée de Paul apparaissent ici pour la première fois.

A propos des vv. 42–44, le *Commentaire* dit clairement que »semer«, c'est ensevelir, en sorte que ce qui est semé est dissout dans la terre; ressusciter dans l'incorruptibilité, c'est au contraire ne plus pouvoir être dissout, échapper à la corruption[4]. Le corps semé dans l'ignominie est placé dans un endroit sans lumière et, en terre, il devient répugnant et fourmille de vers. Revenu à la vie, le corps devient lumière et n'est plus atteint par ce qui marquait son séjour en terre. Le corps est semé dans la faiblesse, dit encore l'apôtre, parce que mort, il ne peut plus se mouvoir; mais il ressuscite dans la force parce qu'il sera alors tout entier animé et vivifié. Enfin le corps est appelé »animal« tant qu'il doit être alimenté. A la résurrection, il n'aura besoin d'être soutenu par aucun aliment et c'est pourquoi il sera appelé »spirituel«: il ne mangera plus, ne boira plus, ne sera atteint par aucune infirmité.

Les vv. 45 ss. reprennent la définition du corps animal: l'homme a reçu de Dieu le souffle qui l'anime, et qui l'anime non pas de telle sorte qu'il puisse vivre sans se nourrir, mais de manière à ce qu'il

---

[4] »Seminare est sepelire, ut corrumpatur; resurgere autem in incorruptela iam exsuscitatum non posse corrumpi, sed habere claritatem inmortalitatis« (*op. cit.* [éd. Vogels] pp. 180–81).

devienne un être vivant, une âme vivante[5]. Ce n'est qu'à la résurrection que le corps pourra se passer d'aliments et de boisson. Il ne sera alors plus »animal«, mais spirituel. Ce premier homme, animé par le souffle divin, est aussi terrestre, fait à partir de la glaise du sol; il est par conséquent temporel et son existence est limitée par la mort. Christ, lui, est du ciel: il n'est pas soumis à la mort.

Dans son commentaire du v. 48, l'auteur ajoute que la mort est intervenue pour Adam et sa descendance à cause de la désobéissance. Mais il n'explique pas le lien entre les deux idées, d'une part la mort comme condition du premier homme, d'autre part la mort comme salaire du péché. Il faudra attendre saint Augustin pour avoir une interprétation cohérente sur ce point. Le v. 49 donne à l'auteur l'occasion de répéter que, rendus esclaves du péché à cause de la transgression d'Adam, les hommes sont soumis à la mort; mais justifiés par le Sauveur, ils peuvent avoir part à la vie, s'ils font ce qui est digne de l'immortalité en étant serviteurs de la justice, non du monde, mais de Dieu.

Bien qu'il n'offre pas pour notre sujet un très grand intérêt, ce *Commentaire* se devait d'être mentionné et résumé, car il illustre bien la manière dont on a compris le texte de saint Paul à Rome au 4e s.

b) Pélage

Réduit, pour le passage qui nous occupe, à de simples »notes«, le *Commentaire* de Pélage laisse apparaître des préoccupations qui étaient absentes du *Commentaire* de l'Ambrosiaster, mais que nous avons par contre trouvées chez les commentateurs grecs du 4e siècle[1].

[5] Dans les *Quaestiones Veteris et Novi Testamenti* (PL 35, 2213–2416) qui, bien que publiées sous le nom d'Augustin, sont attribuées à l'Ambrosiaster par les historiens, l'auteur examine la question de savoir si Adam a reçu le Saint-Esprit. Il répond par la négative (*Quaest.* 123 = PL 35, 2370).

[1] Cf *Pelagius's Expositions of thirteen Epistles of St Paul* by A. Souter (TSt IX, 1–3), 3 vol., Cambridge, 1922/26/31. A. Souter a consacré deux articles à ce »Commentaire« dans les »Proceedings of the British Academy« de 1910/11 et 1915/16. En français, on lira l'ouvrage de G. de Plinval *Pélage, ses écrits et sa réforme*, Lausanne, 1943 (en particulier les pp. 121–166 consacrées au *Commentaire* sur les Epîtres de Paul) et l'article du même auteur »Points de vue récents sur la théologie de Pélage«, *RechSR* 46 (1958), 227–36 qui note que le *Commentaire* »nous présente la doctrine de cet écrivain (Pélage) à une époque où son auteur militait encore dans les rangs de l'orthodoxie et n'avait peut-être pas dégagé toutes les conséquences dont il prit conscience et qu'il devait faire connaître plus tard« (p. 229). G. de Plinval critique les ouvrages de J. Ferguson et de T. Bohlin, ce dernier en particulier parce qu'il présente la théologie de Pélage en s'appuyant sur le *Commentaire* des Epîtres de Paul (*Die Theologie des Paulus und ihre Genesis*, Uppsala–Wiesbaden, 1957). Pour un point de vue plus

Après avoir souligné que le corps ressuscite avec un supplément de gloire, l'auteur relève à propos des vv. 40–41 l'ampleur de la puissance créatrice de Dieu. Il passe ensuite très rapidement sur les antithèses[2], et en arrive au v. 45: pour lui, ce verset s'oppose aux Manichéens et aux Apollinaristes qui nient que le Verbe de Dieu ait pu être parfaitement homme. Or Paul appelle aussi le Christ Adam. Certes, il est qualifié au v. 47 de »céleste«, ce qui signifie pour Pélage qu'il a été engendré par la volonté de la majesté divine et non à la manière de notre nature fragile; cela n'exclut cependant pas que le Christ ait été homme. Si le fait d'être appelé céleste impliquait pour le Christ de ne pas avoir revêtu la nature humaine, alors ceux qui sont appelés célestes ne pourraient pas non plus appartenir à la nature humaine (v. 48).

Le v. 49 est interprété par Pélage comme par ses prédécesseurs: le pécheur porte l'image d'Adam, le juste porte celle du Christ. Comme nous avons porté l'image du vieil homme avant le baptême, portons celle de l'homme nouveau après le baptême.

Dans sa brièveté, ce commentaire nous renseigne peu sur la théologie de la résurrection que défendait le moine irlandais. Quant aux rapports du corps terrestre et du corps de résurrection, il semble qu'ils sont réduits à opposer le corps pécheur mis en terre pour être dissout au corps de gloire, revêtu de la force de la vie éternelle.

L'intérêt du passage réside donc avant tout dans l'allusion aux querelles christologiques et aux débats sur la nature du Christ, allusion qui nous est familière par les *Commentaires* grecs, mais qu'il est intéressant de relever ici chez un auteur latin.

c) Jérôme

Si pour Jérôme, 1 Cor. 15, 35–49 n'a pas fait l'objet d'un commentaire suivi, nous ne sommes pourtant pas embarrassés pour savoir ce que l'auteur pense des rapports du corps terrestre et du corps de résurrection. En effet, Jérôme s'est exprimé plusieurs fois à

---

récent, on lira l'article de H. H. Esser »Thesen und Anmerkungen zum exegetischen Paulusverständnis des Pelagius«, in: *Studia Patristica* VII (TU 92), Berlin, 1966, pp. 443–61; et l'ouvrage de R. F. Evans *Pelagius. Inquiries and Reappraisals,* London, 1968.

[2] »›Seminatur in corruptione, surgit in incorruptione‹. Ut nec febres iam nec cetera corruptibilitatis genera patiatur. ›Seminatur in ignobilitate‹. Quid tam ignobile quam cadaver! ›Surgit in gloria‹. In gloria splendoris (ut sol). ›Seminatur in infirmitate‹. Imbecillitatis humanae. ›Surgit in virtute‹. In virtute aeternitatis. ›Seminatur corpus animale‹. Hic animal (e) est (corpus), quia non semper habet spiritum sanctum: tunc vero semper (per) manebit in sanctis. ›Surgit corpus spirituale‹. Quod possit ire obviam Christo« (*op. cit.* vol. II p. 223).

ce sujet et de manière particulièrement nette. Comme les textes qui traitent de cette question se recoupent, nous suivons le plus complet et nous mentionnons, lorsque cela s'impose, d'autres passages extraits des *Commentaires* ou des *Lettres*.

Le texte de base est d'ailleurs une *Lettre,* fort développée, adressée à Pammacus et dirigée contre Jean de Jérusalem[1]. Ce dernier a été accusé d'origénisme par Epiphane, et Jérôme lui reproche de ne pas s'être défendu contre ces accusations. Il n'a répondu que sur trois des huits erreurs dont on l'accusait, et encore de façon vague et ambiguë. Or parmi les cinq points qui restent, plusieurs touchent au probème de la résurrection: on sait que chez Origène, le corps est pour l'âme une prison, illustrée par les tuniques de peau dont Dieu a revêtu Adam et Eve après leur désobéissance; cela signifie qu'avant celle-ci, ils n'avaient pas de corps, l'âme étant dans le ciel avec les créatures raisonnables. On sait aussi que l'Alexandrin nie la résurrection de la chair et que par conséquent pour lui, le corps de résurrection ne sera plus composé des membres qui le caractérisent ici-bas[2].

Jérôme traite dans la *Lettre* deux points particuliers de la pensée d'Origène: la question de l'antériorité de l'âme sur le corps et le problème du corps de résurrection. Il ne s'attarde pas longtemps à la première question; le récit de la Création est assez clair pour faire comprendre que l'âme que Dieu a donnée à l'homme par son souffle n'était pas une âme qui avait existé auparavant, séparément du corps[3]. Par contre, Jérôme expose assez longuement sa position sur la résurrection corporelle[4]. Il cite d'abord la confession que Jean de Jérusalem a faite sur ce point, confession qui peut paraître parfaitement orthodoxe pour celui qui n'est pas averti, mais qui contient, selon Jérôme, une subtilité perfide[5]: l'auteur y emploie neuf fois le

---

[1] PL 23, 371–412. [2] PL 23, 376 = par. 7. [3] PL 23, 388 = par. 21.

[4] Ce problème occupe les paragraphes 23–26 de la *Lettre* (PL 23, 390–406).

[5] Cette confession est la suivante: »Nous confessons, dit-il, que la Passion de Jésus-Christ, sa mort, sa sépulture (...) et sa résurrection sont réelles et véritables, et non pas chimériques et imaginaires; ›qu'il est le premier-né des morts‹, et qu'ayant tiré du tombeau les prémices de nos corps, il les a élevés avec lui jusque dans le ciel, afin de nous engager à fonder sur sa résurrection l'espérance de la nôtre. Car nous espérons tous ressusciter un jour de la même manière qu'il est ressuscité lui-même; or comme il est ressuscité avec le même corps qu'il avait et qui a été mis dans le saint sépulcre, nous espérons de même ressusciter, non pas avec des corps étrangers et fantastiques, mais avec les mêmes corps dont nous sommes revêtus et qui ont été mis dans le tombeau. Car selon l'apôtre Paul, ›le corps comme une semence est maintenant mis en terre plein de corruption, et il ressuscitera incorruptible; il est mis en terre tout difforme, et il ressuscitera glorieux; il est mis en terre comme un corps animal, et il ressuscitera comme un corps spirituel‹. Ce qui a fait dire au Sauveur: ›Mais

terme »corps« pour parler de la résurrection, mais jamais celui de »chair«. Or, parler uniquement de »corps« à ce sujet, en évitant systèmatiquement le mot »chair«, c'est adopter la position d'Origène, que Jérôme rappelle partiellement à ses lecteurs. Origène relevait deux sortes d'erreurs relatives à la résurrection: la première se rencontre chez ceux qui pensent que le corps de résurrection sera tout à fait identique au corps terrestre, avec les mêmes membres, et, partant, les mêmes fonctions: des pieds pour marcher, des mains pour travailler, des yeux pour voir, des oreilles pour entendre, un estomac pour digérer les viandes... La seconde erreur, c'est celle des hérétiques tels que Marcion, Apellès, Valentin et d'autres qui nient absolument la résurrection du corps et prétendent que seule, l'âme sera sauvée[6]. Origène se situe donc entre ces deux positions: il affirme la résurrection du corps, mais défend l'idée que celui-ci ne sera plus semblable au corps terrestre. On se souvient — et Jérôme le rappelle — que l'Alexandrin prenait l'exemple du lait versé dans la mer: il n'est pas détruit par l'eau de mer, mais une fois mélangé à elle, il ne peut plus en être séparé; de même aussi à la mort du corps, chacun des éléments qui le composent retourne à la matière première et lorsque le corps est reformé à la résurrection, il n'est plus possible de retrouver les éléments sous la forme qu'ils avaient auparavant. Et cette position trouvait un appui scripturaire dans l'analogie du grain de semence, qui montre que le corps qui sort de terre est différent de la graine qui y a été enfouie, et dans les antithèses des vv. 42–44 qui décrivent la différence entre le corps terrestre et le corps de résurrection: semé corruptible, il ressuscite incorruptible...[7]

Pour Jérôme, »corps« et »chair« ne se recouvrent pas: tout ce qui est chair est corps, mais l'inverse n'est pas vrai. La chair désigne la substance composée de sang, de veines, d'os, de nerfs; le corps peut désigner une substance éthérée, aérienne; il peut aussi désigner une substance d'une toute autre nature: un mur est un corps, mais n'est pas »chair«; et Paul dit qu'il y a corps célestes et des corps terrestres. Les premiers sont le soleil, la lune et les étoiles; les seconds sont le feu, l'air, l'eau, la terre, et tous les êtres inanimés composés de ces quatre éléments. Il convient donc d'être précis lorsqu'on parle du

---

pour ceux qui seront jugés dignes d'avoir part au siècle futur et à la résurrection des morts, ils ne se marieront plus; car alors ils ne pourront plus mourir, mais ils seront semblables aux anges, parce qu'ils sont enfants de la résurrection‹« (Paragr. 23 = PL 23, 391. Nous citons la traduction de B. de Matougues, *Oeuvres de saint Jérôme*, publ. par M. Benoist de Matougues sous la direction de M. L. Aimé-Martin, Paris, 1841 pp. 372).

[6] PL 23, 392 = par. 25.

[7] PL 23, 393–395 = par. 25–26.

corps de résurrection. Parler de résurrection du corps et parler de résurrection de la chair sont deux choses différentes[8].

Contrairement à Origène et à Jean de Jérusalem, dont la duplicité ne fait aucun doute pour lui, Jérôme opte pour la résurrection de la chair. Il cite d'abord deux textes de l'Epître aux Colossiens dans lesquels il est expressément question de »corps de chair«: 1, 21–22 et 2, 11. Il note ensuite que dans le Symbole, les apôtres, pour parler de la résurrection, emploient le mot »chair« et non »corps«[9]. Puis il donne clairement sa position:

»Voilà en quoi consiste la foi en la résurrection, à croire que notre chair sera revêtue de gloire, sans cesser d'être une véritable chair. Quand l'apôtre saint Paul dit: ›Ce corps corruptible et mortel‹, il fait bien voir qu'il parle du corps, c'est-à-dire de la chair qu'il voyait à ses yeux. Et lorsqu'il ajoute: ›doit être revêtu de l'incorruptibilité et de l'immortalité‹, il ne dit pas que le corps doit être détruit par cette gloire dont il sera revêtu; mais qu'il deviendra glorieux et éclatant, d'abject et de difforme qu'il était: c'est-à-dire, qu'après nous être dépouillés de cette mortalité et de ces faiblesses qui rendent notre corps vil et méprisable, nous serons revêtus, pour ainsi dire, de l'or de l'immortalité, et comblés d'un bonheur solide et constant«[10].

Pour illustrer cette thèse, Jérôme rappelle le récit de la transfiguration, dans lequel le Christ glorieux n'est pas apparu sans pieds et sans mains, mais dans un corps formé des mêmes membres que le corps terrestre et vêtu non d'une substance spirituelle ou aérienne, mais d'habits blancs comme la neige. Il examine aussi de près deux textes vétérotestamentaires, la vision des ossements d'Ezéchiel et la parole de Job: »Je sais que mon rédempteur est vivant, et que je ressusciterai de la terre au dernier jour; que je serai encore revêtu de cette peau, et que je verrai Dieu dans ma chair« (Job 19, 23 s.). Ce passage permet à Jérôme de répéter que là où il y a de la peau, il y a un corps revêtu de chair, et non un corps aérien ou composé de matière subtile et éthérée comme le sont les esprits[11].

Affirmer la résurrection de la chair, c'est aussi admettre que la différence de sexe subsistera à la résurrection. Mais cela ne contredit-

---

[8] PL 23, 396 = par. 27. [9] PL 23, 396 = par. 27–28.

[10] Trad. B. de Matougues *op. cit.* p. 376 = PL 23, 397 (par. 29): »Haec est vera resurrectionis confessio, quae sic gloriam caria tribuit, ut non auferat veritatem. Quod vero dicit Apostolus, ›Corruptibile hoc et mortale (1 Cor. 15, 53)‹. Hoc ipsum corpus, id est, carnem, quae tunc videbatur, ostendit. Quod autem copulat, ›induere incorruptionem et immortalitatem‹, illud indumentum, id est vestimentum, non dicit corpus abolere quod ornat in gloria; sed quod ante inglorium fuit, efficere gloriosum; ut mortalitatis et infirmitatis viliore veste deposita, immortalitatis auro, et, ut ita dicam, firmitatis atque virtutis beatudine induamur.«

[11] PL 23, 398–99 = par. 29–30.

il pas ce que Jésus a dit: à la résurrection, on ne se mariera plus, on sera comme des anges? L'objection a dû être faite souvent aux défenseurs de la position de Jérôme, car l'auteur s'y arrête. L'explication qu'il donne est intéressante:

»Telle est ma croyance, et voilà, simple et grossier que je suis, l'idée que j'ai de la résurrection. Je crois que tous les hommes ressusciteront avec le sexe qui leur est propre, sans néanmoins en faire aucun usage; et que c'est en cela qu'ils seront semblables aux anges. Mais quoiqu'alors nous n'employions pas ces membres aux usages qui leur sont propres et naturels, on ne doit pas conclure de là qu'ils nous seront inutiles, puisque, même durant cette vie mortelle, nous tâchons de ne nous en point servir. Or, lorsqu'on nous fait espérer que nous deviendrons semblables aux anges, cela ne veut pas dire que les hommes seront changés en anges, mais qu'ils entreront en possession de l'immortalité et de la gloire dont jouissent ces esprits bienheureux«[12].

La condition des ressuscités est la réalisation de l'idéal de chasteté que Jérôme a souvent défendu dans ses écrits. Ce qu'il faut remarquer pourtant, c'est que pour l'auteur, ce n'est pas la chair qui fait obstacle à cet idéal: au contraire, Jérôme affirme plusieurs fois que l'on n'a jamais couronné la virginité d'une pierre! Cela signifie qu'on ne peut pas mériter la couronne de chasteté quand on n'a pas un sexe pour s'abandonner à l'impureté[13]. L'idéal proposé par Jérôme

[12] Trad. B. de Matougues *op. cit.* p. 378 = PL 23, 400 (par. 31): »Mea rusticitas sic credit, et sic intelligit sexum confiteri sine sexuum operibus: homines resurgere, et sic eos angelis adaequari. Nec statim superflua videbitur membrorum resurrectio, quae caritura sint officio suo; cum adhuc in hac vita positi, nitamur opera non implere membrorum. Similitudo autem ad angelos, non hominum in angelos demutatio, sed profectus immortalitatis et gloriae est.«

[13] Cf le commentaire que Jérôme donne de Mt 22, 30 (PL 26, 164): si à la résurrection, on n'épouse pas et on n'est pas épousé, il faut admettre que ce sont des corps capables d'épousailles qui ressuscitent, car personne ne dit d'une pierre, d'un arbre ou d'une chose asexuée qu'ils n'épousent et ou ne sont pas épousés. Le fait d'être comme des anges trouve dès lors sa justification dans une »spiritualis conversatio«. Il faut noter que la *Lettre* CVIII de Jérôme, qui reproduit l'oraison funèbre de sainte Paule, offre un développement exactement parallèle à celui du traité contre Jean de Jérusalem. Au par. 23 de cette *Lettre*, Jérôme évoque les questions qu'un »certain vieux routier rusé« a posée à sainte Paule pour la troubler, disant qu'il n'y aura pas de résurrection des morts, mais une transformation des corps; affirmant que si le sexe subsiste à la résurrection, on se mariera et on procréera et que s'il ne subsiste pas, alors ce ne sont pas les mêmes corps qui ressuscitent, »mais des corps subtils et spirituels, selon le mot de l'Apôtre: ›ce qui est semé, un corps animal, ce qui ressuscite, un corps spirituel‹« (trad. J. Labourt dans: Saint Jérôme *Lettres*, coll. Budé, vol. 5 p. 190). Jérôme a rencontré cet homme et lui a posé des questions, auxquelles il n'a pas voulu répondre. Jérôme donne alors son opinion: »Si quand on ressuscitera, il n'y a ni femelle ni mâle, il n'y aura pas de résurrection des morts, car le sexe possède des membres, et le total des membres fait le total du corps. Mais, s'il n'y a

ne consiste donc pas dans la destruction de la chair, mais dans la victoire sur la chair et ses désirs.

Très brièvement, l'auteur répond encore à une objection païenne à la résurrection de la chair et qui touche au problème de l'âge des ressuscités. Pour Jérôme, ces derniers ne seront ni enfants, ni vieillards: ils auront tous l'âge d'un homme parfait, puisque Dieu a créé les hommes dans cet état, sans les faire passer, à l'origine, par l'enfance et la jeunesse[14].

Après avoir encore cité de nombreux passages bibliques en faveur de la résurrection de la chair[15], Jérôme s'interroge sur la nature du corps du Christ ressuscité. Jésus s'est montré aux disciples pendant quarante jours après sa résurrection, pour attester devant eux la réalité de cette dernière. Comment aurait-il pu les convaincre de la réalité de son corps s'il était apparu sous la forme d'un fantôme? On ne peut pas convaincre quelqu'un de la vérité par un mensonge! Dès lors la question se pose de savoir pourquoi les disciples n'ont pas reconnu le Christ. S'appuyant sur la lettre du texte biblique des pèlerins d'Emmaüs, Jérôme répond que c'est leurs yeux qui étaient empêchés de le voir. La preuve, c'est que les disciples le reconnurent dès que leurs yeux se furent ouverts. »Il tenait donc à leurs yeux, et non pas à celui qu'ils voyaient, de le connaître et de ne pas le connaître«. L'auteur rappelle à ce sujet quelques expériences qui montrent que nos sens, et particulièrement la vue, nous trompent parfois. Il cite aussi l'exemple de Pierre marchant sur les eaux: la réussite de sa traversée ne dépendait pas de son corps, mais de sa foi. Dès que Pierre a douté, il a commencé à s'enfoncer[16].

---

pas le sexe et ses membres, où sera la résurrection des corps, puisque celle-ci n'existe pas sans le sexe et les membres?« (*ibid.* p. 191). L'affirmation de Jésus en Mt 22, 30 n'est pas un obstacle à cette thèse: »En effet, personne ne dit de la pierre ou de bois: ›il n'y aura pas d'époux ni d'épouse‹, parce qu'il n'est pas dans leur nature de se marier; mais on le dit de ceux qui peuvent se marier, et par la grâce et la force du Christ ne se marient point« (*ibid.* p. 192); et plus loin (p. 192): »Dieu ne nous promet pas la substance des anges, mais leur manière d'être et leur béatitude.« C'est exactement ce que l'on trouve à la fois dans la *Lettre* contre Jean et dans le *Commentaire* de ce passage de Mt.

[14] PL 23, 401 = par. 32. Cf aussi la *Lettre* CVIII (par. 25) où, à la question de l'âge des ressuscités, Jérôme répond »suivant les traditions des églises et l'Apôtre Paul (...): c'est à l'âge ›de l'homme fait, et à la mesure de l'âge de la plénitude du Christ‹ (Eph. 4, 13) que nous devons ressusciter, âge auquel les Juifs pensent qu'Adam a été créé et où l'Ecriture nous apprend que le Seigneur et Sauveur est ressuscité« (*op. cit.* p. 194).

[15] PL 23, 401–402 = par. 33.

[16] PL 23, 403–405 = par. 34–35. Au par. 24 de la *Lettre* CVIII, les mêmes problèmes sont évoqués et Jérôme leur apporte la même solution. Jésus est apparu aux disciples dans son corps de chair, et l'auteur ajoute: »non sans doute un corps de femme, mais un corps d'homme, c'est-à-dire du même sexe dans

Jérôme termine son exposé sur la résurrection de la chair en rapportant une conversation qu'il a eue avec un disciple de Marcion qui invoquait 1 Cor. 15, 50 pour nier la participation de la chair à la résurrection. Jérôme, comme d'autres avant lui, répond en distinguant la résurrection de l'entrée dans le Royaume[17].

On le voit, cet exposé est assez complet pour nous renseigner sur la manière dont Jérôme envisage les rapports des deux corps. Même si 1 Cor. 15, 35–49 n'est pas souvent cité, ce texte paulinien sous-tend l'exposé de l'auteur. On peut d'ailleurs s'en étonner un peu, car l'analogie du grain de semence, l'énumération des différentes chairs, les antithèses opposant le corps terrestre au corps de résurrection, tout cela ne va-t-il pas à l'encontre de la position de Jérôme?

Préoccupé de réfuter Origène, l'auteur n'a peut-être pas assez précisé la différence entre le corps psychique et le corps spirituel. Mais d'autres textes moins polémiques reprennent ce point. Les explications que l'auteur y donne nous permettent aussi de comprendre pourquoi il distingue la résurrection de l'entrée dans le Royaume. C'est dans la *Lettre* CXIX qu'il est le plus explicite. Un premier changement marquera les corps de résurrection: ils seront incorruptibles. Cette caractéristique s'étendra à tous les hommes indifférem-ment, justes et pécheurs. Pour les justes, un second changement interviendra ensuite: ils participeront à la gloire éternelle, alors que les pécheurs et les infidèles encourront des supplices perpétuels[18]. De

lequel il est mort« (*op. cit.* p. 192). Comment a-t-il pu passer par les portes fermées? Jérôme répond que si passer par les portes fermées implique pour le Christ d'avoir un corps éthéré et spirituel, alors il faut aussi lui attribuer un tel corps lorsque, »contrairement aux lois de la gravitation« (p. 193), il a marché sur les eaux. Et il faut supposer la même chose pour Pierre. Or ce dernier nous apprend justement que la réussite de l'expérience n'était pas liée à la constitution du corps, mais à un autre facteur: la foi. Pour le Christ, c'est la foi des disciples qui est en jeu.

[17] PL 23, 406 = par. 36.

[18] *Lettre* CXIX, 6. On sait que Jérôme a connu deux traditions pour 1 Cor. 15, 52; selon la première, le texte est: nous ne mourrons pas tous, mais tous nous serons changés — c'est le texte que nous connaissons; selon la seconde, on lit: nous mourrons tous, mais nous ne serons pas tous changés. Jérôme adopte cette dernière leçon, ce qui lui permet de réserver le changement pour les justes qui deviennent glorieux, alors que les pécheurs subissent des peines éternelles: »Si les morts seront incorruptibles, comment ne seront-ils pas changés, puisque l'incorruption elle-même est un changement? Or, ici, le changement dont Paul doit être changé, ainsi que les saints, doit s'entendre de la glorification. Mais l'incorruption est commune à tous, pour ce motif que les pécheurs en seront encore plus malheureux, puisqu'ils deviennent éternels pour souffrir les tourments, au lieu de se dissoudre avec un corps mortel et corruptible. Nous lisons dans la même épître — cela résulte d'un exposé de l'Apôtre — que la diversité de la résurrection n'est pas consacrée par la nature des corps, mais par la variété de la gloire; les uns ressuscitent pour des peines perpétuelles, les

plus parmi les justes, il y aura encore des degrés de gloire différents, semblables aux degrés du Temple sur lesquels prennent place les différents représentants de la hiérarchie ecclésiastique lors des pèlerinages[19]. Mais ces précisions n'enlèvent rien à la thèse anti-origéniste de la *Lettre* contre Jean de Jérusalem: c'est la chair qui ressuscitera et s'il y a transformation, celle-ci ne touchera pas sa nature ou sa substance. La transformation qui interviendra lors de la résurrection rendra la chair incorruptible et, pour ceux qui en seront dignes, glorieuse[20].

Lorsqu'il cite les vv. 47—49 du texte de l'apôtre, Jérôme n'innove pas. Pour lui comme pour beaucoup d'autres avant lui, il s'agit là d'une exhortation à changer de vie. L'image du terrestre s'oppose à celle du céleste comme la Loi s'oppose à l'Evangile, le premier Adam au second Adam, les relations sexuelles à la chasteté et le mariage au célibat[21]. Il s'agit donc non pas de refuser la chair, mais de la do-

---

autres pour la gloire éternelle: ›Mais autre est la chair des oiseaux, autre celle des poissons, autre celle des quadrupèdes; il y a des corps célestes et des corps terrestres. Ainsi, dit-il, en sera-t-il de la résurrection des morts‹. C'est à cette opinion qu'acquiesce plus généralement l'Eglise: nous mourrons de la mort commune et nous ne serons pas tous changés dans la gloire, selon ce qu'écrit Daniel: ›Beaucoup, qui dorment dans la poussière de la terre, ressusciteront; les uns pour la vie éternelle, les autres pour la honte et l'opprobre éternels‹ (12, 2). En effet, ceux qui ressusciteront pour la honte et l'opprobre éternels ne ressusciteront pas pour la gloire éternelle, en quoi Paul et ses compagnons seront changés. Les choses étant ainsi, et comprises par nous de cette manière: ceux-là seuls recevront le changement, qui ressusciteront pour la gloire; pour les pécheurs et les infidèles qu'on appelle ›les morts‹ et qui ressusciteront incorruptibles, il ne faut pas parler de changement, mais bien de supplices perpétuels« (*op. cit.* vol. 6 pp. 104—105).

[19] Cette idée est exprimée par Jérôme dans son explication du Ps. 119, 1 (= 120, 1) qui porte en sous-titre l'expression ›Cantiques des degrés‹. Jérôme montre que le Temple est une image, une figure du Temple céleste (*Tractatus de Psalmo 119* = CCL 78 p. 247—48). La thèse des différents degrés de gloire se rencontre aussi dans le second livre *Contre Jovinien* (II, 23) en réponse à l'affirmation de Jovinien que tous les péchés sont équivalents (PL 23, 332—334). Cf aussi la *Lettre* III à Rufin (coll. Budé vol. 1 p. 15); le *Commentaire* de Nahum 2,10 (CCL 76 A p. 551); celui d'Eccl. 12, 2 (CCL 76 p. 352); celui d'Amos 5, 1—2 (CCL 76, p. 273) et d'Amos 5, 7—9 (CCL 76 p. 282).

[20] Cf le *Commentaire* de Jonas 2, 7 qui montre que l'on ressuscite dans la même chair qui a été ensevelie, transformée non du point de vue de sa substance, mais rendue glorieuse: »Quod si in apostoli ad Corinthios sententiam trahimur, in qua corpus dicitur spirituale, ne contentiosi videamur, dicemus idipsum quidem corpus, et eamdem carnem resurgere, quae sepulta est, quae in humo condita; sed mutare eam gloriam, non mutare naturam: ›Oportet enim corruptivum hoc induere incorruptionem, et mortale hoc induere immortalitatem‹« (CCL 76 pp. 400—401). Cf F. M. Abel »Saint Jérôme et les prophéties messianiques«, *RB* 13 (1916), 423—40 et 14 (1917), 247—69.

[21] Cf le *Premier Livre contre Jovinien* (I, 37) dans lequel Jérôme se dresse

miner[22], jusqu'au jour où la terre sera détruite, les œuvres terrestres réduites à néant et l'image du terrestre abolie, pour que subsiste seulement celle du céleste[23].

On ne peut pas lire l'exposé de Jérôme sur la résurrection du corps sans penser à Méthode, le premier grand adversaire d'Origène. Or il est frappant de constater que chez les deux auteurs, ce sont les mêmes arguments qui reviennent, les mêmes textes qui sont invoqués. Pour Méthode comme pour Jérôme, la chasteté constitue l'idéal de perfection suprême; mais pour l'un comme pour l'autre, la chair n'est pas dépréciée: elle est là pour être dominée et pour donner à chacun l'occasion de s'acquérir les plus grands mérites en s'abstenant de ses désirs. Ainsi tous deux peuvent-ils affirmer contre Origène la résurrection de la chair, une chair rendue désormais incorruptible et glorieuse, sans toutefois être transformée dans sa nature ou sa substance. L'opposition entre le corps psychique et le corps spirituel est ainsi davantage une opposition entre deux manières de vivre, entre deux conditions, qu'entre deux corps. Peut-être aurait-il fallu être moins préoccupé de la nature du corps de résurrection pour donner à l'antithèse paulinienne sa dimension historique et théologique.

d) Saint Augustin

Saint Augustin a consacré de nombreuses pages de son œuvre à la question qui nous occupe dans ce travail. Son exégèse de 1 Cor. 15, 35—49 est précise; elle va au fond des questions soulevées par le texte de l'apôtre et se présente pour nous comme une mise au point de ce qui a été dit jusqu'ici sur l'antithèse du corps terrestre et du corps de résurrection.

La thèse de laquelle il faut partir pour exposer la théologie de la résurrection chez Augustin est celle-ci: tous les hommes ressuscite-

---

contre la proposition de Jovinien qu'une vierge n'est pas meilleure comme telle qu'une autre femme devant Dieu (PL 23, 275).

22 Dans le *Commentaire* d'Isaïe 52, 2—3 Jérôme montre que l'exhortation à porter l'image du céleste n'implique pas un abandon de la chair, mais un changement de vie: »Non quo carnis natura damnetur, cujus conditor Deus est, et in qua plurimi placuerunt Deo regnantque cum Christo; sed quo opera carnis repudientur, de quibus idem apostolus loquitur: ›Ego autem carnalis sum, venundatus sub peccato‹ (Rom. 7, 14)« (CCL 73 A p. 576). Cf F. M. Abel »Le Commentaire de saint Jérôme sur Isaïe«, *RB* 13 (1916), 200—25.

23 *Commentaire* sur Isaïe 24, 1—3: »Dissipabitur ergo terra, et omnia terrena opera redigentur ad nihilum, ut abolita imagine χοϊκοῦ, permaneat imago supercaelestis« (CCL 73 p. 316). Cf encore une allusion à l'image du céleste dans le *Commentaire* du Psaume 96, 6 (97, 6) et dans celui du Ps. 135, 5 (136, 5) où les cieux représentent ceux qui racontent la gloire de Dieu et qui ont vêtu l'image du céleste (CCL 78 p. 443 et p. 293).

ront dans la chair pour être jugés; ceux qui en seront dignes seront ensuite transformés pour devenir les égaux des anges de Dieu. »Aussi le loueront-ils sans aucune défaillance, ni aucune lassitude, ni aucune perfidie, vivant à jamais en Lui et de Lui, avec une joie et une béatitude telles que l'homme ne peut ni les décrire, ni les imaginer«[1]. Les autres, ceux »qui se rient de la résurrection pensant que cette chair, du moment qu'elle se pourrit, ne peut ressusciter, ressusciteront avec elle, pour y subir leur châtiment«[2]. Une difficulté particulière apparaît cependant à propos de ceux qui seront trouvés vivants lors de l'avènement du Seigneur. On lit en effet dans I Thess. 4, 17 que »nous serons toujours avec le Seigneur« et dans I Cor. 15, 22 que »dans le Christ, nous serons tous vivifiés«. Or comment interpréter dès lors deux autres textes pauliniens qui semblent contredire ces derniers: d'abord 1 Cor. 15, 36–38 affirmant la nécessité de mourir pour ressusciter; ensuite 1 Cor. 15, 51 dans la version que connaît Augustin et que préférait aussi Jérôme: »tous mourront, mais tous ne seront pas transformés«[3]? Faut-il admettre que ceux que le Christ à son retour trouvera vivants ne seront pas touchés par la sentence prononcée contre Adam et étendue à l'humanité entière: »Tu es poussière et tu retourneras à la poussière«? Augustin résout la question en disant que le fait d'être enlevés dans les airs à la rencontre du Seigneur correspond pour ceux qui seront alors vivants à sortir de leurs corps mortels pour retourner quelques instants plus tard à ces mêmes corps désormais immortels[4]. Leurs corps terrestres ne seront-ils alors pas semés? Ne retourneront-ils pas à la terre? L'auteur abandonne le sens littéral du texte pour proposer l'explication suivante: »›Tu iras‹, de fait, ›dans la terre‹, veut dire assurément: ›tu iras, après avoir perdu la vie, en ce que tu étais avant que tu ne prennes vie‹, c'est-à-dire: ›inanimé, tu seras ce que tu étais avant d'être animé‹ (car c'est sur un visage de terre que Dieu souffla une haleine de vie quand l'homme fut créé en âme vivante); comme s'il avait dit: ›Tu es terre animée, ce que tu n'étais pas, et tu seras terre inanimée comme tu l'étais‹: ce que sont avant de tomber en

---

[1] *De cat. rudibus* 27, 54 (*Oeuvres* 11 p. 145). Nous citons saint Augustin dans l'édition de la »Bibliothèque augustinienne«, publiée à Paris depuis 1949 par Desclée de Brouwer. La mention *»Oeuvres«* est suivie du no du volume.

[2] *Ibid.*

[3] Augustin examine ce problème dans *Civ. Dei* XX, 20 (*Oeuvres* 37 pp. 291/93).

[4] *Ibid.* pp. 293/95: »Nous ne pensons pas non plus que ces saints d'alors seront à l'abri de cette sentence qui fut prononcée contre l'homme: ›Tu es terre et tu iras en terre‹, parce que leurs corps, à leur mort, ne retombent pas dans la terre, mais de même qu'ils mourront dans leur enlèvement, de même aussi ils ressusciteront tandis qu'ils seront portés dans les airs.«

pourriture tous les corps des morts, ce que seront également ceux dont nous parlons, s'ils meurent, où qu'ils meurent, quand ils seront privés de la vie qu'ils recevront aussitôt après. Ils iront donc en terre, parce que d'hommes vivants, ils deviendront terre; de même que s'en va en cendre ce qui devient cendre, en vétusté ce qui devient vieux, et que s'en va en brique ce qui d'argile est fait brique; et mille expressions semblables que nous employons«[5].

a) *Vv. 36–38.* – Ainsi, la portée de 1 Cor. 15, 36–38 (et, au sens où l'entendent Augustin et Jérôme, de 1 Cor. 15, 51) reste universelle: tous les hommes, même ceux qui seront vivants à l'avènement du Christ, passeront par la mort. Ils abandonneront alors leur corps terrestre pour revêtir, à la résurrection, un corps sur la nature duquel Augustin ne laisse pas ses lecteurs dans l'ignorance, comme nous allons le voir. Mais auparavant, nous devons signaler qu'à côté de l'interprétation des vv. 35 ss. que nous avons rapportée, l'auteur cite aussi ces versets pour montrer que Dieu n'est pas inactif depuis la création: il continue à agir, même dans les choses les plus basses; c'est ainsi que, selon l'apôtre, Dieu fait croître la semence et la fait devenir une plante en lui donnant un corps[6]. Augustin atteste par là qu'il peut aussi s'attacher au sens littéral d'un texte! Ailleurs, à propos du suicide et de l'interdiction de tuer, il se demande si cette interdiction doit s'étendre aux plantes aussi, précisément à cause de 1 Cor. 15, 36. Il répond par la négative, avançant comme argument que les plantes sont dépourvues de sensibilité[7]. Ici aussi, Augustin laisse une place à la lettre du texte.

Ces deux passages devaient être signalés à titre documentaire et un peu comme curiosités. Il est certain que pour Augustin, les vv. 36–38 sont à comprendre dans le contexte de la résurrection, où ils appuient la thèse de la nécessité de la mort – pour tous les hommes – avant de renaître à la vie immortelle, récompense pour les uns, châtiment pour les autres.

b) *Vv. 39–41.* – Les vv. 39–41 sont compris par Augustin comme par ses prédécesseurs. On peut résumer son interprétation dans les trois points suivants: 1. Ici-bas, »toute chair n'est pas la même chair«; il y a des différences entre les hommes, les animaux, les plantes[8]. 2. A la résurrection, les hommes ne seront pas privés de corps,

[5] *Ibid.* p. 295.

[6] *De Gen. ad litteram* Livre V, XX, 40 (*Oeuvres* 48 p. 431).

[7] *Civ. Dei* I, 20 (*Oeuvres* 33 p. 261).

[8] *Civ. Dei* XIV, 2 (*Oeuvres* 35 p. 351): Augustin examine ce que veut dire ›vivre selon la chair‹ et il énumère les différents sens que l'Ecriture donne au terme ›chair‹: par exemple, elle emploie ce mot pour désigner le corps d'un vivant, terrestre et mortel, comme dans 1 Cor. 15, 39. Ailleurs, la chair désigne l'homme: on nomme alors la partie pour le tout ...

puisqu'il y a des corps terrestres et des corps célestes[9]. Il faut noter que Paul ne parle ici plus de chair, mais de corps. Ce point sera repris à propos des vv. 42 ss. Enfin, 3. la différence d'éclat entre les astres illustre les mérites des saints[10]. Tout cela nous est déjà bien connu.

c) *Vv. 42–49.* – Là où Augustin est le plus original et le plus intéressant pour nous, c'est dans son exégèse des vv. 42–49. Son interprétation répond à une double préoccupation: définir la nature du corps de résurrection d'une part, expliquer les rapports qu'il y a entre le corps animal, terrestre, et le corps spirituel, d'autre part.

Dans ce que l'on peut appeler une œuvre de jeunesse, le *De Fide et Symbolo* (393), Augustin s'exprime ainsi au sujet de la nature du corps de résurrection:

»Ainsi le corps ressuscitera suivant la foi chrétienne qui ne saurait tromper. Quiconque le tient pour incroyable regarde bien ce qu'est la chair maintenant, mais il ne prend pas garde à ce qu'elle sera. Car, en ce temps de transformation angélique, elle ne sera plus chair et sang, mais seulement corps. En parlant de la chair, en effet, l'Apôtre écrit: ›Autre est la chair des bêtes, autre celle des oiseaux, autre celle des poissons, autre celle des reptiles; il y a des corps célestes et il y en a de terrestres‹. Il n'est pas dit: une chair céleste, mais bien ›des corps et célestes et terrestres‹ (...) Quant au monde céleste, il n'y a pas de chair du tout, mais bien des corps simples et lumineux, que l'Apôtre nomme spirituels et que d'autres appellent éthérés«[11].

Parmi les textes dans lesquels Augustin s'exprime sur la nature du corps de résurrection, ce passage est isolé. Sa formulation est ambiguë et pourrait faire passer l'auteur pour un disciple d'Origène.

[9] *Enchir.* 23, 91 (*Oeuvres* 9 p. 265).

[10] *De Sancta Virginitate* XXVI, 26 (*Oeuvres* 3 p. 245) où Augustin explique Mt 20, 9: que signifie le denier payé aussi bien aux ouvriers de la dernière heure qu'à ceux de la première heure? Selon Augustin, il représente ce que tous recevront, à savoir la vie éternelle, l'incorruptibilité. Mais si tous les hommes ont part à celle-ci, il subiste cependant des différences entre eux, comme le note le commentateur: »Cependant, ›une étoile diffère d'une étoile en éclat; de même en est-il pour la résurrection des morts‹: Ainsi le veulent les mérites des saints. Si par ce dernier on entend le ciel, le fait d'être dans le ciel n'est-il pas commun à tous les astres? Et cependant, ›autre est la gloire du soleil, autre la gloire de la lune, autre celle des étoiles‹.« Dans un autre passage, Augustin comprend ces versets au sens littéral: il s'agit d'une discussion sur la clarté respective du soleil, de la lune et des étoiles. Augustin conclut: »Pour nous, quoi qu'il en soit en réalité, il nous suffira peut-être de savoir que les astres ont été créés par Dieu. Retenons cependant ce que nous apprend l'autorité de l'Apôtre: ›Autre l'éclat du soleil, autre l'éclat de la lune, et autre l'éclat des étoiles; même une étoile diffère en éclat d'une autre étoile‹« (*De Gen. ad litteram* Livre II, XVI, 33 = *Oeuvres* 48 p. 203).

[11] *De Fide et Symbolo* X, 24 (*Oeuvres* 9 p. 71).

Aussi faut-il lire autre chose pour connaître la pensée d'Augustin sur ce point. Les *Retractationes* corrigent le texte cité plus haut en maintenant que le corps céleste ne sera pourtant pas dépourvu des membres que nous avons aujourd'hui et de la substance de la chair, comme nous pouvons nous en convaincre en pensant au corps ressuscité du Christ lui-même[12]. Est-ce à dire qu'Augustin défend l'idée juive de la résurrection de la chair? Ce serait tomber dans l'excès contraire. Aussi devons-nous rendre justice à l'auteur en citant un texte de l'*Enchiridion* dans lequel il apparaît clairement que ce n'est pas le corps terrestre qui est simplement rendu à la vie lors de la résurrection:

»Cette matière terrestre dont le départ de l'âme fait un cadavre ne sera, du reste, pas rétablie par la résurrection de telle manière que les molécules qui sont entraînées par le flux vital, et changement d'espèce ou de forme en passant dans des corps différents, non seulement reviendraient au corps par elles quitté, mais y retrouveraient nécessairement les parties qu'elles y occupaient. Autrement, si les cheveux récupéraient tout ce que des tailles fréquentes leur ont fait perdre et de même les ongles tant de fois raccourcis, on aboutit à quelque chose d'excessif et d'indécent, qui pourrait empêcher de croire en la résurrection de la chair celui qui en réalise la monstruosité«[13].

Augustin adopte donc une position qui n'est ni le matérialisme de la notion juive de résurrection, ni le spiritualisme d'Origène. Il semble d'ailleurs particulièrement soucieux de garder ses distances par rapport à l'Alexandrin, en faveur duquel pourrait parler la terminologie paulinienne. En effet, chaque fois qu'Augustin définit la notion de »corps spirituel«, il précise que le corps de résurrection, bien qu'appelé »spirituel«, est cependant un corps et non un esprit, comme le corps terrestre, appelé »animal«, est lui aussi un corps et non une âme. Le corps de résurrection est appelé par l'apôtre »spirituel«, parce que sa chair »obéira à l'esprit avec une souveraine et merveilleuse facilité, jusqu'à y puiser la joie définitive d'une indissoluble immortalité: elle n'éprouvera plus ni douleur ni corruption, ni la moindre gêne«[14]. Dans l'*Enchiridion*, après avoir répété que le

---

[12] *Retractationes* I, 17.

[13] *Enchir.* XXIII, 89 (*Oeuvres* 9 p. 261).

[14] *Civ. Dei* XIII, 20 (*Oeuvres* 35 p. 309). Au chap. X, 29 du même ouvrage, Augustin dit de ce corps qu'il »ne créera aucun obstacle à la contemplation qui fixe l'âme en Dieu« (*Oeuvres* 34, p. 537). Ce corps spirituel ressuscitera avant le jugement, dans la force, l'incorruptibilité et la gloire, alors qu'il est maintenant semé dans l'infirmité, la corruption et la honte (*De Trinitate* XIV, 19 = *Oeuvres* 16 p. 415).

corps spirituel est un corps et non un esprit[15], Augustin ajoute: »si l'on envisage la substance, il y aura, même alors, de la chair (...). Néanmoins l'Apôtre dit: ›C'est un corps animal qui sera semé, un corps spirituel qui ressuscitera‹. La raison en est que si parfaite alors sera la concorde entre la chair et l'esprit que l'esprit vivifiera sans avoir besoin d'aucun soutien la chair qui lui sera soumise et qu'il n'y aura chez nous aucune résistance venue de nous. Pas plus que de menace au dehors, nous n'aurons à redouter dans notre nature un ennemi du dedans«[16]. Quant aux pécheurs, l'incorruptibilité que leur procure la résurrection devient en quelque sorte pour eux châtiment, car leurs souffrances seront éternelles[17].

Telle est la position d'Augustin sur l'opposition du corps terrestre et du corps de résurrection, envisagée sous l'aspect de la substance de ces corps. Mais l'intérêt qu'il y a à étudier Augustin réside dans le fait qu'il a envisagé l'antithèse des deux corps sous un autre aspect encore que celui des substances: il replace le problème dans une perspective historique et envisage ainsi toute l'économie divine dans deux exposés importants et complémentaires; l'un occupe une grande partie du livre XIII de la *Cité de Dieu,* l'autre recouvre les chap. XIX à XXVIII du 6e Livre du *De Genesi ad litteram.*

L'idée dominante des deux passages est celle-ci: le corps animal est le corps qu'Adam a reçu lors de sa création. C'est le corps animé par le souffle que Dieu a insufflé dans les narines du premier homme: »C'est dans un corps animal, selon l'apôtre, que le premier homme a été fait«[18]; et plus loin, Augustin dit: »Par ces mots:

---

[15] Sur ce point précis, cf encore *De Fide et Symbolo* VI, 13 (*Oeuvres* 9 p. 43); *Civ. Dei* XXII, 21 (*Oeuvres* 37 p. 643); *Civ. Dei* XIII, 23 (*Oeuvres* 35 p. 315); *Contra Adamantum* XII, 4 (*Oeuvres* 17 p. 275); *De Gen. ad litteram* Livre XII, VII, 18 (*Oeuvres* 49 p. 353) où l'auteur précise que le corps spirituel n'aura nul besoin d'aliments; *De Continentia* VIII, 19 (*Oeuvres* 3 p. 153) qui résume bien la position d'Augustin sur le point qui nous occupe: »La chair elle-même, qui meurt quand l'âme s'en va, encore que partie très inférieure de notre être, n'est pas mise de côté comme si on la fuyait, mais on la dépose pour la reprendre et une fois reprise on ne l'abandonnera plus. ›On sème un corps animal, c'est un corps spirituel qui ressuscitera‹. La chair n'aura plus de convoitise contre l'esprit lorsqu'elle aussi sera dite spirituelle, car sans aucune résistance et même sans aucun besoin d'aliments corporels elle sera soumise à l'esprit pour être éternellement vivifiée.« Cf K. E. Børresen »Augustin, interprète du dogme de le résurrection«, *StTh* 23 (1969), 141–55 (surtout 149–50).

[16] *Enchir.* 23, 91 (*Oeuvres* 9 p. 265/67). Dans son article sur »Saint Augustin et l'exégèse traditionnelle du ›corpus spirituale‹«, in: *Augustinus Magister,* Paris, 1955, vol. II pp. 879–90, Ch. Journet souligne fortement l'aspect »charnel« du corps de résurrection chez Augustin (contre M. Pontet *L'exégèse de saint Augustin prédicateur,* Paris, s. d., pp. 413–15).

[17] *Ibid.* 23, 92 (*Oeuvres* 9 p. 267). [18] *Civ. Dei* XIII, 23 (*Oeuvres* 35 p. 321).

›L'homme a été fait en âme vivante‹, l'Apôtre a donc voulu désigner le corps animal de l'homme«[19]. Ce corps animal avait besoin de nourriture pour subsister, aussi il n'était pas immortel. Il aurait cependant pu le devenir si l'homme était resté dans l'obéissance:

»Or le premier homme, terrestre parce que tiré de la terre, a été fait ›en âme vivante‹ non ›en esprit vivifiant‹, ce qui lui était réservé comme récompense de son obéissance. Aussi son corps avait-il besoin de nourriture et de boisson pour échapper à la faim et à la soif; ce n'était pas l'immortalité absolue et indissoluble, mais l'arbre de vie qui le garantissait de la nécessité de mourir et le maintenait dans la fleur de la jeunesse. Toutefois, on n'en saurait douter, ce n'était pas un corps spirituel, mais animal, sans être pourtant destiné à la mort, si l'homme en péchant n'était tombé sous la condamnation dont Dieu l'avait menacé (...) il fut alors livré pour achever ses jours, au temps et à la vieillesse; alors que cette vie au paradis, tout en étant celle d'un corps animal mais destiné à devenir spirituel en récompense de l'obéissance, aurait pu sans le péché se prolonger toujours«[20].

Si tel est l'état dans lequel Adam a été créé, la résurrection ne sera pas, selon Augustin, un retour à l'état paradisiaque. A la résurrection, le corps sera, sous l'action de l'Esprit, devenu spirituel; il n'aura plus besoin d'être soutenu par de la nourriture et de la boisson. Les ressuscités mangeront s'ils le veulent: ils n'y seront pas contraints, car si la faculté de manger subsiste pour le corps spirituel, le besoin de se nourrir a par contre disparu[21]. La condition des ressuscités sera donc supérieure à celle qu'Adam a connue, même avant la transgression. Ainsi s'explique ce que Paul dit au v. 46: ce n'est pas le spirituel qui vient d'abord, mais le psychique; ensuite vient le spirituel. Augustin commente ainsi cette affirmation: »Il y a d'abord, en effet, le corps animal, celui du premier Adam, bien que destiné à ne pas mourir, sauf s'il péchait; et c'est aussi celui que nous avons maintenant, dégradé et vicié dans sa nature, autant qu'il le fut en lui après son péché, et soumis dès lors à la nécessité de mourir (c'est ce corps que le Christ lui-même a daigné prendre d'abord pour nous, non par nécessité mais par puissance). Vient ensuite le corps spirituel, tel qu'il a précédé dans le Christ comme dans notre tête, et tel qu'il suivra en ses membres dans la dernière résurrection des

[19] *Ibid.*

[20] *Ibid.* p. 317.

[21] *Ibid.* XIII, 20–22 (pp. 309–315). Cf aussi *Retract.* Livre I chap. 13 § 4: le corps de résurrection »ne devra plus être soutenu par des aliments corporels; ›il sera vivifié‹, pour sa subsistance, ›par le seul esprit‹ (I Pi. 3, 18), lorsqu'il sera ressuscité ›en esprit vivifiant‹ (I Cor. 15, 45), parce qu'il sera alors spirituel. Le corps qui fut d'abord, bien qu'il ne dût pas mourir si l'homme n'avait pas péché, fut pourtant créé animal, c'est-à-dire ›en âme vivante‹« (*Oeuvres* 12 p. 345).

morts«[22]. Ce passage suggère que si le corps animal est bien le corps dont était revêtu Adam avant le péché, il est aussi le corps qu'il a porté et que nous portons comme pécheurs. Augustin, dans sa finesse d'esprit, note lui-même qu'il dépasse un peu la pensée de Paul sur ce point: »L'apôtre en effet a invoqué ce témoignage (il s'agit de la citation de la Genèse: Adam fait âme vivante) pour prouver que le corps de l'homme est animé. Mais moi, j'ai pensé qu'on pouvait tirer de là la preuve que l'homme entier a d'abord été psychique et non pas seulement le corps de l'homme«[23]. Cette déduction nous paraît légitime. Il faut se rappeler que si l'on considère les antithèses des vv. 42—44 comme parallèles, le terme »animal« est alors sur le même plan que les expressions »semer dans la corruption, dans le déshonneur, dans la faiblesse«. L'exégèse d'Augustin n'est pas en contradiction avec la pensée de l'apôtre; elle ne fait que l'expliciter, en la dépassant un peu. Pour Paul comme pour Augustin, le qualificatif de »psychique« n'est pas synonyme de »pécheur«. Mais il est juste de noter qu'à la suite de la transgression, l'homme psychique est aussi l'homme pécheur. Le schéma »psychique-spirituel«, qui s'applique d'abord à l'économie divine et à l'humanité dans son ensemble, se trouve ainsi être vrai pour chaque homme: »chacun, par suite, sortant d'une souche condamnée, doit d'abord naître d'Adam, mauvais et charnel; et si, en renaissant dans le Christ, il a progressé dans la bonne voie, il deviendra bon et spirituel«[24].

Sans le péché, l'homme aurait passé naturellement de l'état psychique à la condition de »corps spirituel«. Parce que le péché est intervenu, une rédemption, que Dieu a choisi d'opérer par le Christ, est devenue nécessaire[25]. C'est pourquoi la régénération s'opère désormais pour chacun à travers le Christ et dans le baptême. Augustin comprend dans ce sens le v. 49 du texte de Paul: »Nous revê-

---

[22] *Ibid.* XIII, 23 (pp. 321/23).

[23] *Retract.* Livre I chap. 10 § 3 (*Oeuvres* 12 p. 331).

[24] *Civ. Dei* XV, 1 (*Oeuvres* 36 p. 37). Cf aussi *De Baptismo* I, XV, 23 (*Oeuvres* 29 p. 109): »dans la condition de notre mortalité qui fait de nous des fils d'Adam, ›l'antériorité n'est pas au spirituel, mais à l'animal; vient ensuite le spirituel‹.« Parlant des deux alliances, celle du Sinaï qui est appelée ancienne parce qu'elle contient des promesses terrestres, et celle donnée par le Christ, appelée nouvelle parce qu'elle promet le royaume des cieux, Augustin voit dans cette succession le schéma »psychique-spirituel«: »Il fallait suivre cet ordre, de même qu'en chaque homme qui progresse vers Dieu se réalise ce que dit l'apôtre: ›Ce qui est d'abord, ce n'est pas ce qui est spirituel, mais ce qui est animal, puis ce qui est spirituel‹; car il est dit en vérité: ›Le premier homme, de la terre, est terrestre; le second homme est du ciel‹« (*Civ. Dei* XVIII, 11 = *Oeuvres* 36 p. 513).

[25] Cf N. Merlin *Saint Augustin et les dogmes du péché originel et de la grâce*, Paris, 1931.

tons l'image de l'homme terrestre par la transmission de la désobéissance et de la mort qu'opère en nous la génération. Mais nous revêtons l'image de l'homme céleste par la grâce du pardon et de la vie éternelle que nous procure la régénération par l'unique Médiateur, l'homme Jésus-Christ. C'est lui que l'Apôtre veut désigner par l'homme céleste, parce qu'il est venu du ciel pour revêtir un corps mortel et terrestre qu'il devait revêtir de l'immortalité céleste. S'il appelle aussi ›célestes‹ les autres hommes, c'est qu'ils deviennent ses membres par la grâce, pour ne former qu'un seul Christ avec lui comme le corps et la tête«[26]. Mais pour Augustin comme pour Paul, »porter l'image du céleste«, c'est revêtir le corps spirituel et c'est par conséquent une réalité qui ne se réalisera qu'à la résurrection. Ce qui surprend, c'est qu'Augustin lise pour ce verset le même texte que nombre de ses prédécesseurs: »portemus«[27] et que pourtant, il n'en fasse pas comme eux une exhortation à vivre selon la volonté de Dieu. Porter l'image du céleste, ce n'est pas pour lui vivre en chrétien, mais c'est être revêtu du corps spirituel à la résurrection. Malgré un texte qui aurait pu le conduire sur une autre voie d'interprétation, Augustin a maintenu ici comme ailleurs cette opposition fondamentale dans le passage de l'apôtre entre création et résurrection. Il le dit explicitement, à propos de ce même verset 49, dans le *De Trinitate*:

»›De même que nous avons porté l'image de l'homme terrestre, portons aussi l'image de celui qui vient du ciel‹: paroles écrites pour que nous tenions avec une foi sincère et une espérance ferme et assurée que, nous qui avons été mortels selon Adam, nous serons immortels selon le Christ. Ainsi, dès maintenant, nous pouvons porter cette même image, pas encore dans la vision, mais dans la foi; pas encore en fait, mais en espérance. Car c'est bien de la résurrection des corps que parlait l'Apôtre, quand il disait ces mots«[28].

---

[26] *Civ. Dei* XIII, 23 (*Oeuvres* 35 pp. 323/25).

[27] Dans le texte cité ici, Augustin cite ainsi le v. 49: »Et quo modo induimus imaginem terreni, induamus et imaginem eius, qui de caelo est.« Ailleurs, par exemple dans *De Trinitate* XIV, 18, 24 ou dans le *De moribus ecclesiae catholicae* XIX, 36 l'auteur donne le texte auquel nous sommes habitués: »Sicut portavimus imaginem terreni, portemus et imaginem caelestis.«

[28] *De Trinitate* XIV, 18, 24 (*Oeuvres* 16 p. 413). Dans *Civ. Dei* XIII, 23 (*Oeuvres* 35 p. 323) Augustin dit dans le même sens que »revêtir le Christ« (Gal. 3, 27) est une réalité qui »ne sera accomplie en nous qu'au jour où ce qui est animal par la naissance sera devenu spirituel par la résurrection«. L'auteur se rattache cependant à l'interprétation de ses prédécesseurs dans le *De moribus eccl. cathol.* XIX, 36 (*Oeuvres* 1 p. 193) où, à propos de 1. Cor. 15, 49, il exhorte ses lecteurs à dépouiller le vieil homme et à revêtir l'homme nouveau; cf encore *Contra Fortunatum* 22 (*Oeuvres* 17 p. 179): »(...) tant que nous portons ›l'image de l'homme terrestre‹, c'est-à-dire tant que nous vivons selon la chair, qui est

Si nous nous tournons maintenant vers l'exégèse qu'Augustin donne du texte: »Tel l'homme terrestre, tels aussi les terrestres«, nous retrouvons la même vision de l'économie divine en deux étapes. Augustin se refuse — avec raison — à identifier »terrestre« et »pécheur«. Il s'exprime à ce sujet avec une clarté que nous n'avons encore pas rencontrée chez les auteurs étudiés jusqu'ici:

»Gardons-nous donc de croire qu'à la résurrection nous aurons un corps identique à celui du premier homme avant le péché. Et cette parole: ›Tel l'homme terrestre, tels aussi les terrestres‹, ne doit pas non plus s'entendre de l'état produit par le péché. Car il ne faut pas s'imaginer qu'avant le péché le corps de l'homme était spirituel et qu'en raison du péché il a été transformé en corps animal. L'admettre serait prêter peu d'attention aux paroles d'un si grand Docteur: ›S'il y a un corps animal, il y a aussi un corps spirituel; comme il est écrit: Le premier homme Adam a été fait en âme vivante‹. Cela s'est-il donc fait après le péché, alors que telle est la première condition de l'homme à propos de laquelle le bienheureux Paul, pour expliquer le corps animal, fait appel à ce témoignage de la Loi?«[29]

Cela signifie — et Augustin le précise[30], parce que cela n'était pas admis de tous — que le souffle que Dieu a insufflé dans les narines du premier homme était un principe de vie, une âme, et non le Saint-Esprit. Ce dernier n'est donné qu'au baptême et il doit animer ce qui sera, à la résurrection, le corps spirituel.

Cette exégèse d'Augustin s'oppose radicalement à ce que nous avons trouvé chez Origène, chez Grégoire de Naziance ou chez Grégoire de Nysse pour lesquels le corps terrestre, animal, est lié à la transgression du premier homme qui, avant la faute avait un corps éthéré, immortel, incorruptible ou, selon Origène, n'avait même pas de corps avant que les âmes ne tombent de leur condition originelle dans le domaine de la matière, à la suite de leur désobéissance. L'interprétation d'Augustin nous paraît pertinente, c'est-à-dire parfaitement paulinienne. Mais, on s'en doute, elle pose un certain nombre de problèmes — qu'Augustin est d'ailleurs le premier à avoir posés de façon claire et précise. Ces problèmes, il les examine en détail dans le *De Genesi ad litteram.*

Après avoir montré une nouvelle fois qu'Adam a bien été créé avec un corps animal[31], Augustin met en évidence deux difficultés

---

aussi nommée le vieil homme, nous sommes sous l'emprise de notre habitude, de telle sorte que nous ne faisons pas ce que nous voulons.«

[29] *Civ. Dei* XIII, 23 *(Oeuvres* 35 p. 325).

[30] *Ibid.* XIII, 24 (p. 327–41).

[31] *De Gen. ad litteram* Livre VI, XIX, 30 (*Oeuvres* 48 p. 493). Augustin dit très justement que pour parler du corps animal, Paul ne se réfère ni à son propre corps, ni à celui des hommes en général, mais au passage de l'Ecriture qui invoque la création d'Adam. »Que dire de plus? Nous portons donc l'image

que présente cette thèse; la première concerne la rénovation. Comment parler de rénovation si les hommes, à la résurrection, ont une condition supérieure à celle qu'Adam a connue avant le péché[32]? La seconde difficulté touche au problème de la mort: comment la mort peut-elle être le salaire du péché, si Adam a été créé — avant le péché — dans un corps animal et donc mortel[33]?

On admirera le sens dialectique d'Augustin dans la solution qu'il propose pour résoudre ces deux difficultés. Comment comprendre la rénovation de l'homme s'il ne redevient pas à la résurrection ce qu'il était lors de la création? Augustin répond: en un sens, nous redevenons à la résurrection ce que nous étions au commencement, et en un autre sens, nous serons différents de ce que nous étions:

»Nous ne recouvrons pas l'immortalité d'un corps spirituel que l'homme ne possédait pas encore; mais nous recouvrons la justice de laquelle l'homme est déchu par le péché«[34].

L'homme retrouvera l'image de Dieu qu'Adam a perdue par le péché. Mais de plus, il sera renouvelé dans son corps qui, d'animal, deviendra spirituel, »transformation qui n'était pas encore opérée en Adam, mais devait l'être, si par le péché il n'avait pas mérité la mort du corps, même animal«[35].

de l'homme céleste dès à présent par la foi, sûrs d'obtenir à la résurrection ce que nous croyons: quant à l'image de l'homme terrestre, nous l'avons revêtue dès l'origine du genre humain.«

[32] *Ibid.* »S'il a été créé corps animal, ce que nous recouvrerons, ce n'est pas la perfection perdue de ce corps, mais une perfection d'autant plus grande que le spirituel l'emporte sur l'animal, quand nous serons égaux aux anges de Dieu.« Augustin propose, pour la réfuter aussitôt, une solution (sans que l'on puisse savoir à quel auteur il fait allusion): l'homme aurait eu d'abord un corps animal, puis, lorsqu'il fut placé dans le paradis, il aurait été changé en corps spirituel, comme nous le serons à la résurrection, corps qu'il aurait ensuite perdu à cause de la transgression et qu'il retrouverait à la résurrection. Mais la Genèse ne dit rien de tout cela et, de plus, un corps spirituel au paradis n'aurait pas eu besoin de manger les fruits des arbres pour subsister (*Ibid.* VI, XX, 31 et XXI, 32 = *Oeuvres* 48 pp. 495/97).

[33] *Ibid.* VI, XXI, 32 (p. 497): »Comment donc était-il mortel, s'il ne devait pas mourir? ou comment n'était-il pas mortel, s'il avait un corps animal?« Au § 33, l'auteur précise qu'il s'agit bien, dans le salaire du péché, de la mort physique, et non de la mort de l'âme. La difficulté reste donc entière, car cela signifie que si Adam n'avait pas péché, son corps n'aurait pas été touché par la mort; et pourtant, ce corps était animal! Pour résoudre ce problème, Augustin répétera ce qu'il a déjà indiqué dans »La Cité de Dieu«, à savoir que par son obéissance, l'homme aurait pu (et dû) passer du corps animal au corps spirituel: »le corps pouvait être, avant le péché, un corps animal et devenir, après une vie sainte, un corps spirituel, quand il plairait à Dieu« (*De Gen. ad litteram* VI, XXIII, 34 = p. 499).

[34] *Ibid.* VI, XXIV, 35 (p. 499).

[35] *Ibid.* (p. 501). Cf aussi VI, XXVII, 37: »Nous sommes donc renouvelés en

Quant au problème de la mort, Augustin le résout en introduisant la distinction entre la possibilité de ne pas mourir et l'impossibilité de mourir. Paul en effet ne dit pas, dans Rom. 8, 10, que le corps est mortel en raison du péché, mais que le corps *est mort* à cause du péché. Cela signifie que le corps d'Adam pouvait très bien être mortel — et il l'était, puisqu'il était animal — mais ne pas mourir. C'est ce qui serait arrivé si Adam avait persévéré dans l'obéissance. Le péché l'a soumis à la mort en l'éloignant de l'arbre de Vie. Pour Adam, l'immortalité était donc liée non à la constitution de son corps, mais à son obéissance:

»Il devait ce privilège à l'arbre de vie, non à sa constitution naturelle: arbre dont il fut éloigné par le péché, afin qu'il pût mourir, lui qui, s'il n'avait pas péché, aurait pu ne pas mourir. Il était donc mortel par la condition de son corps, immortel par le bienfait du Créateur. Si en effet son corps était un corps animal, il était assurément mortel, car il pouvait aussi mourir; mais en même temps immortel, car il pouvait aussi ne pas mourir. Seul en effet sera immortel, en ce sens qu'il ne pourra absolument pas mourir, le corps spirituel qui nous est promis dans l'avenir au jour de la résurrection. Ainsi donc, ce corps animal et par là-même mortel, qui, à raison de la justice, serait devenu spirituel et donc tout à fait immortel, est devenu, à raison du péché, non pas mortel — ce qu'il était déjà auparavant, — mais mort, ce qui aurait pu ne pas advenir, si l'homme n'avait pas péché«[36].

Depuis Adam les hommes portent donc un corps animal, mais ce corps est inférieur à celui d'Adam. En effet, si ce dernier, bien qu'animal, avait la possibilité de ne pas mourir, comme l'a montré Augustin, notre corps, lui, n'a plus cette possibilité: même si nous vivons saintement, notre corps doit désormais passer par la mort pour pouvoir être renouvelé et devenir, à la résurrection un corps spirituel[37].

L'exégèse d'Augustin, comme nous l'avons déjà souligné, nous semble rendre parfaitement compte de l'intention exprimée par l'apôtre Paul dans les antithèses de 1 Cor. 15, 42—44. Il a fait ressortir l'opposition entre la création et la résurrection comme aucun Père ne l'avait fait avant lui. De plus, il y a chez lui le souci de répondre aux difficiles questions que peut poser une telle interprétation du texte paulinien relativement au problème de l'immortalité du premier Adam et à la portée du châtiment consécutif au péché[38]. A

ce qu'Adam a perdu, c'est-à-dire dans l'esprit de notre âme; en notre corps par contre, qui est semé corps animal et ressuscitera spirituel, nous serons renouvelés en quelque chose de meilleur, qui ne fut pas encore le partage d'Adam« (p. 505).

[36] *Ibid.* VI, XXV, 36 (p. 501/503). [37] *Ibid.* VI, XXVI, 37 (p. 503).

[38] Cf A. Vanneste »Saint Paul et la doctrine augustinienne du péché origi-

notre connaissance, on ne pourra pas aller plus loin dans l'exégèse de 1 Cor. 15, 35–49: tout a été dit avec Augustin et c'est pourquoi nous pensons qu'il est légitime de mettre ici un terme à notre recherche d'histoire de l'exégèse[39].

nel«, in: *Studiorum Paulinorum Congressus Internationalis Catholicus 1961* (AnBibl. 17–18), Rome, pp. 513–22.

[39] Cette thèse devrait bien sûr être démontrée. Il faudrait pour cela faire l'histoire de l'exégèse de 1 Cor. 15, 35–49 jusqu'à nos jours ... Nous ne pouvons pas le faire dans le cadre de ce travail, mais nous renvoyons le lecteur à la première partie de ce travail, qui fait largement appel à l'exégèse contemporaine de 1 Cor. 15, 35–49.

CONCLUSION

En conclusion de ce morceau d'histoire de l'exégèse de 1 Cor. 15, 35—49, interrogeons-nous sur la manière de regrouper en »familles« les diverses interprétations que nous avons inventoriées. On peut penser à des regroupements d'ordre géographique, de lecture grammaticale ou encore de considération anthropologique.

Un regroupement *géographique* pourrait-il opposer les commentateurs orientaux et occidentaux? En effet, les Orientaux pourraient insister plus volontiers sur la nouveauté du corps spirituel comparé au corps charnel, alors que les Occidentaux souligneraient la continuité entre le corps »de cette mort« et le corps de résurrection.

Mais à y regarder de près, les deux fronts apologétiques ne s'opposent nullement. On trouve des défenseurs de la résurrection de la chair, aussi bien chez les Grecs que chez les Latins — il suffit de penser à Méthode, Didyme, Grégoire de Nysse, Chrysostome et Théodoret de Cyr. Inversement, les Latins font tout aussi fermement l'apologie du »corps spirituel« que les Grecs — on citera ici Irénée, Tertullien, Jérôme et Augustin.

Les fronts apologétiques ne s'opposent donc pas sur ce point, et ceci pour une *raison* qui transparaît clairement ici et là: en Occident, comme en Orient, on raisonne en fonction d'une même référence aux récits de l'Evangile de Jean présentant le Christ ressuscité comme revêtu d'un corps spirituel échappant aux lois physiques (il passe les murailles et portes fermées, apparaît et disparaît à sa guise), mais en même temps ce corps porte les marques des clous de la croix et la blessure faite par la lance du soldat. Cette image du Christ johannique permettait de marier les deux représentations: celle de la résurrection de la chair, et celle du »revêtement« du corps spirituel.

Un regroupement de *lecture grammaticale* aurait pu opposer les auteurs qui lisent au v. 49 le verbe au présent du subjonctif (»portons l'image du céleste«) et ceux qui suivent la variante au futur (»nous porterons l'image du céleste«). Clément d'Alexandrie, Tertullien, Origène, Cyrille, Théodoret de Cyr (ce dernier connaît les deux leçons et opte pour la version au futur) interprètent cette référence à »l'image du céleste« comme s'il s'agissait du corps de résurrection.

Ceux parmi les Pères qui lisent le verbe au présent en font un impératif, et exhortent les chrétiens à marcher selon l'Esprit, dans l'espérance d'être revêtus, au jour de la résurrection, d'un corps spirituel. On le voit, ici non plus, la différence de lecture grammaticale n'a pas entraîné d'opposition doctrinale.

La *raison* de cette harmonisation des lectures différentes est, ici aussi, évidente et simple. En mettant l'accent sur le rôle joué par l'Esprit dans le processus de transformation du corps psychique en corps spirituel, en affirmant que le corps est libéré de l'asservissement des passions par l'Esprit, qui le rend, de plus, subtil, léger et glorieux, les défenseurs de la résurrection de la chair rejoignent les »spiritualistes«. Ceux-ci (que l'on songe à Clément d'Alexandrie et Origène) s'opposent, il est vrai, à toute compréhension immédiatement objectivante de la résurrection des morts au dernier jour, mais ils n'en affirment pas moins que le corps »spirituel« est bien un corps, alors même qu'il n'est en rien semblable au corps »terrestre«.

On peut mesurer, une nouvelle fois, la distance qui sépare cette compréhension chrétienne de la résurrection des morts (doublée de l'affirmation qu'un corps nouveau, spirituel, remplace le corps terrestre) de la conception juive à laquelle elle remonte historiquement.

La diversité des commentaires des Pères et la divergence de leurs lectures n'a, en fait, conduit à une opposition doctrinale importante que sur un seul point: celui de *l'opposition entre le corps psychique et le corps spirituel*, l'argument central du texte paulinien dont nous avons examiné les commentaires.

Saint Irénée fut le premier commentateur de 1 Cor. 15, 35–49 à mettre en lumière l'intention de l'apôtre. En effet, malgré la question du v. 36 »avec quel corps ressuscite-t-on?«, saint Paul ne vise pas, dans ce texte, à décrire avec force détails le corps spirituel. Pour lui, le corps de résurrection sera un corps transformé, si on le compare au corps terrestre; ce sera une création nouvelle; un corps qui ne pourra plus être détruit, mais qui sera adapté aux conditions de vie des ressuscités, remplacera »notre corps de misère«. Et ces précisions sont suffisantes. Elles permettent de réfuter la thèse des spiritualistes de Corinthe, car si c'est avec un tel corps que les hommes ressuscitent, alors la résurrection ne peut pas avoir déjà eu lieu. Quel que soit le degré de spiritualité que les Corinthiens aient atteint, ils sont encore psychiques au niveau de leurs corps et c'est ce qui les distingue encore de l'état auquel les ressuscités parviendront.

Rejoignant saint Paul, Irénée met les deux »corps« en rapport avec des périodes différentes de l'économie divine. Pour le corps spirituel, pas de problème: l'apôtre enseigne clairement qu'il appartient à l'économie du »dernier« jour. Mais le corps psychique? Est-il une donnée anthropologique pré- ou post-lapsaire?

Clément d'Alexandrie, Athanase, Didyme, Basile, Chrysostome, Théodore de Mopsueste, l'Ambrosiaster et Augustin pensent que le corps psychique relève de l'ordre créationnel pré-lapsaire. Tertullien, Pélage, Origène, Méthode et Severian de Gabala optent pour l'avis contraire: le corps psychique relève de l'économie divine post-lapsaire.

On sait tout ce que recouvre une distinction en apparence gratuite et byzantine: qui reconnaît au corps psychique une réalité pré-lapsaire en fait une valeur anthropologique positive, constitutive de la personnalité humaine, même après la rédemption. Qui fait du corps psychique une conséquence du péché (une donnée post-lapsaire) porte sur lui un jugement négatif et en fait une donnée anthropologique non chrétienne.

La querelle théologique que nous évoquons ici est passée du plan anthropologique au plan christologique, lorsque s'affrontèrent les partisans de saint Thomas et les disciples de Duns Scot au sujet des motifs de l'incarnation. L'argument – bien que dépassant le cadre de notre travail – mérite d'être rappelé. Duns Scot fait du corps psychique une donnée anthropologique pré-lapsaire. Il en déduit que, dans l'économie divine, le passage du corps psychique au corps spirituel devait avoir lieu, même sans l'accident de la chute d'Adam, et que le Christ était prédestiné à réaliser ce passage. D'où l'on conclut que le Christ aurait été fait homme même si Adam n'avait pas entraîné par sa désobéissance toute l'humanité dans la perdition.

Pour les partisans de saint Thomas par contre, le corps psychique est un fruit de la chute et le Christ s'est fait homme pour libérer l'homme de la servitude de son être psychique. D'où l'on tire par la magie de l'argument logique que, sans la chute d'Adam, il n'y aurait pas eu d'incarnation, puisqu'il n'y aurait pas eu de corps psychique. C'est une chose curieuse de voir des spéculations anthropologiques décider d'une thèse christologique aussi capitale.

Si on s'interroge enfin sur *l'apport de l'exégèse patristique* de 1 Cor. 15, 35–49, on constate qu'avec les moyens d'approche du texte scripturaire dont ils disposaient, les Pères sont parvenus à dégager l'essentiel des versets de l'apôtre qui nous ont occupé dans ce travail: plusieurs ont noté que l'antithèse du corps psychique et du corps spirituel illustrait deux étapes de l'économie divine.

Cependant l'exégète moderne, rompu aux exigences de la méthode historico-critique, ne manque pas d'être frappé par la simplicité de l'approche patristique du texte scripturaire. C'est pourquoi il y aurait lieu de faire, maintenant, une herméneutique des interprétations que les Pères ont données du texte paulinien. Cette étude n'est plus du ressort de l'historien, dont la tâche se limite à fournir à l'herméneute et au dogmaticien les matériaux dont ils ont besoin.

Puisse la documentation rassemblée et analysée ici être utile à l'un comme à l'autre!

OUVRAGES CITÉS

A. *Textes et traductions*

Papyri Graecae Magicae, ed. K. Preisendanz, Leipzig, 1928 ss.
Die Apokryphen und Pseudepigraphen des Alten Testaments, ed. E. Kautzsch, 2 vol., Tübingen, 1900
Apocalypse syriaque de Baruch. Introduction, traduction du syriaque et commentaire par P. Bogaert (SC 144–145), Paris, 1969
Le Livre des Secrets d'Hénoch. Texte slave et traduction française par A. Vaillant (Textes publiés par l'Institut d'Etudes slaves IV), Paris, 1952
Ascension d'Isaïe. Traduction de la version éthiopienne avec les principales variantes des versions grecque, latine et slave. Introduction et notes par E. Tisserant (Documents pour l'Etude de la Bible), Paris, 1909
The Ascension of Isaiah. Translated from the Ethiopic version, which, together with the New Greek fragment, the Latin version and the Latin translation of the Slavonic, is here published in full. Ed. with introduction, notes and indices by R. H. Charles, London, 1900
The Fourth Book of Ezra. The Latin version edited from Mss by R. L. Bensly, with introduction by Montague Rhodes James (*TSt* III/2), Cambridge, 1895
Neutestamentliche Apokryphen in deutscher Übersetzung, ed. Hennecke-Schneemelcher, 2 vol., I Evangelien, 4. Aufl., Tübingen, 1968; II Apostolisches und Verwandtes, 3. Aufl., Tübingen, 1964
Kommentar zum NT aus Talmud und Midrash, ed. Strack-Billerbeck, 6 vol., München, 1922 ss.
Le Talmud de Jérusalem, traduction française par Moïse Schwab, 6 vol., Paris, 1960 ss.
The Babylonian Talmud, ed. I. Epstein, 18 vol., London, 1961 ss.
Die Agada der Tannaïten, ed. W. Bacher, 2 vol., Strasbourg, 1884/1890 (réimp. 1965/1966)
Textes rabbiniques des deux premiers siècles pour servir à l'intelligence du Nouveau Testament, par J. Bonsirven, Rome, 1955
Philon d'Alexandrie *De Opificio Mundi*. Introduction, traduction et notes par R. Arnaldez (Ed. de l'Université de Lyon 1), Paris, 1961
– *De Gigantibus. Quod Deus sit immutabilis*. Introduction, traduction et notes par A. Mosès (Ed. de l'Université de Lyon 7–8), Paris, 1963
– *Legum Allegoriae I–III*. Introduction, traduction et notes par C. Mondésert (Ed. de l'Université de Lyon 2), Paris, 1962
Stoicorum Veterum Fragmenta collegit Joannes Ab Arnim (Sammlung wissenschaftlicher Commentare), 4 vol., Stuttgart, 1968 (editio stereotypa editionis primae 1903–24)
Epictète *Entretiens*. Texte établi et traduit par J. Souilhé (Budé), 4 vol., Paris, 1948 ss.
Eusèbe de Césarée *Histoire ecclésiastique*. Texte grec, traduction et notes par G. Bardy (SC 31, 41, 55, 73), 4 vol., Paris, 1952–60

Pauluskommentare aus der griechischen Kirche. Aus Katenenhandschriften gesammelt und herausgegeben von K. Staab (NTA 15), Münster, 1933

Die Apostolischen Väter I (Neubearbeitung der Funkschen Ausgabe von K. Bihlmeyer), 2. Aufl., mit einem Nachtrag von W. Schneemelcher, Tübingen, 1956

Les Pères apostoliques. Texte grec, traduction française, introduction et index (coll. Hemmer et Lejay), 4 vol., Paris, 1907–12

Epître de Barnabé. Introduction, traduction et notes par P. Prigent. Texte grec établi et présenté par R. A. Kraft (SC 172), Paris, 1971

Clément de Rome *Epître aux Corinthiens.* Introduction, texte, traduction, notes et index par A. Jaubert (SC 167), Paris, 1971

Hermas *Le Pasteur.* Introduction, texte critique, traduction et notes par R. Joly (SC 53), Paris, 1958

Ignace d'Antioche *Lettres.* Introduction, traduction et notes (SC 10), Paris, 1945

Die ältesten Apologeten. Texte mit kurzen Einleitungen, herausgegeben von E. J. Goodspeed, Göttingen, 1914

Zwei Griechische Apologeten, von J. Geffcken (Sammlung wissenschaftlicher Kommentare zu griechischen und römischen Schriftstellern), Leipzig und Berlin, 1907

Fragmente vornicänischer Kirchenväter aus den Sacra Parallela, ed. K. Holl (TU NF V/2), Leipzig, 1899

S. Justini Philosophi et Martyris Opera, ed. J. C. Th. Otto, 3 vol., Jena, 1842–47

Iustinus Philosophus et Martyr, ed. J. C. Th. Otto (Corpus Apologetarum Christianorum Saeculi secundi I–V), Jena, ²1847, ²1848, ²1849, 1846, 1847

Tatiani Oratio ad Graecos, recensuit Ed. Schwartz (TU 4,1), Leipzig, 1888

Athenagorae Libellus pro Christianis. Oratio de Resurrectione cadaverum, recensuit Ed. Schwartz (TU 4,2), Leipzig, 1891

Athénagore *Supplique au sujet des chrétiens.* Introduction et traduction de G. Bardy (SC 3), Paris, 1943

Die Schriften des christlichen Philosophen Athenagoras aus Athen. Aus dem Urtexte übersetzt, eingeleitet und erläutert von Priester Aloys Bieringer (BKV), Kempten, 1875

Théophile d'Antioche *Trois Livres à Autolycus,* traduction de J. Sander, introduction et notes de G. Bardy (SC 20), Paris, 1948

A Diognète. Introduction, édition critique, traduction et commentaire de H. I. Marrou (SC 33 bis) 2e éd. revue et augmentée, Paris, 1965

Méliton de Sardes *Sur la Pâque* (et fragments). Introduction, texte critique, traduction et notes par O. Perler (SC 123), Paris, 1966

Koptisch-Gnostische Schriften I: Die Pistis Sophia. Die beiden Bücher des Jeû. Unbekanntes altgnostisches Werk, ed. C. Schmidt (GCS 45), 2. Aufl., Berlin, 1954

Quellen zur Geschichte der christlichen Gnosis, von W. Völker (SQS 5), Tübingen, 1932

De Resurrectione (Epistula ad Rhegnium). Codex Jung F. XXIIr – F. XXVv (p. 43–50), ediderunt M. Malinine, H. Ch. Puech, G. Quispel W. Till, adiuvantibus R. McL. Wilson et J. Zandee, Zürich et Stuttgart, 1963

Ptolémée *Lettre à Flora.* Texte, traduction et introduction de G. Quispel (SC 24), Paris, 1949

Sancti Irenaei Episcopi Lugdunensis Libros quinque adversus Haereses, ed. W. Harvey, 2 vol., Cambridge, 1857

Irénée de Lyon *Contre les Hérésies.* Mise en lumière et réfutation de la prétendue »connaissance«. Livre III. Texte latin, fragments grecs. Introduction, traduction et notes de F. Sagnard. Edition critique (SC 34), Paris, 1952

– *Contre les Hérésies.* Livre IV. Edition critique d'après les versions arméniennes et latines sous la direction de A. Rousseau, avec la collaboration de B. Hemmerdinger, L. Doutreleau, C. Mercier (SC 100), 2 vol., Paris, 1965
– *Démonstration de la Prédication apostolique.* Nouvelle traduction de l'arménien avec introduction et notes par L. M. Froidevaux (SC 62), Paris, 1959
Clemens Alexandrinus I: Protrepticus und Paedagogus, ed. O. Stählin (GCS), Leipzig, 1905
Clemens Alexandrinus II: Stromata Buch I–VI, ed. O. Stählin (GCS 15), Leipzig, 1906
Clemens Alexandrinus III: Stromata Buch VII–VIII. Excerpta ex Theodoto. Eclogae propheticae. Quis dives salvetur. Fragmente, ed. O. Stählin (GCS 17), Leipzig, 1909
Clemens Alexandrinus IV: Register, ed. O. Stählin (GCS 39), Leipzig, 1936
Clément d'Alexandrie *Le Pédagogue.* Livre I. Texte grec, introduction et notes de H. I. Marrou. Traduction de M. Harl (SC 70), Paris, 1960
– *Le Pédagogue.* Livre II. Texte grec, traduction de C. Mondésert. Notes de H. I. Marrou (SC 108), Paris, 1965
– *Le Pédagogue.* Livre III. Texte grec. Traduction de C. Mondésert et Ch. Matray. Notes de H. I. Marrou. Indices des Livres I–III (SC 158), Paris, 1970
– *Les Stromates.* Stromate I. Introduction de C. Mondésert. Traduction et notes de M. Caster (SC 30), Paris, 1951
– *Les Stromates.* Stromate II. Introduction et notes de P. Th. Camelot. Texte grec et traduction de C. Mondésert (SC 38), Paris, 1954
– *Extraits de Théodote.* Texte grec, introduction, traduction et notes de F. Sagnard (SC 23), Paris, 1948 (réimp. 1970)
The Excerpta ex Theodoto of Clement of Alexandria, edited with translation, introduction and notes by R. P. Casey (StD 1), London, 1934
Origenis Opera Omnia, ed. C. H. E. Lommatzsch, 25 vol., Berlin, 1932 ss.
Origenes Werke (GCS), 12 vol., Leipzig, 1899 ss.
Origène *Homélies sur saint Luc.* Texte latin et fragments grecs. Introduction, traduction et notes par H. Crouzel, F. Fournier, P. Périchon (SC 87), Paris, 1962
Origène *Contre Celse.* Introduction, texte, traduction et notes par M. Borret (SC 132, 136, 147, 150), 4 vol., Paris, 1967–69
– *Sur Jonas.* Introduction, texte latin, traduction et notes de Dom Paul Antin (SC 43), Paris, 1956
– *Homélies sur les Nombres.* Introduction et traduction de A. Méhat (SC 29), Paris, 1951
– *Entretien d'Origène avec Héraclide.* Introduction, texte, traduction et notes de J. Scherer (SC 67), Paris, 1960
– *Commentaire sur saint Jean.* Tome 1 (Livres I–V). Texte grec, avant-propos, traduction et notes par C. Blanc (SC 120), Paris, 1966
– *Homélies sur Josué.* Introduction, texte, traduction et notes par A. Jaubert (SC 71), Paris, 1960
– *Homélies sur la Genèse.* Introduction de H. de Lubac, traduction de L. Doutreleau (SC 7), Paris, 1944
– »Origen on I Corinthians«, ed. Cl. Jenkins, *JThS* IX (1907/08), 231–247; 353–372; 500–514; X (1908/09), 29–51
Methodius, ed. G. N. Bonwetsch (GCS 27), Leipzig, 1927
Le De Autexusio de Méthode d'Olympe. Version slave et texte grec édités et traduits en français par A. Vaillant (PO 22/5), Paris, 1930, pp. 629–888
Méthode d'Olympe *Du libre-arbitre.* Traduction précédée d'une introduction sur les questions de l'origine du monde, du libre-arbitre et du problème du mal

dans la pensée grecque, judaïque et chrétienne avant Méthode, par J. Farges (BaPh), Paris, 1929
- *Le Banquet.* Introduction et texte critique par H. Mursillo. Traduction et notes par V. H. Debitur (SC 95), Paris, 1963

Methodius von Olympus I. Schriften, ed. G. N. Bonwetsch, Erlangen und Leipzig, 1891

Quinti Septimi Florentis Tertulliani Opera (CCL 1–2), 2 vol., Turnhout, 1954

Tertullien *De Anima*, ed. with introduction and commentary by J. H. Waszink, Amsterdam, 1947

Tertullianus *De Carne Christi Liber.* Tertullian's Treatise On the Incarnation. The Text edited with an introduction, translation and commentary by E. Evans, London, 1956

Tertullian's Treatise on the Resurrection. The Text edited with an introduction, translation and commentary by E. Evans, London, 1960

Hippolytus Werke I. Exegetische und Homiletische Schriften, ed. G. N. Bonwetsch und H. Achelis (GCS), Leipzig, 1897

Hippolytus Werke III. Refutatio omnium Haeresium, ed. P. Wendland (GCS 26), Leipzig, 1916

Hippolyte *Homélies pascales I.* Une homélie inspirée du Traité sur la Pâque d'Hippolyte. Etude, édition et traduction par P. Nautin (SC 27), Paris, 1950
- *Commentaire sur Daniel.* Introduction de G. Bardy. Texte établi et traduit par M. Lefèvre (SC 14), Paris, 1947

S. Thasci Caecili Cypriani Opera Omnia, recensuit et commentario critico instruxit G. Hartel (CSEL III, 1–3), 3 vol., Vindobonae, 1868–71

Saint Cyprien *Correspondance.* Texte établi et traduit par le chanoine Bayard (Budé), 2 vol., Paris, 1925

Didymi Alexandrini in Epistulas canonicas brevis ennaratio (NTA 4/1), Münster, 1914

Didyme l'Aveugle *Sur Zacharie.* Texte inédit d'après un papyrus de Toura. Introduction, texte critique, traduction et notes de L. Doutreleau (SC 83–85), 3 vol., Paris, 1962

Didymos der Blinde *Kommentar zum Ecclesiastes* (Tura-Papyrus). Lage 1 (EcclT 1–16), Köln, 1965; Lage 22–23 (EcclT 337–368), Köln, 1965; Band III (EcclT 145, 1–196, 10) (PTA 13), Bonn, 1970; Band VI (EcclT 316–362) (PTA 7), Bonn, 1969
- *Psalmenkommentar* (Tura-Papyrus). Band I (PsT 1–56), hg. u. übers. von L. Doutreleau, A. Gesché u. M. Gronewald (PTA 4), Bonn, 1969; Band II (PsT 57–112), hg. u. übers. von M. Gronewald (PTA 4), Bonn, 1968; Band III (PsT 129–230), hg. u. übers. in Verbindung mit A. Gesché von M. Gronewald (PTA 8), Bonn, 1969; Band IV (PsT 230–90), hg. u. übers. von M. Gronewald (PTA 6), Bonn, 1969; Band V (PsT 290–338; Nachtrag 247 u. 250), hg. u. übers. von M. Gronewald (PTA 12), Bonn, 1970

Sancti Patris nostri Cyrilli Archiepiscopi Alexandrini in D. Joannis Evangelium. Accedunt fragmenta varia necnon tractatus ad Tiberium Diaconum Duo, ed. P. E. Pusey, 3 vol., Oxford, 1872

Cyrille d'Alexandrie *Deux dialogues christologiques.* Introduction, texte critique, traduction et notes par G. M. de Durand (SC 97), Paris, 1964

A Commentary upon the Gospel according to S. Luke, by S. Cyril, patriarch of Alexandria. Now first translated into english from an ancient syriac version, by R. Payne Smith, 2 vol., Oxford, 1859

Basile de Césarée *Traité du Saint-Esprit.* Introduction, traduction et notes par B. Pruche (SC 17), Paris, 1947

– *Homélies sur l'Hexaéméron.* Texte, introduction et traduction par St. Giet (SC 26), Paris, 1949 (réimp. avec supplément [SC 26 bis] – 1968)
– *Sur l'origine de l'homme* (Hom. X et XI de l'Hexaéméron). Introduction, texte critique, traduction et notes de A. Smets et M. van Esbroeck (SC 160), Paris, 1970
Saint Basile *Lettres.* Texte établi et traduit par Y. Courtonne (Budé), 3 vol., Paris, 1957/61/66
Grégoire de Naziance *Les Discours théologiques.* Traduits en français par P. Gallay (Les Grands Ecrivains chrétiens), Lyon–Paris, 1942
– *Lettres.* Texte établi et traduit par P. Gallay (Coll. des Universités de France), 2 vol., Paris, 1964 et 1967
Gregorii Nysseni Opera auxilio aliorum virorum doctorum edenda curavit W. Jaeger, 12 vol., Leiden, 1958 ss.
Neue Homilien des Makarius/Symeon I. Aus Typus III, herausgegeben von E. Klostermann und H. Berthold (TU 72), Berlin, 1961
Die 50 geistlichen Homilien des Makarios, herausgegeben und erläutert von H. Dörries, E. Klostermann und M. Kroeger (PTS 4), Berlin, 1964
Jean Chrysostome *Oeuvres complètes de saint Jean Chrysostome,* traduites du grec en français par l'abbé Joly, 8 vol., Paris–Nancy, 1864
– *A Théodore.* Introduction, texte critique, traduction et notes par J. Dumortier (SC 117), Paris, 1966
Theodori Episcopi Mopsuesti in Epist. B. Pauli Commentarii, by H. B. Swete, 2 vol., Cambridge, 1880/82
Les Homélies catéchétiques de Théodore de Mopsueste. Reproduction phototypique du Ms. Mingara syr. 561. Traduction, introduction et index par R. Tonneau en collaboration avec R. Devreesse (StT 145), Vatican, 1949
Théodoret de Cyr *Discours sur la Providence.* Traduction avec introduction et notes par Y. Azéma, Paris, 1954
– *Correspondance.* Introduction, texte critique, traduction et notes par Y. Azéma (SC 40, 98, 111), 3 vol., Paris, 1955/64/65
Das Corpus Paulinum des Ambrosiaster, herausgegeben von H. J. Vogels (BBB 13), Bonn, 1957
Ambrosiastri qui dicitur Commentarius in Epistulas Paulinas, recensuit H. J. Vogels. Pars secunda: in Epistulas ad Corinthios (CSEL 81), Vindobonae, 1968
Pelagius's Expositions of Thirteen Epistles of St. Paul, by A. Souter (TSt IX/1–3), 3 vol., Cambridge, 1922/26/31
Oeuvres de saint Jérôme, publiées par B. de Matougues sous la direction de M. L. Aimé-Martin, Paris, 1841
S. Hieronymi, Opera pars I. Commentarii in Esaiam, ed. M. Adriaen. In Esaiam parvula adbrevatio, ed. G. Morin (CCL 73–73A), 2 vol., Turnhout, 1959
S. Hieronymi, Opera pars I. In Prophetas minores, ed. M. Adriaen (CCL 76–76A), 2 vol., Turnhout, 1959
S. Hieronymi, Opera pars II. Homiletica. Tractatus in Psalmos, in Marci Evangelium aliique tractatus varii, ed. B. Capelle et al. (CCL 78), Turnhout, 1958
Saint Jérôme *Lettres.* Texte établi et traduit par J. Labourt (Budé), 8 vol., Paris, 1949 ss.
Oeuvres de saint Augustin, ed. par F. Cayré. Texte latin de l'édition des Mauristes, introductions, traduction et notes (Bibl. august.), 85 vol., Paris, 1947 ss.

PS Il va de soi que, pour tous les auteurs, nous avons consulté la *Patrologie* de Migne. Nous y avons trouvé souvent des textes qui ne sont pas édités ailleurs, aussi bien pour les Grecs que pour les Latins. C'est pourquoi nous nous devons de la mentionner ici.

B. *Littérature secondaire*

Abel F. M. »Le Commentaire de saint Jérôme sur Isaïe«, *RB* 13 (1916), 200–25
– »Saint Jérôme et les prophéties messianiques«, *RB* 13 (1916), 423–40 et 14 (1917), 247–69
d'Alès A. *La théologie de saint Cyprien* (BThH), Paris, 1922
– *La théologie de saint Hippolyte* (BThH), Paris, 1906
Allo E. B. *Saint Paul. Première Epître aux Corinthiens* (Et.bibl.), Paris, 1934
Altaner B. *Précis de Patrologie*, adapté par H. Chirat, Mulhouse, 1961
Altermath F. »A. P. O'Hagan *Material Re-Creation in the Apostolic Fathers*«, *DLZ* 91 (1970), 149–152
– »The Purpose of the Incarnation according to Irenaeus«, in: *Studia Patristica* XIII (TU 116), Berlin, 1975, pp. 63–68
Althaus H. *Die Heilslehre des heiligen Gregor von Nazianz* (MBT 34), Münster, 1972
Archambault G. »Le témoignage de l'ancienne littérature chrétienne sur l'authenticité d'un Περὶ ἀναστάσεως attribué à Justin l'Apologiste«, *RPh* 29 (1905), 73–93
Bardy R. »La littérature patristique des ›Quaestiones et responsiones‹ sur l'Ecriture Sainte«, *RB* 41 (1932), 210–36; 341–69; 515–37; *RB* 42 (1933), 14–30; 211–229; 328–52
Bauer K. A. *Leiblichkeit – das Ende aller Werke Gottes.* Die Bedeutung der Leiblichkeit des Menschen bei Paulus (StNT 4), Gütersloh, 1971
Bauer W. *Griechisch-deutsches Wörterbuch zu den Schriften des Neuen Testaments und der übrigen urchristlichen Literatur*, 5. Aufl., Berlin, 1963
Benoit A. *Saint Irénée. Introduction à l'étude de sa théologie*, Paris, 1960
Blass F. – Debrunner A. *Grammatik des neutestamentlichen Griechisch*, 12. Aufl. (mit Erg.heft von D. Tabachowitz), Göttingen, 1965
Bobrinskoy B. »Liturgie et ecclésiologie trinitaire de saint Basile«, *Verbum Caro* 89 (1969), 1–32
Bohlin, T. *Die Theologie des Pelagius und ihre Genesis* (UUA 1957: 9), Uppsala–Wiesbaden, 1957
Bonnard P. *L'Evangile selon saint Matthieu* (CNT I), 2e éd., Neuchâtel–Paris, 1970
Bonsirven J. *Exégèse rabbinique et exégèse paulinienne* (BThH), Paris, 1939
Børresen K. E. »Augustin, interprète du dogme de la résurrection. Quelques aspects de son anthropologie dualiste«. *StTH* 23 (1969), 141–55
Bousset W. *Kyrios Christos.* Geschichte des Christusglaubens von den Anfängen des Christentums bis Irenäus (FRLANT NF 4), 2. Aufl., Göttingen, 1913 (réimp. 1967)
– *Jüdisch-Christlicher Schulbetrieb in Alexandria und Rom* (FRLANT NF 6), Göttingen, 1914
Brandenburger E. *Adam und Christus.* Exegetisch-religionsgeschichtliche Untersuchung zu Röm. 5, 12–21 (1. Kor. 15) (WMANT 7), Neukirchen, 1962
Braun H. »Das ›Stirb und werde‹ in der Antike und im Neuen Testament«, *Gesammelte Studien zum NT und seiner Umwelt*, 2. Aufl., Tübingen, 1967, pp. 136–58
van den Broek R. *The Myth of the Phoenix according to classical and early christian Traditions* (EPROER 24), Leiden, 1972
Bultmann R. *Theologie des Neuen Testaments*, 4. Aufl., Tübingen, 1961
– »Gnosis«, *JThS* NS III (1952), 10–26

– *Das Evangelium des Johannes* (Meyer II), 17. Aufl., Göttingen, 1962 (mit Erg.heft)
– »Karl Barth, ›Die Auferstehung der Toten‹«, *Glauben und Verstehen.* Gesammelte Aufsätze I, 5. Aufl., Tübingen, 1964, pp. 38–64
– »Ignatius und Paulus«, in: *Studia Paulina in honorem J. de Zwaan septuagenarii,* Haarlem, 1953, pp. 37–51 (= *Exegetica.* Aufsätze zur Erforschung des Neuen Testaments, Tübingen, 1967, pp. 400–411)
von Campenhausen H. *Griechische Kirchenväter* (UB 14), 4. Aufl., Stuttgart–Berlin–Köln–Mainz, 1967
Carrez M. *De la souffrance à la gloire.* De la ΔΟΞΑ dans la pensée paulinienne (Bibl.théol.), Neuchâtel–Paris, 1964
Cavallin H. C. C. *Life After Death.* Paul's Argument for the Resurrection of the Dead in 1 Cor. 15. Part 1: An Enquiry into the Jewish Background (CB. NT Series 7:1), Lund, 1974
Chadwick H. »Origen, Celsus, and the Stoa«, *JThS* 48 (1947), 34–49
– »Origen, Celsus, and the Resurrection of the Body«, *HThR* 41 (1948), 83–102
Chaine J. *Les Epîtres catholiques.* La seconde Epître de saint Pierre. Les Epîtres de saint Jean. L'Epître de saint Jude (Et.bibl.), 2e éd., Paris, 1939
Christou P. C. »L'enseignement de saint Basile sur le Saint-Esprit«, *Verbum Caro* 89 (1969), 86–99
Clavier H. »Brèves remarques sur la notion de σῶμα πνευματικόν«, in: *The Background of the NT and its Eschatology.* In honour of Ch. H. Dodd, Cambridge, 1956, pp. 342–62
Conzelmann H. *Die Apostelgeschichte* (Hdb.z.NT 7), Tübingen, 1963
– *Der erste Brief an die Korinther* (Meyer V), 11. Aufl., Göttingen, 1969
– *Grundriß der Theologie des Neuen Testaments* (Einführung in die evangelische Theologie 2), München, 1967
Cornélis H. »Les fondements cosmologiques de l'eschatologie d'Origène«, *RSPhTh* 43 (1959), 32–80 et 201–47
Courtonne Y. *Saint Basile et l'hellénisme.* Etude de la rencontre de la pensée chrétienne avec la sagesse antique dans l'Héxaéméron de Basile le Grand, Paris, 1934
Cullmann O. »La délivrance anticipée du corps humain d'après le Nouveau Testament«, *Des sources de l'Evangile à la formation de la théologie chrétienne* (Bibl.théol.), Neuchâtel–Paris, 1969, pp. 87–95
– »Immortalité de l'âme ou résurrection des morts?«, *Des sources de l'Evangile à la formation de la théologie chrétienne* (Bibl.théol.), Neuchâtel–Paris, 1969, pp. 149–71
– *Christ et le Temps.* Temps et Histoire dans le christianisme primitif (Bibl. théol.), 2e éd., Neuchâtel–Paris, 1966
Daniélou J. »Le traité ›Sur les enfants morts prématurément‹ de Grégoire de Nysse«, *VigChr* 20 (1966), 159–82
– »La résurrection des corps chez Grégoire de Nysse«, *VigChr* 7 (1953), 154–70
– *L'Etre et le Temps chez Grégoire de Nysse,* Leiden, 1970
Davies W. D. *Paul and Rabbinic Judaism.* Some Rabbinic Elements in Pauline Theology, London, 1955
Delius W. »Ps. Justin: ›Über die Auferstehung‹«, *ThViat* 4 (1952), 181–204
Devreesse R. »Anciens commentateurs grecs de l'Octateuque«, *RB* 44 (1935), 166–91
– »La méthode exégétique de Théodore de Mopsueste«, *RB* 53 (1946), 207–41
– Art. »Chaînes exégétiques grecques«, in: *Dictionnaire de la Bible.* Supplément publié sous la direction de L. Pirot, Paris, 1928, T. I col. 1084–1233

– *Essai sur Théodore de Mopsueste* (StT 141), Vatican, 1948
Dibelius O. »Studien zur Geschichte der Valentinianer«, *ZNW* 9 (1908), 230–47; 329–40
Diekamp F. »Über den Bischofssitz des hl. Märtyrs und Kirchenvaters Methodius«, *ThQ* 109 (1928), 285–308
Dom Diepen H. M. *Aux origines de l'anthropologie de saint Cyrille d'Alexandrie* (TETh), Bruges, 1957
Dupont J. *Gnosis.* La connaissance religieuse dans les Epîtres de saint Paul, Louvain–Paris, 1949
Eichrodt W. *Das Menschenverständnis des Alten Testaments* (AThANT 4), Zürich, 1947
van Eijk H. C. *La résurrection des morts chez les Pères apostoliques* (TH 25), Paris, 1974
Eltester F. W. *Eikon im Neuen Testament* (BZNW 23), Berlin, 1958
Elze M. *Tatian und seine Theologie* (FKDG 9), Göttingen, 1960
Esser H. H. »Thesen und Anmerkungen zum exegetischen Paulusverständnis des Pelagius«, in: *Studia Patristica* VII (TU 92), Berlin, 1966, pp. 443–461
Evans R. F. *Pelagius. Inquiries and Reappraisals,* London, 1968
de Faye, E. *Origène, sa vie, son œuvre, sa pensée* (Bibliothèque de l'Ecole des Hautes-Etudes, Sciences religieuses 37), 3 vol., Paris, 1923/1927/1928
Ferguson J. *Pelagius.* A Historical and Theological Study, Cambridge, 1956
Festugière A. J. »Notes sur les Extraits de Théodote de Clément d'Alexandrie et sur les fragments de Valentin«, *VigChr* 3 (1949), 193–207
– »De la ›doctrine‹ origéniste du corps glorieux sphéroïde«, *RSPhTh* 43 (1959), 81–86
Feuillet A. »La demeure céleste et la destinée des chrétiens. Exégèse de II Cor. V, 1–10 et contribution à l'étude des fondements de l'eschatologie paulinienne«, *RechSR* 44 (1956), 161–192 et 360–402
Frick R. *Die Geschichte des Reich-Gottes-Gedankens in der alten Kirche bis zu Origenes und Augustin* (BZNW 6), Gießen, 1928
Fuchs E. »Die Auferstehungsgewißheit nach 1. Korinther 15«, *Zum hermeneutischen Problem in der Theologie.* Gesammelte Aufsätze I, 2. Aufl., Tübingen, 1965, pp. 197–210
Gaïth J. *La conception de la liberté chez Grégoire de Nysse* (EPhM 43), Paris, 1953
v. Gebhardt O. *Der Arethascodex Paris. Gr. 451.* Zur Handschriften-Überlieferung der griechischen Apologeten (TU I/3), Leipzig, 1883, pp. 154–196
Godet F. *Commentaire sur la Première Epître aux Corinthiens,* 2 vol., 2e éd., Neuchâtel, 1965
Grant, R. M. »The Problem of Theophilius«, *HThR* 43 (1950), 179–196
– »Theophilius of Antioch to Autolycus«, *HThR* 40 (1947), 227–56
– »The Bible of Theophilius of Antioch«. *JBL* 66 (1947), 173–96
– »Athenagoras or Pseudo-Athenagoras«, *HThR* 47 (1954), 121–29
– »The Date of Tatians Oratio«, *HThR* 46 (1953), 99–101
– »The Heresy of Tatian«, *JThS* NS 5 (1954), 62–68
Gribomont J. »Le paulinisme de saint Basile«, in: *Studiorum Paulinorum Congressus Internationalis Catholicus 1961* (AnBibl. 17–18), Rome, 1963, pp. 481–90
Gross J. *La divinisation du chrétien d'après les Pères grecs.* Contribution historique à la doctrine de la grâce (Univ. de Strasbourg. Fac. de théol. cathol. – Thèse), Paris, 1938
Grundmann W. Art. »δύναμις κτλ.«, *ThWbNT* II, 286–318

Günthör A. *Die 7 Pseudoathanasianischen Dialoge.* Ein Werk Didymus' des Blinden von Alexandrien (Studia Anselmiana XI), Rome, 1941

Hanson R. P. C. »Basile et la doctrine de la Tradition en relation avec le Saint-Esprit«, *Verbum Caro* 88 (1968), 56–71

Harl M. *Ecriture et culture philosophique dans la pensée de Grégoire de Nysse.* Actes du Colloque de Chevetogne (22–26 septembre 1969), éd. par M. Harl, Leiden, 1971

von Harnack A. »Theophilus von Antiochien und das Neue Testament«, *ZKG* 11 (1890), 1–21

– *Die Überlieferung der griechischen Apologeten des zweiten Jahrhunderts in der alten Kirche und im Mittelalter* (TU I/1–2), Leipzig, 1882

Hauschild W. D. »Der Ertrag der neueren auslegungsgeschichtlichen Forschung für die Patristik«, *VF* 16 (1971), 5–25

Héring J. *La première Epître de saint Paul aux Corinthiens* (CNT VII), 2n éd., Neuchâtel–Paris, 1959

Hitchcock F. R. M. »Loof's Asiatic Source (IQA) and the Ps-Justin De Resurrectione«, *ZNW* 36 (1937), 35–60

Hoffmann P. *Die Toten in Christus.* Eine religionsgeschichtliche und exegetische Untersuchung zur paulinischen Eschatologie (NTA NF 2), Münster, 1966

Hoffmann-Aleith E. »Das Paulusverständnis des Johannes Chrysostomus«, *ZNW* 38 (1939), 181–88

Hornus J. M. »La divinité du Saint-Esprit comme condition du salut personnel selon Basile«, *Verbum Caro* 89 (1969), 33–62

Houssiau A. *La christologie de saint Irénée,* Louvain, 1955

Hubaux J. et Leroy M. *Le Mythe du Phénix dans les littératures grecque et latine* (Bibl. de la Faculté de Philosophie et Lettres de l'Université de Liège 82), Liège–Paris, 1939

Hurd J. C. jr. *The Origin of 1 Corinthians,* London, 1965

Jeremias J. Art. »'Αδάμ«, *ThWbNT* I, 141–43

– »Chiasmus in den Paulusbriefen«, *ZNW* 49 (1958), 145–56 (= *Abba.* Studien zur neutestamentlichen Theologie und Zeitgeschichte, Göttingen, 1966, pp. 276–90)

Jervell J. *Imago Dei.* Gen. 1, 26 f. im Spätjudentum, in der Gnosis und in den paulinischen Briefen (FRLANT NF 58), Göttingen, 1960

Journet Ch. »Saint Augustin et l'exégèse traditionnelle du ›corpus spirituale‹«, in: *Augustinus Magister.* Congrès international augustinien, Paris, 21–24 septembre 1954 (Etudes augustiniennes), 2 vol., Paris, 1955, II pp. 879–90

Käsemann E. *Leib und Leib Christi.* Eine Untersuchung zur paulinischen Begrifflichkeit (BHTh 9), Tübingen, 1933

Kelly J. N. D. *Early Christian Doctrines,* London, 1958

Kettler F. H. *Der ursprüngliche Sinn der Dogmatik des Origenes* (BZNW 31), Berlin, 1965

Klostermann E. *Das Matthäusevangelium* (Hdb.z.NT 4), 2. Aufl., Tübingen, 1927

Knopf R. *Die Lehre der zwölf Apostel. Die zwei Clemensbriefe* (Hdb.z.NT Erg. I), Tübingen, 1920

Knox W. L. »Origen's Conception of the Resurrection Body«, *JThS* XXXIX (1938), 247–48

Kraft H. *Clavis Patrum Apostolicorum.* Konkordanz zu den Schriften der Apostolischen Väter, München, 1963

Kümmel W. G. *Das Bild des Menschen im Neuen Testament* (AThANT 13), Zürich, 1948

Kutter H. *Clemens Alexandrinus und das Neue Testament.* Eine Untersuchung, Gießen, 1897

Lampe, G. W. H. »Die neutestamentliche Lehre von der Ktisis«, *KuD* 11 (1965), 21–32

Langevin G. »Le thème de l'incorruptibilité dans le Commentaire de saint Cyrille d'Alexandrie sur l'Evangile selon saint Jean«, *Sciences ecclésiastiques* 8 (1956), 295–316

Lehmann J. *Die Auferstehungslehre des Athenagoras* (Diss.), Leipzig, 1890

Leys R. *L'image de Dieu chez saint Grégoire de Nysse.* Esquisse d'une doctrine (Museum Lessianum. Section théologique 49), Paris, 1951

Lietzmann H. *An die Korinther I/II* (Hdb.z.NT 9), 4. Aufl. von W. G. Kümmel, Tübingen, 1949

Lohse E. *Die Briefe an die Kolosser und an Philemon* (Meyer IX,2), 14. Aufl., Göttingen, 1968

Lys D. *Nèphèsh.* Histoire de l'âme dans la révélation d'Israël au sein des religions Proches-Orientales (EHPhR 50), Paris, 1959

du Manoir de Juaye H. *Dogme et spiritualité chez saint Cyrille d'Alexandrie* (Etudes de théologie et d'histoire de la spiritualité II), Paris, 1944

Masson Ch. *Les deux Epîtres de saint Paul aux Thessaloniciens* (CNT XIa), Neuchâtel–Paris, 1957

Mees, M. *Die Zitate aus dem Neuen Testament bei Clemens von Alexandrien* (Quaderni di ›Vetera Christianorum‹ 2), Bari, 1970

Méhat A. *Etude sur les ›Stromates‹ de Clément d'Alexandrie* (Patristica Sorbonensia 7), Paris, 1966

Menoud Ph.-H. »La signification chrétienne de la mort« et »La victoire chrétienne sur la mort«, in: *L'homme face à la mort,* Neuchâtel–Paris, 1952, pp. 155–169 et 171–186 (reproduits dans le recueil d'articles publiés à la mémoire du prof. Menoud sous le titre *Jésus-Christ et la Foi.* Recherches néotestamentaires, Neuchâtel–Paris, 1975, pp. 314–336

– *Le sort des trépassés,* 2e éd., Neuchâtel–Paris, 1966

– »Le sens du verbe ΠΟΡΤΕΙΝ (Gal. 1, 13. 23 Act. 9, 21)«, in: *Apophoreta.* Festschrift für E. Haenchen zu seinem 70. Geburtstag (BZNW 30), Berlin, 1964, pp. 178–86 (= *Jésus-Christ et la Foi.* Recherches néotestamentaires, Neuchâtel-Paris, 1975, pp. 40–47)

Merlin N. *Saint Augustin et les dogmes du péché originel et de la grâce,* Paris, 1931

Michaud E. »La sotériologie de saint Jean Chrysostome«, *RITh* 18 (1910), 35–49

Mondésert C. *Clément d'Alexandrie.* Introduction à l'étude de sa pensée religieuse à partir de l'Ecriture (Théologie 4), Paris, 1944

Morin G. »L'Ambrosiaster et le juif converti Isaac«, *RHLR* 4 (1899), 97–121

– »Hilarius l'Ambrosiaster«, *RBén* 20 (1903), 113–131 (cf encore *RBén* 31 [1914], 1–34 et *RBén* 45 [1928], 251–55)

Morisette R. »La condition de ressuscité. 1 Cor. 15, 35–49: structure littéraire de la péricope«, *Biblica* 53 (1972), 208–28

– »L'antithèse entre le ›psychique‹ et le ›pneumatique‹ en 1 Cor. 15, 44–46, *RevSR* 46 (1972), 97–143

Mossay J. *La mort et l'au-delà dans saint Grégoire de Naziance* (Université de Louvain. Recueil de travaux d'histoire et de philologie 4e série fasc. 34), Louvain, 1966

– »Perspectives eschatologiques de saint Grégoire de Naziance«, *Les Questions Liturgiques et Paroissiales* 45 (1964), 320–33

Moule C. F. D. *The Epistles to the Colossians and to Philemon* (CGTC), Cambridge, 1957
Mühlenberg E. *Apollinaris von Laodicea* (FKDG 23), Göttingen, 1969
Munck J. *Untersuchungen über Klemens von Alexandria* (FKGG 2), Stuttgart, 1933
O'Hagan A. P. *Material Re-creation in the Apostolic Fathers* (TU 100), Berlin, 1968
Plagnieux J. *Saint Grégoire de Naziance Théologien* (EScR 7), Paris, 1952
de Plincal G. *Pélage, ses écrits et sa réforme.* Etude d'histoire littéraire et religieuse, Lausanne, 1943
– »Points de vue récents sur la théologie de Pélage«, *RechSR* 46 (1958), 227–36
Pontet M. *L'exégèse de saint Augustin prédicateur* (Théologie), Paris, s. d.
Portmann F. X. *Die göttliche Paidagogia bei Gregor von Nazianz* (KQSt 3), St-Ottilien, 1954
Prigent P. *Les Testimonia dans le christianisme primitif. L'Epître de Barnabé I–XVI et ses sources* (Et.bibl.), Paris, 1961
– *Justin et l'Ancien Testament.* L'argumentation scripturaire du Traité de Justin contre toutes les hérésies comme source principale du Dialogue avec Tryphon et de la Première Apologie (Et.bibl.), Paris, 1964
Pruche B. »L'originalité du Traité de saint Basile sur le Saint-Esprit«, *RSPhTh* 32 (1948), 207–21
Puech A. *Recherches sur le Discours aux Grecs de Tatien,* suivies d'une traduction française du Discours avec notes (Univ. de Paris. Bibl. de la Faculté des Lettres 17), Paris, 1903
Quasten J. *Initiation aux Pères de l'Eglise,* trad. de l'anglais par J. Laporte, 3 vol., Paris 1955–63
Quell G. Art. »σπέρμα κτλ.«, *ThWbNT* VII, 537–47
Quensell K. *Die wahre kirchliche Stellung und Tätigkeit des fälschlich so genannten Bischofs Methodius von Olympus* (Diss.), Heidelberg, 1953 (cf *ThLZ* 79 [1954], 175–76)
Quispel G. *De bronnen van Tertullianus' Adversus Marcionem,* Leiden, 1943
– »Ad Tertulliani Adversus Marcionem librum observatio«, *VigChr* 1 (1947), 42
– »The Original Doctrine of Valentine«, *VigChr* 1 (1947), 43–73
von Rad G. Art. »δόξα κτλ.«, *ThWbNT* II, 235–58
Reynders B. *Lexique comparé du texte grec et des versions latine, arménienne et syriaque de l'›Adversus Haereses‹ de saint Irénée,* 2 vol., Louvain, 1954
Riesenfeld H. »Das Bildwort vom Weizenkorn bei Paulus (zu I. Cor. 15)«, in: *Studien zum Neuen Testament und zur Patristik.* E. Klostermann zum 90. Geburtstag dargebracht (TU 77), Berlin, 1961, pp. 43–55
Rigaux B. *Saint Paul. Les Epîtres aux Thessaloniciens* (Et.bibl.), Paris, 1956
Rivière J. »Hétérodoxie des Pélagiens en fait de rédemption?«, *RHE* 41 (1946), 5–43
Robertson A. – Plummer A. *A critical and exegetical Commentary on the First Epistle of St Paul to the Corinthians* (ICC), 2e éd., Edinburgh, 1914
Robinson J. A. T. *The Body.* A Study in Pauline Theology, London, 1952 (trad. française de P. de Saint-Seine: *Le corps.* Etude sur la théologie de saint Paul, Paris, 1966)
Rohde E. *Psychè.* Le culte de l'âme chez les Grecs et leur croyance à l'immortalité, éd. française par Aug. Reymond (Bibl. scientifique), Paris, 1928
Roldanus J. *Le Christ et l'homme dans la théologie d'Athanase d'Alexandrie.* Etude de la conjonction de sa conception de l'homme avec sa christologie (Studies in the History of Christian Thought 4), Leiden, 1968

Rüther Th. *Die Lehre von der Erbsünde bei Clemens von Alexandrien* (FThSt 28), Freiburg, 1922

Sagnard F. M. *La gnose valentinienne*, Paris, 1947

Sanday W. – Turner C. H. *Novum Testamentum S. Irenaei Episcopi Lugdunensis*, Oxford, 1923

Sanders L. *L'hellénisme de saint Clément de Rome et le paulinisme* (StH 2), Louvain, 1943

Schlier H. *Der Brief an die Galater* (Meyer VII), 13. Aufl., Göttingen, 1965 (cf Schulz S. *KuD* 5 [1959], 23–41)

Schmithals W. *Die Gnosis in Korinth.* Eine Untersuchung zu den Korintherbriefen (FRLANT NF 48), 2. Aufl., Göttingen, 1965

Schneemelcher W. »Paulus in der griechischen Kirche des zweiten Jahrhunderts«, *ZGK* 75 (1964), 1–20

Schwantes H. *Schöpfung der Endzeit.* Ein Beitrag zum Verständnis der Auferweckung bei Paulus (AVThRw 25), Berlin, 1963

Schweizer E. Art. »σάρξ κτλ.«, *ThWbNT* VII, 98–151

– Art. »σῶμα κτλ.«, *ThWbNT* VII, 1024–1091

– Art. »πνεῦμα κτλ.«, *ThWbNT* VI, 330–453

Scroggs R. *The Last Adam.* A Study in Pauline Anthropology, Oxford, 1966

Sickenberger J. *Fragmente der Homelien des Cyrill von Alexandrien zum Lukas-Evangelium* (TU 34/1), Leipzig, 1909

Sider R. J. »The Pauline Conception of the Resurrection Body in I Corinthians XV. 35–54;, *NTSt* 21 (1974/75), 428–439

von Soden H. »Sakrament und Ethik bei Paulus. Zur Frage der literarischen und theologischen Einheitlichkeit von 1. Kor. 8–10«, in: *Rudolf-Otto Festgruß* (Marburger Theologische Studien 1), Gotha, 1931, pp. 1–40 (= *Urchristentum und Geschichte.* Gesammelte Aufsätze und Vorträge I: Grundsätzliches und Neutestamentliches, Tübingen, 1951, pp. 239–75) – réimpr. dans: *Das Paulusbild in der neueren deutschen Forschung*, Darmstadt, 1964, pp. 338–79

Souter A. »The Commentary of Pelagius on the Epistles of Paul: The Problem of its Restoration«, *Proceedings of the British Academy II* (1910–11), 409–39

– »The caracter and history of Pelagius' Commentary on the Epistles of St. Paul«, *Proceedings of the British Academy* VII (1915–16), 261–96

– *A Study of Ambrosiaster* (TSt VII/4), Cambridge, 1905

Staats R. *Gregor von Nyssa und die Messalianer.* Die Frage der Priorität zweier altkirchlicher Schriften (PTS 8), Berlin, 1968

Stanley D. M. *Christ's Resurrection in Pauline Soteriology* (AnBibl.), Rome, 1961

Starck J. »L'Eglise de Pâques sur la Croix. La foi à la résurrection de Jésus-Christ d'après les écrits des Pères Apostoliques«, *NRTh* 75 (1953), 337–64

Stiglmayr J. »Makarius der Große und Gregor von Nyssa«, *ThGl* 2 (1910), 571

Stuiber A. *Refrigerium Interim.* Die Vorstellungen vom Zwischenzustand und die frühchristliche Grabeskunst (Theophaneia 11), Bonn, 1957

Torrance T. F. »Spiritus Creator«, *Verbum Caro* 89 (1969), 63–85

Traub H. Art. »οὐρανός κτλ.«, *ThWbNT* V, 496–543

Trummer P. *Anastasis.* Beitrag zur Auslegung und Auslegungsgeschichte von I Kor. 15 in der griechischen Kirche bis Theodoret (Diss. der Universität Graz), Wien, 1970

Turner C. H. »Notes on the Text of Origen's Commentary on I Corinthians«, *JThS* X (1908/09), 270–76

Vanneste A. »Saint Paul et la doctrine augustinienne du péché originel«, in: *Studiorum Paulinorum Congressus Internationalis Catholicus 1961* (AnBibl 17–18), Rome, 1963, pp. 513–22

Villecourt L. »Homélies spirituelles de Macaire en arabe sous le nom de Siméon Sylite«, *ROC* 21 (1918/19), 337–44
– »La date et l'origine des ›homélies spirituelles‹ attribuées à Macaire«, in: *Comptes rendus de l'Académie d'Inscriptions et de Belles-Lettres* (1920), 250–58
Vogels H. J. *Untersuchungen zum Text paulinischer Briefe bei Rufin und Ambrosiaster* (BBB 9), Bonn, 1955
de Vries W. »Das eschatologische Heil bei Theodor von Mopsuestia«, *OrChrP* 24 (1958), 309–38
Wagner, G. *Das religionsgeschichtliche Problem von Römer 6, 1–11* (AThANT 39), Zürich, 1962
Wedderburn J. M. »Philo's ›Heavenly Man‹«, *NovTest* 15 (1973), 301–26
Weiss J. *Der erste Korintherbrief* (Meyer V), 9. Aufl., Göttingen, 1910 (Neudruck 1970)
Wendland H. D. *Die Briefe an die Korinther* (NTD 7), 10. Aufl., Göttingen, 1964
Wendland P. *Die hellenistisch-römische Kultur in ihrer Beziehung zu Judentum und Christentum. Die urchristlichen Literaturformen* (Hdb.z.NT), 2–3. Aufl., Tübingen, 1912
Werner J. *Der Paulinismus des Irenaeus* (TU VI/2), Leipzig, 1889
Wickert U. *Studien zu den Pauluskommentaren Theodors von Mopsuestia.* Ein Beitrag zum Verständnis der antiochenischen Theologie (BZNW 27), Berlin, 1962 (cf *ThLZ* 83 [1958], 728–30)
Wilcke H. A. *Das Problem eines messianischen Zwischenreichs bei Paulus* (AThANT 51), Zürich, 1967 (*ThLZ* 91 [1966], 936–37)
Wiles M. F. *The Divine Apostle.* The Interpretation of St Paul's Epistles in the Early Church, Cambridge, 1967
Wilken R. L. »Exegesis and the History of Theology: Reflections on the Adam-Christ Typology in Cyril of Alexandria«, *ChH* 25 (1966), 139–56
– *Judaism and the Early Christian Mind.* A Study of Cyril of Alexandria's Exegesis and Theology (YPR 15), New Haven and London, 1971
Windisch H. *Der Barnabasbrief* (Hdb.z.NT Erg. III), Tübingen, 1920
– *Die katholischen Briefe* (Hdb.z.NT 15), 3. Aufl., von H. Preisker, Tübingen, 1951
Zahn Th. »Studien zu Justinus Martyr«, *ZGK* 8 (1886), 1–84
Zeegers-Van der Vorst N. »Les citations poétiques chez Théophile d'Antioche. Contrastes entre la culture classique de Théophile et celle des apologistes grecs du second siècle«, in: *Studia Patristica* X (TU 107), Berlin, 1970, pp. 168–74
Zellinger J. *Die Genesishomilien des Bischofs Severian von Gabala* (ATA VII/1), Münster, 1916

TABLES

1. Ancien Testament

2. *Nouveau Testament*

3. Apocryphes et Pseudépigraphes

4. Qumran

5. Philon d'Alexandrie

6. Littérature rabbinique

7. Littérature gnostique

8. Auteurs grecs et latins

9. Littérature patristique

10. Auteurs modernes

Beiträge zur Geschichte der biblischen Exegese

Herausgegeben von
OSCAR CULLMANN, Basel/Paris – NILS A. DAHL, New Haven – ERNST KÄSEMANN, Tübingen – HANS-JOACHIM KRAUS, Göttingen – HEIKO A. OBERMAN, Tübingen – HARALD RIESENFELD, Uppsala – KARL HERMANN SCHELKLE, Tübingen

19
Bruce Demarest
A History of Interpretation of Hebrews 7, 1–10 from the Reformation to the Present
1976. VIII, 146 Seiten. Kart. DM 32.–

17
Ward Gasque
A History of the Criticism of the Acts of the Apostles
1975. X, 324 Seiten. Ln. DM 56.–

16
Friedrich Gustav Lang
2. Korinther 5, 1–10 in der neueren Forschung
1973. VII, 207 Seiten. Ln. DM 39.–

15
Rowan A. Greer
The Captain of our Salvation
A Study in the Patristic Exegesis of Hebrews.
1973. VIII, 371 Seiten. Kart. DM 49.–, Ln. DM 58.–

14
Daniel Alain Bertrand
Le Baptême de Jésus
Histoire de l'Exégèse aux deux premiers Siècles.
1973. XII, 161 Seiten. Ln. DM 31.–

J. C. B. MOHR (PAUL SIEBECK) TÜBINGEN